KB090334

안전 심리학

갈원모, 이우언, 권윤아 共著

머리말 ………

우리나라는 경제개발과 더불어 외견상으로 국민소득이 2만불에 도달하고 OECD에 가입하여 선진국 대열에는 합류한 것으로 보여진다. 그러나 사회적 역기능으로 1년 동안 산재로 발생되는 사망자는 연간 2,000명을 넘고 있으며, 산재로 인한 직·간접적인 손실 총액은 18조원에 달하고 있어 인적·물적인 측면에서 국가, 기업, 개인 모두의 불행이 아니라 할 수 없다.

산업재해를 감소시키고 삶의 질을 향상시키기 위해 정부는 산업현장에서 발생하는 사고를 최대한 감소시켜 근로자들이 건강하고 명랑한 사업장 분위기를 조성하는데 힘쓰는 고용노동부 정책을 추진하고 있고 안전보건공단을 중심으로 한 재해예방 지도활동으로 재해율을 0.6대까지 떨어뜨리는 데에는 성공하였으나, 매년 사업장의 산업재해자 수는 더 이상 줄어들지 않고 근래에는 오히려 증가하는 양상을 보이고 있어 문제가 심각해지고 있다. 그렇기 때문에 안전관리 대책이 시설과 환경개선에 의한 하드웨어적인 접근도 중요하지만 인간측면의 소프트웨어적인 접근이 더욱 중요한 실정이다.

이러한 측면에서 재해예방을 위한 안전관리활동의 핵심은 작업자 인적 측면에 대한 폭넓은 이해와 접근방식을 추구하는 즉, 기계설비는 하드웨어로서의 기능 외에 그것을 운전·조작하고 활용하기 위한 지적인 기능으로서 소프트웨어가 더욱 중시되는 시대상황의 변화를 반영해야 한다. 인간 자체에 있어서도 그 정신적인 활동은 뇌(腦)라는 하드웨어와 지식·기술·경험 등의 소프트웨어의 양쪽이 어울려야 비로소 기능을 발휘할 수 있다고 생각한다. 재해방지를 위한 안전관리의 촛점을 인간에 집중시켜야 한다는 사실은 산업재해 통계를 살펴볼 때 물적 원인보다 인적원인이 6~7배나 많이 발생되고 있으며 대부분의 산업재해는 인간의 불안전행동에 의한 것이 전체의 80~90%에 이르고 있다는 현실입니다.

산업재해의 많은 부분을 차지하는 인간실수의 특성을 충분히 이해하고, 바르게 관리하여 인간의 행동을 적절한 것으로 바꾼다면 근로자 작업안전은 확보할 수 있습니다. 또한 작업자들은 자신의 결점을 충분히 인식하고 안전한 행동에 집중시키는 적극성이 필요한 상황이라 할 수 있다. 결국은 직장 안전분위기를 조성하기 위한 동기부여를 하는 방안이 재해예방 활동의 주안점이 되어야 할 것입니다.

지금까지 산업안전관리를 소프트웨어적인 투자로 간주하여 더욱 심도 있게 연구 발전시켜야 했었으나 현실은 그러하지 못했습니다. 대학이나 전문기관에서 발행되는 안전관리 책자 또한 사정은 마찬가지였습니다. 심리적인 안전관리 접근 방안에 대해서 중요하다고는 모두가 공감하고 있었으나 「안전심리학」이라는 책 한권 출간되지 못하고 국내 산업안전의 역사는 30년 넘게 흘러왔습니다.

막상 본 교재를 출간하기 위해 착수는 하였으나 어려움은 너무 많았습니다. 산업안전관리와 심리학이라는 학문을 연계하는 어려움이 그것입니다. 그래서 장기간 시간만 낭비하다가 겨우 원고가 준비되었으나 미흡한 점이 많아서 앞으로 계속 수정과 보완 등을 거듭하면서 내용의 충실성을 도모해 갈 것을 약속드립니다.

이 책의 공저에 참여하여 수고해 주신 교수님들과 물심양면으로 도와주신 노드미디어께 감사의 말씀을 드립니다.

2012년 8월

차 례

제1부 안전심리의 이해

제1장 직무수행과 인간 / 15

제2장 인간과 생산시스템 / 27

제3장 직장에서의 인간행동 / 33

제2부 인간의 행동특성과 안전심리

제1장 인간의 특성과 결함 / 51

제4장 인간의 생리학적 특성 / 159

제3부 조직내의 인간행동과 안전심리

제1장 동기부여 / 227

제2장 리더십 / 277

제4부 산업현장의 안전심리

제1장 안전의 활성화 / 307

제1부

안전심리의 이해

제1장
직무수행과 인간

사람은 직장에서 정상적인 조직의 일원으로서 일하는 과정에 끊임없이 보고 듣는 문제 그리고 단순히 우연한 이유에서 발생한다고 생각되는 소외감, 무관심, 적대관계 등에 매번 노출되어 있다. 그런데 작업은 오로지 작업일 뿐이라고 결론을 내리고 작업 이외의 것을 통해 만족을 추구하는 사람들은 작업의 성과(Performance) 달성에 대한 동기(Motive)가 결여되어 있다.

Harvard대학의 William James는 동기부여가 낮은 종업원의 성과는 실제의 능력의 50~70% 정도 밖에 되지 못한다는 사실을 발견하였다.

기업의 성과는 자본 투자와 기술개선만으로는 부족하다. Harvard대학의 교수이며 미국 생산성 분야에 관한 권위자인 William J. Abernathy는 「산업의 활성화는 투자와 그다지 큰 관계가 있다고 생각하지 않는다. 관계가 있는 것은 인간이다」고 말한다. 다시 말해서, 산업에서 필요한 것은 인적자원의 개발(Human Resource Development)과 응용 행동과학에 대한 투자를 늘려서 직무에 대한 긍지를 회복시키는 것이 중요하다.

제1절 / 산업심리학의 개념

「사람이 있는 곳에는 반드시 심리학이 있다」고 할 수 있을 정도로 심리학이 미치는 범위는 넓으며, 따라서 심리학과 관련된 학문도 매우 다양하다. 그림1-1은 심리학의 범위와 관련 학문을 분류한 사례를 제시하고 있으며 연구 영역에 따라 실험심리학, 생리심리학, 수리심리학 등으로 분류하고 있다.

	병 리 학	생리해부학	생 물 학	
철 학	이상심리학	지각심리학	발달심리학	교 육 학
		성격심리학	교육심리학	
윤 리 학	임상심리학	사회심리학	산업심리학	관련과학
	사회병리학	사회학		
		문화인류학		

그림1-1 심리학의 범위

산업심리학은 그림1-1의 우측 하단에 자리하고 있으며 심리학의 대표적인 응용분야에 속한다. 산업심리학은 간단히 "심리학적 사실, 원리, 그리고 이론 등을 일하는 사람에게 적용하고자 하는 학문"으로 정의되며, 최근에 와서는 조직심리학 분야를 포함하여 산업 및 조직심리학으로 더 많이 명칭 되고 있다. 산업심리학의 특징 중의 하나는 그 분야가 너무 광범위하다는 것이다. 즉, 광범위한 인간의 산업 활동을 다루며, 또 인간생활에 불가결한 생산・판매-서비스 등에 관련된 분야를 다루고 있다.

산업심리학의 목적은 다른 응용과학과 똑같이 인간생활을 편리하고 쾌적하게 하여 풍요롭고 행복한 인간사회를 구축하려는데 있다. 그러므로 산업심리학은 산업 활동에 종사하는 생산자 혹은 소비자의 두 가지 입장에 처한 모두에게 그들이 당면한 문제를 이해하고 효과적으로 문제에 대처하도록 도움을 주고자 하는 목적을 지닌다.

제2절 / 직무에 대한 공지의 개발

현대는 인적 자원에 대해 행동과학적 접근을 응용하고 있으며 그 이전의 역사를 살펴보면

1) 과학적 관리법, 2) 인간관계 관리법, 3) 참여에 의한 관리의 3단계로 나누어진다. 그림1-2는 이러한 역사를 요약한 것이며 이들 내용을 개략적으로 살펴보도록 한다.

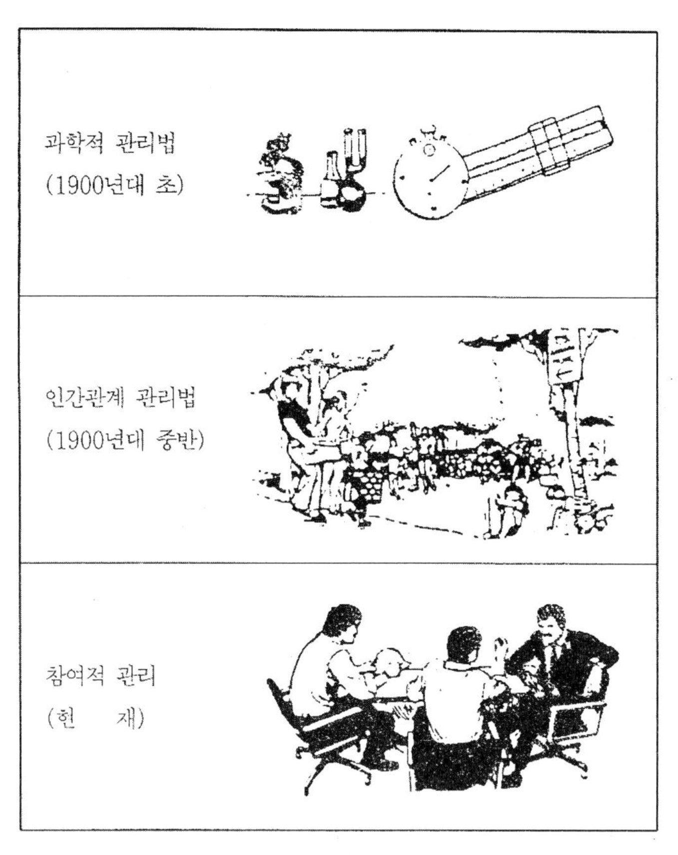

그림1-2 관리자의 동기부여단계

1. 과학적 관리법(제1단계)

1900년대 초에 가장 강력한 영향을 미쳤던 과학적 관리법의 창시자의 한 사람인 Fredrick Winslow Taylor는 공장 문제의 해결에 과학적인 수단을 이용했다. 그는 당시 이용되고 있었던 현장의 주먹구구식의 관리방법을 대체할 수 있도록 일련의 질서가 확립된 원리를 창시하였다. 1903년 미국 기계기사협회의 강연에서 그는 다음과 같이 말했다.

가장 뛰어난 인간 또는 평범한 인간이 특정한 일을 1일에 어느 만큼 처리할 수 있는가 하는 것에 대해서, 체계적이며 과학적인 시간연구를 통해서 정확한 정보를 입수하는 것이 가능하며, 또 비교적 용이

하다. 이 정보를 근거로 하면, 모든 종류의 작업자는 하고 싶은 기분이 형성될 뿐만 아니라, 일체의 게으름을 피울 마음을 스스로 버리게 되며, 또 적절하게 언제나 보수가 얻어진다는 것을 알고 있어서, 이용할 수 있는 모든 역량을 작업에 최대한 발휘하여 목표달성에 노력하게 되는 것이다.

시간연구(Time Study)는 강력한 관리수단이 되었으며, 최대 작업목표 달성이 주요한 목표가 되었다. 동기부여의 배후에는, 근로자는 「게으름」을 피우거나 일을 하는척하는 태도로 일관한다는 의식이 경영자들의 지배적 신념이었다. 1911년에 Taylor가 발언한 바와 같이 「일반적으로 거의 모든 작업자가 매일 작업을 되도록 적게 하는 것을 의무로 이해하고 있다」는 것이었다.

과학적인 경영관리로서 stop watch나 그 외의 측정도구를 사용하거나 하는 방법은, 효율, 대량생산의 기술, 작업의 전문화에 큰 진전을 초래하였다. 그렇지만 한편에서, 그것은 세습적인 신분제도의 조직계층을 고정화시켰으며, 작업을 따분하고, 기계적이며 비인간적인 것으로 만들어 버렸다. 관리자에 있어서 일반적인 동기부여란, 작업을 돈과 노동의 비인간적인 교환이라고 간주하게 되었다. 즉, 1개의 작업을 1개의 임금으로 가치를 평가하는 시대였던 것이다.

2. 인간관계 관리법(제2단계)

시카고의 Western Electric Company의 Hawthorne 공장에서 Elton Mayo 등이 실시한 연구가 인간관계 관리법의 바탕이 되었다. 일반적으로 「Hawthorne 연구」로서 널리 알려져 있다. 연구자는 최초의 연구에서, 생산성과 물리적인 작업조건과의 관계를 알아보고자 하였다. 그러나 결론은 생산성에 대한 영향은 작업의 기술적, 물리적인 측면보다도, 작업환경 하의 인간적인 요소의 영향이 지배적이었다.

중요한 것은, 사기가 높은 노동력을 만들어 내는 것이다. 「인간관계」에 대해서 훈련을 받은 관리자는, 구성원에 대해 「우호적」으로 접촉하고, 그들의 이름을 부르고, 「하나의 행복한 대가족」의 일원으로써 만족감을 주도록 노력하는 것을 배웠다. 조직을 민주화하는 노력은, 회사가 주최하는 레크레이션 활동과 같은 것에, 급여 외의 금전적인 지원의 중요성을 일층 강조하는 것에서 그 활로를 찾아내었다.

3. 참여적 관리/Leadership(제3단계)

행동과학자들은 종업원의 요구와 조직의 요구를 통일시킴으로써 사람들을 동기를 부여시키고자 하는 과제에 많은 시간과 노력을 투자하였다. 이러한 연구에 특히 공헌한 사람들은 다음과 같다.

- Douglas McGregor : X이론과 Y이론
- Abraham Maslow : 욕구 위계설
- Frederick Herzberg : 2요인 이론
- Robert Blake과 Jane Mouton : 관리 격자(Managerial Grid)
- Rensis Likert: 관리시스템 이론(리더십 유형이론)

작업에 대한 긍지의 계발을 위한 이들의 수단에 대해서는 연구를 통해 많은 것이 알려져 있다. 이들의 수단은 원래부터 완벽한 해답은 없었지만, 관리자가 동기를 부여하는 수단으로서는, 우리들이 알고 있는 최고의 것이다. 다른 2가지 단계(「과학적인 경영관리」와 「인간관계 관리」)가 발전하고 성장해서 수십 년에 걸쳐서 지배적인 지위에 있었지만, 금후는 「참여적 관리」가 장기간에 걸쳐서 Leadership의 유형에 영향을 주게 될 것이다.

관리법의 변천은 공포에 의한 관리(과학적 관리법)에서 출발하여, 만족을 위한 관리(인간관계 관리법)를 경험하고, 동기부여에 의한 관리(참여적 관리법)에 도달하였다고 할 수 있다.

인간은 심리적인 자극이 주어지지 않으면 성과의 저하나 위험에 직면하게 된다. 다음으로 인간의 위험발전의 경로에 관해서 다루어 보기로 하자.

제3절 / 위험발전 경로의 연쇄반응

일찍이 Heinrich는 위험발전 경로의 연쇄반응을 다음과 같이 제시하고 있다.

인간 행동의 자유성으로 인해, 인간은 때때로 의식을 하건 하지 않건 간에 불안전하게 행동할 가능성이 있다. 이러한 사실이 사고를 일으키게 하는 원인의 중심이 되고 있다. 즉, 사람이 행동을 전개하는 과정에서 직면하는 몇 가지 선택의 갈림길에서 왼쪽으로 할 것인가, 오른쪽으로 하는 가에 따른 문제, 또는 경험이나 추리 · 판단들에 따르지 않고, 그저 느낌에 의존한 판단에 근거한 행동이 진행되는 도중에도 양자 중 택일하는 문제에 직면하게 된다. 그 선택은 양자 어느 것이라도 달성할 확률이 같은 경우도 있으며, 과거의 경험에 의해 축적된 자료에 따라 갑자기 한쪽으로 치우쳐서 판단하는 경우도 있으며, 그것이 필연적이 아닌 이상, 억지로 모험을 선택하는 경우도 있을 것이며, 또한 제3자의 충고를 거부하면서 자기가 판단한 길을 선택하는 경우도 있을 것이다.

일반적으로 불규칙한 과정상의 어떤 시점(時點)에서 일어난 사실과 현상의 확률이 그 직전의 m개의 시점에서 일어난 사실과 현상 만에 영향을 받았을 때, 이 불규칙한 과정을 m중 Markov (마코브 : 마코브 연쇄)과정이라고 하며, m=1일 때를 단순 마코브 과정이라고 한다. 위험 중에 있는 인간행동도 선택하면서 진행하고 있는 상태가 이 마르코프 과정과 원리상 매우 흡사하다.

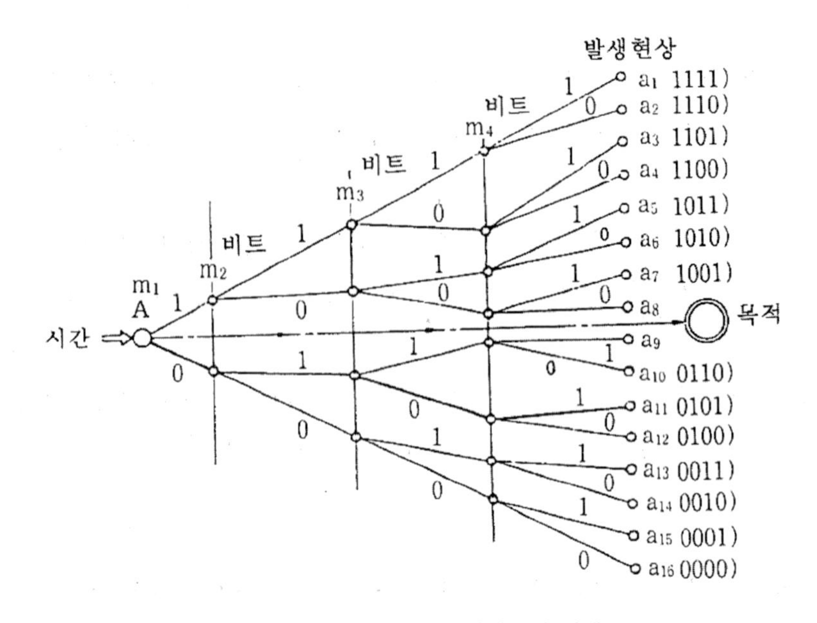

그림1-3 마코브 과정과 재해발생의 기제

지금 **그림1-3**에서 행동하는 기점으로부터 선택에 따라 목적하는 방향으로 향해서 행동하여 사고의 현상인 결과 a1, …, a16의 현상이 일어날 수 있는 확률이 동일할 때, a16이 기본 원인에 의해 구성되었다고 하면, 그림과 같은 m1에서 m4까지의 bit(비트 : 정보전달의 최소 단위) 중에서 근원으로 부터 판단하는 갈림길을 굵은 선과 같이 찾아가면 그 기본 원인을 이해할 수 있다. 또한 bit의 수가 많은 갈림길에 있어서 많은 인자(因子)에 영향을 받기 때문에, 추구하는 결과를 근원으로부터 이해하기 위한 확률은 낮아진다. 즉, 현재 주행하는 과정에서 몇 개의 갈림길에 직면하면서 판단하는데 따라 왼쪽으로, 오른쪽으로, 빠르게, 느리게 진행할 때, 전체 시스템의 외부로 부터 갑자기 간섭을 받아 접촉하는 현상이 발생하는 경우도 있으며, 그 사고 현상을 재현하기 위해 마르코프 과정에 의해 기점(起點)으로 부터 거기에 도달하기까지의 판단되는 기점, Check 기점이 많을수록 제어할 수 없는 우연성이 개입할 여지가 많다. 또 bit수가 많을수록, 그것이 미묘한 것일수록 그 결과에 대한 재현이 일어날 확률은 낮아진다.

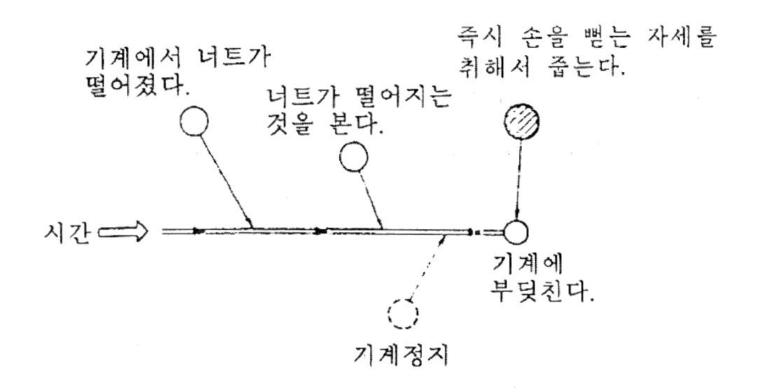

그림1-4 재해발생에 대한 시간적인 Mechanism

예를 들면, 기계에 부착되어 있는 너트가 진동에 의해 헐거워져서 밑으로 떨어 졌다. 이것을 발견한 작업자가 「큰일 났다」고 즉시 자세를 구부리고 손을 뻗어서 너트를 꺼내려고 하다가 기계의 회전하는 부위에 접촉해서 상해를 입었다. 그것은 **그림 1-4**와 같이 목격한 사실로 부터 연쇄적으로 판단해서 행동하는 과정에서 위험한 부위에 접촉된 것이다. 그러나 그 과정에서 만약 손을 뻗어서 너트를 제거하려고 하는 bit보다 먼저 「기계를 정지 시킨다」는 bit가 있었다면 이 사고는 일어나지 않았을 것이다. 그러나 인간은 평소 축적된 경험에 의해 「올바른 상태가 무너졌을 때 즉시 이것을 원래의 상태로 해야 한다」고 하는 상식이 있기 때문에, 인공적인 환경에서도 똑같이 즉시 너트를 제거하려고 하는 행동을 하였기 때문에 사고가 일어난 것이다. 그러므로 실제 발생되고 있는 상해나 사고는 대단히 많다.

생산 활동을 하는 장소는 인공적인 환경이며, 이와 같이 평소 올바른 조건 반사적인 행동도 문제를 야기 시키는 경우가 많다. 이는 생산 환경에서 여러 가지 기계설비・장치는 자연 환경과 차이가 있으며, 여기에는 큰 에너지가 도입되어 있으므로 자유분방한 행동은 허용되지 않고 있다.

따라서 본 서에서는 생산활동에서의 심리학적인 환경과 물리적인 환경에 관해서 살펴보도록 한다.

제4절 / 심리학적인 요인

사고가 발생할 때마다 반드시 사고원인을 조사하고 있다. 그 사고가 대형 사고라면 철저하게 조사가 실시되지만, 피해가 적거나, 직접 관계된 작업자의 어이없거나 또는 이해하기 어려운 행동에 의한 것들인 경우, 간단히 작업자의 부주의로 해서 조사를 끝맺는 일이 많다.

최근 심리학 혹은 의학적인 연구에서 부주의에 대한 검토 결과는 사고의 경우 부주의는 인간의 어떤 상태의 결과이며, 따라서 그 이전에 부주의를 일으키게 한 조건을 검토해야 한다는 것이다. 사고는 날아오는 물건에 직접 얻어맞는 사례도 있을 수 있고, 귓전을 스쳐 지나가는 사례도 있다. 사고의 정도, 피해의 대소는 결과이며, 그 원인은 작업자가 하찮은 생각을 잘못하거나 착각하고 있었을지도 모른다. 「멍청하다」, 「잘못 본다」 등은 일상생활에서 누구라도 경험하고 있는 것이며, 약간의 부주의라도 사고로 이어질 가능성을 가지고 있으며, 사소한 일이라도 경우에 따라서는 소홀하게 할 수 없는 문제를 가지고 있다고 생각되는 경우가 있다. 다음은 인간의 행동을 심리학적인 측면에서 이해하는 방법에 대해서 살펴보기로 하자.

1. 물리적 환경과 심리학적 환경

우리는 주위에 있는 여러 가지 물건에 둘러싸여 생활하고 있다. 그 주위의 물건을 어떻게 보고 있는 가에 대해서 말한다면, 반드시 각자가 동일하게 보지 않고 있다. 책상은 책상, 의자는 의자로서 보는 것이 통상이지만, 때로는 책상은 걸상으로, 의자는 발판으로 보기도 한다. 그러나 이것은 언제까지 누구라도 이와 같이 본다고는 할 수 없다. 그때 그 장면의 상황에 따라서 본래의 것과는 다른 의미를 가지고 본다.

즉, 누구라도 직접적으로 관찰되도록 물건이 배치되고, 물리적인 법칙에 지배되는 환경을 **물리적 환경**이라고 한다.

여기에 대해서 인간이 보고, 듣고, 접촉하는 등의 방법에 따라 주위의 상황을 확인 또는 인간 내면의 성격, 감정, 욕망, 과거 경험 등의 영향을 받아서 주위의 상황을 보았을 때에 발생하는 세계를 **심리학적 환경**이라고 한다.

물리적인 환경에서 인간으로서 작용하는 것에 대해 자신은 그것을 어떻게 보거나, 느끼거나, 판단하거나, 또 「나는 이렇게 하고 싶다」고 하는 욕망 등, 인간 측면에서 물리적 환경을 이해할 때에 그 환경은 그 사람의 심리학적인 환경이 되는 것이다. 예를 들면, 붉은 빛을 보았을 때, 물리적으로는 파장(波長) 등 이러한 빛으로 어느 정도의 휘도(輝度)를 가지고 있는 것 등으로 표시 되지만, 인간을 이것을 보았을 때 단순히 「붉은 빛」으로 보는 사람도 있다면, 정열적인 색으로서 보는 사람도 있고, 정지 신호라고 생각하는 사람, 또 완전히 그 붉은 빛을 알아차리지 못하는 색맹(色盲)인 사람도 있는 것이다. 이 양쪽 환경의 차이는 물리적 환경이 비교적 항상적(恒常的)인데 대해서 인간의 의식, 감정에 좌우되기 쉬운 심리학적인 환경은 순간적이며, 유동적이라고 말할 수 있다. 그래서 심리학적인 환경은 물리적 환경 중에서 성립되는 것이다.

예를 들면 리놀륨(Linoleum)인 바닥에 기름이 엎질러져 있다. 사람이 기름이 엎지른 상태를 확인하였다면 거기에 대응하는 걸음걸이로 행동을 한다. 그러나 큰 짐을 껴안고 있어서 확인하지 못하여 평소와 같이 걷고 있었다면 미끄러져 자빠진다. 이때, 물리적 환경에서 본다면, 전자, 후자 모두 미끄러지기 쉬운 상태를 구성하고 있다. 전자는 이것을 보고 신중한 행동이 되었으며, 후자는 그것을 알아차리지 못하였으므로 심리학적 환경은 기름이 엎질러져 있는 조건은 없는 것으로 생각하여 보통 걸음걸이를 취하게 된다. 그 결과 전자는 무사히 통과했으며, 후자는 자빠지기 때문에, 기름 위에 발을 얹었을 때까지는 걷는다는 행동을 취했지만, 미끄러졌을 때는 인간의 의지(意志)를 벗어나 물리적인 법칙에 따라 운동하고 있는 것이므로, 행동이라고 할 수 없다.

이와 같은 행동은 그 심리학적 환경과 인간의 내부적 의식, 감정 등과의 상호관계에 의해서 발생한다고 하는 것이 된다.

이 사례에서 이해할 수 있는 바와 같이, 물리적 환경과 심리적 환경이 일치하는 정도가 높아질수록 그 행동을 실현하는 정도는 높으며, 전혀 일치하지 않게 되었거나, 그 정도가 낮으면 행동은 비현실적이 되므로, 소위 불안전행동은 이 양쪽 환경이 일치하는 정도가 낮아진 상태라고 이해할 수 있다.

2. 인간 지각 · 행동의 Model

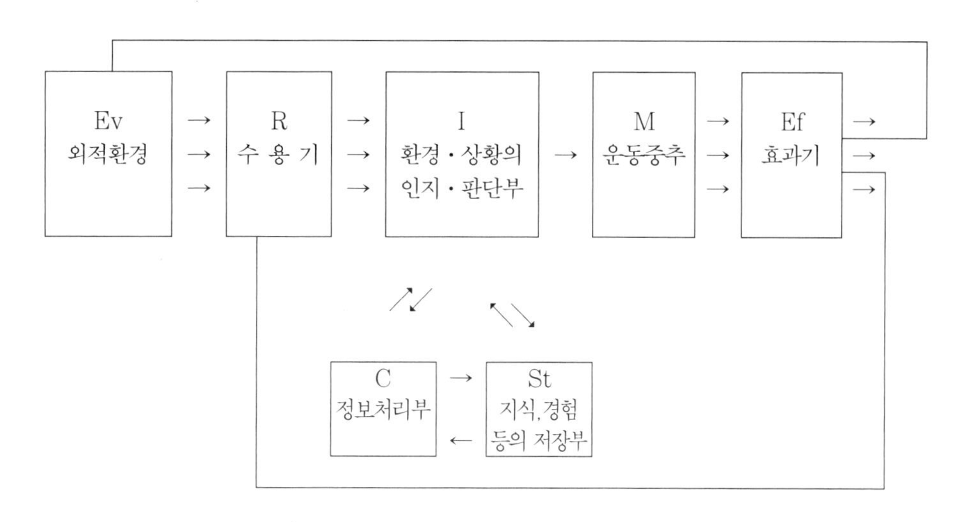

그림1-5 인간의 외계의 인지 · 행동의 가설적인 다이어그램

환경과의 관련에 대해서 인간 내부의 처리과정(Process)은 다음과 같이 가정(假定)하고 있다. 인간에 한정되지 않고, 동물은 외계의 상황 또는 그 변화를 알고, 또 내부의 의지, 요구에 따라

서 행동이 발생한다는 것을 설명했다. 즉 눈, 귀, 코, 피부 등의 감각기관(感覺器官)에서 외부 환경이 받아들여지며, 각 신경 경로에 의해 대뇌에 전달되며, 중추(中樞)에서 인지, 사고(思考), 판단 등이 이루어지고 이것을 운동중추(運動中樞)를 통해서 소리, 손가락, 발 등의 효과기(効果器)에 명령하여 실제의 행동이 된다. 그림 1-5의 Model에서 I로 부터 M의 사이가 대뇌중의 처리과정이다. 이 모델에서 중심이 되는 것이 (I)이며 이 부분은 감각기관(R)에서 받은 외계의 상황이 물리적 환경과 같은지 어떤지를 확인하거나, 판단하는 부분이며, (R)에서 받은 것이 올바른지 아닌지를 판단하는 기준은 이미 가지고 있는 지식, 경험(St) 등을 참조하며, 예를 들면 중요도의 정도를 (C)에서 고려하여 이것을 (I)로 되돌려서 보다 외계의 상황에 가깝게 수정해 나간다. 이 인지, 판단에는 2가지 특성이 있다. 그중 하나가 통계적(확률적, 평균치적)인 것이며, 다른 하나가 0 수준으로 부터의 변화에 대한 인지이다. 심리적 환경은 다른 입장에서 생각하면 눈앞의 대상물 하나 하나에 자신이 필요한 정도에 따라서 비중을 두고, 특정한 물건이 어떤 점에서 차이가 있는가는 배경이 되는 물건과의 상대적인 관계에 의해 식별하는 것이다. 오른쪽으로 돌려야 할 곳을 반대로 회전시켜 버리는 일은 오른쪽의 기준이 무엇인가에 따라 결정되는 행동이다. 보통은 신체의 수직을 중심선으로 해서 판단하지만, 회전동작은 이 좌우의 기준이 명확하지 않다. 위쪽을 향하거나, 아래쪽을 보거나 하는 조작을 반복하거나, 또 핸들의 상부를 잡거나, 하부를 잡는가에 따라서 좌우의 개념이 틀리는 일도 있다. 또 신체의 정면에서 조작하거나, 파이프 안의 유체가 흐르는 방향을 기준으로 하거나 하는 등, 주위상황에 따라 기준을 두는 방법이 변해 버리면 오 조작을 하게 된다. 앞에서 후자의 경우는 우리들 주위의 상황을 정상화해서 보는 경향이 있으며, 그 때문에 이동, 변화하는 물건에 주의가 쏠린다. 창 넘어 이웃하는 열차가 움직이기 시작했을 때, 흡사 자신이 움직이는 것 같이 느껴지는 것도, 상황의 변화에 대한 느끼는 방법과 배경의 정상화라는 통상의 개념에서 발생하는 것이다.

3. 사고발생의 심리학적 요인

사고의 원인을 명확하게 하는 것은 대단히 어렵다. 사고통계에는 인적 원인에 의한 재해가 전체 재해의 70~80% 이상을 점유하고 있다고 일반적으로 알려져 있다.

더구나 이것은 1930년대부터 현재까지 비율상의 변화가 거의 없다. 이것은 재해원인을 나타내고 있는 것이 아니고, 재해발생의 상태를 나타내는 것으로 생각된다. 즉, 사고가 발생하였을 때에 인간이 기계장치에 작용하는 비율이 아닌가 생각된다. 인간의 행동은 앞에서 설명한 바와 같이 환경에 지배되기 쉬우며 유동적이다. 이것은 주위의 환경조건에 의해 행동이 좌우되는 것을 나타내고 있으며, 인적 원인 중에도 장치 · 기계의 미비, 조명, 소음, 온도 · 습도, 분진, 유해가스 등, 또 작업의 근로조건 등 관리상의 문제점도 많이 포함되어 있다. 그러므로 인적 원인에 의한 것은 모두 인간 쪽에 문제가 있다고 할 수 없다. 사고를 일으킬만한 행동을 취한 진짜 원인은 무엇인지, 인간 쪽에 서서 이해하지 못하면, 실효성이 있는 대책을 취할 수 없다.

어떤 연구소에서는 많은 재해사고 사례에 대한 요인분석(factor analysis)을 통해 본인을 사고요인으로 추출하고 있다. 그림1-6은 사고요인의 관련 도식이다. 여기에 보이는 4가지 요인과 인간의 착각을 보다 크게 하는 요인이 섞여 있는 것으로 알려져 있다. 이 그림 중에 보이는 「작업을 서두른다」, 「습관의 고수」, 「경험의 부족」, 「연락의 미비」 등은 본인의 이해를 도와줘야 할 정보가 사실과 다르게 해석되어 이것이 진짜의 상황과 다른 것이 되어 버린 경우이다.

어떤 심리학자는 일찍이 많은 재해사례 중에서 착오가 일련의 심리학적인 과정 중에 발생되는 것은 일견 단순하고 본인의 과실이 분명한 사고라도 그 배경에는 본인에게 비현실적인 이해를 발생시키는 작업환경이 있었다는 것을 지적하고 있다.

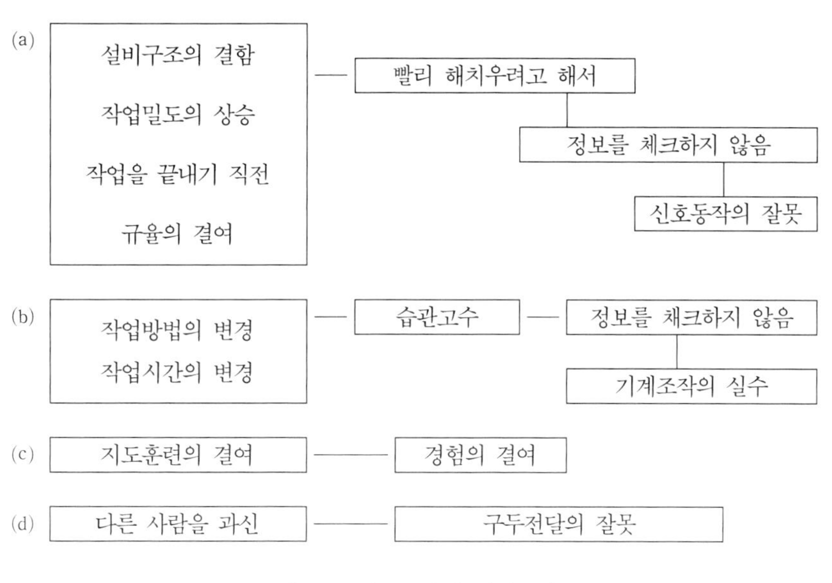

그림1-6 사고요인의 관련도식

외부적인 조건(발판, 정돈되지 않음, 기온의 고저 등), 2) 피로, 3) 주연적(周緣的 : 전통적인 형식논리학에서, 같은 종류의 낱낱의 사물에 관하여 같은 뜻으로 적용할 수 있는 개념에 대하여 일컫는 말)인 행동, 동작, 4) 장면행동, 5) 외계의 지각, 6) 급박한 사태에 있어서 사고(思考)의 성질, 7) 의도의 망각, 8) 안전수단의 생략, 9) 작업조직, 관리자의 불안전행위 등에 대해서 서술하고 있다.

4. 착각을 일으키기 쉬운 조건

앞에서는 행동의 입장에서 본 것이지만, 외계의 정보를 명확하게 획득하는 시각(視覺)도 조건에 따라서는 상당히 변한다. 즉 외계로 부터 오는 자극이 약함(조명이 불충분한 경우 등), 2) 주위 배경과의 대비가 약하다(명도차 등), 3) 물건 근처의 경계선이 애매한 것(군대의 위장과 같은 것), 4) 강한 자극의 부근, 5) 배경과의 등질화(도로표지와 배경의 광고물과의 관계) 등의 요인에 의해서 대상물이 주위보다 명확하지 않으면 내적인 조건(감정의 불안정, 욕구, 과거의 경험 등)이 우세하게 되어서 단순화시키거나 서로 대응시키는 경향이 강해지는 것으로 알려지고 있다.

이들의 착오를 발생시키는 조건은, 현장에서 지극히 다원적이며, 어떤 상태에서 존재하고, 어떤 형식에 해당되는지 어려운 문제가 있지만, 이들은 조사자의 주의 깊은 관찰에 의해서 분석할 수 있다고 생각된다. 관계가 없는 다른 사람의 입장에서 보면 이상하다고 생각되는 행동도, 어떤 상황 하에서는 본인에게는 당연한 것으로 행동하고 있다. 재해분석에 있어서 불안전 행동을 발생시키는 조건으로서 외적인 것이 중요한 조건인가 개인의 내적인 조건이 중요한 요인인가에 따라서 대책의 방향도 자연히 달라진다.

그러면 이상의 심리적인 환경에 의해 인간의 생산시스템 하에서의 행동이 이루지는 과정에 대해 살펴보기로 하자.

제2장
인간과 생산시스템

인간이 기계설비를 조작하여 취급함으로서 일정한 환경 하에서 성과를 달성해 가는 시스템을 작업시스템이라 한다. 인간 - 기계설비 시스템, 기계설비에 조작시스템을 종합한 것과 같은 의미로 생각해야 한다.

작업시스템이 안전 · 정상적인 조건을 유지하도록 하는 데는 인간이 완수해야 할 기능이 크다. 시스템의 개발 · 설계단계에서 부터 운전 · 조작 · 보전 등에 이르는 각 단계에까지 전부 인간의 지식 · 기능 · 기술에 의존하고 있다.

작업시스템의 안전관리에 있어서는 기계설비의 구조 · 기능 · 방호장치 등이나 대상물의 위험성, 안전한 조작, 취급, 교육 · 훈련 등의 중요성과 똑같이 인간의 특성이나 기능이 시스템의 안전도에 어떠한 영향을 주는 가를 이해하는 것이 중요하다.

제1절 / 생산시스템에서 인간

일하는 자리에서 인간을 생각할 때, 먼저 중요한 것은 「인간도 생산시스템의 일부로서 받아드릴 필요가 있다」는 것이다.

최근에 시스템(System: 조직, 제도, 체계)이란 말을 활발하게 사용하고 있다. 시스템은 조직이나 체계 등으로 해석되지만, 다수의 구성요소가 유기적인 질서를 유지하면서 같은 목적으로 향해서 기능을 발휘하는 것으로 정의되는 것이 일반적이다.

생산라인에는 작업을 지도・감독하고 있는 각급 관리・감독자들의 모임이 있고, 이 모임에 의해서 각 부분이 상호 유기적으로 관련하여 존재하고, 또 행동하여 전체가 흡사 하나의 단위와 같이 특정한 성질이나 움직임을 나타내는 집단을 시스템이라 한다.

산업이나 기술의 변천과 함께 여러 가지 우여곡절은 있었지만, 결국 「인간은 생산시스템 중에서 주인이며, 두뇌를 사용해야 하며, 현실은 더욱 더 그러한 방향으로 향하고 있다」는 것이다.

제2차 산업혁명을 통해서 자동화가 시작되면서 인간 소외를 반대하는 움직임이 재연되었다. 이점을 우려한 일부에서는 「자동화가 진행되면 작업자들은 잠을 자거나, 농담을 나누는 사이에 좋은 제품이 거침없이 완성 된다」고 까지 말했지만 사실은 그렇지 않다.

생산 제1선의 사람들은 확실히 변혁에 의한 고통을 경험했다. 그러나 이것은 종래의 작업이 육체적 노동이 주체가 된 반면에 새로운 작업은 두뇌를 사용하는 신경에 의한 노동이 주체가 되었기 때문이다. 이 신경 근로가 잘못된 방향으로 향한다면 정말 인간소외의 시대가 도래 하는 지도 모른다. 그러나 인간은 그렇게 바보는 아니다. 「신경 노동이란 두뇌를 사용하는 것이며, 이것은 인간이 누구나 본질적으로 가지고 있는 "창조의 기쁨"으로 직결되는 것이다」라는 사실을 인식하게 되었다. 더구나 기술혁신의 시대이며, 현장에는 개선하여야 할 사항이 산적되어 있다. 여기서 품질관리(Quality Management) 활동을 비롯한 자주관리 활동이 탄생되고, 이것이 경제발전에 크게 공헌한 결과가 되었다. 그러나 생각해 보면 이것도 당연한 것이다.

생산시스템은 그 성격상 일견 인간을 적대(敵對)시 하는 것으로 생각할 수 있지만, 애초 생산시스템을 만들어낸 것은 인간이며, 더구나 그것은 어떤 목적을 달성하려고 하는 지극히 명확한 의도에서 제작된 것이며 결국 생산시스템이란 「자연의 이치를 응용해서 창조된 인공적(人工的)인 시스템」에 지나지 않는다.

여기서 강조해야할 것은 생산현장에 있어서 인간은, 생산시스템 가운데에 군림하지만, 그것과 독립된 존재가 아니고, 그 가운데 들어가 언제나 정보를 교환하여 상호 영향을 조화시키는 존재라는 사실이다.

제2절 / 도구 · 기계설비와 인간의 대응

앞에서 설명한 생산시스템 가운데 가장 상호작용의 정도가 강한 「인간과 기계설비」에 대해서 좀 더 살펴보자.

기계설비나 도구는 인간이 일하기 쉽게 하거나, 인간 이상의 큰 힘을 출력하여 성과를 얻으려는 명확한 목적을 가지고 개발되어 온 것이며, 그 목적과 같이 사회생활에 크게 공헌했다. 그러나 기계설비가 점차 발달하여 거대한 에너지를 사용하고, 또 구조와 기능도 복잡화됨에 따라서, 그것을 운전하여 조작하는 인간이 사소한 실수를 범해도 중대 사고로 이어지게 되었다. 이러한 경우 사고가 발생하는 구조를 파악하는 단서로서 도구나 기계설비가 발달된 역사를 되돌아보는 것은 매우 유용하다.

먼 옛날의 석기나 철기의 발명은 맨몸의 손 · 발 · 신체를 직접 사용했던 것보다 노동을 아주 쉽게 해주었으며 새롭게 쓸모 있는 편리한 기기들이 차례로 만들어지게 되었다. 이중 대표적인 화살은 대부분의 종족에서 사용되었다. 그러나 이것은 취급을 잘못하면 자기 자신이나 가족, 친구를 살상할지도 모르는 위험이 발생하게 되었다.

농기구의 자루는 크기나 형상에서 모두 손으로 취급하기 용이하도록 연구되었으며, 낫이나 호미의 각도는 각각 토지의 성상에 맞도록 제작되었다. 우물의 두레박은 인간이 앞에 있는 것을 끌어 올리는 것 보다, 끌어 내리는 편이 상당히 편하다는데서 생겨난 것이며, 다시 편하게 하기 위해 두레박 틀도 연구되었다. 스피닝 선반(Spinning lathe)은 힘과 에너지가 소요되는 회전에는 발을 사용하고, 세밀한 조형작업은 손으로 한다는 합리적인 기능배분이 되어 있다.

또 작업에 필요한 에너지를 다른 것으로 대체시키려는 노력도 활발하게 이루어졌다. 그 결과 동물의 힘, 수력, 풍력 등을 이용하게 되었다.

제1차 산업혁명시대에 증기기관의 발명과 연이은 전력의 개발에 의해 큰 출력의 기계설비가 차례차례 발명되었다.

작업에는 에너지를 소비하여 무엇인가를 완수하는 측면과 실시한 작업의 완성도를 좌우하는 정보처리라는 측면이 존재한다. 정교한 제품을 만들어내기 위해서는 그 작업을 수행하는 과정에서, 그 목적에 따른 상세한 정보처리가 수행되어야 한다. 그 대표적 사례가 스피닝 선반에 의한 손의 조형작업이다. 또 각종 공예품 등은 상세한 정보처리의 반복에 의해서 비로소 만들어진다.

인간이 실시하는 정보처리를 대행하거나, 보조하거나 하는 기계도 조금씩 발명되고 있다. 망원경이나 현미경은 인간의 오감(五感)으로는 포착할 수 없는 정보를 수용토록 해주는 기계이다.

자동제어는 기계설비가 스스로 정보처리를 하는 것에 해당된다. 항공기가 장거리를 운항할 때의 자동비행, 어뢰 등이 그것이다.

제2차 산업혁명에서는 Cybernetics(정보 이론과 자동 제어 이론을 중심으로 한 종합 과학)의 사상과 통신기술의 발달에서 「정보」라는 개념이 탄생되고, 거기에 수많은 기술이 조합되어서 자동제어의 시대가 되었다. 컴퓨터의 발달도 여기에 크게 공헌하고 있는 것은 물론이다.

자동화의 초기에는 「가까운 장래, 인간이 실시하고 있는 정보처리는 모두 기계로 대체할 수 있을 것이다」라는 전망과 함께 「인간이 가지고 있는 신비성이 침범되는 것인가?」라는 우려도 제기되었다. 그러나 「인간이 실행하고 있는 정보를 처리하는 가운데 어떤 종류의 것은 쉽게 기계로 대체하지 못한다」라는 사실을 이해하기 까지는 그리 오랜 세월이 걸리지 않았다.

기계로 대체하기 어려운 인간의 판단이나 행동 상의 정보처리는 매우 융통성이 풍부하며 인간의 우수한 창조력도 이 융통성 있는 정보처리 능력에서 비롯된 것을 알게 되었다. 인간의 융통성 있는 정보처리 능력이 인류의 발전과 번영에 크게 기여하였음은 분명한 사실이다.

그러나 융통성 있는 정보처리 능력이 반드시 좋은 것은 아니다. 「인간은 실수(Miss)를 범하는 동물이다」라고 하지만, 이 실수(Miss)는 융통성 있는 정보처리 능력과는 모순된 것이다. 따라서 인간의 정보처리 특성을 포착해서 그 특성에 맞는 작업시스템을 설계하거나 또는 현행 작업시스템을 이 입장에서 분석하고 검토해 가는 것이 금후의 안전을 생각하는데 중요한 과제이다.

제3절 / 인간과 기계설비의 기능배분

기계설비는 인간이 조작하기 쉽도록 되어 있어야 한다. 그런데 이 양자는 각각 조금 다른 성격을 가지고 있으므로, 기계를 설계할 때는 다양한 인적 배려가 필요하다.

- 인간과 기계는 양자 공히 조작자(혹은 조작기)가 작업의 주체가 된다. 이 경우 흔히 화제가 되는 어느 쪽이 주체(Main)이며, 어느 쪽이 종속(Sub)인가 하는 것은 결과적으로 인간이 주체(Main)이지만, 여기서는 그다지 문제가 아니다. 결국 양자가 조작자(기)로서의 역할을 각각 분담한다고 할 수 있다.
- 양자의 사이에 빈번하게 정보의 교환을 한다. 수동으로 조작할 때는 물론이지만 자동으로 연속해 운전하는 설비의 감시 업무일 때에도 감시자는 언제나 기계로 부터 정보를 받아서,

이상 시 혹은 이와 같은 문제 발생 시 기계에 대해서 어떠한 조작을 하며, 이것을 지극히 중요한 정보를 기계에 주는 것을 의미한다.

• 기계와 인간의 사이에 정보의 교환이 이루어지며, 이 경우 기계와 인간이 그 받은 정보에 입각해서 각각 처리한다. 그런데 앞에서 설명한 바와 같이 양자가 정보를 처리하는 특성은 차이가 난다. 그러므로 양자 간에 부조화가 일어나는 것은 어쩌면 필연적이다.

위의 사항에서 하나의 작업시스템을 설계할 때는 인간과 기계설비에 어떤 역할을 분담시키면 좋은가 하는 것이 문제가 된다. 이것은 견해를 달리 한다면 조작자(기)인 양자 가운데 주체가 인간이다면 그 주체가 취급하기 용이한 기계는 어떠한가 하는 것이다.

따라서 이 「인간과 기계설비의 역할(기능)분담」이란 것은 인간을 중시하는 인간공학에 있어서는 대단히 중요한 과제이며, 지금까지 수많은 인간공학자의 연구가 이루어졌다.

여기서는 시스템 설계와 작업현장 모두에서 융통성이 높은 사례를 제시하였다(표1-1).

표1-1 기계설비의 특징과 인간의 특성

	기 계	인 간
1. 검 출	○물리량의 검출범위가 넓고, 정확하다 ○전자파 등 인간이 검출할 수 없는 것까지 검출할 수 있다.	감각기관 ○인식과 직접 결부된 고도의 검출능력을 갖는다. ○기준치가 일정하지 않아 누락정보를 일으킨다. ○미각, 후각, 촉각을 구비하고 있다.
2. 조 작	○속도, 정밀도, 동력의 크기, 조작 범위의 크기, 내구성 등은 인간보다 상당히 우수하다. ○액체, 기체, 분진체의 조종은 인간보다 우수하다. 그러나 유연한 물체의 조종은 인간에 미치지 못한다.	조작기관 ○특히 손은 매우 많은 자유도를 가지며, 더구나 각 자유도는 지극히 미묘하게 협조할 수 있도록 제어되며, 3차원적으로 다양한 운동을 한다. ○시각, 청각, 변위, 중량감각 등에서 고도의 정보가 조작기관의 제어를 훌륭하게 Feedback되어서 고도의 운동을 한다.
3. 정보처리 기 능	○미리 프로그램 되어있는 방법에 따라서 정밀도가 높고, 정확한 반복 자료의 처리에 대해서는 인간은 기계에 미치지 못한다.	
	○기억은 정확하며, 시간이 경과되어도 잊어버리는 일은 없다. ○작업이 그다지 많지 않은 경우에는 정보회수의 속도가 빠르다.	

	기　　계	인　　간
4. 내구성 보전성 지속성	○비용에 의존한다. ○적절한 보수를 필요로 한다. ○연속된 반복작업에 견딘다.	○적절한 휴식, 휴양, 건강 레크레이션을 필요로 한다. ○일정한 긴장된 레벨을 장시간 유지하는 것은 곤란하다. ○자극이 적거나 무의미한 단조로운 작업에는 약하다.
5. 신뢰성	○비용이 관계되지만, 적절한 설계에 의해 제작된 기계에서는 미리 정해진 작업수행에 대한 신뢰성은 양호하다. 다만 예상외의 사태에는 전혀 무능력하다. ○특성은 일정해서 그다지 변화하지 않는다.	○돌발적인 긴급사태에서는 전혀 신뢰하지 못할 가능성이 크다. ○작업에 대한 의욕, 책임감, 육체적 및 정신적인 건강상태, 의식레벨 등 심리적 생리적 조건에 의해 변화한다. ○잘못을 범하기 쉽다. ○특성에 개인차가 있으며, 시험량에 따라서 변화한다. 타인에게 영향을 준다 ○시간적, 정신적 여유가 있으면, 예상하지 못한 사태를 처리할 수 있는 일이 많다. ○귀찮은 짓을 일부러 하는 것도 있다(반항, 변덕, 일을 도모함).
6. 통신유대	○인간과의 통신유대는 지극히 한정된 방법밖에 할 수 없다.	○인간과의 통신유대가 용이하다. ○인간관계의 관리가 중요하다.
7. 효　율	○복잡한 기능을 구비한 것에는 중량이 커져 큰 동력을 필요로 하다. ○필요한 기능만을 목적에 맞추도록 설계할 수 있다. 낭비가 없다. ○단순한 작업이라면 빠르고, 확실하다. 새로운 기계에서는 설계, 제작, 기동까지에 시간이 걸린다. ○만일의 경우에는 파손되어도 상관없다. 따라서 위험한 환경에서 사용할 수 있다.	○가볍고 소형이며, 동력도 100W 이하이다. ○식사를 필요로 한다. ○생체기능을 1unit로 해서 구비하고 있다. 따라서 그 자체는 만능이다. ○1unit로서 주어지는 것이므로 필요로 하는 기능 이외의 부분을 적절하게 처리하여야 한다. ○교육이나 훈련이 필요하다. ○안전에 대해서 만전의 처치를 취해야 한다.
8. 유연성 적응능력	○전용기계에서는 용도를 변경할 수 없다. ○합리화 등을 위한 정리가 용이하다.	○교육, 훈련에 의해서 다방면에 적응할 수 있다. ○정리하는 것이 곤란하다.
9. 비　용	○구매비용 및 운전보수비용. ○기계설비가 만일 사용불가능이 되어서 상실되는 것은 그 기계설비의 가격뿐이다.	○급료 외에 복리후생, 가족 등에 대한 배려가 필요하다. ○만일의 경우 생명을 잃는다.
10. 기　타		○인간특성의 욕망을 가지며, 사람에 인정받고 싶어 한다. ○사회 속에서 생활하여야 한다. 그렇지 않으면 고독감, 소외감을 가지고 작업능력에 영향이 미친다 ○개인차가 크다. ○인간존중, 인본주의

제3장
직장에서의 인간행동

인간은 잠재능력이 높을수록 정밀도가 높은 작업을 하며, 또 많은 작업을 소화시킨다. 물론 안전하게 작업을 수행하는 능력도 높다. 그러나 인간에게는 슬럼프가 있으며 피로도 고려해야 한다. 또한 생체 리듬에서 오는 파동, 감정에 의한 동요 등도 있다. 잠재 능력을 저해하는 인자를 없애서 100%에 가까운 능력 발휘를 기대할 수 있는 상황을 만드는 것이 필요하다. 작업자 본인의 선천적 성격도 영향이 있다고 하지만, 각종 수칙을 준수하고, 정확하게, 실수 없이 안전하게 작업을 수행하도록 동기를 부여해서 자아실현을 성취 할 수 있는 의욕을 심어주어야 한다. 직장에서의 인간행동과 관련된 요인이 상호 조화되어야만 조직의 목표를 달성할 수 있다.

제1절 / 물적 원인과 인적 원인

사고・재해발생의 직접적인 원인은 크게 물적인 조건에 의한 것과 인적인 조건에 의한 것으로 나눌 수 있다. 즉, 물적인 원인과 인적인 원인이 있으며 양자 중 먼저 생각하여야 할 것은 물적인 원인이다.

1. 물적인 원인

불안전한 기계를 사용하면 근로자가 주의력을 집중하려 노력하고 아무리 기능이 우수하다 하여도 언젠가는 사고나 재해는 발생한다.

기술혁신이 계속 진행되고 있는데도 불구하고, 산업재해가 여전히 일어나고 있는 것은 적절한 안전화가 도모 되어있지 않은 상태에서 새로운 기술이 도입되었기 때문에 물적인 안전대책이 생산기술에 뒤쳐지기 때문이다. 안전하게 되어 있는 기계설비라고 하면 근로자가 부주의에 의해 불안전행동을 범했을 경우라도 사고・재해가 발생하지 않는다. 만약 설비가 Fool Proof화(잘못 조작 시 정지하는 시스템) 되어 있다면, 인간이 기계설비의 조작을 잘못하여도 위험한 상태가 되지 않는다.

물적인 조건으로는 기계설비의 위험성은 물론이며, 위험물 등에 의한 화학적인 위험, 전기 등의 에너지 위험, 작업도중에 있어서 원재료, 작업환경 등의 위험이 해당 된다. 또한 작업조건이나 작업방법 등의 관리적 측면의 위험도 관계된다는 것을 이해할 필요가 있다.

2. 인적인 원인

인간이 불안전행동을 일으키는 조건에 해당하는 인적 원인은 여러 가지 요인이 있다. 그러므로 노동의 안전도를 저해하는 요인이 무엇인가 하는 것을 정확하게 파악하여야 한다. 인간의 주의력은 유동성이 있으므로, 아무리 안전교육을 철저하게 하려고 노력하여도 교육・훈련만으로는 근로자의 안전을 100% 확보할 수 없는 것이다.

그림1-7은 노동의 안전도를 지배하는 요인과 이들의 관련성을 표시한 것이다. 이들 요인들을 간단히 설명해 보기로 하자.

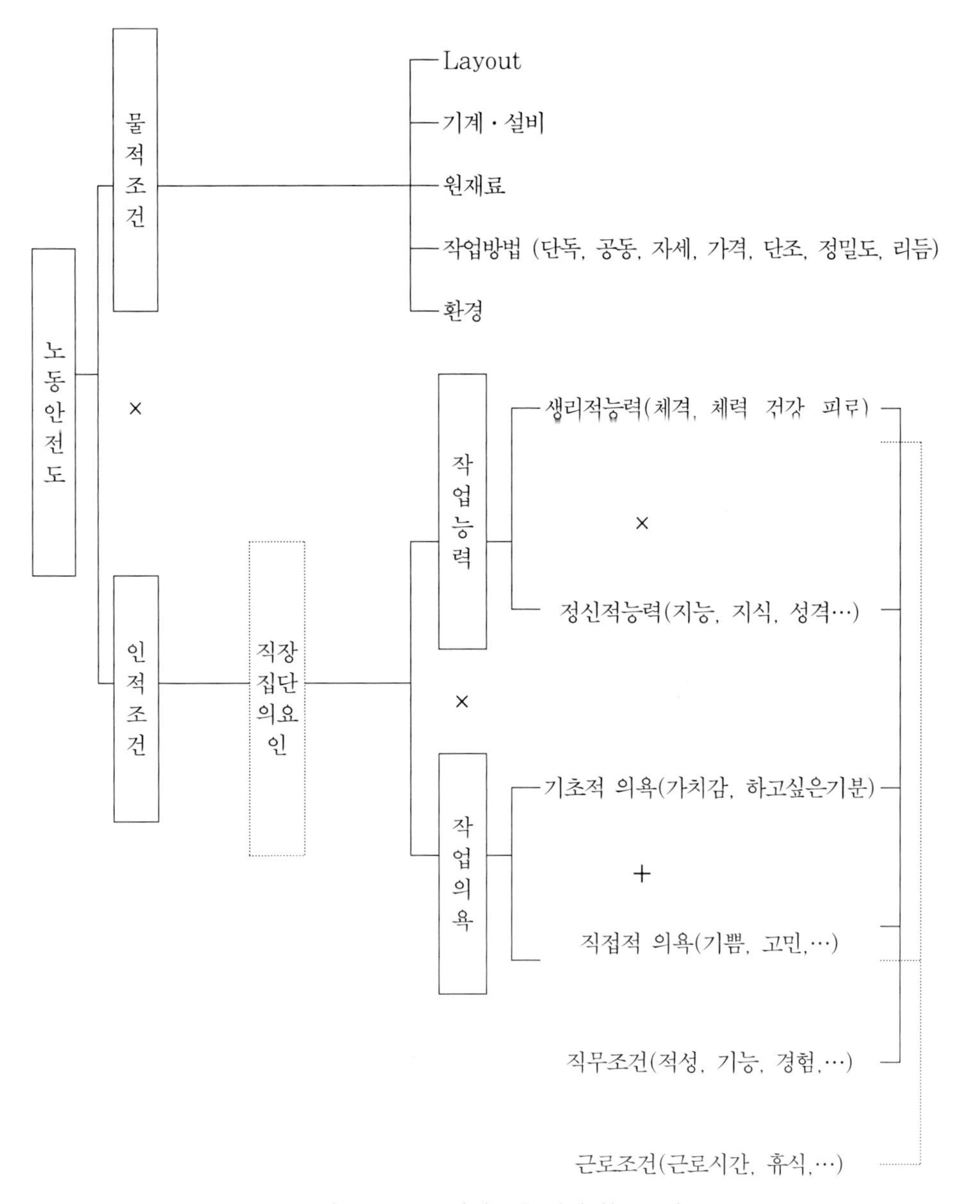

그림1-7 노동 안전도를 지배하는 요인

① 노동 안전도는 물적인 조건과 인적인 조건의 곱셈의 관계이다. 어느 한쪽이 Zero가 되면 노동의 안전도는 Zero가 된다.

② 인적 조건의 안전도는 근로자의 작업능력과 작업의욕의 곱셈이며, 어느 것이 Zero라면 인적 조건의 안전도는 Zero이다. 그러나 여기에는 직장 집단의 여러 가지 요인이 관계될 수 있다. 직장의 분위기, 감독자의 인간관계 등의 요인이 영향을 미칠 수 있다. 따라서 사람들 간의 관계가 중요하다.

③ 작업 시 근로자의 능력은 생리적인 능력과 정신적인 능력에 따를 것이므로 양자는 곱셈적이다. 다른 한쪽이 Zero라면 작업능력은 Zero가 되는 것이다.
④ 근로자의 작업의욕은 기초적인 의욕과 직접적인 의욕의 합으로 결정된다. 따라서 기초적인 의욕이 높다 하더라도, 직접적인 의욕이 낮거나 또는 마이너스라고 한다면 어렵게 된다.
⑤ 직무조건과 근로조건은 그림과 같이 작업능력과 작업의욕에 영향을 주기 쉽다.
⑥ 위에 제시한 물적인 조건, 인적인 조건 중에서 생리적인 능력, 정신적인 능력, 기초적인 의욕, 직접적인 의욕의 내용은 그림에서 설명하고 있는 바와 같다.

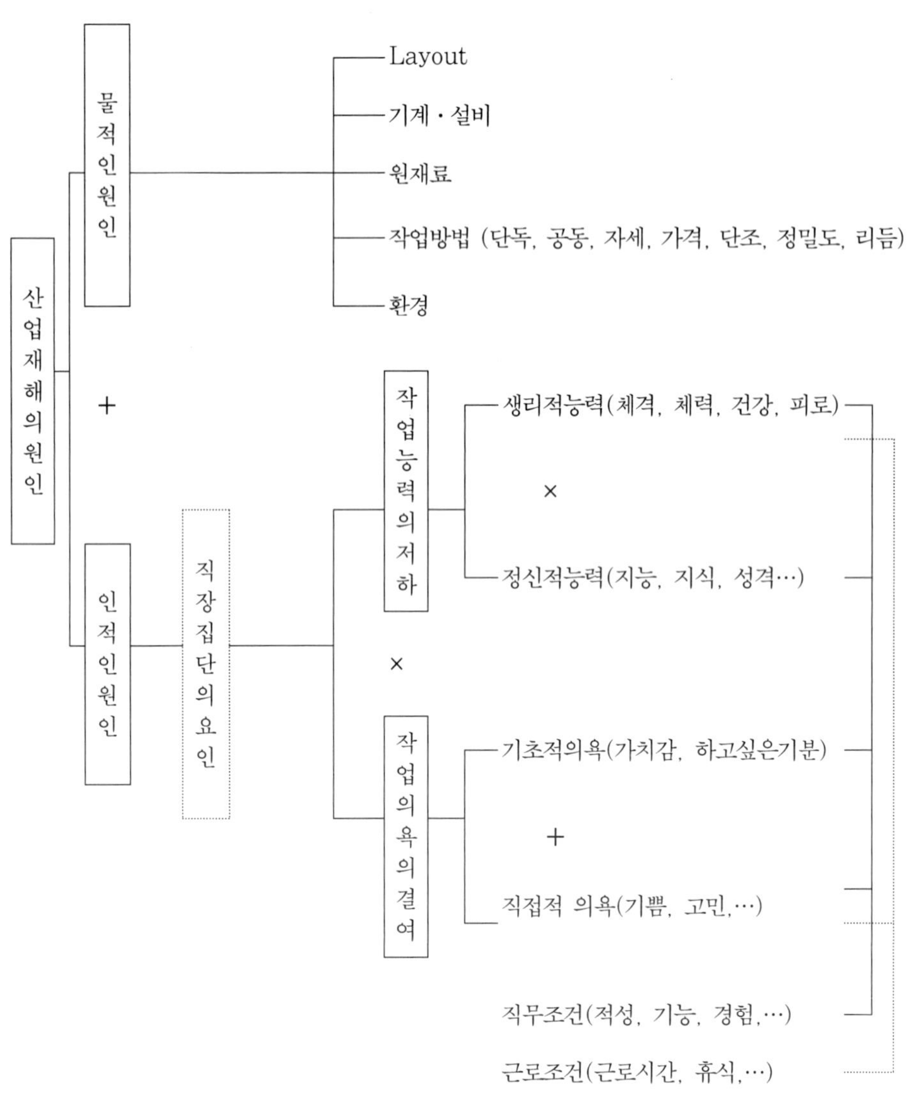

그림1-8 산업재해의 원인을 지배하는 요인

그림1-7은 산업재해의 원인을 지배하는 요인과 관련으로 지어볼 수 있다. 그림1-8이 그것이며 ( )안의 내용과 그림1-7과 동일하다. 그림1-7과 그림1-8의 기본적인 차이점은 그림1-7의 물적조건 × 인적조건 에 대해서 그림1-8에서는 물적원인 + 인적원인 이 되어 있다는 것이다. 이것은 예를 들면 물적인 조건이 아무리 안전하여도, 위험한 행동을 취하면 안전도는 Zero가 된다는 것이며, 그 이면에 물적 원인이 없어도 인적인 원인만으로 산업재해의 원인이 될 수 있다는 것을 표시하는 것이다.

그러나 대부분의 재해는 물적 원인과 인적 원인의 양쪽이 존재하는 것이며, 어느 한쪽의 원인에 의한 재해는 극히 드물다. 물론 물적 원인이 전혀 없는데 인적 원인만에 의해서 발생한 사고·재해, 예를 들면, 결함이 없는 계단을 2계단 뛰어오르거나 내리다가 굴러서 골절되는 사고가 있을 수 있으며, 반대로 인적 원인이 없었는데 물적 원인에 의해서 발생한 재해 예를 들면, 지붕 위에 쌓인 눈(雪)의 무게에 의해 창고가 붕괴되어 안에서 물품을 취급하고 있었던 근로자가 재해를 당하는 사례도 있다. 그러나 이와 같은 한 가지 원인에 의한 재해는 비교적 적다는 것이다. 다음으로 인간이 위험에 직면하는 과정에서 연쇄적으로 반응하는 확률인 불안전행동에 관해서 살펴보자.

제2절 / 인간의 불안전행동과 산업안전심리학의 정의

1. 불안전행동과 사고 · 재해

불안전행동이란 대단히 폭넓은 개념이다. 위험한 행동이라고 하는 편이 알기 쉽다. 위험이 안전의 반대 개념이라는 것은 주지의 사실이다. 위험의 존재가 사고·재해를 결과적으로 초래하는 것이므로, 인간의 위험한 행동이 없었다면 인간의 행동이 사고·재해의 원인이 되는 일은 거의 없다.

위험한 행동은 사고·재해의 원인이 될 수 있는 것으로 예를 들면, 인간의 실수(Miss)를 들 수 있을 것이다. 잘못된 행동 가운데는 처음부터 잘못이 분명한 것, 사고·재해의 원인을 분석할 때, 조작 행동을 잘못한 것이 판명된 것 등 여러 가지가 있다. 그 중에는 위험이라고 할 수 없지만, 결과적으로 사고로 이어진 것도 있다. 밸브를 오른쪽으로 돌려서 닫아야 하지만, 전부 열어버린 상태가 되어 사고가 발생했던 사례도 있다. 밸브를 닫을 때에 회전하는 방향은 보통 오른쪽으로 돌린다. 이따금 그 밸브는 반대 방향으로 개폐하도록 되어 있는 데도 불구하고, 충분한 확인을 하지 않고 조작 했던 것이다. 이 행동을 위험한 행동이라고 할 수 없으며, 불안전 행동이라고 하는 편이 타당할 것이다.

불안전 상태라는 말도 똑같이 이 사례의 밸브는 위험한 상태라고 하기보다는 불안전 상태라고 하는 편이 정확할 것이다.

재해의 직접 원인이 되는 불안전 행동은 **표1-2**와 같으면 이 분류에 의한 재해발생은 **표1-3**과 같다. 이들 중에서 추측할 사항은 다음과 같다.

① 제조업에서는 불안전한 행동에 의한(불안전한 행동이 있었다) 재해가 전체의 90% 이상을 차지한다.

표1-2 불안전행동

1. 위험장소 접근	◦추락할 위험이 있는 장소 접근 ◦전도 위험장소 접근 ◦협착한 장소 접근 ◦압력, 매몰, 위험장소 접근 ◦비래 위험장소 접근 ◦폐쇄물 내부 접근 ◦위험물 취급장소 접근 ◦기타 경계표시가 있는 지역 등 접근
2. 안전장치의 기능 제거	◦기능 제거 ◦동작 정지 등 잘못 사용 ◦기타
3. 복장, 보호구의 잘못 사용	◦보호구 미착용(보호구 미비로 미 착용 시는 불안전한 상태로 분류) ◦보호구 착용 잘못 및 용도착오 ◦지정복장 미착용, 미준수 ◦기타
4. 기계기구 잘못 사용	◦기계기구의 잘못 사용 ◦필요기구 미사용 ◦미비된 기구의 사용
5. 운전 중인 기계 장치의 손질	◦운전 중인 기계장치의 주유, 수리, 용접 점검, 청소 등 ◦통전중인 전기장치의 주유, 수리, 용접 점검, 청소 등 ◦가압, 가열, 위험물과 관련되는 용기 또는 물의 수리, 용접 점검, 청소 등 ◦기타
6. 불안전한 속도 조작	◦기계장치의 과속 ◦기계장치의 저속 ◦기타 불필요한 조작

7. 위험물 취급 부주의	◦화기, 가연물, 폭발물, 압력용기, 중량물 등 취급시 안전조치 미비 ◦기타
8. 불안전한 상태 방치	◦기계장치 등의 운전 중 방치 ◦기계장치 등의 불안전상태 방치 ◦적재, 청소 등 정리정돈의 불량 ◦기타
9. 불안전한 자세 동작	◦불안전한 자세(달림, 뜀, 던짐, 뛰어오름, 뛰어내림) ◦불필요한 동작(장난, 잡담, 잔소리, 싸움) ◦무리한 힘으로 중량물 운반 ◦기타
10. 감독 및 연락 불충분	◦감독 없음 ◦작업지시 불철저 ◦경보오인 ◦연락미비 ◦기타
11. 기타	◦1~10 항목으로 분류불능 시 기재하며, 원인을 약술할 것

표1-3 불안전행동 유형별 사상자 비율

	불안전한 행동	1986	1983	1980	1977	1975
A	안전장치를 무효로 한다	3.5	2.9	2.8	2.6	2.1
	안전조치의 불이행	4.4	4.9	5.2	5.4	4.5
	불안전 요소의 방치	2.8	3.3	3.0	2.9	3.2
	위험한 상태를 만든다	1.9	2.2	2.1	2.0	2.5
	기계장치 등의 지정외 사용	3.3	3.5	3.0	2.9	2.9
	운전중인 기계, 장치 등의 청소·주유·수리·점검 등	8.0	8.1	6.6	7.3	7.4
	보호구·복장의 결함	2.6	2.3	3.1	3.0	2.7
	위험한 장소에 접근	16.0	14.7	18.6	16.8	15.7
B	기타 불안전한 행위	12.8	12.3	11.6	11.2	11.9
	운전의 실패	1.5	1.6	1.5	1.7	2.1
	잘못된 동작	28.0	28.6	27.2	29.5	29.5
	기타 불안전한 동작	7.1	7.9	7.7	7.9	7.8
C	불안전 행동이 없는 것 분류 불가능	8.1	7.6	7.6	6.8	7.7
합 계		100.0	100.0	100.0	100.0	100.0

② 매번 조사에 있어서 잘못된 동작이 가장 높은 비율을 점하고 있다.

③ 안전보건 규칙에 금지되어 있거나, 각 사업장의 안전기준 종류에 규정되어 있는 항목 A와 규정·기준 종류에서 구체적으로 규정하기 어려운 항목 B의 비율과 비교하면 A는 40%가 넘고

있으며, B는 50% 전후에서 매번 B의 쪽이 높은 비율이 되고 있다. 결국 B 누적을 지키는 것만으로는 불안전행동에 의한 사고·재해는 없어지지 않는다. 과오나 상세한 불안전행동에 대한 적절한 대책이 필요하다.

④ A유형에서는 위험한 장소에 접근이 사상자 비율이 가장 높고, 그 다음이 운전 중인 기계·장치 등의 청소·주유·수리·점검 그리고 세 번째가 안전조치를 이행하지 않는 것이 중요한 순이었으며 이 3가지가 A유형 전체 사고의 70%나 점하고 있다.

건설업에 대해서도 상기사항 중 ①~③의 사항은 거의 똑같다. 그러나 표1-3의 통계를 집계한 원래의 자료는 근로자 재해보고서에 의한 것이며, 간단한 정황밖에 기재되어 있지 않으므로 불안전행동의 형태(현상)별로는 분류할 수 있어도, 불안전행동의 배후요인까지는 분명하게 되어 있지 않다.

표1-4에 제시한 것은 일본의 각 석유 콤비너트에서 130개 사업장에 대해서 고압가스보안협회가 실시한 사고의 요인을 조사한 결과를 집계한 자료이다.

표1-4의 사고대상은 누설·긴급방출·화재·폭발·중독·파손·정전 및 작업의 정지이다. 운전관리요인 사고 380건 중 작업자의 불안전행동에 해당된다고 생각되는 것은 인지(認知)·확인(確認)의 실수 21, 오 판단 28, 오 조작 55, 기능 미숙(경험부족) 19, 합계 123이며, 사고 건수 461건의 26.7%를 차지한다.

표1-4 콤비너트 사고의 요인 집계표

○ 설비관계	221	오 판 단	28
구조설계불량	66	오 조 작	55
재료불량	31	기능미숙(경험부족)	19
공작불량	41	작업기준의 불량	81
계장제어불량	7	지휘·명령의 불량	44
열화	44	점 검 불 량	62
외부하중·충격	8	보 수 불 량	6
기타	24		
○ 운전관리	380		
작업정보의 제공전달	25	요인합계(복수를 포함)	601
인지·확인의 실수	21	사 고 건 수	461

또 이 표에서 콤비너트의 사고건수 중에서 설비결함 47.9%와 동시에 운전관리의 결함 82.4%가 존재하고 있으며, 운전관리 결함 중에서 인적인 결함에 해당된다고 생각되는 것은 26.7%이

며, 인적인 결함의 내역은 다음 순위로 많다는 것을 알 수 있다.

첫째, 오 조작

둘째, 오 판단

셋째, 인지·확인의 실수

넷째, 기능 미숙(혹은 경험부족)

이것은 불안전행동의 배후요인을 상당히 분석할 수 있음을 암시하고 있다.

2. 불안전행동의 종류

표1-2의 불안전행동의 분류는 통계가 가능한 형태적인 분류이며, 그 원인에 따른 유형을 나타내 주지는 않는다. 안전관리를 실제로 추진하는 입장에서 불안전 행동을 다음과 같은 종류로 나눌 수 있다.

① 작업 수행 시 위험에 대한 지식의 부족으로 인한 불안전행동
② 안전하게 작업을 수행할 수 있는 기능의 미숙으로 인한 불안전행동
③ 안전에 대한 태도불량(혹은 의욕부족)에 의한 불안전행동
④ 인간의 특성과오에 의한 불안전행동

즉 알지 못한다, 할 수 없다, 하지 않는다, 인적인 과오의 4종류로 나눌 수 있다.

(1) 지식의 부족

작업자는 자기가 담당하는 작업을 올바르게 진행하는 방법에 대해서 충분한 지식이 없으면 능률적이며 안전하게 그리고 질이 좋은 작업을 수행하기 어렵다.

작업에 필요한 지식에는 2종류가 있다. 하나는 자신이 담당하는 작업을 수행하는데 필요한 기술적인 지식이며, 다음은 작업에 관계되는 위험을 방호하는 방법의 지식이다. 본래 이것들은 일체가 되어 있어야 하지만, 실제는 동떨어진 경우가 있다. 일을 잘 할 수 있지만 안전지식이 부족한 사람이 적지 않다. 전문가로서는 수치가 아닐 수 없다.

법령에서 규정된 안전보건 교육은 물론이며, 작업순서를 충분히 수달하기까지의 교육, 어찌면 일어날지도 모르는 위험이나 긴급한 이상사태에 대처하기 위한 교육훈련이 불충분하기 때문에 일어나는 불안전행동에 의한 사고는 대단히 많다.

안전교육의 필요성을 부정하는 사람은 없을 것이다. 그러나 교육은 단순히 안전지식을 부여하기 위한 것이 아니며, 안전하고 올바르게 실행하기 위해, 또 상사로 부터 지시된 사항을 틀림

없이 준수하는 인간을 만들기 위한 것이다. 그 위에 자신이 안전상의 문제를 발견하고, 그것을 해결할 수 있는 능력을 배양하는 것도 필요한 것이다. 이러한 내용을 잘 이해하고, 노력하지 못하는 사업주가 적지 않음에 유의해야 한다.

(2) 기능의 미숙

불안전행동에 의해 발생되고 있는 사고는 기능이 미숙하거나 또는 작업경험이 미천한 사람에 많이 발생하는 것은 이미 알고 있는 사실이다. 어떤 작업이라도 안전에 관계되는 노하우(know-how)가 있다. 경험과 숙련(熟練)에 의해서 작업준비의 부족, 작업방법이 적합하지 못한 측면이 개선되어 무리, 낭비, 오점이 없는 안전한 작업을 수행할 수 있게 되는 것이다.

예를 들면, 크레인은 와이어로프를 사용해서 짐을 매달기 때문에, 짐이 이동하는 중에 짐의 진동이 일어날 위험이 있다. 숙련되어 있는 운전자는 크레인을 주행시키면서 로프가 진동하는 주기(週期)와 같은 시간에 일정한 가속(加速)을 해서 최고 속도가 되도록 운전하며, 짐이 진동하지 않도록 하여 원활하게 운전할 수 있다. 그만큼 짐의 진동에 의한 사고 위험은 거의 없어진다.

또 익숙한 이동식 크레인과 조작방식이 다른 크레인을 처음 운전하여 매달고 있는 짐을 낙하시켜서 사망재해를 일으킨 실제 사례도 있다. 어떠한 직종이라도 숙련되지 못함・숙달되지 못함은 위험하다(숙련자라도 사고를 일으키지만, 여기에 대해서는 뒤에 설명한다).

(3) 태도의 불량(혹은 의욕의 결여)

위험이 항상 존재하기 때문에 안전수칙이 정해져 있음은 주지하고 있는 사실이다. 그러나 사람들은 이를 지키지 않아도 자신은 상해를 입지 않을 것이라고 무시하거나 귀찮다고 이를 생략한다. 이와 같은 것들이 불안전행동 중에서 가장 많은 사례다.

뻔뻔스런 성격의 사람만이 아니라, 수칙을 위반하여도 반드시 상해를 입지 않는다고 생각하는 약삭빠른 형의 사람이 많다. 지식보다도 **태도, 마음**의 문제이다. 단순히 교육 부족이라고 하기보다는 동기가 부여되어 있지 않는 것이다. 안전에 대해 하고 싶은 기분이 부족한 것이다.

사고의 「기본적인 원인」 중에는 안전에 대한 의욕 부족이 원인인 경우가 대단히 많다. 불안전행동을 항상 지적함으로써 인간관계가 나빠진다고 생각하는 관리감독자는 즉시 시정하는 것을 망설이기도 한다. 이러한 연유로 관리감독자와 작업자 쌍방이 안전태도 불량 때문에 발생하는 사고가 상당히 많다.

그러나 안전하게 작업을 수행하는 것에 대해 의욕을 고취하여 하고 싶은 기분을 가지도록 구성원들에게 호소하면 그것이 모두 받아들여진다고 생각되지는 않는다. 그것은 그렇게 간단한 문제가 아니다.

왜냐하면, 안전에 태만한 작업자라도 다른 동기가 있기 때문이다. 예를 들면 쉽게 일하고, 그리고 남만큼은 하자, 제 구실만 잘하는 사람이 되고 싶지는 않다 등…….

인간의 행동원리는 자신이 목표로 하는 것에 지향하려고 하는 자주성(自主性)에 있다. 인간은 로봇이 아니므로 지시된 바와 같이 일정하게 움직인다고 할 수 없다.

그러나 개개인의 안전태도에는 그가 소속하고 있는 집단의 힘이 크게 영향을 받고 있다. 소집단활동 활성화에 의해 직장의 하고 싶은 기분이 고취되어서 구성원 개개인의 안전에 대한 추진이 활발한 이유가 거기에 있는 것이다.

(4) 인적인 실수(인간의 Error)

① 인적인 실수의 종류

인간의 실수(Error)에 대해서는 아직 그 정체가 모두 밝혀지지 못하여 대책도 세우기 어렵다. 이는 실수(Error)의 정체가 복잡하기도 하지만, Human Error를 의미하는 용어도 많다. 실수, 과실, 과오, 착각, 실패, 실책, 오류, 무심코, Miss, 어처구니없게……. 영어에서도 Mistake, Fault, Defect, Error, 등 여러 가지 단어가 있다. 이들의 의미는 조금씩 다르다고 생각되지만, 사용하는 방법이 특별히 정해진 일정한 규칙도 없는 것 같다.

그러나 우리들은 작업하는 가운데 Error에 의한 사고·재해를 zero화해야 한다. 이러한 Error의 종류에 대해서 좀 더 자세히 살펴보고자 한다.

먼저 L. W. Rook의 분류는, **표1-5**와 같다. 제품의 설계단계로 부터 사용단계에 이르는 사이에 여러 가지 과정에 있어서 Error를 제시하고 있다.

심리학자 A. Chapanis는 **표1-6**과 같이 심리학의 입장에서 분류를 하고 있다.

표1-5 Error의 종류(L. W. Rook)

① 인간공학적인 설계의 Error	② 제작 Error	③ 검사 Error
④ 설치 및 보수의 Error	⑤ 조작 Error	⑥ 취급 Error

표1-6 Error의 종류(A. Chapanis)

① 신호의 Error	② 작업공간의 Error	③ 지시의 Error
④ 예측의 Error	⑤ 연속응답의 Error	

또 표1-7도 심리학적인 분류로서, Swain은 아래와 같이 5가지로 분류하고 있다.

① Omission Error(생략 에러)

② Time Error(시간적인 에러)

③ Commission Error(수행 에러)

④ Sequential Error(순서 에러)

⑤ Extraneous Error(불필요한 직무수행 에러)

위의 Swain의 5가지를 크게 2개로 대분류 한다면 ①과 ③으로 나누어질 수 있으며 ②, ④, ⑤는 ③에 해당된다.

또 인간의 행동과정에 따른 에러의 분류는 **표1-8**과 같다. 이것은 입력-결정-출력-Feedback이란 인간의 행동 과정에 따라서 어느 쪽에서도 인간실수(Human Error)를 일으키는 원인이 있다는 것을 제시하고 있다. 표1-8은 그 하나하나에 원인이 있다는 것이지만, 복합적으로 각 요소가 조합되어서 실수(Error)의 원인이 되는 경우도 있다.

표1-7 에러의 분류(高木 貫一)

① 필요한 Task, 내지는 절차를 수행하지 않는데 의한 에러
② 필요한 Task, 내지는 절차의 수행이 지연되는데 의한 에러
③ 필요한 Task, 내지는 절차의 불확실한 수행에 의한 에러
④ 필요한 Task, 내지는 절차의 순서를 잘못한데 의한 에러
⑤ 불필요한 Task, 내지는 절차를 수행하는데 의한 에러

표1-8 인간의 행동과정상의 에러의 분류(大島 正光)

① 입력 Error
② 정보처리 과정상의 Error
③ 의사결정상의 Error
④ 출력 영역의 지령단계에서 Error
⑤ Output하는 경우의 Error
⑥ 궤환(혹은 송환) 단계에서 Error

② 인적인 실수의 성질

인간은 실수(Error)를 고의로 일으키는 것은 아니다. 고의로 작업수칙을 위반한 것이나 불안전행동을 한 것은 실수라고 할 수 없다. 또 지식이 없었기 때문에 또는 아직 기능을 습득하지 못하고 경험도 쌓지 않았기 때문에, 능력부족의 상태로 작업을 하였지만 실패한 불안전행동도 실수라고 할 수 없다.

알고 있다, 하면 할 수 있다, 할 수 있다, 그러나 실수를 범해서 할 수 없었다는 경우를 에러라고 하는 것이다.

그러나 인간은 에러를 범하는 동물이라고 한다. 에러를 범하기 쉽다하여도 절대로 에러를 범하지 않겠다는 의욕과 올바른 행동 가능성과 능력을 구비하고 있는 것 또한 사실이다.

어떠한 때는 에러를 상당히 일으키지만, 어떤 때는 거의 에러를 범하지 않는다. 이것은 대뇌 속에 있는 「익숙한 뇌」가 생리학적인 원칙에 따라서 신체와 정신을 활동과 휴식의 리듬에 의해서 규제하여 주체(主體)로서의 균형을 유지하고 있기 때문이다.

③ 대뇌 정보처리에서 본 인간의 에러

다음은 인적인 에러를 대뇌의 정보처리 과정에서 설명한다. 이것은 인적인 에러가 어떠한 정보처리에 관련해서 발생했는가, 그 위에 에러의 직접 요인으로서 어떠한 동기 또는 환경이 관여되어 있는가 하는 심리적 및 생리적인 요인의 분석으로 이어지는 것이다.

인간 대뇌의 정보처리 모델은 그림1-9와 같다.

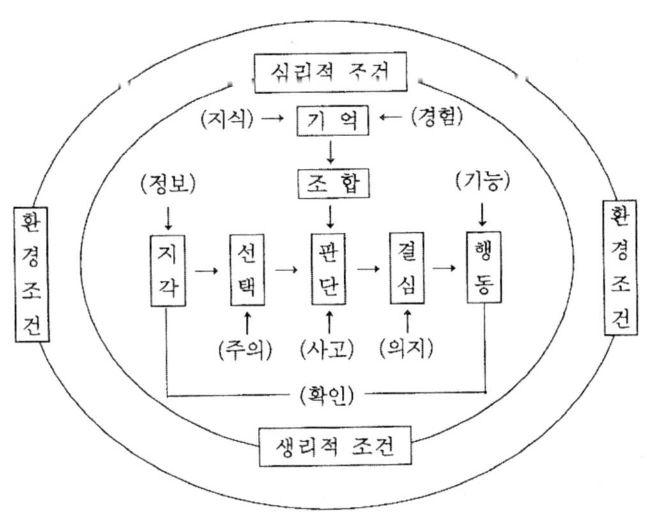

그림1-9 인간의 정보처리모델

㉮ 인지 · 확인의 Miss

외계의 정보를 받아들여 대뇌의 감각중추에서 확인되기까지의 과정에서 일어나는 에러를 말하는 것이다.

인지(認知)라고 하는 것은 목전에 제시되어 있는 정보나 신호, 지시 등을 인정하는 것이며, 확인(確認)이라고 하는 것은 작업을 순서와 같이 추진하기 위해 작업의 상황이나 다음 행동 · 작업에 대한 정보, 신호들을 필요한 것과 불필요한 것으로 선별해서 필요한 것에 대해서 인식하는 것을 말한다.

지각하지 않는다.	지각을 잘못 한다
인지하지 않는다.	인지를 잘못 한다
확인하지 않는다.	확인을 잘못 한다

등이 있다.

㉯ 기억・판단의 Miss

확인한 정보에서 필요한 것은 기억(지식과 경험에 기인하고 있다)과 대조해서 판단하며, 상황에 적응하도록 행동할 의사를 결정해서, 운동중추로 부터 동작의 지령을 내린다. 이 과정에서 일어나는 에러를 말하는 것이다.

기억의 대부분은 이 중추 영역에서 처리되는 것이며, 예를 들면 「그것을 잊어버려 알아차리지 못했다」, 「기억의 잘못으로 판단을 잘못했다」 등의 에러가 여기에 해당된다.

기억이 없다.	기억의 잘못
판단하지 않는다(잊었다)	판단을 잘못 한다
의지적으로 억제할 수 없다	결정을 잘못 한다

등이 있다.

㉰ 동작・조작의 Miss

운동중추로 부터 수의적으로 동작이 지령되지만, 동작이 실제 나타나기까지의 과정에서 조작을 잘못하거나 또는 생략을 하는 등의 에러를 말한다.

동작을 빼 먹는다.	동작을 생략 한다
동작을 잘못한다.	동작・자세가 흐트러진다
동작순서를 건너뛴다.	동작・순서를 잘못 한다

등이 있다.

㉱ 사람의 조건과 환경조건의 영향

대뇌의 정보처리는 그 처리 모델과 같이 실행되지만, 그 과정은 개인의 특성과 그가 존재하고 있는 환경조건에 의해 영향을 받는 것이다.

그림 1-9의 바깥 원에 인간의 심리적인 조건과 생리적인 조건 및 환경 조건을 제시한 것은, 이러한 뜻을 표시하고 있는 것이다.

④ System Error와 인적인 실수(Error)

인적인 실수(Error)에 의한 산업재해는 상당히 많다. 그러나 인적 실수를 구체적으로 분석하면, 순수하게 인간의 오 조작이나 오 판단에 의한 것과 실수의 원인이 설비나 작업의 결함이나 관리운용 상의 미비로 인해 잘못했다거나 잘못 생각했다는 것 등이 있다.

예를 들면, 작업에 관한 연락이나 정보가 잘못되어 있어서, 거기에 따라서 작업을 추진했을 때 사고가 발생되었거나, 작업순서가 미비하였기 때문에 조작을 잘못해서 사고가 발생했을 경우, 인간의 실수이기는 하지만, 기본 원인이 되어야 할 것을 구분하여 운전관리 요인을 시스템 에러 요인과 순수한 인적인 실수 요인으로 분류한 것이 표1-9이다. 이를 살펴본다면 시스템 에러가 전체의 64%이고 인적인 에러가 36%임에 따라 시스템 에러가 더 많다는 것이다.

따라서 작업시스템의 미비 사항을 개선한다면 외관상의 인적인 실수도 상당히 감소된다는 것을 이해할 수 있다.

표1-9 시스템 에러와 인적인 실수

시스템 에러		인적인 실수	
작업기준의 불량	81	인지・확인의 Miss	21
점 검 불 량	62	오 판 단	28
지휘명령의 불량	44	오 조 작	55
작업정보의 제공 Miss	25	기 능 미 숙	19
보 수 불 량	6		
소 계	218	소 계	123
비 율	0.64	비 율	0.36

제3절 / 산업안전심리학의 정의

치열하고 혹독한 경제 환경 속에서 경영의 불확실성, 불연속성은 기업 존폐의 문제와 직결된다. 사고・재해에 의한 손해는 위험관리에서 말하는 순수 위험(손실만을 발생시키는 Risk)의 하나가 되지만, 투기 위험(손실이나 이익의 어느 것을 발생하는 Risk)에 비해서, 이러한 손실을 방지하는 기업의 관심 측면에서는 다소 낮은 편이라 할 수 있다. 그러나 위험을 항상 직면하고 있는 현대 글로벌 기업은 산업재해 등에 의한 손실예방 측면에서 경영관리상의 중요성과 비중은 점점 높아지고 있는 실정이다.

그러나 경기의 좋고 나쁨에 관계없이 생산 활동이 추진되는 기업현장에서는 매일 작업행동이 이어지고 있다. 자재, 제조(공사), 운반, 검사, 판매 등의 업무 전반에 걸쳐서 경기가 좋을 때 이상으로 손실(무리, 낭비)이 없이 생산이 진행되고 있는 지 점검하여, 문제가 존재하고 있다면 그것을 제거하기 위한 연구와 개선 노력이 필요하다. 사고・재해에 의한 손실예방은 그 중에서도 제일 중요한 것이다. 수입(收入)을 증가시키기 위해 열심히 노력을 경주하는 것은 당연하지만, 사고・재해에 의한 손실을 감소시키기 위한 노력은 경기가 좋을 때만 하면 된다는 것은 아니다.

경영에 있어서 손실의 예방(Loss Prevention)은 특히 불경기 시대에 있어서 보다 절실히 요구된다.

인간이 기계설비를 취급하는 경우, 인간이 기계설비로 부터 받는 정보는 감각기관의 일부인 시각(視覺)·지각(知覺)에 의한 것이 많다.

일반적으로 감각기관에 외적인 자극을 주는 실제적인 환경과 심리적인 과정에 의해 인지하는 심리적인 환경은 반드시 일치하지 않는 경우가 많다.

이들의 특질을 이해하고 활용하는 것이 안전관리를 추진하는 대책을 수립하는데 하나의 착안점이 된다.

따라서 사고·재해의 원인에 관련하여 인적인 측면에서 규명하고 그 방지대책을 심리학적으로 수립할 필요성이 매우 높으며, 이러한 문제의 해결에 기여하는 것이 안전 심리학이다. 이러한 산업안전 심리학을 필자는 다음과 같이 정의한다.

「생산현장에서의 안전과 관련된 인간의 행동을 이해하고자 하는 학문으로서, 인간의 특성과 심리학적인 환경은 순간적이며 유동적이므로 작업과 관련된 인간의 행동을 과학적 방법으로 연구하고 이를 바탕으로 보다 효과적으로 안전관리를 추진하고자 하는 학문으로 정의 할 수 있다」

제2부

인간의 행동특성과 안전심리

제1장
인간의 특성과 결함

제1절 / 인간의 행동과 환경

1. 인간의 행동

인간의 행동은 내외 환경으로 부터의 자극에 의해서 일어나는 반응이며, 생리학적으로 보면 신경과 근육이 협력해서 일하는데 따라서 나타난다.

인간의 신경계는 중추신경계와 말초신경계에 의해 이루어지며, 표1-1과 같이 구분된다.

표1-1 신경계의 구분

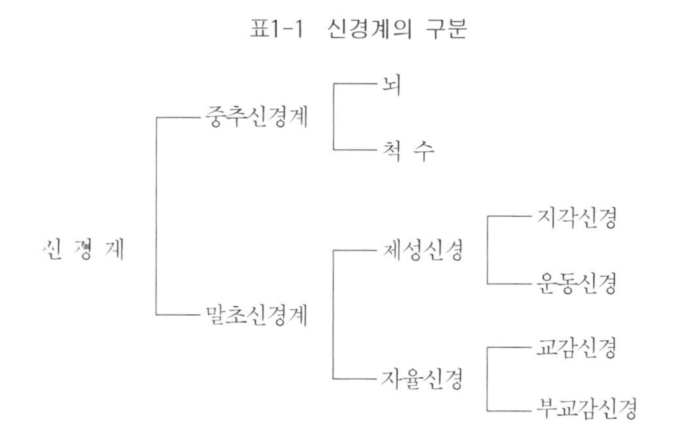

신경세포는 뉴런(Neuron : 신경세포와 이로부터 돌기한 신경섬유의 총칭)이라고 하며, 뉴런은 상호 또는 근 세포와의 사이에 연락 부분을 만들고 있다. 이 연락 부분을 시냅스(Synapse : 신경세포의 신경돌기 말단이 다른 신경세포에 접합하는 부위)라 하며, 자극은 시냅스를 통해서 일정한 방향으로 전달되어 간다.

중추신경 중 척수에 관해서는 아직 설명되어 있지 않지만, 척주(등심대 : 등골뼈로 이루어진 등마루)의 약 3분의 2 길이가 있으며, 새끼손가락과 같은 정도로 굵다. 좌우에 합계 31개의 마주보는 척수신경을 내놓고 있으며, 전주(前柱)에서 나와 전근(앞 뿌리)을 구성하고 있는 것이 근육으로 가서 운동신경, 후근(동물의 좌우에서 나오는 등골신경이 그 큰 줄기에서 둘로 갈라진 것의 뒤쪽의 것이다. 이 신경은 피부나 그 밖의 감각기관이 받는 자극을 등골에 전달하는 구실을 한다)으로 부터 들어가는 것이 지각신경이다.

근육은 신경으로부터 보내오는 자극에 의해서 수축한다. 이것을 반복시키면 근육도 피로해져서 수축이 약해진다.

근육피로는 옛날에는 단순히 근 수축에 의해 유산이나 초성 포도산(생물체 안에서 포도당이 연소하여 에너지로 될 때에 생기는 중간물질 : 파루비 산) 등의 피로물질이 근육에 쌓이는 것이 원인으로 생각하고 있었지만, 연구 결과 신경과 근육의 접합부 결국 운동신경 종단이나, 신경과 신경을 척수 속에서 연결하는 시냅스의 피로가 빨리 나타난다는 것과, 그 위에 그보다 먼저 대뇌의 중추가 먼저 피로해 진다는 것으로 알려져 있다.

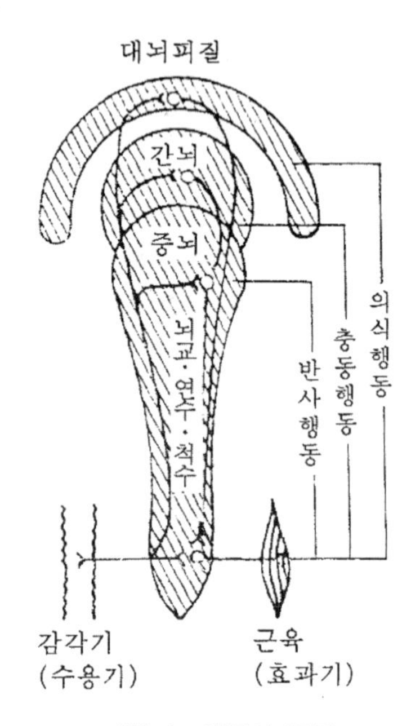

그림1-1 행동의 종류

그런데 눈이나 귀 등의 감각기관이 자극을 받으면, 그 자극은 지각신경으로 부터 중추신경으로 전달된다. 대뇌피질에서는 그 자극에 대응하는 지령을 중추신경에 내보내고, 운동신경에 의해서 근육에 전달되어 행동이 일어난다.

행동에는 단순하며 차원이 낮은 것에서 부터 복잡하며 차원이 높은 것까지 있지만, 자극→수용기→중추신경→대뇌피질→중추신경→효과기→반응 이라는 구조에는 변함이 없다.

다만 행동 중에서 가장 단순한 반사행동과 감정이 그대로 행동에 나타나는 충동행동은 대뇌피질로 부터 지령에 따르지 않고, 뇌간이 지령한다(그림1-1 참조).

행동 중에서 가장 발달된 것은 의식행동이다. 이것은 일정한 목적을 가지고, 생각함이나 판단을 근거로 이루어지는 행동이며, 학습이나 작업이 여기에 해당된다.

의식행동은 대뇌피질의 전두엽으로 부터의 지령에 의해서 운동중추의 뉴런이 활동을 개시하고, 척수로부터 운동신경을 통해서 근육에 지령이 전달된다. 이렇게 일어난 행동이 목적에 맞는가 하는 것은 눈이나 근육 중의 감각을 통해서 인식되어 여러 가지 새로운 행동이 완성되어 가는 것이다.

2. 인간행동과 환경

사람은 왜 인간인가, 사람이 아니고 인간이라는 것은 무엇을 의미하는가.

어려운 문제이지만, 대담하고 또한 간략하게 말한다면, 인간은 사람과 사람의 사이에 생존하는 것이며, 자기와 다른 사람 사이에 있는 환경을 통해서 서로 관계하면서 생존한다는 것을 의미한다.

이와 같이 인간의 행동은 환경의 자극에 의해서 일어나며, 또 거기에 작용하여 언제나 환경과의 상호관계 속에서 전개되고 있다. 독일에서 출생하여 미국에서 활동한 심리학자 Lewin, K는 앞에서 표시한 관점에서 인간의 행동을 다음과 같은 식을 사용해서 표시했다.

$$B = f(P \times E)$$

이 식은 행동(Behavior)은 사람(Person)과 환경(Environment)의 함수(f)라는 것을 의미하고 있다.

사고도 그것이 인간의 책임에 의한 것인가는 별개의 문제로 두더라도, 인간의 행동이 관계되지 않는 것은 없다. 이와 같은 견지에서 위의 식을 사고발생의 원인분석에 적용하려는 시도도 있다. 즉 P를 구성하는 요인 : 성격, 지능, 감각운동 기능, 연령, 경험, 심신상태 등, E를 구성하는 요인 : 가정・직장 등의 인간관계, 조도・습도, 조명, 먼지, 소음 등의 물리적 환경, 기계나 설비 등의 모든 요인 중에서 어딘 가에 미비나 부적절한 것이 있으면 사고가 발생한다는 생각이 그것이다.

인간이 환경으로부터 받는 자극은 눈(시각)이나 귀(청각) 등의 감각기관에서 받아들여, 신경을 통해서 대뇌에 전달하고, 여기서 확인, 판단, 결심(결정)이 이루어져, 다시 필요한 행동이 실행된다.

인간 특징 요인 P는, 그 사람이 태어나서부터 현재에 이르는 학습 경험과 생활환경에서 이미 형성되어 있는 것이지만, 언제나 일정하지 않다. 여기에 동작이 미치게 하는 환경 요인 E는 항상 변화·변동하는 것이며, 또 의도적으로 변화시킬 수 있다.

즉, 인간 쪽의 요인 P도 환경 쪽의 요인 E도 수학을 인용해서 말한다면 상수(어떤 조건 밑에서 변하지 않는 일정한 수치)가 아니고 변수(가치가 자유로 바뀌는 수)라고 생각하여야 한다. 그렇다면 그들의 함수(근대 수학에 있어서 기초적 중심적 개념의 하나)인 행동 B는 항상 일정하지 않다.

그러나 생산 현장에서 작업할 때, 일정하지 못함은 곤란하며 언제나 안전한 행동이 요구되고 있다. 담당하고 있는 작업이 요구하는 안전도에서 벗어날 만한 행동을 불안전행동이라고 한다면, 행동 B의 안전수준이 작업이 요구하는 수준보다 낮아지지 않도록 P와 E를 제어하는데 따라, 불안전행동의 예방이 가능해진다.

3. 시스템성과(System performance)와 Human Error

시스템성과와 Human Error와의 관계는 표1-2와 같다. 즉, 이것은 양자의 관계를 3개로 나누어 본 것이다.

이것은 SP=F(HE)=K×HE에 있어서

K≒1 …… (1)에 해당된다.

K<1 …… (2)에 해당된다

K≒0 …… (3)에 해당된다.

단, SP …… System Performance

HE …… Human Error

F …… 함수를 나타낸다

K …… 상수를 나타낸다.

표1-2 시스템성과와 Human Error와 관계

1. Human Error가 System Performance에 중대한 결과를 일으킨 것.
2. Human Error가 System Performance에 대해서 잠재적인 효과 내지 위험을 주는 것.
3. Human Error가 System Performance에 대해 어떤 효과도 주지 않은 것.

제2절 / 인간의 특성

인적 요소(Human Factor)가 안전성에 관계되어 있다는 것은 알고 있는 바와 같다. 그래서 인간으로서의 특성에 직접 결부되는 요소를 확인하고, 이를 차단해서 안전성을 확보하는 것이 중요한 문제가 된다.

지금 A, B 2명이 동일한 조건에서 일하고 있는 것으로 가정하고, A는 사고를 자주 일으키고, B는 무사고로 생활하고 있다고 하자. 사고의 유무에 대한 한 가지 생각은 여러 가지 요인이 관련되어 있는 것인지, 혹은 다른 생각으로 A, B 각각 가지고 있는 소질이나 성격의 차이에 기인한 것인 지를 두고 판단해 보는 것은 충분히 가능한 이야기이다.

좀 더 극단적인 사례를 들면, 같은 직장에서 일하고 있는 A와 B를 비교했을 때, A는 여러 차례의 사고를 경험하고 있으나 B는 장기간 무사고로 지냈다고 했을 때, A는 사고를 일으키기 쉬운 성질을 가지고 있는 것이 아닌지 라고 의심해 보는 것은 당연하다.

이 경우 A를 사고 경향이 있는 사람이라 하며, 이 사고 경향이 있는 성질을 여러 가지 심리검사(Test)에 의해서 사전에 발견하려고 하는 시도는 심리학자에 의해서 수십 년간 이루어 져 왔고 나름의 성과를 거두었지만, 결정적인 성과는 거두지 못했다. 이러한 사고 경향성이란 것도 존재하는 것은 틀림없지만, 아마도 종사하는 작업에 따라서 조금씩 다를 것이다. 따라서 어떠한 심리검사를 적용할 것이며, 그 결과를 어떻게 해석할 것인가는, 매우 어려운 문제다. 한편 적성배치에 대해서 명확한 신체적 결함, 예를 들면 간질병이나 색맹 등의 사람들에 대한 배려를 잘못하면, 예상하지 못하는 비극을 초래하는 일도 있을 수 있으므로, 사전에 충분히 검토하는 것이 필요하다.

1. 부주의(inattention)의 참모습

부주의의 현상을 해명하기 위해서는 먼저 「주의(attention)」란 무언인지를 살펴볼 필요가 있다. 그러나 상식적으로 흔히 사용되는 이 주의라는 현상도 그 정의를 내리기는 매우 어렵다. 일단 간단히 주의를 「정신을 집중하는 것」으로 정의토록 하고 주의의 특성을 살펴보면 다음과 같은 특징들이 있다.

- 선택성 : 사람인 경우, 한 번에 많은 종류의 자극을 지각하거나, 수용하기 곤란하다. 소수의 특정한 것에 한정하여 선택하는 능력이 있다.

• 방향성 : 공간적으로 보면, 시선이 초점에 맞추는 곳은 잘 인지되지만, 시선으로부터 벗어난 부분은 무시하기 쉽다.
• 변동성 : 주의에는 리듬이 있어서 언제나 일정한 수준을 유지하지 못한다. 보통 조건에서 단일의 변화하지 않는 자극을 명료하게 의식하고 있을 수 있는 시간은 기껏해야 수초간이다. 따라서 본인은 주의하려고 결심하더라도 실제로는 의식하지 못하는 순간이 반드시 존재한다.

주의의 저하나, 주의가 산만하게 되어있는 상태를 부주의(Inattention)라 하지만, 주의의 반대개념으로 부주의를 생각하는 것은 잘못이다. 부주의는 주의를 지속하고 있는 사이에도 발생하는 것이다. 주의와 부주의는 동시에 존재하는 것으로 생각하고 있을 필요가 있다.

(1) 주의력

인적인 행동상의 실수(miss)를 일으키지 않고 작업할 수 있도록 하기 위해 실수(miss)를 범하게 하는 그들의 요인을 억제할 수 있다는 사고방식 측면에서 근본적으로 다루어지는 문제가 주의력이다.

사고의 원인이 「부주의」라고 하는 것이 잘못된 것이라는 인식은 보편화되어가고 있지만, 사고방지의 대책을 추진할 경우에 주의력에 기대하는 바가 적지 않은 것 같다.

여기서 주의력이란 무엇인지에 관해서 생각해 볼 필요가 있다. 주의란 「특정한 대상으로 범위를 명확하게 하여서, 이를 선택하여 집중한다」는 것을 말하지만, 심리학 전문가는 그들의 저서(부주의의 이야기) 등에서 인간주의의 한계에 관해서 다음과 같이 기술하고 있다. 「인간의 주의력은 한계가 있음」을 분명히 밝혀내고 있다. 그러나 지속되는 시간이 어느 정도이며, 공간적인 폭이 어느 정도인가 하는 것은, 여러 가지 많은 조건에 따라서 규제되는 것이므로, 구체적으로는 장소의 조건이 분명하지 않는 한 일률적으로 말할 수 없다. 그러나 보통의 조건에서 단 하나의 변화 내지 자극을 명료하게 의식하고 있는 시간은 1초 내지 수초이며, 결코 오랜 동안 계속되지 못한다. 주의의 물결이 움직이는 현상이 있다. 따라서 본인은 주의를 결심해도 실제는 두뇌에서 명료하게 의식되어 있지 않는 순간이 존재함을 알 수 있다.

다음은 공간적(空間的)인 폭이지만, 이것은 오히려 물리적인 공간에 있어서 처지나 수준을 문제로 하기보다는 심리적인 공간에 있어서 어떤 움직임, 현상, 뜻하는 바, 나아가 목표가 되는 쪽의 성질이라는 것에 기본적인 제약이 있다.

다양한 사고사례 분석을 통해서 사람의 심신기능이 정상적인 상태에 있어도 인간의 주의력에 한계가 있다는 것은 설명되었지만, 주의력에는 어떤 현상이 물결처럼 일어났다 멈추었다 하는 성질이 있어서 지속되지 못하며, 또 주의에는 방향성(方向性)이 있어서, 목전의 것은 이해하지만, 뒤쪽에는 주의가 미치지 못하며, 어떤 것에 주의하면 다른 것에 주의가 미치지 못한다는 것이다.

주의의 방향성은 보다 상세하게 고려하는 편이 좋은 것 같다. 대뇌피질에 있어서 의식의 작용은 동시에 2방향으로 부터 받아들인 정보에 대해서 처리할 수 없다. 결국 하나의 결론만 존재한다. 그러므로 정보를 교환하는 상대가 2명이 있어서 2명으로 부터 동시에 말을 주고받는다 하여도 이야기의 내용은 모두 알지 못하게 되며, 눈으로 물건을 보는 경우라도 2개의 물건은 동시에 확실하게 볼 수 없다. 어느 쪽이든지 하나의 대상에 주의가 강하게 작용한다. 즉, 선택성(選擇性)이 있다는 것이다.

그 외에 주의에는 1점에 집중하는 특성이 있다. 기계의 미터 지시에 중대한 변화가 나타났을 경우 주의는 미터의 계기판에 응집되어 다른 정보는 전혀 의식하지 못하는 상태가 여기에 해당된다. 긴급한 비상사태에 부딪히면 대체로 이와 같은 상태에 빠져버리는 것이다.

주의는 아침부터 밤까지 자고 있는 사이도 포함해서 신경을 팔방으로 넘쳐흐르게 하여 어떠한 위험에도 대응한다는 능력을 가지고 있는 것은 아니다.

주의력에는 이와 같은 한계와 폭이 있다는 것을 인식하여야 할 필요가 있다. 다시 말하면 주의력에는

① 변동성(어떤 현상이 물결처럼 일어났다 멈추었다 하는 성질)

② 방향성(어떤 움직임, 현상, 뜻하는 바가 나아가는 목표가 되는 쪽의 성질)

③ 선택성(여럿 가운데서 골라 뽑는 성질)

④ 1점 집중성(한 곳을 중심으로 하여 모이거나 하는 성질)

이 있다는 것이다.

(2) 주의력과 대뇌의 활동

인간이 실수를 범하는 행동이란 광범위하게 말한다면 잘못된 행동이며, 위험으로 직결될 염려가 있는 것이라고 생각해도 된다.

인간은 잘못, 다시 말한다면 에러를 일으키기 쉽다. 이 에러는 대뇌의 활동과 밀접하게 관련된 사상(Event)이라고 설명할 수 있다.

우리들은 외계의 사물을 보거나 생각해서 판단한다고 하는 마음의 작용을 하고 있지만, 이 마음의 작용은 대뇌의 세포가 활동하고 있을 뿐만 아니라 의식(意識)이 작용하여야 한다. 의식의 작용이란 자기 자신이 여기에 존재할 수 있는 작용이다. 그리고 의식이 작용하는 정도에 따라서 대뇌는 보다 복잡하며 정도가 높은 정신활동을 할 수 있다.

의식의 작용의 정도라고 하는 것은 의식수준이 높아지는 정도라고 바꾸어 말해도 되지만, 우

리들의 의식수준은 하루에도 가지각색으로 변하고 있다. 이것은 대뇌 특히 신뇌(대뇌피질)가 출력하고 있는 뇌파의 파형(波形, pattern) 변화에 의해서 간파할 수 있다.

그림1-2는 대표적인 뇌파(腦波)의 파형이며 뇌의 활동상태 결국 의식수준에 대응해서 독특한 파형을 나타내고 있다.

- β(Beta)파 - 뇌 세포가 활발하게 활동하여 풍부한 정신기능을 발휘한다. 활동파(活動波)라고도 한다.
- α(Alpha)파 - 뇌는 안정상태이며 가장 보통의 정신활동 인정되며 휴식파(休息波)라고도 한다.
- Θ(Theta)파 - 의식이 멍청하고, 졸음이 심하여 에러를 일으키기 쉽다. 방추파 - 수면상태
- σ(Delta)파 - 숙면상태

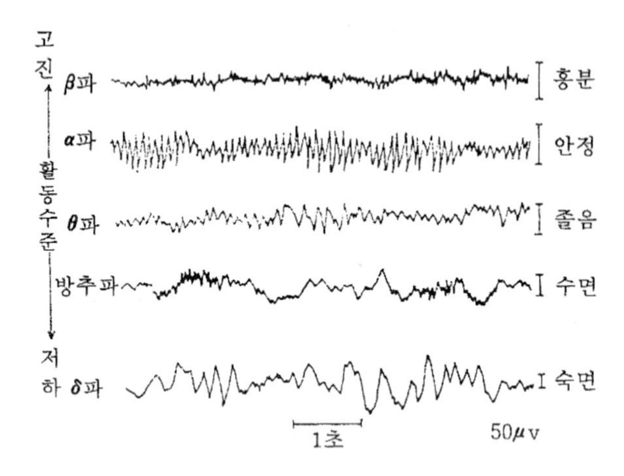

그림1-2 뇌파의 파형과 의식수준(橋本 邦衛)

표1-3 뇌파의 Pattern과 의식수준

Phase (국면)	의식의 상태	의식의 작용	생리적 상태	신뢰성	파 형
0	무의식, 실신	없음	수면, 뇌가 발작	0	Delta파
I	Sub normal, 의식의 둔화	Inactive, 부주의	피로, 단조, 말뚝잠, 술에 취함	0.9이하	Theta파
II	Normal 이완 상태	Passive, 마음의 안쪽으로 향함	안정 기거, 휴식할 때 정상작업을 할 때	0.99~0.99999	Alpha파
III	명료한 상태	Active, 전향적, 주의범위 넓음	적극적으로 활동할 때	0.999999 이상	Beta파
IV	Hyper normal 과긴장 상태	1점에 집중, 판단이 정지	긴급방어반응, 당황→Panic	0.9이하	Beta파

Phase O는 의식이 없는 상태이므로 작업도중에는 있을 수 없는 국면이다. Phase I의 뇌파에서는 Theta파가 우세한 상태이며, 의식은 멍청하며, 강한 부주의상태가 계속되어 깜박 잊어버리거나 별 것도 아닌 장면에서 실수가 많다.

Phase II는 Alpha파에 대응하는 의식수준을 표시하며, 정상적인 의식상태 이지만, 휴식할 때의 이완한 상태이다. 전두엽은 그다지 활동하고 있지 않기 때문에, 예측이 활발하게 작용하지 못하여 창조적인 의지력도 그다지 기대할 수 없다.

Phase III는 Beta파에 있어서 의식수준이며, 의식은 맑고 밝으며, 전두엽이 전부 활동하고 있어서 멍청한 실수(miss)를 일으키는 일은 거의 없다.

Phase IV는 신상의 과대 또는 정동(그 영향이 신체에 나타날 정도로 강렬한 일시적인 감정)이 흥분했을 때의 의식이며, 대뇌의 에너지 수준은 매우 높지만, 주의는 목전의 1점에 고정되어, 올바른 판단을 할 수 없다. Panic(공황) 상태에서 당황하거나, 공포감에 시달려서 대뇌는 정보처리 기능이 분열상태에 빠지는 것도 Phase IV이다.

이렇게 생각해 보면 작업안전을 위해서는 작업자가 언제나 Phase III에서 작업하는 것이 바람직하지만, 작업자가 노력해도 곧 Phase II의 의식수준이 되어서 인간이 실수(miss)를 범하는 행동을 하기 쉬운 상태가 되어버린다.

인간공학 전문가의 조사에서는 근무하는 도중에 3분의 2에서 4분의 3은 Phase II에 있으며, 특히 숙달되어 일상적으로 실시하는 정상작업은 거의 Phase II에서 처리되고 있다는 것이다. 따라서 통상 실시하는 작업에서는 Phase II의 두뇌 상태라도 위험하지 않도록 기계설비나 작업환경을 안전하게 개선해 둘 필요가 있으며, 비정상작업에 있어서는 필요에 따라 Phase III으로 전환해서 작업하도록 훈련하는 것이 필요하다.

자기통제(self control, 자제, 극기) 방법으로서 지적확인이 실시된다. 큰 소리를 내어 지적확인을 하는데 따라 작업자의 의식은 Phase III가 된다. 이 외에도 감시자나 작업지휘자를 배치하여 작업자가 실수(miss)를 범하는 행동을 하지 않도록 신호나 지시를 하는 조치, 즉 이중확인 체계(double check system)의 도입도 위험한 작업등에서는 흔히 실시된다.

인간의 일상생활인 근로생활에 있어서 주의와 부주의의 상태는 이상과 같이 변동하면서 반복되고 있으므로, 이 생활 기능을 부정할 수 없다.

결국 주의상태의 반대가 부주의라는 것이 아니고, 주의의 곁에 부주의가 달라붙어 있다는 것이다. 인간은 고의로 부주의 하려는 것이 아니고, 주의하려고 감정을 억누르는 마음이 작용하고 있어도 저절로 그렇게 되는 항시 변하지 않는 관계이므로 주의의 곁에서 부주의 상태가 튀어나오는 것이다.

부주의를 완전히 피하는 것은 무리가 있기 때문에 주의력을 작용시켜도 에러가 없어진다고 생각하는 것은 이치에 맞지 않는다. 에러 행동을 일으키지 않기 위해서는 본인의 의식수준을 능숙하게 전환하고 동시에 설비나 작업방법에도 여러 가지 연구를 필요로 하는 것이다.

2. 의식수준과 부주의현상

표1-3의 오류 잠재성(error potential)은 대뇌피질의 활동수준이 서로 다른 것에 기인하지만, 의식수준에 의해서 일어나는 부주의 현상(에러 행동)으로 여러 가지 사항이 있다. 국면(Phase)이론에 의하면 다음과 같이 설명할 수 있다.

(1) Phase Ⅰ의 경우

Phase Ⅰ의 경우에는 과도하게 피로했을 때, 아주 귀찮다고 하는 기분이 앞서가기 때문에, 다음과 같은 에러 행동이 일어나기 쉽다.

① 인지 · 확인의 에러

- 목전의 신호 · 정보를 간과해 버린다. 잘못 본다. 관심이 없다.
- 귀찮다고 하는 기분이 앞서서 점검을 하지 않는다.

② 기억 · 판단의 에러

- 지시 · 연락 사항을 깜박 잊어버린다.

③ 동작 · 조작의 에러

- 목전의 상황을 보고 안이하게 손을 내민다(장면행동).
- 감정적으로 난폭하게 다룬다.
- 빨리 작업을 중단한다.

(2) Phase Ⅱ의 경우

이 경우에는 예측하지 못한 사태에 주의를 빼앗겨서 기존 알고 있는 것을 잘 못하거나 확인을 제대로 하지 않거나, 의식적으로 제어가 되지 못하는 통제(Control)를 상실한 판단, 의사결정을 반전시키는 정보를 처리하는 등의 에러 행동이 늘어난다.

① 인지 · 확인의 에러

- 예기치 못한 사태에 마주쳐서 인지 · 확인을 잘못한다.

• 예측이 빗나간다. 지레짐작한다.

② 기억 · 판단의 에러

• 위험하다고 알고 있으면서 그 순간 위험을 잊어버린다.
• 확인하지도 않고 확실하다고 믿어버려 점검하지 않았다.
• 전에도 성공했으므로 이번에도 충분하다고 생각했다.
• 상대가 알고 있을 것으로 생각하여 연락하지 않았다.
• 용건이 끝났다고 생각하여 다음 작업을 시작했다.
• 용건에 끼어들어 정신을 빼앗겨 순서를 잘못했다.
• 다음 작업(걱정거리)에 정신이 팔려 순서를 빼먹었다.

③ 동작 · 조작의 에러

• 조금 시간을 기다리지 않고 다른 일을 시작하여 시기를 놓쳤다.
• 습관적인 동작이 튀어나오는 것을 통제(Control)할 수 없다.
• 반사적으로 손을 내밀었다.

(3) Phase Ⅲ의 경우

Phase Ⅲ은 주의력이 가장 잘 작용하여 전향적이며 주의하는 범위도 넓다고 표2-2에서 제시했지만, 그래도 부주의 현상이 튀어나올 수 있다.

대뇌의 정보를 처리하는 회로는 일방 경로(One channel) 구조로 되어 있어서 대량의 정보를 판단하거나 처리시간에 쫓길 때는 수습할 수 없게 된다.

기억 · 판단의 에러에도 다음과 같은 것이 있다.

• 상황이 갑작스럽게 변경되어 시간이 절박한 가운데 즉시 판단하는데 쫓기고 있었다.
• 작업에 열중해서 주위 상황이나 시간이 경과되는 것을 알아차리지 못해 때를 놓쳤다.
• 작업의 과제가 너무 어려워 골똘하게 생각하고 있었다.

(4) Phase Ⅳ의 경우

Phase Ⅳ의 경우에는 목전의 사건에 깜짝 놀라서 거기에 주의를 빼앗기거나 당황해서 조작을 잘못하는 에러 행동이 나오기 쉽다.

① 인지 · 확인의 에러

• 목전의 돌발사태가 1점에 집중한다.

• 다른 정보를 무시해 버린다.

② 기억 · 판단의 에러
• 과도한 긴장 · 흥분 때문에 판단이 불가능하게 되었다.
• 당황한다. 화를 낸다. 공포 때문에 동작을 제어할 수 없다.

③ 동작 · 조작의 에러
• 지름길 반응이나 공포 때문에 동작을 제어할 수 없다. 본질을 무시하고 사물을 간단하게 관련시키는 반응(단락 반응)을 한다.
• 목적이 없고, 의미가 없는 동작을 반복한다.

3. 부주의의 실상

부주의는 인간이 행동을 하고 있을 때 환경의 조건 또는 조건 변화에 대해서

• 주의가 미치지 못했다.
• 간과했다.
• 일이 있기 전에 미리 알아차리지 못했다.
• 미리 알아차렸지만 얕보았다.

등과 같이 행동과 환경과의 엇갈림이나 적응하지 못함에서 발생하는 것이다.

결국 부주의는 행동을 생략하거나, 경험이 없거나 숙련되어 있지 못하거나, 정서 불안정에 있었거나, 심신이 피로한 상태일 때 일어나기 쉽다.

일반적으로 주의력에는 다음과 같은 특질이 보인다.

• 주의는 장시간 지속할 수 없는 성질을 가지고 있으며, 고도로 집중하고 있을수록 그 지속시간은 짧아진다.
• 주의는 동시에 2개 면에 집중하는 것은 불가능하다.

실제 작업에 있어서 주의를 요하는 대상은 대단히 많이 존재하며, 긴급을 요하는 것 등 종류도 많다.

그러므로 주의의 한계를 넘지 않도록 작업방법을 강구해야 한다.

부주의는 이와 같은 내용에서 보아, 사고원인이 아니고 그 결과를 표시하는 것이라고 할 수

있다.

또 부주의는 의식의 중단, 의식의 우회, 의식수준의 저하에 의해 일어난다.

(1) 부주의의 현상

① 의식의 중단

계속되고 있는 의식의 흐름에 중단이 생겨서, 공백상태가 나타나는 경우를 말하며, 특수한 질병인 경우에 나타나며, 몸과 마음이 모두 건강한 경우에는 나타나지 않는 다.

② 의식의 우회

의식의 흐름이 주제에서 벗어나는 경우를 말하는 것이며, 작업을 하고 있을 때 걱정거리, 고민거리, 욕구불만 등에 의해 다른데 정신을 빼앗기는 것 등이 여기에 해당된다.

③ 의식수준의 저하

멍한 머리의 상태를 말하는 것이며, 심신이 피로해 있을 때나 단조로운 것이 반복되는 작업 등인 경우에 일어나기 쉽다.

(2) 부주의의 방지대책

의식의 우회가 심하고, 또한 많은 경우에는 개인교육으로서의 카운셀링(Counselling)이 효과적이다.

집단 작업에서는 의사소통, 팀웍을 원활하게 하는 것이 필요하며, 이것이 결핍되면 작업 시 확인의 상호분담이나 개인의 확인을 원활하게 할 수 없다.

그 외에 주의력의 집중・배분이나 자신감을 부여하기 위한 훈련, 작업 도중에 있어서 적당한 작업의 구획을 설정, 명확한 신호의 이행, 복수의 사람에 의해 상호 서로 주의 시키는(Back up) 방법, 작업에 관심이나 흥미를 불러일으키는 것에 따라 부주의의 빈도를 적게 하는 등의 방법이 제시될 수 있다.

4. 간결성의 원리

물적 세계에도 지름길 빈용이나 생략행위가 있는 것과 같이, 심리활동에 있어서도 최소의 에너지에 의해서 어떤 목적에 도달하려고 하는 경향이 인정되고 있으며, 이것을 간결성의 원리라고 한다.

이 원리에 기인해서 착각, 오해, 생략, 단락 등이라 불리는 사고의 심리적 요인을 만들어 내게 된다.

이와 같은 간소화의 욕망이 지배적이 되는 상황은 피로, 걱정, 질병, 초조, 몹시 취함 등에 의해 심신이 이상할 때, 감정이 흥분되어 있을 때, 과거의 추측에 지배되었을 때 등에서 나타난다.

이들의 관한 주요한 심리학상의 법칙은 다음과 같은 것을 제시할 수 있다.

(1) 조직화의 원리(혹은 지각의 집단화)

어떤 대상물 무리가 존재할 경우를 생각할 때, 다음과 같은 심리학적인 경향이 보인다. 이것을 조직화의 원리라고 한다.

- 근접한 것이 통합되려고 한다(근접의 원리).
- 아주 비슷한 것끼리 통합하려고 한다(유사성의 원리).
- 닫힌 형태를 이루려고 통합하려고 한다(폐합(閉合)의 원리).
- 연속을 이루도록 통합하려고 한다(연속성의 원리).
- 좋은 모양(규칙성, 대칭성, 단순성)으로 통합하려고 한다(좋은 모양의 원리).

① 근접의 원리

그림1-3을 볼 때, 일반적으로 전체로서 뭉쳐 보이는 것이 아니고, 가까운 2개의 원이 각각 1조가 뭉쳐진 것 같이 보인다.

이것은 가까운 것 끼리를 한 무리로 통합하려고 하는 지각이 있기 때문이다.

일반적으로 지각은 객관적으로 있는 그대로의 모습을 마음에 느끼어 이해하는 것이 아니고, 적당히 보충이나 생략을 하거나 해서 그 때의 태도나 욕구에 지배되며, 동시에 지각법칙에 따르는 것이다.

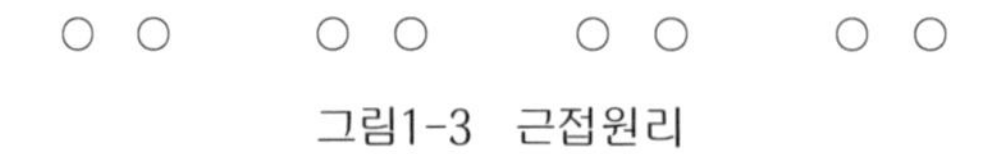

그림1-3 근접원리

② 유사성의 원리

그림1-4를 볼 때, 일반적으로 6개의 원의 통합이 아니고 흰 원과 검은 원이 각각 통합된 것 같이 보인다.

이것은 비슷한 것끼리가 한 무리로서 인지되기 쉽기 때문이다.

그림1-4 유사의 요인

③ 폐쇄성의 원리

그림1-5를 볼 때, 두 그림 모두 완전한 형태가 아니지만 연결되지 않은 부분을 폐쇄해서 삼각형과 원으로 자각하는 경향성을 말한다.

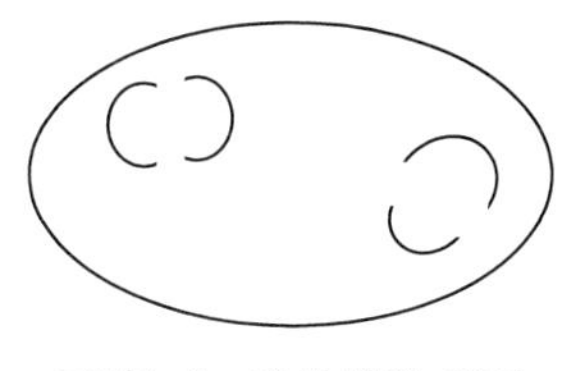

그림1-5 폐쇄성의 요인

④ 연속성의 원리

그림1-6을 볼 때, 일반적으로 직선과 곡선이 서로 교차되어 있는 것 같이 보이고, 변형된 2개의 것을 짜 맞춘 것 같이 보기 어려운 것이다.

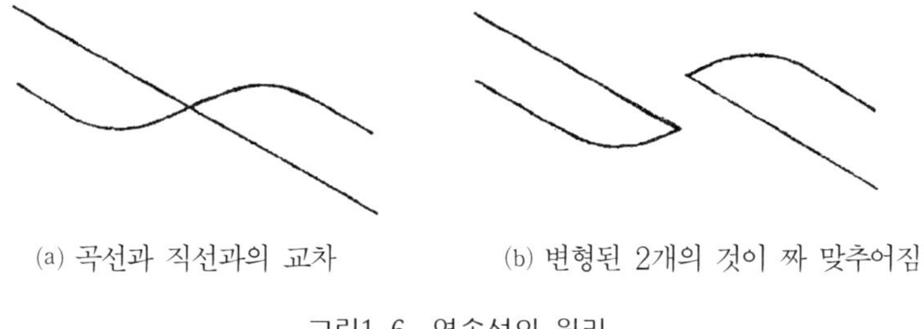

(a) 곡선과 직선과의 교차 (b) 변형된 2개의 것이 짜 맞추어짐

그림1-6 연속성의 원리

(2) 전경(도형)과 배경

고정된 환경을 성질이 다른 2개의 부분으로 나누었을 때, 어느 쪽 부분이 "대상물"이 되는가에 대해서 생각해 보기로 하자.

그림1-7을 보면 흰색 부분의 술잔이 보인다. 다시 자세히 보고 있으면, 검은 부분이 서로 마주하고 있는 사람의 얼굴 옆모습이 보인다.

그림1-7 역전도형의 예(Rubin의 술잔. Goldstain,1984)

최초에는 흰색 부분이 "대상물(도안)"이며, 검은 부분이 배경(바탕)으로서 보였지만, 자세히 보면, 도형과 배경이 반전되어 보이는 그림이다.

일반적으로 도형이 되기 쉬운 것은 다음 조건을 만족하고 있다.

- 면적이 작다.
- 앞면에 존재한다.
- 명확하다.
- 분절화(전체를 몇 개로 나눔)되어 있다.
- 어떤 의미가 있다.

(3) 지각항등성

물체의 크고 작음은 그 물체의 망각 상의 크고 작음에 의해서 정해지며, 거리가 2배가 되면 크기는 1/2로 거리에 반비례해서 작아지며, 또한 대상에 대한 시각(視角)이 같으면 거리가 틀려도 망막에 비치는 영상의 크기는 변하지 않는 현상을 시각(視角)의 법칙이라 한다(그림1-8).

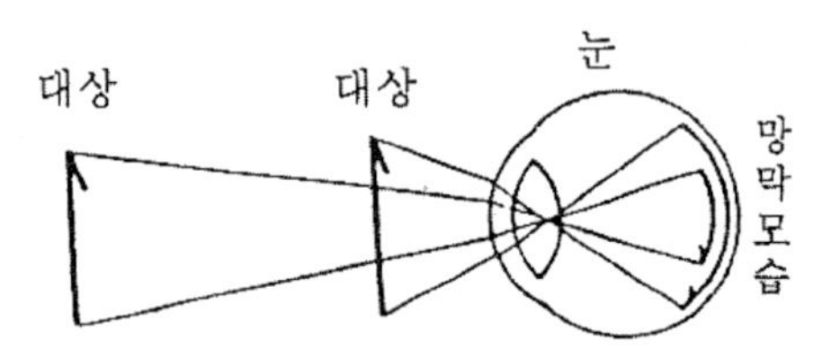

(동일한 대상도 거리에 따라서 망막에 비치는 영상의 크기는 다르다)

그림1-8 시각과 대상의 크기

그런데 실제로 보이는 물체의 크기는 시각의 법칙과 같이 작게 보이지 않기 때문에, 같은 크기의 대상은 거리를 변경하여도 같은 크기를 유지하려고 하는 경향을 가지고 있다. 이 현상을 항상성 현상이라 하며, 모양, 밝기 항상성 등이 있다.

(4) 운동지각

① 자동운동(autokinetic movement)

암실 내에서 정지한 작은 광점(光點)을 응시하고 있으면, 그 광점이 움직여 보이는 일이 있다. 이것을 자동운동이라 한다.

밤하늘의 별을 응시했을 때도 똑같은 현상을 체험할 수 있다. 자동운동이 발생하기 쉬운 조건은 주로 다음과 같은 것을 들 수 있다.

- 광점이 작은 것
- 빛의 강도가 작은 것
- 시야의 다른 부분이 암흑에 있을 것
- 대상이 단순할 것

운동의 속도, 범위, 방향, 유지시간 등의 정도에는 개인차가 크게 영향을 미친다.

② 유도운동(혹은 유인운동, induced movement)

실제로는 움직이고 있지 않는 것이 어떤 기준의 이동에 유도되어 움직여 보이는 현상이 유도운동이다.

예를 들면, 기차역의 열차에 보이는 것과 같이 열차가 정지하고 있어도 기차역이 움직이는 것 같이 보이는 것 등이다.

일반적으로 도형은 유도가 쉽고, 배경은 유도가 어렵다. 또 유도운동은 앞의 사례에서 보이고 있는 바와 같은 시야 가운데 두 개 물체 사이만이 아니고, 자신의 신체에 관해서도 일어난다.

통상 신체는 공간의 주위를 결정하는 기준의 역할을 완수하고 있지만, 시야의 대부분이 운동할 때는 기준이 시야 쪽으로 옮겨서 자신의 신체의 운동을 느끼게 된다.

예를 들면, 나무 위에 올라가서 구름을 볼 때, 자신의 신체가 구름의 움직임과 반대 방향으로 넘어지는 것 같은 불안한 느낌을 받는 것 등이다.

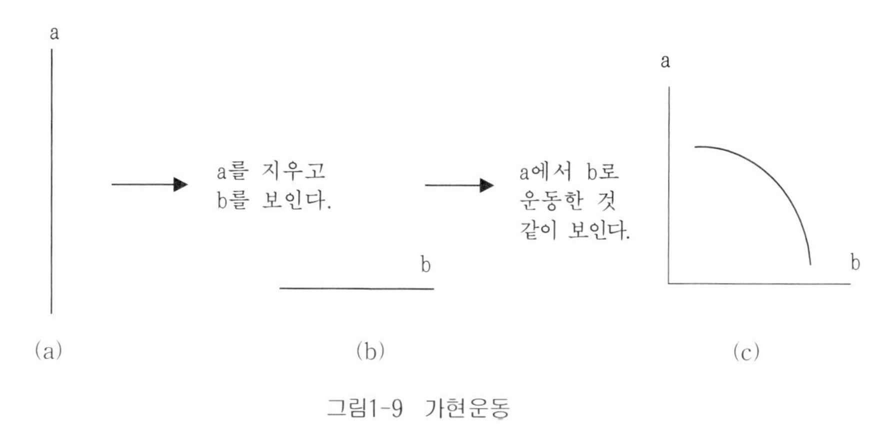

그림1-9 가현운동

③ 가현(假現)운동(phi-phomenon)

그림1-9와 같이 처음에 선 a를 보이고, 다음에 선 a를 지우고 선 b를 보인다. 이런 동작을 시간을 적당히 조정하면, 선 a가 넘어져서 선 b가 되도록 화살표시 방향의 운동을 하는 것 같이 보이게 된다.

이 운동은 실제로 움직이지 않았지만 움직이는 것으로 지각함으로 가현(假現)운동이라고 부른다.

(5) 착시(illusion)

어떤 형상의 물리적인 구조가 동일하게 감각되지만, 지각(perception)적으로 이를 다르게 인식하는 일이 현저한 경우 이를 착시(錯視)라 한다.

예를 들면 인간은 일반적으로 수직방향의 길이가 수평방향의 길이보다 길게 보이거나, 또 높은 하늘의 태양이 석양의 크기와의 차이가 있는 것과 같이, 같은 물체라도 위쪽에 있는 것 보다 앞쪽에 있는 것을 크게 지각한다.

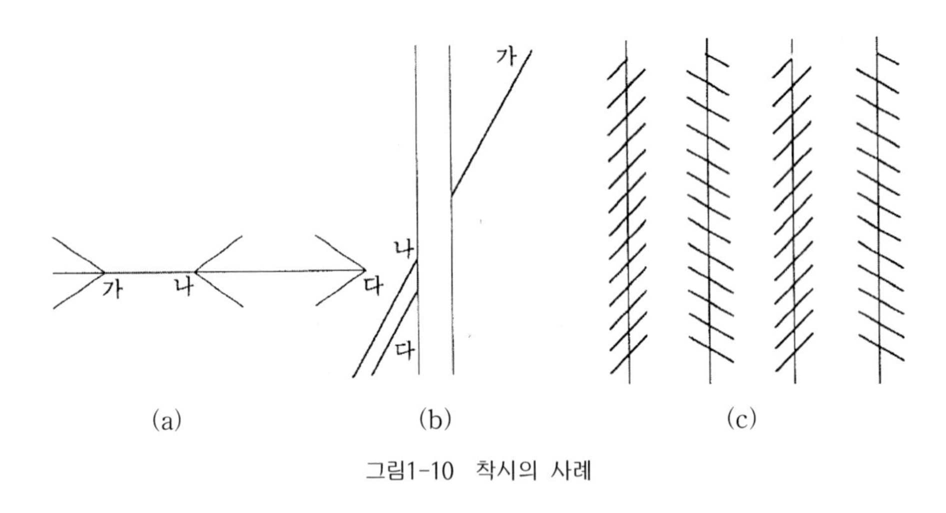

그림1-10 착시의 사례

이것들은 형상 공간에 있어서 자신의 신체를 중심으로 하는 방향의 차이에 의해서 물건의 보이는 것이 고루 같은 성질이 아니라는 것을 나타내며, 공간의 이방성(異方性)이라 부르고 있다.

또, 주위의 영향에 의해서 착시가 발생하는 경우가 있다. 이들의 사례가 그림1-10과 같다.

5. 색채조절

색의 수는 매우 많지만 그것들을 색상, 명도(밝기) 및 채도(산뜻하다)의 조건에 의해서 정해진다. 이 3가지의 성질을 색의 3속성이라 한다. 실제로 색 표준에 의해서 정해진 색표(색 표준)에 의해서 해당되는 색의 실체를 알 수 있다. 색채는 작업자의 시력을 통해 주의력 등 심리학 측면에 여러 가지 영향을 미치기 때문에, 색채를 이용하여 근로환경을 개선해서 사고방지를 도모하려고 하는 시도가 이루어지고 있다.

(1) 색 채

색이란 빛이 눈을 자극함으로써 발생하는 시 감각을 말한다.

색에는 그 자신이 빛을 발하는 광원 색과 다른데서 빛을 받아서 색을 표시하는 물체 색이 있다.

물체 색 가운데서 반사에 의해 나타내는 색을 표면색이라고 하며, 통상 이것을 색이라 하고 있다.

(2) 색채의 심리

① 색과 크기

명도가 높은 색(백색)은 크고 명도가 낮은 색(흑색)은 작게 보인다.

② 색과 진출, 후퇴

명도가 높은 색은 진출(進出)하고, 명도가 낮은 색은 후퇴(後退)되어 보인다. 난색(적색)은 크게(가까이) 보이고, 한색(청색)은 작게(멀리) 보인다.

③ 색과 명시도

배경의 명도가 낮은 경우에는 명도가 높은 색은 명시도가 높다. 명도의 대비에서 좋은 바탕색/전경을 예시하면 다음과 같다.

황색/흑색, 백색/녹색, 백색/적색, 백색/청색, 백색/흑색

식별을 위해 사용되는 색은 상기와 같이 떨어진 색을 사용하면 좋다.

④ 색과 온도감

장파장의 색(적색, 등색, 황색 등)은 따뜻한 감을 주며, 단파장의 색(청색, 청녹색 등)은 차가운 느낌을 준다.

⑤ 색과 감정

난색계의 색은 감정을 흥분시키며, 한색계의 색은 감정을 진정시킨다. 명도가 높으면 명쾌하며, 낮으면 명쾌하지 못하다. 또, 채도가 높으면 긴장하고, 낮으면 너그러워지는 느낌이다.

⑥ 색과 경중감

명도가 높은 색은 가볍고, 낮은 색은 무겁게 느낀다.

⑦ 색과 안정감

명도가 낮은 색이 아래 쪽에, 높은 색이 위쪽에 조합되어 있을 때 안정감이 있다. 예를 들면, 실내에는 천장은 명도를 가장 높게 하고 벽면, 굽도리, 바닥의 순서로 명도를 낮게 하면 안정감이 생긴다.

⑧ 색과 밝기

명도가 높은 색은 밝게 느낀다.

⑨ 색과 식욕증진

난색은 식욕을 증진시키는 느낌이 있다.

⑩ 색과 상징성

백색 …… 신성, 결백, 환희, 순진, 청결, 쾌활 등

흑색 …… 죽음, 공포, 비애, 침묵, 절망, 정숙 등

적색 …… 발정, 희열, 애정, 활동, 혁명, 용기 등

황적 …… 쾌락, 양기, 광명, 환희, 의혹 등

황색 …… 희망, 광명, 향상, 유쾌, 성실 등

녹색 …… 안식, 위안, 평화, 건전, 착실 등

청색 …… 마음이 가라앉아 처분하고 고요하다, 적막, 심장하고 언대함. 냉담, 고상하고 아름다움 등

자색 …… 우미, 고귀, 우아, 불안, 온후 등

(3) 안전색채

안전색채는 산업안전보건법에서 규정되어 있으며, 그 중요한 내용은 표1-4에 제시한다.

표1-4 안전색채

색의 명칭	기준색	표시되는 의미	사 용 개 소	사 용 사 례
적색	5R4/13	(1) 방 화 (2) 정 지 (3) 금 지	방화, 정지, 금지, 위험에 용도가 있는 개소	방화표지, 소화전, 소화기, 경보기, 긴급정지보턴, 통행금지표지
황적	2.5YR6.5/13	위 험	즉시 사고·상해를 일으킬 위험이 있는 개소	위험표지, Switch box 덮개의 내면, 기계의 안전덮개 내면, 노출기어의 측면
황색	2.5Y8/12	주 의	충돌, 추락, 걸려 넘어지는 등이 있는 개소	주의표지, 크레인 후크, 낮은 들보, 충돌의 우려가 있는 기둥, 피트의 가장자리, 바닥 위의 돌출물, 계단의 단 높이나 단면
녹색	5G6.5/6	(1) 안 전 (2) 보 건 (3) 진 행	위험이 없는 것, 또는 위험방지 또는 보건에 관계되는 개소 및 진행을 나타내는 장소	대피장소 및 방향을 나타내는 표지비상구를 나타내는 표지, 안전보건지도표지, 구급상자, 보호구함, 들것의 위치, 구호소의 표지, 진행 신호기

색의 명칭	기준색	표시되는 의미	사 용 개 소	사 용 사 례
청색	2.5PB5/6	조 심	멋대로 조작해서는 안되는 개소	수리 중 또는 운전휴지개소를 나타내는 표지, 출입금지표지
적자	2.5RP4.5/12	방 사 능	방사능표시로서, 방사능의 위험이 있는 개소	방사능물질의 저장, 취급이 되고 또한 방사능물질에 의해 오염된 방 또는 장소(문안 또는 문밖), 방사성물질의 용기
백색	N9.5	(1) 통 로 (2) 정 돈	통로의 표시, 방향지시정돈을 필요로 하는 개소	통로의 구획선, 물품의 적치장소, 보조색으로서 방지, 안전조심 등의 표지 문자
흑색	N1.5		방향표지의 화살표시 주의표시의 줄무늬 같은 위험표지의 문자	주의 및 위험표지의 문자, 주의표지의 줄무늬

(4) 색채조절의 효과

색채조절을 실시하는 효과로서 다음과 같은 내용을 들 수 있다.

① 밝기가 증가한다.

② 생산이 증진된다.

③ 작업이 질적으로 향상된다.

④ 피로가 경감된다.

⑤ 재해율이 감소된다.

⑥ 결근이 감소된다.

⑦ 작업의욕이 향상된다.

⑧ 정리정돈이 향상된다.

⑨ 마음의 윤택이 증가한다.

⑩ 기계에 대한 애착심이 향상된다.

⑪ 복장이 좋아진다.

⑫ 사기가 향상된다.

위에 반해 색채조절이 좋지 못한 사례를 다음에 제시한다.

① 현란한 느낌이 든다.

② 불필요한 것을 크림색으로 칠했기 때문에 지나치게 두드러진다.

③ 안전경계표지가 지나치게 많기 때문에 눈에 거슬린다.

④ 황색과 흑색의 줄무늬를 너무 근 면적에 칠하고 있어서 아물거린다.

⑤ 초점 색이 너무 넓은 면적에 칠해져 있기 때문에 관심이 쏠린다.

⑥ 천장을 짙은 색으로 칠하고 있어서, 억눌리는 중압감을 느낀다.
⑦ 색의 종류를 지나치게 많이 했기 때문에 깜박거린다.
⑧ 원색에 가까운 짙은 색이 사용되어 있기 때문에, 설레이는 느낌이 있다.
⑨ 안전색채가 지나치게 많거나, 넓은 면적에 사용되어 있어서 깜박거린다.
⑩ 조화되지 않은 색이 사용되고 있어서 이상한 느낌이 있다.

(5) **채색의 대상과 색채**

색의 선정은 다음 순서에 의해서 한다.

순서 1. 명도를 정한다.
순서 2. 채도를 정한다.
순서 3. 색상을 정한다.
표 1-4에는 채색 대상별 표준인 색채를 나타낸다.

표1-5 채색 대상별 색채의 표준

색채계통	용 도	채색의 대상	색채의 종류
기본색	명도, 휘도, 광색조절, 안정감, 쾌적감, 미관	건물, 기계본체, 운반장치계통 등 (비교적 면적이 넓은 것)	맑은 채색이 낮은 색
식별색	식별용이, 소재의 확인 용이	관, 전기공작물, 비품 등의 특수한 부분(작은 면적의 것)	대체로 채도가 높은 색(기호적인 의미를 갖는다)
안전색	주의환기, 사고방지	안전표지, 경고표지(기본색 위에 표시)	채도가 높은 색(지시 명령적인 의미를 갖는다)
조열색	온도조절, 열 경제	건물, 장치계통	백색 또는 흑색
배합색	미관		

6. 인간의 행동특성

인간은 다양한 행동특성을 가지고 있지만, 여기서는 대표적이라고 생각되는 몇 가지 사례를 들어둔다.

(1) 주의의 1점 집중

사고와 같은 이상 시에 보이는 행동이며, 그 정보를 알고 있으면 순간적으로 긴장되어 눈에 보이는 직접적인 사물, 자극에 충동적으로 반응하여 방향성의 선택을 할 수 없게 되는 등 하나의 것에 몰두하게 된다.

이와 같은 행동을 장면행동이라 하며, 하나의 것에 몰두하게 되는 것을 주의의 1점 집중이라 한다.

이것을 방지하려면 인간은 순간적일 때 여유가 있는 판단을 할 수 없다는 것을 미리 유념해 두고, 지식만 갖추고 있을 것이 아니고 이상 시를 상정한 평소의 훈련을 쌓아두는 것이 반드시 필요하다.

(2) 순간적인 위험상황 하의 대피방향

인간의 몸은 정 중앙선을 경계선으로 해서 왼쪽과 오른쪽이 맞서고 있는 꼴을 이루고 있으며, 겉보기에는 똑같이 보인다. 그러나 장기(내장의 모든 기관)의 구조 등을 보면 좌우가 아주 똑같다고 할 수 없다. 예를 들면, 간장은 오른쪽에 치우치고, 왼쪽 폐는 2엽(葉)인데 대해 오른쪽 폐는 3엽(葉)이며 오른쪽 반신(半身)이 왼쪽보다 무겁다. 그 외에 인간의 행동을 지배하는 대뇌반구에 있어서도, 언어, 추론, 논리 등의 지적 능력이나 의식이 따르는 운동이나 동작은 좌 반구에 존재한다. 따라서 좌 반구(左半球)를 주(主)반구, 우 반구(右半球)를 좌반구에 비해 열등한 것으로 간주한다. 더구나 왼쪽의 반구는 오른쪽 눈, 오른쪽 귀, 오른쪽 손발을 통제하며, 오른쪽 뇌는 신체의 왼쪽 부분을 지배하고 있다. 인간-기계 계통에 있어서 기계와의 접촉이 가장 많은 것은 손이지만, 손에 있어서도 한쪽 손이 다른 쪽 손보다 기능적으로 발달하여 대다수의 사람은 오른손 쪽이 우수한 지위에 있다. 이와 같이, 한쪽의 성질이 우수한 지위의 현상이나 넓은 뜻의 오른손잡이, 왼손잡이의 사람을 편재성(laterlity, 대뇌, 손 등 좌우 한 쌍 기관의 좌우의 기능 분화)라 부르는 경우가 있다.

일반적으로 대개의 사람은 오른손-오른발잡이가 많다. 이것은 위험을 피하려고 할 때의 행동에도 영향을 미친다.

표1-6은 긴급한 상태를 설정해서 사람이 대피하는 방향을 조사한 실험결과의 일부이다. 일종의 화살을 전방 좌측 20도, 정면, 우측 20도의 방향으로부터 약 2m 거리를 사이에 두고 실험자의 복부를 목표로 해서 쏘아, 여기 맞지 않도록 피하게 하였다. 전체의 결과를 보면 왼쪽으로 대피한 것이 오른쪽으로 대피한 것의 1.8배나 되고 있다. 전방 6m인 곳으로부터 앞으로 걷도록 하여 2m에 도달했을 때, 위와 같은 조건으로 실험을 실시한 결과가 최 하단에 제시되어 있다. 보행할 때에는 내디딘 발에 의해 피하는 방향이 결정되어 버리기 때문에 정지할 때만큼 왼쪽으로의 대피는 많지 않았다. 어느 쪽이든 이와 같은 경향이 있다는 것은 왼쪽이 안전지대로 되어 있는 사항의 필요성을 시사하고 있다.

표1-6 대피방향의 특성 (단위 : %)

비래 방향 / 대피방향	왼쪽 전방으로부터	정면으로부터	오른쪽 전방으로부터	계
왼 쪽	19.0	15.6	16.1	50.7
방향의 불확성	3.0	10.4	7.3	20.7
오 른 쪽	11.3	7.3	9.9	28.6
계 %	33.3	33.3	33.3	100.0
좌/우 비율	1.68	2.14	1.63	1.77
보행할 때 좌/우 비율	1.09	1.21	1.12	1.15

(3) 자극과 반응

인간의 행동은 환경의 자극에 의해서 일어나며, 거기에 작용하는 것이다. 환경으로부터의 자극은 눈이나 귀 등의 감각기관에서 수용되고, 신경을 통해서 대뇌에 전달되고, 여기서 해석되어 판단된다. 다시 필요한 경우에는 말단 기관(器官)에 명령을 내려서 언어로 응답하거나, 손이나 발등을 움직여서 기계설비를 조작한다.

자극에 대한 반응을 어떻게 재빨리 하려고 하여도 인간인 경우에는 감각기관만이 아니고, 반응하기 위한 시간이 걸린다. 이 시간을 반응시간(Reaction Time, RT)이라 하며, 반응시간은 감각의 종류에 따라 달라진다. 청각적 자극이 시각적 자극보다도 시간이 짧고, 신속하게 반응할 수 있는 이점(利點)이 있다. 청각자극이 경보로서 사용되고 있는 것은 이러한 이유 때문이다. 즉, 감각기별의 반응시간은 청각 0.17초, 촉각 0.18초, 시각 0.20초, 미각 0.29초, 통각 0.70초이다.

(4) 동조행동

인간은 일반적으로 소속하는 집단의 행동기준을 지키는 동조행동을 취하는 일이 많다. 무리가 집합했을 때 움직임이나 보행하는 행동에도 이러한 종류의 동조성이 보인다.

자아가 약하고 스트레스에 대한 저항력이 약한 사람일수록 동조하는 경향이 나타나기 쉽다. 그러므로 사는 보람・일하는 보람을 갖출 수 있도록 직장의 소집단을 만들어 무재해(ZD)운동・품질관리(QC)서클・위험예지훈련 등을 실시하여 모두가 참가해서 다양한 개선을 실시하고 있다. 이 소집단 활동을 잘 활성화한다면 앞에서 접촉한 사고를 발생시키기 쉬운 성향에 대한 개선에도 크게 기여할 것이다. 다만, 소집단 활동의 태도에 대해서는 노사관계 기타 해결하여야 할 근본 문제를 남기고 있는 것도 있어서 이것들을 완전히 정리한 뒤에 추진하도록 해야 한다.

(5) 주의의 집중과 배분

인간은 주의를 한다는 특성이 있다. 그리고 주의에 대해서는 주의를 집중하는 것과 주의를 넓히는 것이 적절하게 행해지는 것이 인간실수(Human Error)를 없애는데 중요하다. 한편 주의를 넓히면 좁아지고, 또 주의를 넓히려고 하면 주의의 정도는 낮아지는 것이 통상적인 예이다(그림1-11). 따라서 이 2가지 요소를 능숙하게 구사하는 것이 필요하다.

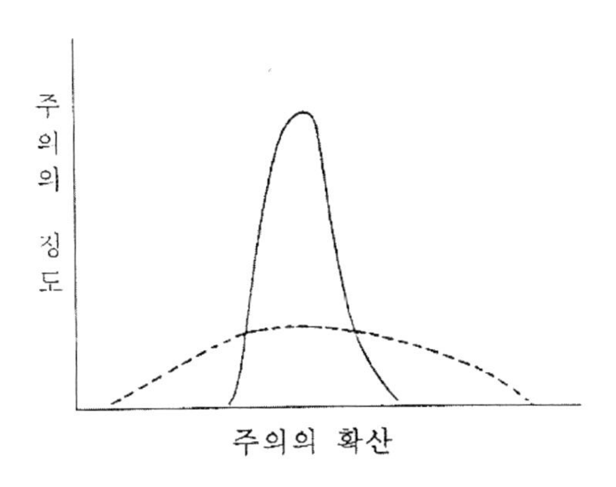

그림1-11 주의의 확산과 그 정도

흔히 딴 곳에 정신을 빼앗겨서 주의를 태만한 것이 사고원인으로 많이 지적되고 있지만, 이것은 딴 곳에 정신을 빼앗기고 있는 것에 주의가 집중되어 있었기 때문에 주의가 필요한 주의의 범위 이외의 곳에 있었다는 것을 간과하고 있는 것이다. 그리고 주의는 또 시선이 향하고 있는 곳이 언제나 주의의 정도가 가장 높은 것이며, 시선(視線)과 시야(視野)와의 관계도 주의를 집중하고 배분하는 현상에 포함되어 있는 것이라고 생각할 필요가 있다.

주의하는 내용에서 자동차 등을 사용해서 주행하고 있는 경우에, 속도가 빨라지면 먼 곳을 보게 되며, 그 때문에 주의를 두어야 할 곳이 먼 쪽으로 가고, 가까운 곳이 주의의 범위에서 밀려나 버리는 것이다. 이 특성을 잘 이해하여 대처하는 것이 필요하다.

(6) 예측수준

인간은 무엇이 일어날 만한 것에 대해서는 그것을 예기(앞으로 닥쳐올 일을 미리 기대하는 것)해서 대비하려고 한다. 발생할 가능성이 높은지 낮은지 그 정도를 감안하여 대처한다. 즉, 예기하는 수준을 높이거나 낮추거나 하고 있다. 다음은 그 하나의 사례이다.

인간이 횡단보도 이외의 곳에서 길을 횡단하여 사고를 일으키는 일이 상당히 많다. 그 경우 사고는 횡단하는 빈도에도 물론 관련되어 있으며, 그것은 현상의 특성・공통성 이외의 요소를 버리는 의미에서 표1-7 안에 제시한 바와 같은 계수를 취해서 위험도를 나타내는 지수로 만들었다. 그 결과 주행하는 차량이 향하고 있는 쪽에서 튀어나오는 경우에 위험도가 가장 높으며, 주차하고 있는 차량 또는 정차하고 있는 차량에서 튀어나오는 경우가 가장 적으며, 그리고 기타가 그 중간으로 되어 있다. 이 결과는 표 안에 나타나 있는 바와 같이 예기하는 수준이 높은 대상에 대해서는 주의가 미치지만, 예기하는 수준이 낮은 대상에 대해서는 주의가 미치지 못하고 있다는 것을 제시하는 것이라고 생각한다.

표1-7 횡단의 위험도 비교

보행자의 첫째 당사자 위반에 의한 사고건수, 위험도를 표시하는 지수

횡단장소의 빈도(단, 정수는 아니다)

(1) 주·정차 차량에서 $= \dfrac{426}{2,296} = 18.5\%$ (3)

(2) 기타 어떤 것에서 $= \dfrac{2,680}{5,042} = 53.2\%$ (2)

(3) 주행 차량에서 $= \dfrac{383}{314} = 121.9\%$ (1)

위험도의 순위는 (3) → (2) → (1)의 순서가 된다.

$\dfrac{100}{18.5} > \dfrac{100}{53.2} > \dfrac{100}{121.9}$이면 (1) > (2) > (3)

특히 움직이고 있는 차량에서 무엇인가가 튀어나올 것으로 생각하기는 어렵기 때문에 그때는 위험도가 높아진다고 이해할 수 있다. 예기하는 수준의 높낮이는 체험한 지식 등에 근거해서 조정하는 것이다.

(7) 비확인

인간은 확인하지 않는다는 일을 일으키기 쉽다. 확인하지 않는다고 하는 것은 인간이 행동을 진행하는 경우에는 일반적으로 그림1-12와 같은 Block diagram에서 이것이 진행되는 것이다.

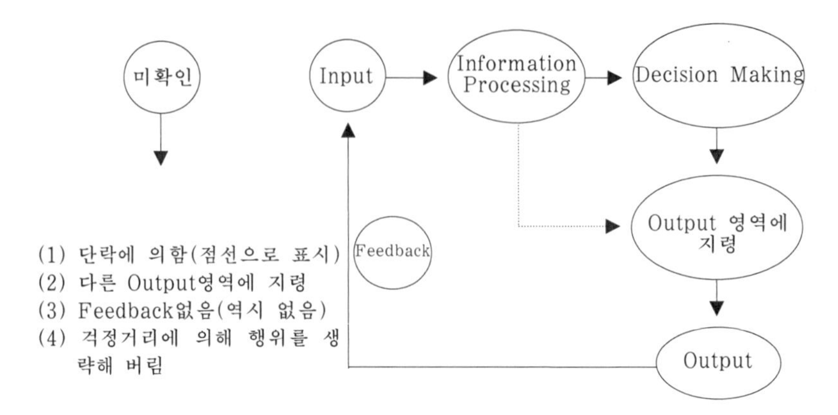

그림1-12 비확인의 기제(Mechanism)

① 단락에 의한 경우
② 다른 Output 범위에 지령이나가 버렸을 때
③ Feedback을 하지 않고 방치되어 버리는 경우
④ 「…을 해야 한다」고 생각할 뿐이며, 실제는 그것을 했다고 오해하는 경우

등이 있다. 이와 같은 것은 어느 것이나 경우에 따라서 사고를 일으킬 가능성이 있는 것이다.

제3절 / 인간의 결함

인간의 행동특성에 관해서는 앞에서 논의한 바와 같지만 여기서는 결함요인들을 특성과 분리해서 설명하기로 한다.

1. 심리적인 결함

(1) 장면행동

예를 들어 돌발적인 위기 상황이 발생하면 그것에 의식이 집중되어서 다른 사항에 주의가 미치지 못해 앞뒤의 분간을 하지 못하고 행동하는 일이 있다. 이와 같이, 어떤 방향으로 강한 욕구가 있으면 그 방향으로 직진하는 행동을 장면행동(場面行動)이라 한다.

인간은 장면행동에 있어서 위험을 인식하지 못하므로 중대한 사고를 일으키는 일도 있다. 장면행동을 방지하려면 위험한 대상에는 접근할 수 없도록 방책, 울 등을 사용해서 방호하는 이외는 방법이 없다.

(2) 주연 동작

우리들은 어떤 것을 의식의 중심으로 생각하면서 동작하고 있을 때 그 도중에서 일상적인 습관으로 되어 있는 동작을 의식의 한 쪽 구석(周緣 : 둘레의 가장자리)에서 실행하는 일이 있다. 철골조 위에서 전기용접을 하고 있는 작업자가 신체의 방향을 변경하거나, 일어서거나 하지만, 이와 같은 주연 동작은 그다지 의식하지 않고 실행한다.

작업도중에는 이와 같이 의식하는 다른 동작이 끼어든다는 것을 예정하여 위험한 개소에 대해 방책, 울 등을 사용하여 방호할 필요가 있다. 그것을 할 수 없다면 감시자를 배치하거나 접근

금지의 Tablet을 게시하는 등에 의해서 위험한 범위에 절대로 근접하지 못하게 하는 대책을 수립하여야 한다.

(3) 걱정거리

고민거리는 작업에 대한 주의력의 작용을 자주 중단시킨다. 가장 많은 것이 가족의 질병, 차용금, 인간관계의 갈등, 이성과의 관계 등이다. 이 문제에 의한 고민이 시작되면 사태가 호전되지 않는 한 작업에 흥미가 없어진다. 따라서 언제 사고 등의 문제를 발생시킬지 모른다. 직접 상사인 감독자나 동료와 상담이나 격려도 필요하다. 인간관계에 문제가 있으면 전문가와 소탈하게 접촉할 수 있는 카운셀링이 효과적이다.

(4) 무의식적 행동(혹은 습관적 행동)

우리들은 일상적인 행동에 있어서 주위의 사물을 객관적으로 관찰하여 행동하고 있는가 하면, 외계를 의식해서 거의 보지 않는 일이 꽤 많다. 뜨거운 커피를 꿀꺽 마시다가 화상을 당하거나, 친구와 담소를 하면서 적색 신호에 교차점을 횡단하여 자동차에 치일 뻔한 경험을 가지고 있는 사람도 적지 않다.

이와 같은 것은 아주 익숙한 환경에서 일어난다. 또, 서두르고 있을 때에도 일어나기 쉽다.

작업에 있어서도 똑같으며 잘못 생각함, 잘못 이해함, 못보고 넘긴다 등의 오인(誤認)하는 일들이 흔히 있다.

(5) 위험감각

산업재해에 있어서 위험은 우선 첫째로 작업하는 사람이 대상이 되어 있는 기계설비에 어떠한 위험성을 인정 하는가 또는 주변 환경에 위험을 느끼는 가 어떤가의 심리적 문제에 관계가 있다.

같은 기계설비나 환경에 대해서 어떤 사람은 위험을 인정하고, 어떤 사람은 별로 느끼지 않는다는 직장에서는 반드시 사고가 발생한다.

위험예지활동이 많은 직장에서 추진되고 있으며, 이는 위험 감각을 높이기 위한 활동으로서 효과가 있다.

(6) 지름길 반응

지름길 반응이란 통행하는 길이 있는데도 불구하고 되도록 가까운 길을 걸어서 빨리 목적하는 장소에 도달하려고 하는 것을 말한다. 규정된 통로를 걸으면 대단히 헛수고 하는 것 같은 기분이 들기 때문일 것이다.

(7) 생략행위

지름길 행위와 아주 비슷한 행동이며, 예의범절과는 거리가 먼 마음의 문제다. 생략행위의 대표적인 것으로는 소정의 작업용구를 사용하지 않고 근처의 용구를 사용해서 임시변통 한다 던지 ,보호구를 사용하지 않거나, 정해져 있는 작업순서를 빼먹는 것 등이 있다.

지름길 반응이나 생략행위를 일으키는 요인은 다음과 같은 것이다.

① 당연히 해야 할 안전한 행위를 하는데 시간이나 거리가 멀다는데서 귀찮음을 느꼈을 때
② 뻔뻔스런 기분이 들 때
③ 작업을 서두르고 있을 때
④ 작업을 깔보고 있을 때(자신과잉, 깔본다, 단시간에 끝내려고 할 때)
⑤ 지켜야 할 작업순서의 의미를 이해하지 못할 때
⑥ 지름길반응, 생략행위 등을 유혹할 만한 환경이 되어있을 때

등 여러 가지가 있다.

지름길반응이나 생략행위를 방지하기 위해서는 우선 지름길반응에 대해서는 물리적으로 지름길반응을 할 수 없게 하는 것이다. 재료를 적치하는 장소는 울을 설치하거나 재료를 정리해서 지름길을 택할만한 개소에는 담장을 쌓고, 또한 정규의 통로를 이용하는 표지를 설치하는 등의 것들이 있다.

생략행위에 대해서는 우선 생략을 하지 못하도록 담당 작업에 대하여 하고 싶은 기분을 갖도록 근로관리를 철저하게 하는 것이다. 또 안전하며 능률적인 작업순서를 교육하거나, 작업표준을 지키는 것이 왜 중요한지를 교육할 필요도 있을 것이다.

또 공구나 도구에 관해서는 각기 규격을 명시해서 식별하기 쉽도록 정리정돈을 해 둔다. 정리정돈을 철저하게 하여 평소 사용을 위해 보관해 두는 것이 긴요하다. 보호구에 대해서는 꼭 사용해야 한다는 의식 고취를 조직 단위에서 만들어 내는 것이 중요하다.

그리고 제일 중요한 문제는 직장의 분위기, 집단으로서의 규율 문제, 혹은 사기이다. 특히, 그 중심이 되어야 할 것은 감독자의 리더십이다.

(8) 억측판단

억측(근거가 없는 추측)판단이란 자기 멋대로 주관적인 판단이나 희망적인 관찰에 기인해서 이것으로 충분하다고 확인하지 않고 행동으로 옮겨버리는 것이다.

① 충분하다고 하는 기분

억측판단의 제일 위험한 것은 이 판단이 일단 성공하면 그 이후는 이 사고방식이 버릇이 된다는 것이다. 이와 같이, 하나의 장면에서 습관화 되면 다른 장면으로 옮겨져서 여러 방면에서 억측판단을 하게 된다.

② 억측판단은 불안전행위의 원인

인간의 결함에는 억측판단이란 결함이 원인이 되고 있는 경우가 많다. 두뇌에서 「충분할 것이다」라고 덤벼드는 가운데에서 위험인자가 있는 장면에서 부주의가 발생하거나 확인을 생략해 버린다. 예를 들면, 발판 사다리(Step ladder)를 찾았으나 없어서 간단히 끝내려고 임시변통으로 책상을 겹쳐서 사용한다는 생략행위를 하거나, 도면을 보고 명확하지 않은 점이 있는데도 「그대로 하면 된다」고 하는 의식이 생겨서 작업하다가 사고가 발생하면 비로소 이해하는 사태가 발생한다.

③ 억측판단의 원인

억측판단이 발생하는 배경에는 다음과 같은 사실이 생각된다.

㉮ 「빨리 일을 끝마치고 싶다」, 「빨리 넘겨 버리자」고 하는 것과 같은 강한 소망이 있을 때
㉯ 정보가 불확실할 때
㉰ 과거의 경험한 선입관이 있을 때
㉱ 희망적 관측이 있을 때

④ 억측판단에 의한 사고방지

작업자가 억측판단을 하지 않게 하려면

㉮ 되도록 정확하며 충분한 정보를 입수할 것
㉯ 「위험 하겠는가」, 「어떻게든 될 것이다」라는 느낌이 있을 때는 그러한 행위를 하지 않는다.
㉰ 선입관에 사로잡히지 않는다.
㉱ 언제나 자기 멋대로 판단하지 말고 객관적인 판단을 하는 버릇을 붙인다.

또 기업이나 관리자 입장에 본다면,

㉮ 억측판단이 불안전행위의 원인이라는 것을 직원에 교육할 것
㉯ 확실한 정보를 주도록 배려할 것. 위험표지의 게시, 작업순서의 타협, 보고, 연락의 강화 등
㉰ 멋대로 하지 못하도록 규칙이나 기준의 검토를 할 것

㉣ 멋대로 하지 못하도록 조직적인 풍토를 만든다.

위와 같은 대책을 강구하는 것이 요망된다.

(9) 착 각

간결성의 원리에서 간단히 살펴보았지만, 여기서는 좀 더 상세하게 살펴보자. 시각에 대해서는 앞부분의 내용을 참고하기 바란다. 물건의 크고 작음을 판단할 때의 잘못은 표1-8과 같다.

표1-8 판단의 큰 실수(大島 正光)

① 난색(暖色)은 크게 보인다.
② 색도(Value)가 높은 것은 크게 보인다.
③ 주위에 작은 것이 있을 때는 주위에 큰 것이 있을 때보다도 크게 보인다.
④ 공간이 협소한 경우에는 넓은 경우보다 크게 보인다.
⑤ 공기의 투명도가 높은 경우에는 크게 보인다.

① 착각이란

왼쪽과 오른쪽을 틀리게 조작하거나, 올라가서는 안 될 곳을 올라가 보거나, 손을 내밀어서는 안 될 때에 손을 내밀거나 하는 등, 어떤 특정한 상황에서 특정한 심리상태가 되어서 잘못된 계책을 할 만한 경우의 것을 착각이라 하며, 착각에 의한 문제점은 많다.

② 착각의 배경

착각이 발생하는 원인에는 다음 사실이 생각된다.

㉮ 지나치게 피로해 있을 때

㉯ 어떤 강한 관심을 끄는 것이 따로 있어서, 작업하는 대상에 충분한 확인을 하지 못했을 때

㉰ 훈련이나 경험이 불충분할 때

㉱ 적당한 판단으로 얕볼 때

㉲ 일을 서두르고 있을 때나 감정이 흥분되어 있을 때

㉳ 비슷한 형상의 것이 나란히 있어서 잘못했을 때

청각에서도 표1-9와 같이 서로 대화할 때 착오가 되기 쉽다. 특히 이 표 안에 ① 및 ③은 문제가 되기 쉬운 것이라 생각된다.

표1-9 청각 착오(大島 正光)

① 유사한 언어의 혼동	② 숫자를 잘못 들음
③ 긍정과 부정의 혼동	④ 대칭어의 교체 : 우~좌, 상~하
⑤ 판단의 잘못	⑥ 못 들었다
⑦ 주어(主語)와 목적어의 혼동	⑧ 순서의 탈락, 역전
⑨ 현실에 없는 언어의 삽입	⑩ 기타 (망각, 기억의 혼동 등)

촉각은 원시적인 감각의 하나이며 통상 사람은 상당히 둔하다. 표1-10에 손가락에 의한 판단 실수율을 제시한 것이다.

표1-10 손가락에 의한 판단 실수의 율

두께의 경우		5 ㎜…… 23% 10㎜…… 4%
구배의 경우		엄지손가락일 때 4지일 때 5° 30% 42% 10° 20% 12% 15° - 7%
만곡의 경우		10° 37% 20° 3%

③ 착각의 예방대책

우선 개선해야 될 것은 설비 개선이다. 비슷한 설비가 늘어서 있는 곳에는, 각각의 기기가 식별되기 쉽도록 색채조절을 실시하거나 형상을 변경하거나 위치를 겹치지 않도록 공간설계를 하여야 한다. 예를 들면, 밸브 계통은 크기의 차이를 두어서 접촉할 때 무슨 계통을 조작하고 있는 지 자연스럽게 확인할 수 있게 하는 등의 인적 측면의 연구가 필요하다. 특히, 교육을 통해서 인간의 판단력을 보완하려면 중요한 것이 태도라는 것을 이해하고 대비하여야 한다.

그런데 긴급사태가 되었을 때 착각을 예방하려면 설비 측면에서 긴급사태를 피할 수 있도록 프로그램을 만드는 자동화체계를 도모하는 것이 필요하지만, 사정이 허락되지 못할 때는 긴급사태라도 감정이 흥분되지 않도록 평소의 훈련과 준비가 필요하다.

그 다음에 작업을 적당히 하거나 기계를 함부로 다루지 못하도록 엄격한 직장 분위기를 조성하는 것이다.

(10) 숙 련

불안전행동은 작업 지식이 부족하고 경험을 많이 쌓지 못한 사람들이 발생 빈도가 높다. 그러나 숙련된 근로자자들도 에러를 범한다.

숙련자라면 작업을 능숙하게, 빨리, 피로하지 않고 안전하게 할 수 있는 능력은 보통의 작업자보다 우수하다. 그러나 작업 하나 하나의 순서가 무의식적, 자동적으로 연속 동작으로 진행되기 때문에, 지나친 숙련에 의한 에러가 일어날 수 있는 것이다.

그러므로 숙련자라도 상해를 당하게 되고, 그 이유를 종합한다면 표1-11과 같다.

표1-11 숙련자가 사고를 일으키는 이유

① 오랜 동안 같은 일을 하고 있다 ……… 습관동작이 나온다.
② 일을 잘 알고 있다 ……… 지레짐작한다.
③ 능숙하게 일할 수 있다 ……… 생략을 한다.
④ 일에 자신을 가지고 있다 ……… 확인을 하지 않는다.
⑤ 빨리 작업할 수 있다 ……… 다른 것에 손을 내민다

2. 설비(물)적인 요인

기계설비의 안전성이라고 하면, 이전에는 그 구조(재료・강도 등), 기능(가동상태, 성능 등), 외관(모양, 위험부분의 덮개, 외부표면의 안전 등) 등을 생각하고 있었던 경향이 있다. 최근에는 작업성(부품배치, 표시, 조작하기 용이성 등), 보전성(점검정비가 용이하고, 보수 횟수의 감소 등), 신뢰성(고장이나 Trouble의 감소) 등을 중요시하게 되었다. 그러나 조작이나 보전(Maintenance)의 어려움, 작업 난이도를 해결하지 않고, 인간의 행동에만 완벽한 신뢰도를 요구하는 시스템이 되서는 않된다. 고장이 많으면 긴급대책의 기회가 늘어나서 여분의 위험한 작업도 많아지게 되는 것이다.

산업안전기준에 관한 규칙에서도 기계설비 등의 위험을 방호하는 사항이 많이 규정되어 있지만, 이는 인적 실수(miss)를 범했을 때의 위험을 예방하고, 사고로 이어지지 않게 하기 위한 최저한의 규정이다.

근본적 안전화의 하나인 Fool Proof 설계는 작업자가 실수(miss)를 범해도 사고로까지 사태가 진행되지 않기 위한 위험예방 기능을 구비시킨 것이다.

3. 작업방법적인 요인

(1) 작업방법적인 요인

① 작업자세

올바른 작업자세로 작업이 이루어지지 않으면 다음과 같은 나쁜 영향을 받는다.

㉮ 불필요한 정적인 노력이 필요하게 되어 대단히 피로하기 쉽다.

㉯ 동작의 원활함이나 안전도가 유지되지 않으며, 특히 운동의 조정에 소요되는 노력이 커지게 되며 피로도 커진다.

㉰ 작업의 진척을 방해함과 동시에 작업의 질을 저하시킨다.

② 작업속도

자동차에 경제속도가 있는 것과 같이 대개의 작업에 있어서도 경제속도는 존재한다. 숙련된 근로자는 다년간의 경험에 의해서 작업의 경제속도를 체득하고 있다. 근로에 있어서 경제적 작업속도는 피로가 축적되지 않는 범위에서 생산성과 안전성의 확보에 지극히 적합한 것이 되어야 한다.

작업에 소요되는 시간은 크게 나누면 ㉮ 동작시간(작업자의 육체적인 시간이 중심이 되는 시간), ㉯ 기계시간(기계설비의 가동이 중심이 되는 시간), ㉰ 정신시간(작업자의 두뇌활동이 중심이 되는 시간)의 3종류로 나눌 수 있다. 작업이 서둘러지면 동작시간과 정신시간에서만 줄일 마음에 초조하게 되어서 인적 실수(miss)를 범하기 쉽다.

③ 작업강도

힘든 작업, 쉬운 작업 등으로 흔히 표현되며 에너지소비가 큰 작업이 많이 있다. 에너지 소비가 큰 작업들은 육체에 큰 피로를 줄뿐만 아니고, 정신적 또는 감각적으로도 강한 영향을 준다.

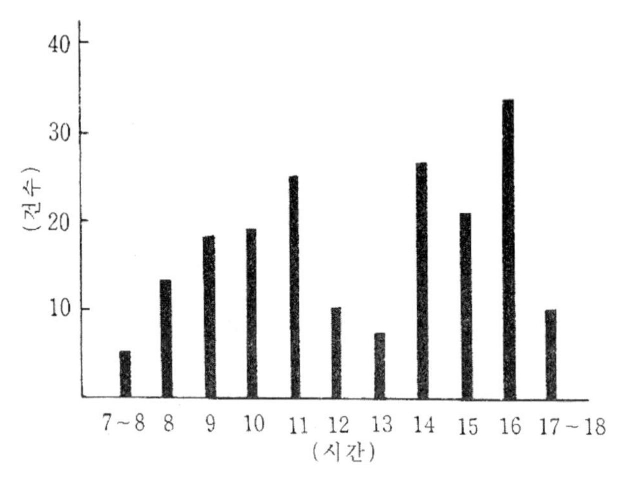

그림1-13 시간변화에 따른 동적사고율(어떤 댐 공사현장의 경우)

그림1-13은 중근노동의 지속에 대해서 주의력, 추리판단, 심신의 조절기능 및 하려는 생각에 의한 동작이 점차 저하되어 가는 것을 나타내고 있다.

작업의 괴로움 정도는 근로가 생체에 주는 생리적인 부담의 비중에 관계되어 있다. 이 생리적인 부담의 비중을 작업강도라고 하며 칼로리의 소비로 그 정도를 가늠으로 하는 것이 보통이다. 어떤 작업의 칼로리 정도를 표시하는 기준으로 에너지 대사율(R.M.R)이란 지수가 사용된다. 에너지대사율의 상세한 것은 뒤에 기술하도록 한다.

④ 근로시간

일반적으로 지나치게 긴 근로시간은 근로자의 피로, 능률의 저하, 사고로 이어지는 것은 분명하다. 이과 같은 표1-12와 같이 알루미늄제련, 전해작업서도 근로시간이 서로 다른 집단에 대한 정신부하측정 Flicker 값의 변동은 분명히 근로시간의 길이와 관련성이 있음을 보여주고 있다.

또, 근로시간이 길다는 것은 상식적으로 생각하여도 당연히 사고의 기회가 많다는 것이므로 생체기능의 시간적인 변화(저하)와 동시에, 인적 결함에 의한 위험의 증가는 중요하게 간주해야 할 문제이다.

표1-12 노동시간의 길이 및 그때의 자세가 피로도에 미치는 영향(高松 誠)
(알루미늄제련 전해공장의 기계반 작업자 12명 평균)

근로시간	7시간	7	10	10	14
근무시간대	07:00~14:00 (이른 순번)	14:00~21:00 (늦은 순번)	21:00~07:00 (야근)	07:00~17:00	17:00~07:00
Flicker 값의 하루사이 저하율(%)	-5.4 (5일 평균)	-8.5 (4일 평균)	-9.7 (4일 평균)	-13.6 (1일)	-18.6 (1일)

⑤ 휴식시간

같은 작업을 장시간 계속했을 때, 어느 한도 이상으로 길어지면 작업자의 고통이나 피로감도 늘어나고 사고의 증가나 능률의 저하가 나타난다. 그림1-14에 있어서도 오전 및 오후에 사고가 발생하는 높이 부분이 나타나는 것은 이 때문이다(발생곡선의 내리막 사고감소는 심리적인 노력에 의한 근로의 조화 때문으로 보인다).

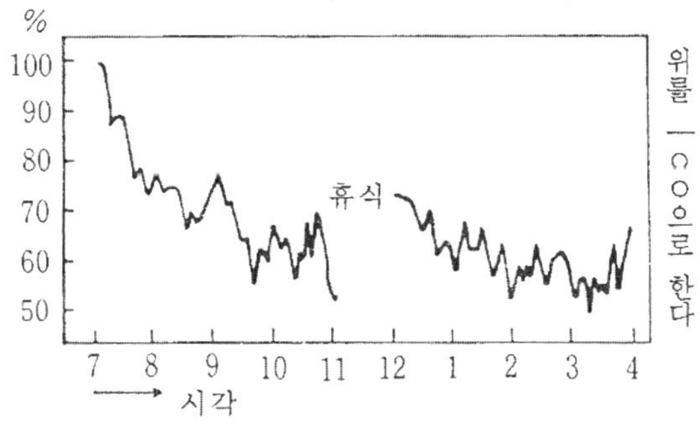

그림1-14 8시간 가산작업의 양적인 변화(桐原 葆美)

따라서 이와 같은 신체적인 영향의 한도 시간 내에 휴식을 부여할 필요가 있지만, 작업의 강도와 작업환경 인자(더위, 추위, 소음, 유해가스 등)에 의해 휴식시간의 설정을 고려하는 것이 필요하다. 물론, 작업강도는 약해도 고도의 정신 긴장이 요구될 때는 장시간의 작업을 계속하는 것은 불가능하다.

(2) 작업환경요인

① 작업공간

상시 수행하는 작업에서는 작업위치를 합리적으로 정하고 실시할 수 있어도, 임시나 비정상적인 작업, 특히 건설공사 기타 옥외 근로를 주로 하는 작업에 있어서는 무리한 것을 알고 있어도 불안전한 작업공간을 설정, 실시하는 경우가 적지 않다. 안전에서 무리가 없는 동작을 취하기 어려운 작업공간에서 인간결함에 의한 행동의 발생가능성은 높아진다.

② 정리・정돈

정리・정돈이 나쁜 직장에서는 반드시 불안전행동에 의한 사고가 발생하고 있다. 정리・정돈이 나쁘면 「넓은 공간이라도 좁게 되어버린다. 부품이나 공구를 꺼내는데 많은 시간이나 동작을 필요로 한다. 신체를 움직이면 난잡하게 놓여 진 재료나 물품에 충돌・접촉이 된다」는 등 여러 가지 작업행동상의 위험을 만들어내는 원인이 된다.

정리・정돈은 안전뿐만 아니라 작업의 모두에 통하는 원칙이지만, 그 추진하는 방법 등에 관해서는 뒷부분에 다시 설명한다.

③ 조 명

거의 모든 작업에 있어서 시각이 중요한 역할을 하고 있는 한 조명과 작업의 관계는 언제나 중요시되어야 한다.

조명이 미비한 경우의 영향은 다음과 같은 것이 있다.

㉮ 작업자에 대한 영향

a. 물건을 보기 어렵다.

b. 시력의 저하

c. 피로의 증대

d. 작업 실수(miss)가 많아진다.

㉯ 직장에 대한 영향

a. 정리・정돈이 좋지 못하다

b. 직장의 분위기가 어둡다

c. 근로의욕의 저하

㉰ 생산에 대한 영향

a. 산업재해의 발생

b. 능률, 품질의 향상이 불가능

이와 같이 많은 영향을 받거나 또는 여러 가지 손실이 발생한다. 그림1-15는 동일한 제품을 취급하는 신 공장과 구 공장에 있어서 광원과 조도를 변경했을 때 사고건수, 조작을 실수하는 건수 및 피로에 의한 결근자 수의 비교이다.

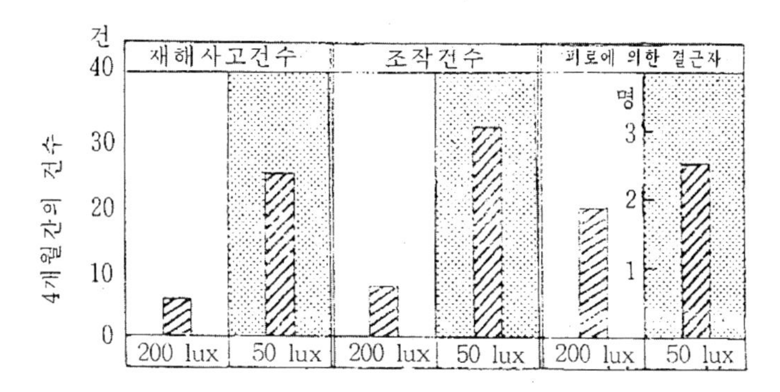

동일설비에서 같은 제품을 만드는 신공장(형광램프 200 lux)와 구공장(전구 50 lux)에 대해서 비교했다.

그림1-15 조명과 사고(小堀富次雄)

표1-13 조명불량에 의한 사고사례

공 장	사 고 상 황	조 명 시 설
주 물 공 장	평저차(平底車)를 견인한 자동차와 주물 강괴를 적재한 차량이 충돌	선로 위에 100W의 더러워진 조명만이 있어서 채광이 불충분
건 축 장	라디에이터를 적재한 일륜차가 운반 발판에서 장해물에 걸려서 전복되어 라디에이터가 낙하, 부상 1명	통로에 채광이 불충분 조명이 없음
금 속 공 장	볼트를 둘러멘 작업자가 기계 사이를 통과하다 볼트를 기계 위에 뿌려서 기계가 전파	기계에 국부조명이 있지만, 전박조명이 없어, 채광이 불충분
금 속 공 장	스위치를 잘못 조작함으로 인해서 사고를 일으킴	채광 불충분

또, 조도의 불량에 의한 사고·재해의 사례를 표1-13에 제시했다.

물건이 보이는가 안 보이는가 하는 것은 ① 보는 대상의 크기, ② 대상과 바탕(Back)과의 밝기(輝度)의 차, ③ 조도, ④ 대상을 보는 시간(운동하고 있는 물건은 똑똑하게 보기 어렵다), ⑤ 시각기관의 명암 순응상태, ⑥ 보는 사람의 연령, 경험, 태도, Mind의 문제가 관계된다.

조명을 고려하는 경우에는 이들 조건을 충분히 검토해 둘 필요가 있지만, 조명의 개선은 다른 작업환경의 개선에 비해서 상당히 용이하며 안전상의 효과도 크다.

④ 소 음

소음이 일정한 수준 이상의 강도를 지닌 소음에 청각기관이 노출되면 청각피로를 가져오고 계속 진행되면 난청을 유발하기도 하지만, 여기서는 인적 행동의 실수(miss)를 발생시키는 요인으로 소음을 생각해 본다.

이러한 관점에서 소음의 영향으로 제시되는 것은 다음 여러 가지 사항이 있다.

㉮ 대화의 방해

작업도중에 일상적인 대화를 교환할 필요가 그다지 없겠지만, 작업간의 협의나 업무 지시 등에 필요한 대화가 소음에 의해 방해되어, 정보가 상대방에 전달이 되지 못하는 일이 있다면 큰 위험을 초래할 가능성이 있다.

소음과 대화의 명료함이나 대화가 가능한 거리의 근사치는 표1-14와 같다.

표1-14 소음과 대화의 방해(근사치)

소음수준(dB)	청취의 명료함(%)	대화가능성 거리(m)
45	8. (약)	4 (약)
55	70 〃	2 〃
60	80 〃	1 〃
70	50 〃	0.5 〃

㉯ 작업능률의 저하

소음수준이 90dB 이상이 되면 작업 실수(miss)의 수는 확실히 증가한다. 소음이 연속적이건 간헐적이건 관계없이 소음에 숙달되어 있는 사람이라도 똑같다.

㉰ 불쾌감

「기분을 안정시킬 수 없다, 침착할 수 없다, 불쾌하다」고 하는 심리적 영향은 개인차도 있지만, 일반적으로 호소하는 경우가 많다. 특히, 정신 노동에는 영향이 있다.

⑤ 온열조건

작업을 실시하는데 온열조건의 영향은 생체의 피로에 큰 요인이 되고 있으며, 그것은 인간행동의 실수(miss) 현상을 발생시킬 가능성을 높인다.

영국의 Vernon 등은 온도와 사고 도수율의 관계를 그림1-16과 같이 보여주고 있다.

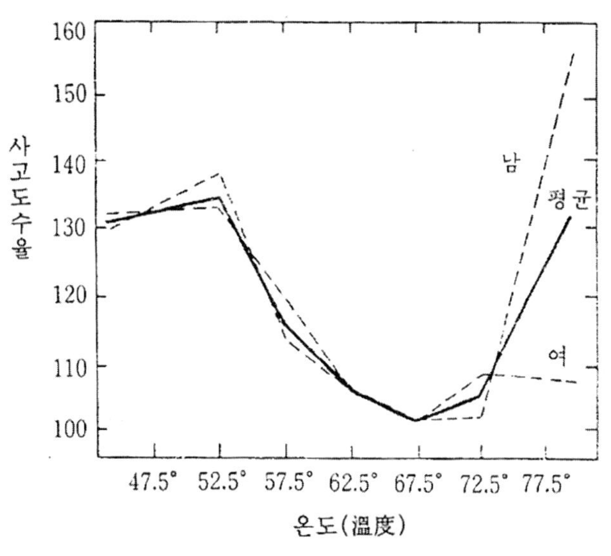

그림1-16 온도와 사고도수율과의 관계

4. 관리적 요인

인간이 행동하는데 실수(miss)를 범하게 하는 직접원인이나 배후요인은 이상 설명한 내용에서 이해되는 바와 같이 모두 개인적인 인자도 있으며, 그렇지 않은 외적인 현상이 발생하는 조건으로서의 인자도 관계되어 있다. 관리적 요인이란 이것들을 해소 내지 억제하기 위한 계획, 실시 시책, 평가에 관한 사항이다.

(1) 교육·훈련의 부족

교육·훈련 불충분의 연유로 작업자의 부족한 지식, 숙달되지 못한 기능 등에 의해 작업자가 행동하는데 실수(miss)를 범하는 사례가 끊이지 않는 직장 사고들이 많다. 교육·훈련을 하여도 그것이 태도의 형성으로 까지 이어지지 못해 안타까움이 많다.

(2) 감독지도가 불충분

평소 교육훈련의 성과를 작업에 연결하는데 따라 인간의 실수(miss)가 없고 올바른 작업이 진행되는 것이므로, 작업자의 작업행동에 대한 감독지도의 명확한 자세는 대단히 중요하다.

인간은 누구한테 감독을 받고 제어되는 것을 본능적으로 기피하게 되는 결함이 존재하지만, 직장의 생산활동에는 미리 설계된 기계설비, 원재료 및 그들의 취급방법과 일정한 기술적인 원칙에 입각해서 대응할 수 있는 인간의 생산행동이 필요하다. 직장에 있어서 작업자의 행동원칙이, 본인의 자율적인 능력으로 수행되도록 노력하는 것도 필요하며, 동시에 감독지도에 의해 이탈을 방지하는 것도 누락시킬 수 없는 중요한 것이다.

작업을 시작하기 전에 작업의 협의. 작업도중의 안전 확인, 지시, 지도 등이 작업자의 실수(miss)를 방지하는데 불가결한 대책이다.

(3) 적성배치의 불충분

업무에 필요한 지능, 지식, 기능, 체력 등이 부족한 작업자의 실수(Miss)를 범하는 행동에는 적정한 배치가 되어있지 않는 것이 원인인 경우가 많다. 신체적 및 정신적 발달 정도, 능력적 결함, 연령이 높아지는 현상 등에 의해 문제가 되는 작업자에 대한 적성배치의 배려는 안전을 유지하는데도 필요한 핵심 사항이다.

(4) 기 타

그 외에도 근로자의 실수(miss)를 범하는 행동을 발생시키는 관리 분야의 문제는 대단히 많다. 안전관리에 의해서 달성되어야 할 대부분의 대책은 인간이 실수(miss)를 방지하는데 밀접하게 관계하고 있기 때문이다.

제2장
인간의 정보처리

제1절 / 작업정보

1. 작업정보의 중요성

작업정보란 말의 의미는 매우 광범위하다. 안전 법규에 규정되어 있는 신규 채용자나 작업내용 변경자에 대한 안전교육은 가장 구체적인 작업정보를 제공해 주는 것이다. 또, 작업시작 전에 실시하는 티타임이나 미팅에서 확인되는 작업의 진행방법이나 순서도 안전에 관한 중요한 작업정보이다.

교육내용이나 작업요령, 작업순서 등은 기본적인 작업정보로서 구체적으로 상대에게 이해시키도록 실시해야 하는 것은 물론이다.

또 작업도중에 연락, 지시, 신호, 경보 등도 작업진행에 관계되는 중요한 작업정보이다. 예를 들면, 어떤 조선소에서 수리공사중인 외국 선박 기관실 내에서 소화장치로부터 탄산가스가 분출되어 산소결핍에 의한(피해 10명중 사망 6명) 중대사고가 발생했다. 그 원인은 국내 선원과 외국인(그리스) 선원과의 사이에 교환된 영어에 의한 대화의 오해에 있었다고 한다.

후에 매스컴에 보도된 바에 의하면 국내 선원은 「This now FO tank valve test(이제부터 연료탱크를 시험한다)」로 말을 전한 것이 상대(외국 선원)는 Now를 No로 잘못 듣고, 다른 밸브를 검사하는 것으로 믿어버린 것이다. 탄산가스 분사장치의 쪽으로 선원이 이동했을 때도 「Why you.

It`s not FO shut valve. That is emergency FO shut valve」라고 강하게 말했지만, 상대는 「이것을 조작하라」는 말로 오해를 해버렸다는 것이다.

내국인만이 일하고 있는 통상의 기업에서는 외국인 근로자와의 언어상의 문제는 일어나지 않는다. 그러나 내국인끼리도 언어의 문제가 있다. 최근에는 점검도중이나 공사도중과 같은 비정상 시 작업에서 사고가 많지만, 작업에 관한 정보를 연락해 철저하게 주지시키지 못한 것이 적지 않기 때문이다. 즉 작업의 실시계획, 사양, 순서, 확인, 연락방법 등이 명확하게 되지 않거나 또는 각 작업자에게 철저하지 못해, 오해되는 일도 있을 수 있기 때문에 주도면밀하게 검토할 필요가 있다.

2. 정보의 전달

정보가 사람에게 전달되어도 그 사람이 지각할 수 없으면 아무런 소용이 없다. 입력되는 정보의 크기가 지나치게 크거나 너무 작거나 하여도 정확하게 지각하지 못한다.

정보량도 인간이 정보를 처리하는 능력에 관계되고 있다. 인간이 정보를 처리할 수 있는 용량은 시각, 청각 모두 2~3 bit/초 정도이지만, 동일한 정보가 동시에 시각, 청각으로 보내지면 처리하는 능력이 늘어나기 때문에, 중요한 정보는 시각적으로 보여주고 동시에 들려주도록 하는 것이 좋다.

그러나 입력된 정보량이 지나치게 많아지면 어느새 정확하게 정보를 처리하지 못한다는 것은 여러 재해사례에서 나타난 바와 같다.

정보를 전달하는데 방해요인에 대해서 고려하는 것이 필요하며, 필요한 신호에 대해서 잡음이 클 때 즉, S/N(신호 - 잡음비)이 나쁜 정보는 잘못 판단하거나 착각이 많이 발생한다. 전화나 마이크로폰, 스피커를 사용해서 정보를 전달할 때는 소음이 없어지게 할 수 있는 명료 정도를 향상시킬 수 있는 것을 사용하는 것이 좋다.

그 외에 작업정보의 중요한 점은 내용이 명료하지 못하여 착각하기 쉬우며, 복잡한 것 등의 사항이 있으면 매우 곤란하여 중대한 위험을 초래할 우려가 있다. 정보전달의 실수가 많은 사례로는 다음과 같은 것이 있다.

- 월 · 일 · 시각 등의 수치를 잘못 듣는다. 13과 3, 7과 1, 7과 4 등
- 긍정(이다)을 부정(아니다)으로 잘못 듣는다 - 소음 때문에 낱말의 끝을 알아듣기 어렵기 때문에
- 수치를 잘못 본다 - 3과 8, 0과 6, 1과 7 등

• 왼쪽과 오른쪽을 잘못 안다 - 사람의 방향에 따라 왼쪽과 오른쪽의 방향은 다르다.

작업정보에 관련해서 일어나는 착각, 인적 에러를 방지하기 위해 정보에 연구해야 할 모든 사항을 표2-1에 정리했다. 이것은 빛, 음, 기호, 표지, 게시, 문서 등 모든 정보수단에 대해서 유의해야 할 사항이다(정보수단에 따라서는 이 표의 항목에서 불필요한 것도 있다).

표2-1 인적 에러를 방지하기 위한 작업정보에 대한 연구

인적 에러	작업정보에 대한 연구
인지・확인	① 정보를 크기를 적절하게 한다. ② 신호가 명료하다. ③ 신호의 S/N비를 좋게 한다. ④ 신호가 복잡하지 않다. ⑤ 정보의 집단화(분류)가 양호하다.
판 단	① 정보에 부족, 미비가 없다. ② 정보가 지나치게 많지 않다. ③ 정보의 의미가 명료하다. ④ 작업자의 교육훈련을 할 수 있다.
조 작	① 정보가 작업에 적절하다. ② 정보의 표시장소가 양호하다. ③ 정보의 표시방법이 양호하다.

3. 인간 결함에 관련된 행동

인간결함과 관계되는 사항은 많지만, 그것들을 종합적으로 고려해서 검토해야 한다.

표시기와 조작구의 재검토, 작업 기준, 지시와 지휘, 교육훈련 등은 모두 깊은 관련이 있지만, 여기서는 정보처리에 대해서 간단하게 다루어본다.

(1) 표지 및 표시

표지나 표시는 지각 결국 「식(識)・별(別)・구별하기 쉽게 한다」는 것을 목적으로 하고 있다. 따라서 그 표시하는 것을 「단순」화 하여야 한다. 그러나 이것은 그것이 대표하고 있는 대상이 본래 가지고 있는 「의미」를 희생시킬 수 있음을 뜻한다. 따라서 「단순하지만, 정확하고 바른 해석은 아니다」라는 점을 분명히 알아야 한다.

각각의 표지나 표시가 대응하고 있는 「의미」는 일종의 약속사항이다. 그러나 이 약속사항을 명확하게 해서 작업자에 잘 납득시켜서, 몸에 기억시키지 못하면 의외의 「잘못 이해」를 일으키게 된다. 예를 들면, 「적색」은 무엇을 의미하는가, 「번호 3의 밸브」는 어떤 배관의 조작을 말하

는 것이다.

특별한 경우에 해당되는 것 중의 하나로서 인간은 평소 행동하고 있는 바닥 면으로부터 높은 곳에 오르거나, 낮은 곳으로 내려가거나 하면, 방향성을 잃고 「잘못 이해」하게 되는 경향이 있다. 따라서 고소나 지하에 있는 기기의 조작 등을 위한 표지나 표시에는 다시 각별한 배려가 필요하다.

(2) 언어에 의한 전달

청각은 시각보다 응답이 빠르다는 이유에서 경보를 울리는데 활발하게 이용되고 있지만, 그 이외에는 직렬 적인 메시지, 원격지역에 전달, 단번에 많은 인원 수에 전달하는 등인 경우에 「언어」에 의한 정보전달이 많이 이용되고 있다. 이를 위해 육성, 전화, 마이크나 확성기 등이 사용되지만, 이 전달이 정확하지 못하거나, 철저함이 부족하면 「의미를 잘못 이해」, 「이해도 불충분」, 「전혀 머리에 들어가지 않는다」 등의 이유에서 사고의 유인(誘因)이 되기 쉽다.

언어에 의한 전달을 확실하게 하기 위해서는 특히 다음 사항에 유의하여야 한다.

① 평소 친숙한 말을 사용하고 혼동되기 어려운 말을 선정해 두고, 이 말의 사용은 피할 것
② 사용하는 단어의 총수는 적은 편이 좋다.
③ 앞뒤의 맥락을 붙이면 올바르게 이해되기 쉽다.
④ 반드시 복습시켜서 이해했다는 것을 확인하다. 그것이 불가능할 경우라도 버저 기타에 의해서 「이해했단 신호」를 하도록 하면 좋다.

(3) 소음

소음은 난청 등의 장해를 일으키기 쉬울 뿐만 아니고 「침착하지 못함」이나 피로를 증가시켜 판단력을 저하시키거나 또 청각을 이용하는 정보전달에 방해가 되거나, 이것들이 사고의 원인이 되는 일은 의외로 많다.

이들의 문제를 해결하기 위해서는 음향공학의 전문적 지식을 필요로 하는 것이며, 음성에 의한 전달이 「잘 들리지 않는다」, 「이해정도・명료한 정도가 불충분」하다는 것을 스스로 느끼거나, 호소할 경우에는 전문가의 진단을 받아서 개선을 도모하는 것이 필요하다.

4. 불안전행동의 유형과 방지대책

대부분의 사고는 물적인 불안전상태와 인적인 불안전행동 등이 뒤얽혀서 일어나며, 특히 화학공장의 Plant 운전에서는, 대수롭지 않은 불안전행동이 유인이 되어서, 차례차례 발전하여 중

대재해로 결부되는 것은 주지하고 있는 사실이다.

이 불안전행동을 인간의 결함으로 인한 행동만을 생각해 본다면 그 배후에 많은 요인이 잠재되어 그것이 복잡하게 뒤얽혀 있는 것을 정보처리라는 입장에서 설명하였지만, 인간의 결함에 의한 행동은 표면적으로 포착할 수 있다 하여도 결코 방지할 수 없다.

화학 Plant의 운전과 관련시켜서 대표적인 결함에 의한 행동의 유형과 그 대책에 대해서 다음 사항을 전제로 개괄적으로 설명한다.

- 설비 · 기기 · 계장 · 표지 · 표시등에 안전이 포함되어 있고, 작업 기준에 안전이 들어가 있으며 작업자에 대한 안전교육도 개개인에게 실시하고 있는 것으로 한다.
- 작업자는 평소에는 동일한 작업에서 불안전행동을 한 일은 없었지만, 그때에 한해서 불안전행동을 한 것으로 한다.

표2-2는 인간의 결함에 의한 행동이 어떠한 시점에서 무엇이 원인이 되어 행하여지는가의 유형으로 나누고, 그것이 정보를 처리하는 과정의 어느 단계의 결함에서 일어나는 가를 설명하고, 관리감독 상 배려하여야할 중요한 사항을 제시한 것이다. 상기의 가정을 중심으로 각각의 행동을 재검토해 보는 것이다.

화학공장에 있어서 대표적인 인간의 결함에 의한 행동의 형과 이것들을 결부시켜 보면 다음과 같이 된다.

① 밸브의 오조작 : Ⓒ, Ⓓ, Ⓔ
② 운전조작의 실수 : Ⓕ, Ⓖ
③ 작업방법의 실수 : Ⓐ, Ⓑ, Ⓓ, Ⓗ, Ⓘ
④ 위험물취급의 부주의 : Ⓑ, Ⓓ, Ⓗ, Ⓘ
⑤ 불안전작업(부주의, 공구사용 충격불꽃 등) : Ⓐ, Ⓑ, Ⓓ, Ⓗ, Ⓘ
⑥ 작업전의 배관 Check불량 : Ⓐ, Ⓑ, Ⓓ, Ⓘ
⑦ 일상점검 미비 : Ⓐ, Ⓑ, Ⓓ, Ⓘ

표2-2 정보처리과정에서 인간의 결함 행동과 그 대책

결함행동의 유형	정보처리 과정에서 본 문제점	관리감독의 대책
Ⓐ 모른다	「시삭」할 수 없는 경우와 지각하여도 올바르게 「판단」할 수 없는 경우 등이 있다. ㈀ 점검 패트롤 중에 위험이 있어도 그것을 중요하다고 이해하지 못하고 여과작용으로 간과해 버리는 소위 「보고있는 눈이 없다」는 경우가 전자, ㈁ 인화성의 증기 분위기 중에서 용접작업의 위험을 알지 못하는 것은 후자	㈀ OJT가 중심이지만, 「지각능력의 향상」을 어떤 형태에 의해서 기초 훈련에 짜 넣는다. ㈁ 기초지식의 재교육

결함행동의 유 형	정보처리 과정에서 본 문제점	관리감독의 대책
Ⓑ 위험에 주의가 미치지 못했다	본래는 알아차리는(올바른 지각-판단) 능력이 있는데 알아차리지 못하는 경우가 있다. ㈀ 근무 직을 계속해 한 직후 단조로운 작업에 의한 권태 등에 의해 의식수준이 낮을 경우, 선입관이나 다른데 정신을 빼앗겨 있는 경우 당황했을 경우 등에 일어난다. ㈁ 도랑으로 흘러나오는 위험물의 경우 「감각능력」을 넘는 경우라면 미리 위험을 상정하여 검지기 등의 할용이 필요하다.	㈀ 타협을 하고, 지시해서 복창시키는 등에 의해서 두뇌를 그 문제에 사용하게 한다. 스스로 침착하고 냉정하게 지휘한다. ㈁ 위험을 사전에 상정하여 단계적인 관리를 철저하게 한다.
Ⓒ 잘못 이해	밸브나 조작구의 선택 miss에 의해 지각 판단하는 과정의 실수이다. 표시의 부적합이나 의식수준이 저하되었을 때 일어나기 쉽다.	㈀ 표시, 모양과 크기, 배치 등의 개선에 의해 식별하기 쉽도록 한다. ㈁ 표시와 그 의미를 숙달시킨다. ㈂ 「의식수준」은 Ⓑ㈀과 같다.
Ⓓ 착각	판단과정의 실수다. ㈀ 상기Ⓒ의 사례에서 표시의 의미를 잘못 이해한다. ㈁ 선입관 등에 의해서 지시 명령을 건성으로 듣고, ㈂ 상황판단을 잘못 이해, ㈃ 속단해서 단락·경시	㈀ Ⓒ㈁과 같음 ㈁ Ⓑ㈀과 같음 ㈂㈃ 본인의 능력향상, 지시나 유도의 철저
Ⓔ 조작방법의 방향을 실수	밸브, 제어기 등을 반대방향으로 조작하는 경우에서의 ㈀Ⓓ 착각에 의한 경우와 ㈁ 조작방향이 일반 사회적 습관에 위반하는 조작으로, 긴급할 때나 당황했을 때에 잘못 이해하는 경우 등이다.	㈀ 조작방향을 표시하고 기타는 Ⓓ의 ㈀㈁㈂과 같다. ㈁ 조작방향을 사회적 습관(왼쪽으로 돌리거나 위로 올리면 출력증가를 의미한다) 등으로 설계를 통일한다.
Ⓕ 잊었다	지시사항의 내용 중 몇 가지를 잊어서 조작단계를 생략한 것. 「단기기억」의 문제다.	㈀ 「단기기억」 훈련을 OJT에 짜넣는다. ㈁ 지시와 복창의 이행
Ⓖ 조정, Tim-ing의 실수	「출력조작」 과정을 중심으로 하는 정보처리 사이클의 반복(연속조작)하는 실수다. ㈀ 작업이 복잡, 곤란, 사람의 능력을 넘는 빠른 처리가 요구된다. ㈁ 본인의 기능으로는 무리. ㈂ 정보처리과정의 어느 Step의 결함, ㈃ 그때의 본인 조건	㈀㈁ 작업기준의 각 단계를 정보처리 면에서 재검토한다. ㈁ 교육훈련의 재검토 ㈃ Ⓑ㈀과 거의 같다.
Ⓗ 동작이 거칠고 난폭함	이미 알고 있는 위험한 조건에 대응하는 신중한 「출력조작」의 제어를 하지 않는 것. 샘플링 중 용기나 통 안에서 작업램프를 부딪쳐 불꽃을 내는 것	㈀ 사전에 지시를 철저히 하고 유도에 노력한다.
Ⓘ 위험을 알고 있었지만 충분하다고 생각해서	경시해서 해야할 처리를 생략하는 전철(轉轍)작용에 의해서 부당하게 낮은 정도의 처리를 소홀하게 하는 행위를 한다. 「출력-조작」의 결과 어떻게 되는지 선견성이 부족하는 등의 원인이다. 기름이 엎질러져 있는 것을 방치한다. 가연성가스, 인화성 증기 등의 분위기 아래에서 공구나 화기의 사용 등	㈀ 단계적 관리의 철저 ㈁ 교육의 강화, 특히 사례연구 등에 의해 선견성을 부여한다. ㈂ 지시-복창의 철저

제2절 / 인간의 정보처리

인간은 정보를 처리하고 있으며, 그 정보를 처리하는 가운데 어떤 것은 기계로 간단하게 대체할 수 없다는 것과, 인간 - 기계계통에서는 양자가 정보를 교환하면서 각기 정보를 처리하는 것이며, 양자의 원활한 상호작용이 중요하다.

인간의 행동과정을 규명하는 것은 이전부터 중요한 과제가 되었다. 현재도 대뇌생리학, 신경생리학, 인지심리학, 사회심리학, 정보공학 기타 여러 분야의 전문가, 그 위에 그것들을 통합하는 인간공학 등에서 활발하게 연구가 진행되어 많은 진척을 보이고 있다. 그래도 인간이 가지고 있는 이 신비의 베일을 완전히 벗기는 것은 상당히 어려운 것 같다.

이 문제에 대처하는데 가장 알기 쉬운 것은 인간의 행동을 「정보처리」적 관점에서 이해하는 것이다. 하나의 인적 실수(Human Error)를 대상으로 연구할 때, 정보를 처리하는 과정의 어느 단계에서 실수(miss)가 개입되었는가, 그것은 왜 일어났는가, 그것을 방지하기 위해서는 작업의 모든 조건을 어떻게 개선하고, 조절해 가면 되는가 하는 순서에 의해서 진행하면 가능할 것이다.

「정보」에 대해서는 다음과 같은 정의가 있다.

「정보(情報)란 물질 및 에너지의 시간적(시간에 관한 것) · 공간적(공간에 속하거나 공간의 성질을 띤 것) · 정성적(물질의 성질이나 성분을 밝히어 정하는 것) · 정량적(양을 헤아려 정하는 것) 형태(Pattern)이다」

물질에 관해서도 똑같은 사고방식을 적용해 본다. 지금 하나의 「짐」을 취급한다고 하면, 그 중량, 크기, 중심(重心)의 위치 등 「짐이 가지고 있는 특성」은 짐에 대해 중요한 정보가 되는 것이다.

정보란 추상적인 개념이며, 완전하게 이해하기 어렵지만, 실무를 담당하는 입장에서 직장의 일상적인 활동이 진행되고 있는 가운데서 「자신이나 동료의 두뇌나 신체는 물론이며 대상이 되는 기계, 재료, 환경 중에도 정보가 존재하고 있어서 어떠한 행동을 하는 경우에는 그들의 정보끼리 밀접한 관계를 가지고 회로를 구성한다」 라고 생각하면 편리하며, 이 사고방식에 익숙해지면 정보라는 것을 조금씩 이해하게 되어, 여러 문제를 해결하는데 매우 효과적으로 활용할 수 있을 것이다. 이와 같은 사고방식에 입각해서 인간의 행동에 판단이 따를 때는 분명히 「정보처리」를 한다고 할 수 있다.

1. 정보처리의 기본적 모델

(1) 간단한 행동이나 동작시의 정보처리

인간이 행동하는 간단한 사례로서 「걷는다」는 것을 생각해 보자. 도로를 걷고 있을 때에는 주변의 장해물이 있는지, 마주치는 사람과 충돌하지 않는지, 노면에 요철이 없는지 등을 고려해야 한다.

이와 같이, 비교적 간단한 행동이나 동작은 정보를 처리하는 과정이란 측면에서 보면 감각기로부터 정보를 받아들이는 「Input」,받아들인 정보를 두뇌에서 처리하는 「Processing」, 두뇌로부터 내리는 지령을, 신경을 통해서 근육을 움직이는 「Output」의 3가지 과정으로 대별할 수 있다. 에너지 측면에서 보면 Input이나 Processing에는 매우 작은 에너지밖에 필요하지 않지만, Output에서는 동작의 종류에 따라 상당한 정도의 에너지가 필요한 것도 있다. 더구나 Output은 일반적으로 말하는 동작만은 아니다. 질문을 받아서 답변하는 경우의 「언어로 이야기 한다」, 필요에 따라서 「문서를 작성한다」 등도 Output이라는 것을 잊지 말아야 한다.

(2) 인간 - 기계설비계통의 정보처리 기본모델

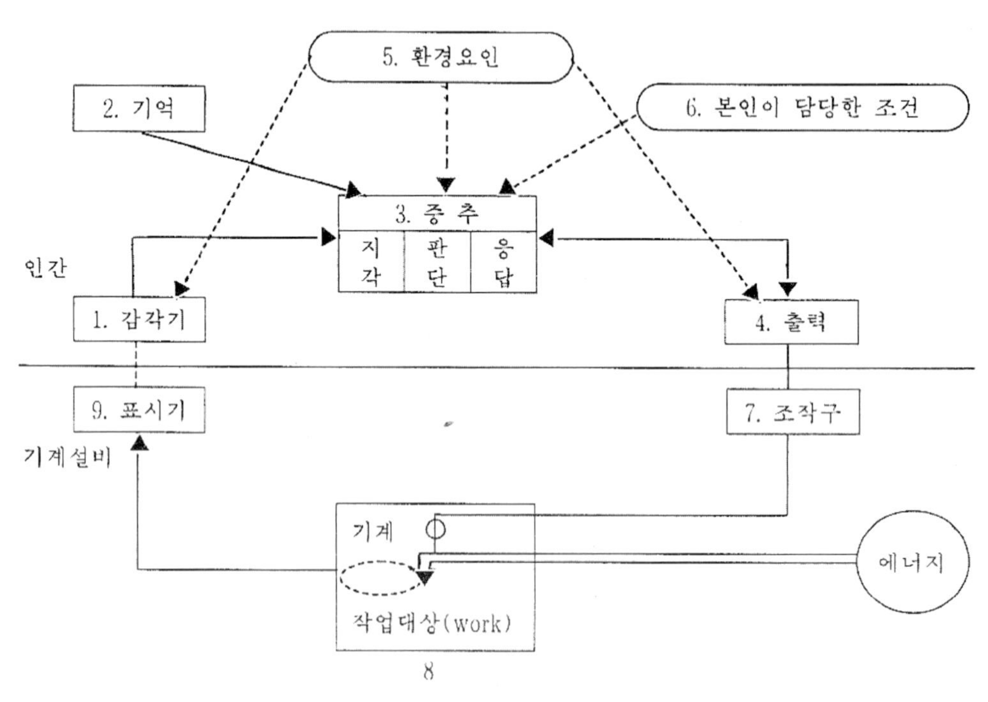

그림2-1 정보처리의 기본적 단계

앞에서 설명한 간단한 행동이나 동작이 아니고, 직장에서 실제 실행하고 있는 여러 가지 작업에 적용하기 위해 하나의 인간 - 기계계통을 선택해서 기계 등을 조작하는 상황하의 인간정보처리에 대해서 살펴보자(그림2-1 참조).

그림 속의 횡선으로 부터 위가 인간, 아래는 기계설비를 뜻하고 있다. 인간은 9.의 표시기로

부터 1.의 감각기를 통해서 정보를 받아들여(Input) 3.의 중추(中樞)에서 이 정보가 처리(Processing)되며, 거기에서 출력되는 지령이 신경이나 근육을 통해서 출력(Output)되어 7.의 조작기구를 조작하고, 그것이 8.의 기계설비에 전달되어 작업대상(가공물, 재료 등)이 가공되며, 그 결과 9.의 표시기기에 표시되는 것으로 1 Cycle이 완료되지만, 통상 1 동작만으로 끝나는 작업은 적으며, 몇 번이나 Cycle을 회전시켜서 하나의 작업을 완성하게 된다.

각 Block 하나하나에 대해서 살펴보자.

1.의 감각기로부터 시작해야 하지만, 거기에 정보를 보내는 9.로 부터 시작한다.

① 「9. 표시기」 (정보 발생근원)

인간이 직접 거기에서 정보를 받아들이는 것이며, 반대로 말하면 「정보를 내보내고 있는 것」으로 생각하면 된다. 대표적인 것이 계기이다.

아래에 약간 특수한 표시기의 사례를 몇 가지 들어본다.

㉮ 지레를 사용해서 물건을 움직일 때 지점(Fulcrum)과 물건을 보면서 거기로부터 중요한 정보를 받아들여 지레를 작동한다. 이 경우에는 지점과 물건은 표시기의 구실을 한다고 생각하면 된다.

㉯ 선반작업에서는 「절삭되는 상황」을 직접 보면서 기계를 조작한다. 이것도 표시기라고 할 수 있다.

㉰ 자동차에는 계기가 부착되어 있으며, 이것도 표시기이지만, 운전도중에는 대부분의 정보는 진행도중의 도로, 주변상황, 교통표지 등으로부터 필요한 정보를 얻고 있다는 것을 생각하면, 이것들은 어느 것이나 잊어서는 안될 중요한 표시기라고 할 수 있다.

② 「1. 감각기」

소위 오감은 각각 감각기의 기능을 수행한다. 이들 이외에도 인간은 평형감각, 운동감각 등 여러 종류의 감각을 가지고 있다. 일상생활에서도 작업하는 직장에서도 가장 많이 사용되는 것은 시각이며, 청각・촉각이 그 다음을 잇고 있다. 작업의 종류에 따라서는 후각, 미각, 평형감각 등도 대단히 중요한 구실을 한다. 정보를 받아들일 때는 2개 이하의 감각을 병용해서 받아들이면 된나. 예를 들면, 보는 것만이 아니고 손으로 잡아서 촉각이나 무게에 의해 마음으로 느껴서 이해하는 것은 매우 효과적이다. 정보를 받아들이는데 어느 감각을 이용하는가는 중요한 사항이다. 또, 경보를 발령하는데 신호를 사용해서 시각에 호소하는가, 음을 내어서 청각에 호소하는가, 양자를 병용하는가 하는 것 등을 말한다. 이것은 때와 경우에 따라서 다르며 일괄해서 말할 수 없다.

③ 「3. -1 지각」

감각기를 통해서 들어오는 정보가 「무엇인가」, 「다른 것과 틀리는가, 이것이다」라고 해서 받아들이는 것이다. 결국 구별, 식별, 변별해서 인식하는 것이다. 지각의 능력은 각기 작업에 대한 훈련에 의해서 체득할 수 있다. 직장을 순찰하여 「이상」을 발견하는 능력이란 「평상상태와 다른 것은 무엇인가」에 대한 지각능력밖에 없다.

④ 「2.의 기억」

지각 및 다음 과정인 판단을 하기 위해서는 대뇌의 다른 부분에 축적되어 있는 기억으로부터 정보를 꺼내서 들어온 정보, 그 위에 지각된 정보와 비교해 검토해야 한다. 판단한 결과 응답을 내리려면 과거에 비슷한 정보를 처리해서 성공했던 것이 기억에 남아있을 필요가 있다. 일반적으로 이런 기억을 「장기의 기억」이라 한다.

또 하나 매우 중요한 것으로 「단기기억」이 있다. 이것은 필요한 점만을 기억해 두고, 끝나면 잊어버려도 된다는 것이다. 이 기억은 작업의 성질에 따라서 매우 중요한 것이다. 이 단기기억 능력은 각기 특정한 작업에 대해 경험과 훈련을 통해서 「그 특정한 작업에 대해 단기기억 능력이 비로소 체득된다」는 것이며, 어떠한 작업에도 공통되는 것은 아니다. 직장에서 숙련자가 되기 위해서는 각기 작업에 관한 단기기억 능력이 필요하다. 이 능력의 향상은 훈련이 불가결한 요소다.

⑤ 「3. -2 판단」

지각된 정보를 장기・단기의 기억과 대비하면서 응답을 위한 지령으로 해서 전달하는 판단은 하나의 변환시키는 과정이다. 이 경우 「7. 조작기구」에 대해 조작의 「결과가 어떻게 되었는가」를 간파해서 판단을 한다. 따라서 과거에 같거나 또는 유사한 정보를 처리한 Cycle을 회전시킨 경험을 기억 속에 비축해 둘 필요가 있다.

지금까지 경험한 것과 전혀 비슷하지 않은 새로운 정보와 마주했을 때, 인간은 확실한 판단이 서지 않아, 망설이게 된다. 전혀 같지 않지만 과거에 경험했던 것과 비슷한 것 같은 정보에 대해서는 뒤에 접촉하는 인간행동의 유연성을 특징 지우는 장점에 대한 여러 가지 작용을 교묘하게 짜 넣어서 판단한다.

⑥ 「3. -3 응답」

판단한 결과 응답해서 출력하는 「지령」이다.

⑦ 「4. 출력」

중추로부터 출력되는 지령은 신경을 통해서 근육을 움직이는 출력이 된다. 이것은 행동으로 옮기는 과정이다. 이 경우 근육의 움직임에 대한 정보는 신경을 통해서 중추에 피드백 되며, 다시 새로운 지령이 출력되어 「제어」를 받는다. 결국 여기에는 정보를 처리하는 작은 회로가 형성된다. 실제 몸을 움직이는 것만이 아니고, 언어로 명령을 내리거나(이 경우 표정이나 몸짓도 중요하다), 응답의 내용을 문서로 한다는 행위도 출력의 일종이다.

⑧ 「5. 환경요인」

환경요인은 감각, 중추, 출력의 어느 과정에도 간접적인 영향을 준다. 그림의 점선은 간접적이라는 것을 표시하고 있다. 예를 들면, 조도나 소음은 감각기능에 지장을 초래한다. 또 고온, 소음 등은 중추의 능력을 저하시킨다. 기타 여러 가지 사례가 생각된다.

⑨ 「6. 본인이 처한 조건」

이 기본모델은 어떤 시간에 있어서 일정한 공간을 생각해서 판정하고 있다. 엄밀한 의미는 아니지만, 「시간과 공간의 좌표인 어떤 점을 채용하고 있다. 결국 사람은 그 장소로 가서 작업을 개시한다」고 하는 것이다. 그 사람은 사전에 여러 가지 스트레스를 받아서 그대로 직장에 들어가게 된다. 여기서 스트레스라고 해서 반드시 나쁜 요인만을 의미하고 있는 것은 아니다. 오늘은 마음상태가 양호하며 적당한 정도의 긴장상태를 그대로 가지고 들어가는 경우도 있을 것이다. 이들의 조건이 「본인이 처한 조건」이다. 물론 나쁜 조건을 가지고있는 경우에는 간접적이기는 하지만, 사고를 발생시키는 요인이 되기 쉽다. 정보를 처리하는 과정의 기본모델로는 간접적인 위치로 내려가 있거나 사고라는 면에서 말하면 중대한 역할을 수행하고 있는 일이 자주 있다.

「오늘은 피로하다」, 「어제는 잠을 자지 못했다」, 「가족의 질병으로 걱정된다」, 「조금 전에 상사에 질책을 당해서 실망・낙담을 하고 있다」고 하는 것 등은 어느 것이나 지나쳐버릴 수 없는 조건이다.

⑩ 「7. 조작기구」

푸시버튼, 토글스위치, 레버, 핸들, 페달 등이 여기에 해당된다. 이것들을 총칭해서 「Control」이라고 하는 일이 있다. 출력을 기계에 거둬들이는 도구라고 생각하면 된다. 제어 반이나 계장 장비는 어느 것이나 표시기와 조작구를 구비한 것이며, 인간과 기계설비의 정보를 주고받는 중개자로서 중요한 역할을 수행하고 있다.

⑪ 「8. 기계설비」

조작기구의 조작은 기계설비에 전달되며, 여기서 가공, 반응 기타 작업이 수행된다. 이것은 정보라는 측면에서 보면 출력한 정보가 조작기구를 통해서 기계설비에 전달된다고 생각하면 되며, 이것을 전달하는 통로가 조작회로이다. 작업에는 당연히 에너지가 필요하며, 조작회로에 필요한 에너지는 직업을 담당하기 위한 구동회로에 비해서 소량의 에너지로도 충분하다. 가공이나 반응하는 상황이나 결과로부터 정보를 꺼내서 그것을 표시기에서 표시하고, 그것이 감각기에 받아들여진다는 것으로 1 Cycle이 완료된다. 간단한 작업이라도 몇 번의 Cycle을 회전시켜야 비로소 작업은 완결된다. 또 이것은 기본Cycle을 제시한 것이며, 실제는 ⑦의 출력에서 1예를 제시한 바와 같이 몇 개의 Cycle, 결국 다중 Loop로 되어 있으며 그 위에 복잡한 작용을 하고 있다.

2. 정보처리 과정의 역동적기능

위에서는 정보처리 과정상의 구조에 대하여 설명하였다. 구조 자체는 정적(靜的)이다. 그러나 정보처리가 실제적으로 행하여질 때는 각 단계의 요소가 동적(動的)으로 작용하여 전체로서의 역동적(dynamics)인 움직임을 한다.

그림2-2는 정보처리과정의 역동적 기능을 중심으로 모델화한 것이다.

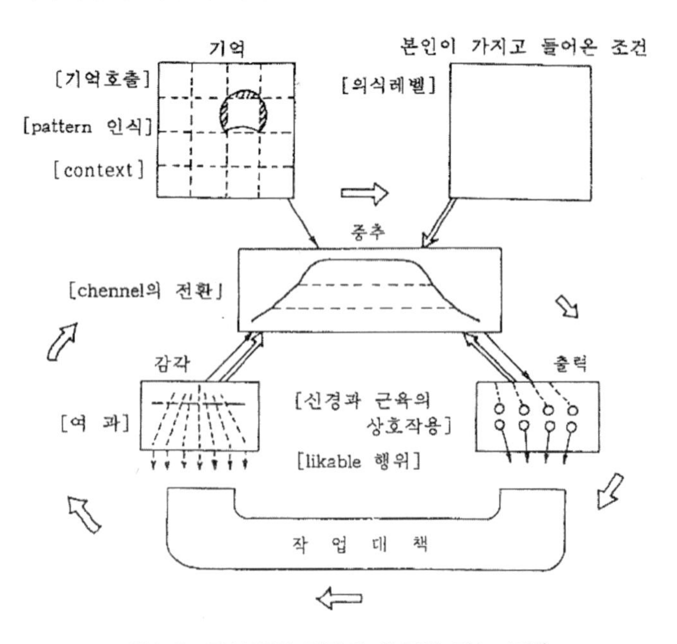

그림2-2 정보처리 과정의 역동적 기능 모델

먼저 바깥쪽에 ⇨를 사용해서 제시하였듯이 이것은 한 cycle을 나타낸다. 이 cycle은 상당히 빈번하게 회전하는 것이며, 밖으로부터는 지극히 간소하게 보이는 한 동작이라도 이 cycle은 몇 번인가 회전하고 있다고 생각하여도 좋다.

(1) 상호작용과 간섭작용

그런데 인간의 정보처리의 경우는 일단(그림2-2 참조)에 배열한 순서로 처리되는 것은 변함이 없지만 각 기능이 완전하게 독립해서 작용하는 것이 아니고 다른 기능의 영향을 받으면서 처리된다.

예를 들면 감각에 있어서 「여과」작용은 감각만으로 하는 것이 아니고 중추작용이 거기까지 영향을 미쳐 중추가 「필요로 하는 것」, 「중요로 하는 것」을 선택하여 감각을 통해서 받아들이려고 한다. 또 중추의 「판단」의 결과로 발생하는 (오른쪽 아래의)출력은 (왼쪽 아래의)감각으로부터 「어떠한 feed back」을 받아서 (왼쪽 위의)기억에서 과거의 경험을 호출하여 선택을 한다. 이것이 의사 결정이다.

(2) 여과작용

외부로부터의 정보를 체내에 받아들이는 것은 감각기를 통해서 한다. 그런데 외부에는 무수한 정보가 존재하므로 이것을 모두 받아들여 처리할 수는 없고, 다만 필요한 정보, 중요한 정보만을 선택하여 받아들인다. 이러한 기능을 여과작용(濾過作用)이라 하는데, 이 작용은 감각기능의 과정에 한정되는 것이 아니고, 정보가 중추에 들어가 있어도 각 단계에서 불필요하다고 생각되는 정보는 버려지며, 필요하다고 생각되는 정보만 앞으로 진행하여 간다.

(3) 귀납작용

감각에서 받아들여진 정보는 중추에 들어가 거기서 기억과 대조(對照)된다.

즉, 기억 호출시에 있어서 귀납적으로 작용된다. 이 경우의 귀납이란 시행착오(試行錯誤)를 의미한다. 예로서, 중추에 어떤 정보가 들어오는 경우 처음에는 그림의 格子틀 중에서 비슷한 것을 꺼내어 적용해 본 뒤 수정 조정과정을 거쳐 최종적으로 정확한 부분을 꺼내게 된다.

기억 호출시의 또 다른 귀납작용의 하나로 「패턴(pattern)인식」 기능이 있다.

오랜만에 만난 친구를 알아본다거나, 사람의 음성을 듣고 분간한다거나, 냄새나 맛을 식별하는 등의 패턴인식 능력은 인간이 갖는 지극히 뛰어난 기능이다. 그러나, 때로는 사람을 잘못 보는 일이 있듯이 패턴인식의 실수도 발생하는 경우가 있다.

(4) 맥락(context)을 붙여 해석하는 작용

상대방에게 언어로써 정보를 전달할 때, 미리 맥락(context)을 붙여서 보내면 상대방은 그것을 올바르게 받아들여 이해하기 쉽다. 어떤 정보라도 인간은 「맥락(context)을 붙여 해석」하는 능력을 가지고 있기 때문에 아무리 복잡하게 뒤섞인 정보라도 이해할 수 있게 되는 것이다.

기계를 취급하는 경우에도 정확한 이론적 지식을 가지고 있으면, 점차적으로 발생하는 정보를 지식적 이론에 근거하여 맥락을 붙여서 올바르게 해석할 수 있다. 그런데, 한편 정보를 받아들이는 쪽의 인간이 제멋대로 맥락(context)을 붙이는 경우도 있다. 그러나, 그러한 억측이 맞아떨어지는 경우는 극히 드물다. 어떤 정보에 접했을 때, 선입감(先入感)에 의해 제멋대로 잘못된 context를 붙여 해석하는 경우, 정보처리 과정에서 착오가 발생되고 재해가 발생될 가능성이 높아진다.

(5) 전철작용(轉轍作用)

전철작용이란 「정보처리 채널(channel)의 전환작용」으로서, 지각한 정보의 중요도에 따라 정보처리의 채널을 새로 바꾸는 작용이다. 즉, 복잡하고 중요한 정보는 높은 channel인 문제해결(5단계) 및 동적의지 결정(4단계)의 채널에서, 간단하거나, 또는 중요하지 않는 정보는 낮은 channel에서 처리한다.

또한 전철작용은 의식의 수준의 영향을 받는다. Phase Ⅲ의 높은 level의 의식으로는 모든 정보처리 channel에 대응되나, phase Ⅱ의 의식수준으로는 4, 5단계의 높은 정보처리 channel에는 대응할 수 없다.

의식수준과 정보처리 channel에 관한 사항은 다음에서 상세히 다룬다.

(6) 출력과정에서의 신경과 근육의 상호작용

출력(output)이란 중추에서 작용이나 처리결과 나오는 정보로서, 「指令」도 포함된다. 이 지령은 원심신경을 통해서 수족이나 몸의 구석구석까지 전달되어 근육에 명령해서 운동을 일으킨다.

이때 중요한 것은 신경의 말단과 근육의 상호작용을 일으켜 근육에 정밀한 움직임을 신경이 포착하여 feed back하고 다시 수정지령을 내보낸다. 또 신경끼리 정보를 교환하여 협응동작도 가능하게 된다. 「몸으로, 피부로 깨닫는다」라고 하는 것은 이 feedback에 대단히 친숙한 단계이다.

보행은 보통사람에 있어서는 쉬운 운동이지만 중풍 등으로 한번 기능을 상실한 사람에 있어서는 대단히 어려운 운동이 된다. 그러나 회복으로 끈기 있게 연습하면 다시 그 능력을 회복할 수 있다.

(7) 회복(recovery) 행위

이것은 안전상에서 보면 대단히 중요한 작용이다.

인간은 위험을 방관하였다. 스스로 실수한 행위로 위험을 자초하였다. 방심을 하고 있었던 경우의 행동도중에 「앗!」하고 정신 차렸을 때는 그 위험을 복구하여 보상하려고 하는 행위이다.

이 행위는 지금까지 반복해서 설명해온 feedback 기능의 덕택이란 것은 말할 필요도 없다. 고령자의 안전확보에서 문제가 되는 것은 예를 들면 순간적인 회피, 즉, 헛디뎌 실족하려는 찰나에 바로 일어서는 등이 회복 행위의 능력에 좌우되는 면이 크다.

제3장
학습과 기억, 적응의 심리

제1절 / 학　습(Learning)

인간은 무력한 신생아로 태어나서 자기 충족적인 성인으로 되어가는 변화는 부분적으로는 소위 "성숙"의 문제이다. 이러한 성숙하는 과정은 인생의 초기단계를 통해서 순서적 유형으로 진행되며 때로는 서서히 진행되고 때로는 도약적으로 진행된다.

신생아로부터 성인이 되는 변화의 대부분은 학습의 결과이며 이 학습은 경험에 의존한다. 실제로 학습은 "경험에 의한 행동의 비교적 영속적인 변화"로 종종 정의되고 있다. 많은 다양한 종류의 경험들이 학습을 형성할 수 있다.

1. 고전적 조건형성

심리학자들은 신생아, 어린이, 성인, 천재, 저능아, 정상인, 정신질환자 등과 같이 여러 차원에서 인간의 학습을 연구하고 있다. 인간의 단순한 학습의 형태에서 무엇이 일어나는가에 대하여 다양한 학습이론들이 존재한다. 학습에 관한 내용 중 심리학자가 동의한 주요 사실들을 요약, 정리해 보면 다음과 같다.

(1) 공포와 비합리적 선호의 학습

작고 폐쇄된 장소에 있게 되어서 이상한 혐오를 느껴서 고통을 겪고 있는 사람, 즉 폐쇄공포증(Claustrophobia)이라 하는 이해할 수 없는 성질의 사람은 어찌할 바를 모르고 왜 공포가 오는

지 이유를 모른 상태에서 두려워하기만 할 것이다.

이와 같은 공포는 확실히 선천적인 것은 아니다. 신생아가 공포를 보여주는 단지 2가지 사건이 있으며, 하나는 소리를 들을 때이며, 다른 하나는 갑자기 움직일 때 느끼는 추락감이다. 따라서 이것 이외의 다른 공포들은 인간이 알든 모르든 간에 실제로 학습된 것들이다.

대부분의 사람들은 어떤 특정한 사람이나 사물을 특별히 좋아하는 불합리한 선호를 가진다. 이것은 사람들이 이러한 반응을 어떻게 획득했는지는 모를 지라도 이러한 반응을 학습해 왔음이 틀림없음을 보여 준다. 많은 불합리한 공포나 선호의 경우는 고전적 조건형성의 결과인데 이것은 심리학 역사상 유명한 실험을 행한 러시아 과학자 이반 파블로브의 연구에 의해서 이루어졌다.

(2) 파블로브의 조건화실험

파블로브는 금세기 초에 일련의 실험을 했는데 그는 실험 동물로 개를 사용했으며, 파블로브의 관심은 신경계를 가지고 있는 유기체에 나타나는 소위 "반사(Reflex)"라 불리는 행동의 양상이다. 척수에서 간단한 신경결합을 통해 작용하는 유아의 파악 반사 사례는 뜨거운 거피포트에 손이 닿았을 때 반사 행동에 의해 즉각적으로 손을 치우는 것이나 강한 빛이 눈에 들어오게 되면 눈동자는 자동적으로 작아지게 되는 것이다.

좀 더 복잡한 방식이지만 정서와 관련된 신체의 변화도 반사반응이다. 예를 들면, 유아가 갑작스럽게 큰 소리를 듣거나 몸이 갑자기 움직이는 것을 느끼게 되면 이러한 자극이 자동적으로 신경계의 행동을 개시시켜 공포 행동이 나타나게 된다. 모든 종류의 반사반응은 의식적인 노력 없이 일어나는 행동의 형태이다. 우리의 신경계는 자극에 대응해서 반사가 일어나도록 자연적으로 잘 형성되어져 있다.

반사반응은 원래 가지고 있던 것이지 학습된 것은 아니다. 파블로브가 관심을 두었던 문제는 이러한 반사반응이 학습에 의하여 수정될 수 없겠는가? 하는 것이었다.

(3) 고전적 조건형성의 원리

고전적 조건형성이 우리 생활에 미치는 광범위한 영향에 관한 사실로서 파블로브 실험과 이러한 종류의 학습유형에 대하여 상세히 보기로 한다. 이러한 과정을 이해하기 위해 먼저 파블로브 자신이 사용한 용어 다섯 가지의 기본적인 원리를 알아보자.

① 실험에 사용된 음식은 무조건 자극(Unconditioned stimulus)이라 하는데 이것은 학습이 없어도 자동적으로 자연적으로 타액을 분비하게 하는 자극을 말한다.

② 메트로놈 소리는 처음에 중성 자극이었으나 결국 조건 자극에 의한 것과 유사한 반응을 일으키게 되며 이것을 조건 자극(Conditioned stimulus)이라 한다.

③ 소리와 같은 조건자극에 음식과 같은 무조건 자극을 짝짓는 것을 강화(Reinforcement)라 하고 이것은 조건형성의 핵심이다.

④ 음식이 개의 입 속에 있을 때 타액이 분비되는 반사 반응은 무조건 반응(Unconditioned response)이며 이 반응은 학습에 의하지 않고 신경계의 작용에 의해 자동적으로 일어나게 된다.

⑤ 메트로놈 소리에 반응하여 침을 흘리는 것은 조건 반응(Conditioned response)이며 이것은 무조건 자극과 조건 자극의 짝짓기에 의해 개의 신경계 내에서 변화를 가져와 타액 반사를 일으키게 되는 것이다.

(4) 강화, 소거, 자발적 회복

파블로브는 조건형성이 된 타액 반사를 만든 다음 어떤 상황에서 얼마나 오래 동안 조건 형성된 반사반응이 지속되는가를 알고 싶어 했다. 파블로브가 음식을 제공하지 않고 메트로놈 소리만을 들려주었을 때, 즉 강화를 제거하였을 때 아주 짧은 시간 안에 소리에 반응하여 분비되는 타액이 급격히 감소되었으며 결국 그림3-1과 같이 타액을 분비하지 않게 되었다. 파블로브는 이렇게 조건 형성된 반응이 사라지는 것을 소거(Extinction)라 한다. 그러나 소거시키기 위한 과정 중 음식을 가끔 제공하였을 때 (즉, 강화를 매 시행마다 주지 않고 가끔 주었을 때) 조건 형성된 반응은 소거되지 않고 끝없이 계속 나타났다.

이 그래프는 조건 자극적인 소리에 음식을 동반되지 않을 때 파블로브의 개에게 일어나는 것을 보여준다. 처음에는 조건 형성된 타액 반응은 매우 강하게 일어났으나 점점 약해져서 7번째 메트로놈 소리가 들렸을 때 완전히 사라졌다

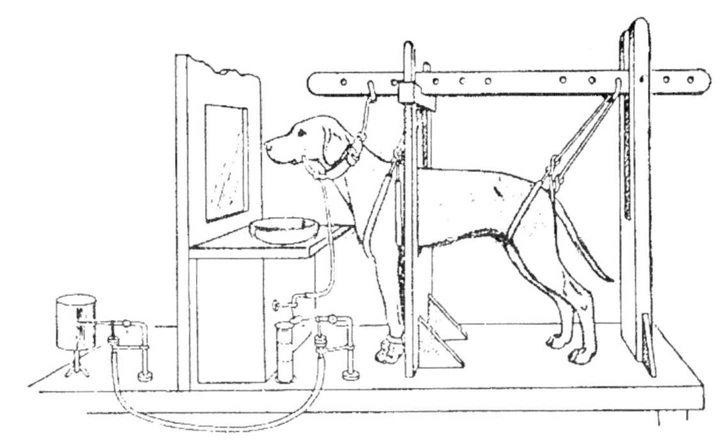

그림3-1 Pavbv의 개의 타액분비실험

파블로브는 다시 다른 시도를 하였는데 강화를 주지 않아 조건 형성된 반응이 소거되게 한 다음 실험장치로 부터 개를 잠시 휴식하게 한 뒤 다시 실험장치에 고정시켰을 때 메트로놈 소리에 반응이 나타나는가를 관찰했다. 이때 소거되었던 반응이 다시 나타났는데 그는 이것을 자발적 회복(Spontaneous recovery)이라고 했다. 이러한 현상은 사라진 것처럼 보이는 학습된 내용이 갑작스럽게 다시 나타나는 것으로 일상생활에서 나타나는 불합리한 공포나 선호를 설명해줄 수 있는 것이다.

(5) 자극의 일반화와 변별

파블로브는 실험에서 메트로놈 소리만이 조건을 형성시킬 수 있는 신비스러운 소리가 아니라는 것에 주의하여야 하는데 실제로 뒤에 실시된 실험에서 많은 다른 자극들을 사용하였을 때 즉, 벨소리나 불빛 같은 자극은 메트로놈 소리와 마찬가지로 쉽게 타액 조건형성을 시킬 수 있었다. 또한 벨소리에 일단 조건 형성된 개는 다른 벨소리나 부저소리에도 타액을 분비하는 것을 발견하였는데 이러한 현상은 자극의 일반화(Stimulus generalization)라 하며 이것은 일단 한 가지 독특한 자극에 반응하는 것을 학습한 유기체는 그와 유사한 자극에도 반응하게 되는 경향을 말한다. 자극의 일반화는 알버트가 토끼뿐만 아니라 턱수염난 사람도 무서워하는 이유를 설명해준다.

파블로브는 자극의 일반화 원리를 발견한 후에 그와 반대되는 현상을 설명했으며 그것은 자극의 변별(Stimulus discrimination)이라고 하는 현상이다. 음식에 의해서 어떤 벨소리에 타액분비를 조건 형성시킨 다음 다른 벨소리를 들려주었을 때는 음식을 주지 않았다. 이 실험을 계속하자 개는 곧 다른 벨소리가 아닌 원래의 벨소리에만 반응하여 타액을 분비하는 학습이 되었다. 이것은 원래의 자극과 다른 자극과의 변별을 학습한 것이다. 이러한 실험이 계속되면 개는 아주 작은 자극의 변별도 가능하게 되는데 중간 C음에만 반응하게 되고 그 보다 높거나 낮은 음에는 반응하지 않는 정도까지 변별하게 되었다.

(6) 신경증의 학습

한편 파블로브는 자극변별 문제를 조작함으로써 개가 아주 심한 신경증 상태에 있을 때 행동하는 것 같이 조건형성 시킬 수 있었다. 먼저 그는 원과 타원을 변별하도록 조건형성 시키고 나서 점차로 타원을 점점 원에 가까워지도록 변화시켰는데 이 둘 사이에 아주 작은 차이만이 있더라도 아주 잘 변별하였다. 그러나 그 차이가 식별하기에 너무 작을 정도로 되면 개는 이상스럽게 혼동된 행동을 보였다.

많은 개가 같은 실험 현장에 동원되어졌는데 그 효과는 매우 강하게 나타났다. 그 개들은 안절부절 하지 못하고, 파괴적이 되었고, 냉담하게 되었으며, 근육경련이나 안면경련이 오기도 했다. 이러한 파블로브의 실험들은 인간의 신경증도 고전적 조건형성에서 오는 어떤 문제일 수 있음을 시사한다. 이러한 가능성은 학습된 무력감(Learned helplessness)의 현상과 연관시켜 뒤에 설명한다.

2. 조작적 조건형성

반사 행동을 변화시키는 고전적 조건형성은 음식제공에 따른 타액 분비처럼 특별한 자극에 대응해서 일어나게 된다. 그러나 반사 행동이 유기체의 모든 행동은 아니다. 예를 들면 소아용 침대에 있는 유아도 팔과 다리를 움직이려 하고, 담요를 붙잡으려 하고 침대의 보호난간을 잡으려 하고, 소리를 지르며 사물을 바라보기 위해 머리와 눈을 돌리게 되는 등 많은 자발적인 행동을 보여줄 것이다.

이와 같은 행동은 어떤 외부의 자극에 의해 일어나는 것이 아니고 처음부터 어린이 자신에 의해 일어나는 것이다. 즉 행동이 나타나도록 하는 것은 유기체 자신이다. 환경에 있는 어떤 자극이 반응을 일으키는 것과는 대조적으로 어린이는 단지 환경 안에서 행동할 뿐이며 이때 유기체는 주위 환경을 조작(Operate)한다고 하며 유기체가 조작하는 다양한 여러 유형의 행동들 중에서 어떤 행동의 변화가 오기도 하는데 이러한 유형의 활동을 조작적 행동(Operate behavior)이라 한다.

타고난 반사행동과 같이 조작적 행동도 역시 학습에 의해 변화될 수 있다. 학습을 통해서 조작적 행동을 변화시킬 수 있는 하나의 방법을 조작적 조건형성이라 하며 이것은 고전적 조건형성과 여러 면에서 유사하다.

(1) 스키너와 스키너 상자

조작적 조건형성의 전형적인 설명은 스키너(B. F. Skinner)에 의해 그림3-2와 같이 특별한 종류의 상자를 사용하여 이루어졌다. 스키너가 쥐를 처음 스키너 상자에 넣었을 때 쥐는 많은 자발적인 조작행동을 보였다. 많은 행동 중 막대를 누르는 행동도 포함되어 있었는데 쥐가 막대를 누르면 막대 밑에 있는 그릇에 먹이 알맹이가 나오도록 장치하였다. 쥐가 처음 막대를 눌렀을 때 먹이가 나왔지만 아직 학습이 이루어지지 않았다. 인간의 행동에 해당되는 용어로 설명한다면 아직 먹이와 막대는 누르는 행동 사이에 주의(Attention)가 이루어지지 않았다. 그러나 우연적인 행동으로 가끔 막대를 눌렀는데 이때마다 먹이가 제공되었다. 결국 쥐는 무엇이 일어나는 지를 주의하였고 막대를 누르는 행동과 그 보상으로서 먹이가 제공되는 연합관계를 주의하게 되었다. 이리하여 쥐는 먹기 위해 빠른 속도로 막대를 누르게 되었다. 다시 말하면 스키너 상자에 있는 쥐는 처음에 다양한 조작적 행동을 보였는데 그 중 막대를 누르는 특별한 행동만이 음식을 제공받음으로써 보상을 받을 수 있게 되었을 때 쥐는 그 행동만을 빠르게 반복하게 된 것이다. 이때 막대를 누르도록 하는 장치는(즉, 고전적 조건형성의 법칙은) 강화 받는 조작적 행동은 계속 나타나게 하고 강화 받지 못하는 조작적 행동은 사라지게 하는 것이다.

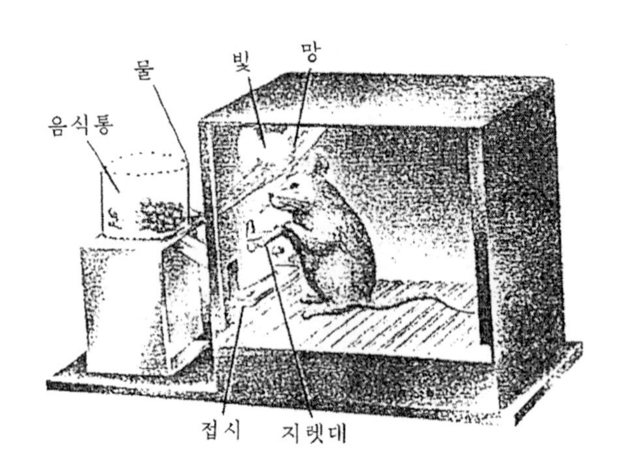

그림3-2 스키너 상자에서의 학습

(2) 조작적 조건형성의 원리

스키너 상자는 학습에 관한 많은 새로운 연구를 촉진시켰다. 조작적 조건형성은 파블로브가 설명한 고전적 조건형성의 법칙을 따르고 있음이 밝혀졌다. 조건 형성된 반사행동과 같이 조건 형성된 조작적 행동도 소거되기 쉽다. 쥐가 막대를 눌러도 음식이 나오지 않음으로써 더 이상 보상을 받지 못하면 결국 막대 누르기를 중단한다. 자발적 회복도 마찬가지로 일어난다. 즉, 스키너 상자에서 막대 누르기 행동을 소거시킨 뒤에 쥐를 꺼내서 쉬게 한 뒤 다시 상자에 넣어 줬을 때 막대를 누르는 행동이 다시 나타났다.

스키너 상자를 변형시켜 새장을 만들고 비둘기를 실험 동물로 한 실험에서 명백하게 자극의 일반화가 일어났는데 흰색의 버튼을 쪼면 먹이를 얻도록 학습된 비둘기는 빨간색이나 녹색 버튼에도 마찬가지로 쪼아대었다.

이때 흰색만을 선별적으로 강화시키면 자극의 변별이 일어났는데 비둘기는 흰색 버튼만을 쪼아대고 빨간색이나 녹색 버튼을 쪼아대지 않았다.

(3) 행동 조형

조작적 조건형성에 흥미를 가진 심리학자들은 동물들에게 복잡하고 특별한 행동을 가르치는 방법을 발달시켰는데 이를 조형(Shaping)이라 한다. 단계적으로 비둘기의 행동이 목표행동에 점점 가까워지도록 먹이를 주어 강화시키면 결국에 비둘기는 자발적으로는 나타나지 않았던 목표행동을 보여 주게 된다.

(4) 강화의 원리

강화라는 용어는 조건형성의 핵심이기 때문에 많은 연구의 주제가 되었다. 음식이나 물은 확실한 보상의 종류인데 이것은 일차적 강화(Primary reinforcement)라 한다. 그러나 인간은 음식이나 물을 얻기 위해서는 잘 학습하지 않는다. 그 대신에 인간은 칭찬이나 수용 같은 무형의 보상에 통상 더 학습한다. 실제로 동물에도 음식과 같은 일차적인 것보다 애정과 같은 보상이 종종 사용된다. 이러한 보상은 이차적 강화(Secondary reinforcement)라 하며 일차적 강화와 같은 역할을 한다.

강화가 주어지는 시간의 연구에서 많은 동물실험은 즉각적인 강화가 가장 빠르게 학습이 이루어지며 강화의 지연은 학습의 양을 감소시켰으며, 오랜 시간 뒤에 주는 강화는 전혀 학습을 일으키지 않음을 보여주었다. 이것은 그림3-3과 같다. 이와 같은 현상은 어린이를 피험자로 했을 때도 마찬가지이다. 성인의 경우는 즉각적인 강화가 별로 중요하지 않은데 그들은 나중에 올 보상과 관련하여 행동을 할 수 있기 때문이다.

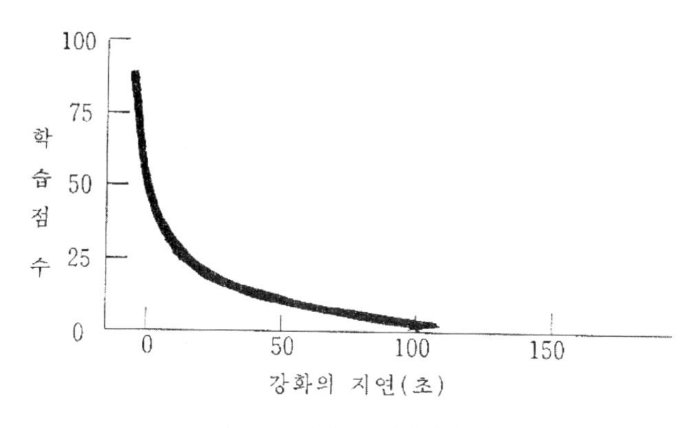

그림3-3 강화의 시간적인 연구

매 시행마다 보상을 주는 연속강화(Constant reinforcement)와 때때로 보상을 주는 부분강화(Partial reinforcement)에 대해서도 연구되었는데 일반적으로 연속강화는 학습이 보다 빠르게 되게 하지만 소거에 덜 저항적이어서 학습이 지속되지 못하고, 부분강화는 소거에 저항적이어서 학습이 오래 지속된다. 예를 들면, 학생이 계속 좋은 성적을 받기 원하는 부모는 연속강화보다 부분강화를 사용해야 하며 학생이 좋은 성적을 받을 때마다 칭찬을 해주거나 선물을 주기보다 이러한 보상을 가끔 주는 것이 효과적이다.

(5) 조작적 조건형성의 응용

인간의 결함을 시정하려는 것은 관리감독자의 공통적인 문제이며 그것은 결함행동을 변화시키려는 것이다. 현장에서는 주위 사람들과 자신의 행동의 비교, 관찰 등으로 부단히 행동수행에 영향을 받는다. 체중을 감소시키려고 하고, 금연을 단행하려고 하고, 업무처리를 잘하기 원하며, 좀 더 즐겁고 관대해지며 사려 깊게 행동하기를 원한다. 이런 모든 일을 수행하는데 조작적 조건형성의 원리에 입각하여 이차적 강화를 사용해서 행동수정을 도모하게 된다.

심리학적 용어로 행동수정은 학습을 통해서 행동에 영향을 주어 변화시키는 계획된 프로그램을 의미한다. 행동수정의 기본 가정은 이미 행한 행동의 영향으로 상당한 정도의 행동을 통제할 수 있는데 있다. 예를 들면, "작업"이란 행동은 작업결과에 대한 칭찬과 자존심 충족이란 보상을 받으면 작업에 대한 행동은 학습된 것이며 계속 반복하게 될 것이다. 만약, 작업에 대해 만족스런 결과를 얻지 못하게 되면 작업하기 싫어지게 될 것이다. 이것은 조작적 조건형성의 기본 원리이다.

바람직하지 못한 행동은 무시하고 바람직한 행동은 강화와 보수를 주는 행동수정 기법은 많은 상황에서 행동을 변화시키는데 성공적이었다.

(6) 토큰 경제

행동 수정의 한 가지 특별한 방법으로 정신병원에서 환자의 일상생활과 일반적인 분위기를 개선하기 위해 토큰 경제(Token economy)라는 것이 시작되었다. 환자가 적절하게 정상적인 방법으로 생활하면 토큰으로 보상하며, 이 토큰은 병원 내에서 돈과 같은 역할을 하게 되었다. 토큰 경제는 그림3-4와 같이 행동에 상당한 변화를 가져왔다.

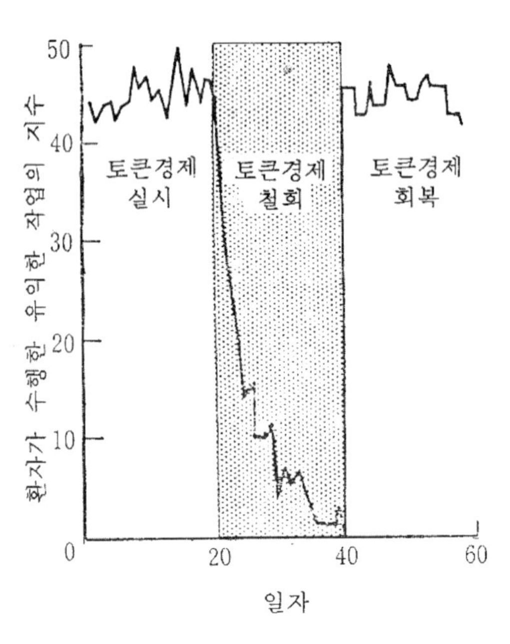

그림3-4 토큰 경제의 변화

3. 조작적 도피, 벌, 학습된 무력감

조작적 조건형성에서 얻어진 결과는 실생활에 많은 함축성을 가지고 있다. 조작적 조건형성은 두 종류의 강화로 이루어질 수 있으며, 그 하나는 정적 강화(Positive reinforcement)로서 음식, 칭찬, 토큰과 같은 바람직한 보상을 주는 것이며, 다른 하나는 유기체를 고통스럽게 하거나 불쾌하게 하는 부적 강화(Negative reinforcement)이며, 이 부적 강화가 실험에서 사용되었을 때 동물들은 어떻게 부적 강화로부터 재빨리 도피해야 하는 것을 배우게 된다.

(1) 인간행동의 도피와 회피

일상생활의 많은 인간 행동이 조작적 도피와 조작적 회피의 학습된 형태로 나타난다. 불안을 일으키는 사건에 대한 많은 방어들도 조작적 도피나 회피의 형태로 나타난다. 비난을 받을까 걱정하는 사람들은 종종 그들의 행동을 과잉으로 사과하는 것을 볼 수 있는데, 이것은 아마 어린 시절에 어머니에게 용서를 빌었을 때 어머니는 비난을 멈추고 애정을 주었던 경험같이 과거에 불안으로부터 도피하는 성공적인 방법으로 조건 형성된 조작적 행동의 형태일 것이다.

(2) 인간과 벌

성인은 벌의 효과가 명백하지 않다. 그 하나의 이유는 주어진 벌에 대해서 각 개인이 어떻게 느끼는가를 알기가 불가능하기 때문이다. 예를 들면, 아이들이 잘못하거나 소란을 피울 때 그들의 부모들은 아이에게 고함치고 밖으로 쫓아 버리거나 때리기도 하고 저녁을 먹지 말고 자라고 위협하는데 이러한 벌들이 아이들의 잘못된 행동을 바로 잡으리라고 믿는다. 그러나 아이들은 이러한 상황을 전혀 다른 과정으로 깨닫게 될지도 모른다. 즉, 아이들에게 벌을 주는 상황은 그들이 원하고 있는 관심의 한 형태인 것이다. 그리하여 아이들에게 벌은 도피되거나 도피되어야 할 부정적 강화가 아니고 긍정적 강화가 되어 자꾸 같은 잘못을 반복하도록 하는 것이다. 심지어 체벌 조차도 부정적 강화보다 긍정적 강화의 역할을 할 수 있다. 또, 심리학자들은 벌이 종종 기대된 것과 반대되는 효과를 나타낸다는 것을 보여준다. 벌은 때때로 악순환의 가족 관계를 만드는데 아동의 잘못에 부모가 벌을 줄 때 종종 아이들로 하여금 더 나쁜 행동을 유발하게 하며, 더욱 나쁜 효과는 언어적이든 신체적이든 벌은 아동은 그들에게 벌을 준 부모와 선생에 대한 혐오감을 발달시키고 다른 아이에게도 공격적이 되며 그들이 성장한 뒤 그들의 자식에 대해 잔인하게 대하기도 한다.

(3) 무력감을 가진 개

동물에게 조차 벌은 불행한 결과를 초래한다. 이것은 파블로브의 한 개의 실험에서 보여 졌는데, 그 개는 5초 동안 계속되는 전기쇼크를 수시로 64차례나 연속적으로 받았고 개는 묶어져 있어서 이 쇼크를 피할 수 없었다. 다음날 이 개를 장애물 상자에 넣어 쇼크를 주기 전에 불빛을 어둡게 하는 예비신호를 주는 시험을 계속하였으나 뒤에 이 개는 불빛이 어두운 예비신호가 와도 장애물을 넘어 안전한 방으로 가지 못하고 5초 동안 고스란히 전기쇼크를 받아내었다. 이 실험의 결과는 그림3-5와 같이 아주 극적으로 나타나 있다. 많은 수의 개를 사용하여 같은 실험을 하였을 때도 결과는 마찬가지로 나타나서 대부분의 개는 장애물을 넘을 생각을 하지 않고 그냥 쇼크를 받고 있었다. 이러한 행동은 전기 쇼크를 피할 수 있는 것으로 받아들여져서 장애물을 넘어 안전한 곳으로 대피했던 통제그룹의 정상적인 개들과는 다른 결과인 것이다.

지속적인 전기 쇼크를 수동적으로 받아내며 장애물 건너뛰는 것을 학습하지 못하는 것을 어떻게 설명할 수 있는가? 이런 현상은 학습된 무력감(Learned helplessness)이라는 것에 기인된다.

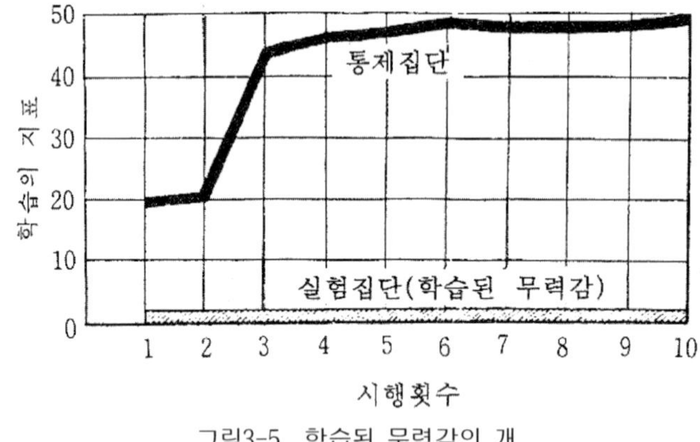

그림3-5 학습된 무력감의 개

(4) 인간의 학습된 무력감

인간도 간단한 실험 절차에 의해 학습된 무력감을 가질 수 있음을 알 수 있었다. 한 실험에서 자원한 피험자는 큰 소리와 불쾌한 소음으로 벌을 받고 있었는데, 이때 실험하는 사람은 피험자가 어떤 조정 장치를 사용하는 방법을 학습하게 되면 소음을 멈출 수 있다고 알려 주었다. 그러나 사실 조정 장치는 아무리 조정해도 소음을 멈출 수 없는 것이었다. 뒤에 피험자들이 실제로 간단한 방법으로 소음을 멈출 수 있는 조정장치가 설치된 실험 장면에 있게 되었을 때 이 피험자들은 실험자가 소음을 중지할 때까지 어떠한 노력도 하지 않고 그냥 소음을 받아내고 있었다.

야단을 맞거나 매를 맞게 되는 아동들은 특별히 일관성 있게 벌이 주어지지 않는다면 아마도 학습된 무력감을 갖게 될 것이다. 아동들은 왜 벌을 받는지 언제 벌을 받는지 어느 정도 벌이 주어질 것인지를 도저히 가름할 수 없음을 깨닫게 될 것이다.

4. 학습의 인지적 견해

한때는 학습에 관한 심리학적 연구는 고전적 조건형성이나 조작적 조건형성에 국한되었다. 그러나 많은 심리학자들은 동물 실험에 의해 입증된 조건형성이 인간이 일상생활에서 학습하는 모든 것을 설명할 수 있는가에 대하여 의문을 갖기 시작했다. 인지심리학파는 우리 인간은 어떤 때는 반응을 하지 않고 명백한 강화를 받지 않을 지라도 우리에게 일어난 일을 기억한다는 사실에 기초를 두고 출발하였다. 어제 어떤 점심을 먹으며 지난주 신문에서 읽은 한 기사는 무엇이며 지난해 TV에서 들었던 농담이며 5년 전에 본 영화이름 따위를 기억할 수 있는 것을 단순한 조건형성으로는 설명할 수 없는 것이다.

인지이론(認知理論)을 이해하는 가장 좋은 방법은 그 이론의 체계를 이루는 학습의 양상을 알아보는 것과 인지학파의 사람과 행동주의자 사이의 일반적인 인간행동의 태도에 관한 중요한 차이점을 이해토록 하는 것이다.

(1) 행동주의자, 인지심리학자(선천성 대 후천성)

두 학파 사이의 논쟁점 중의 하나는 천성과 양육의 문제이다. 행동주의자들은 학습뿐만 아니라 일반적인 인간의 행동도 환경 중의 사상(事象)에 의해 만들어진다는 조건형성의 견지에서 생각하려고 한다. 그들은 인간은 모두 환경의 산물이라고 주장한다. 외부의 영향에 의해서 만들어지는 고전적 조건형성은 인간에게 어떤 종류의 반사반응을 유도해 낸다. 조작적 조건형성은 사람들로 하여금 과거의 환경에 의해서 보상받았던 행동을 반복하게 하고 성공적이지 못했거나 벌을 받은 행동을 삼가 하도록 한다. 행동주의자의 견해에 의하면 인간의 행동에 실체 차이를 보이게 하는 인간의 마음이나 의식적 사고(思考) 같은 것들을 가정하지 않고도 인간의 행동을 이해할 수 있다.

인지심리학자는 전반적으로 고전적 조건형성과 조작적 조건형성의 중요성을 의심하지는 않는다. 그러나 그들은 적어도 인간의 경우에는 다른 종류의 학습 형태가 있는데 이것이 더 중요하다고 믿는다. 더욱이 그들은 인간은 단순히 환경에 의한 창조물이라는 것을 믿지 않는다. 실제로 그들은 경험이 행동에 영향을 주고 변화시킨다는 것을 시인하지만 거꾸로 인간의 행동도 환경에 영향을 주고 변화시킬 수 있다고 믿는다.

(2) 강화 없는 학습

학습의 인지이론은 학습은 종종 전혀 강화 없이도 일어날 수 있다는 많은 증거에 기초한다. 이러한 사실은 약 반세기 전에 실시된 실험에서 처음 발견되었다. 그 당시에 그 결과는 수수께

끼로 간주되었고 거기서 얻은 함축성을 깨닫지 못했으나 오늘날 이 실험은 무강화 학습의 가장 간단하고 좋은 설명이 된다.

실험을 실시하는 사람은 미로(迷路)와 세 그룹의 쥐를 사용하였다. 그룹 1은 미로 끝에 항상 먹이를 발견할 수 있었고 그룹 2는 미로 끝에서 음식을 전혀 발견할 수 없었다. 그러므로 이 그룹의 쥐는 단순히 미로에 놓여진 것이고 그가 가고 싶은 대로 이리저리 움직였다. 그룹 3은 처음 10일 동안은 그룹 2와 같이 강화 없이 처치했으나 그 후 10일간은 미로 끝에서 음식을 발견할 수 있게 되었다.

이 세 개의 그룹의 쥐들이 잘못된 길을 택해서 범한 잘못의 수를 측정한 결과는 다음과 같다. 그룹 1의 쥐는 날마다 빠르게 학습이 진전되었다. 그룹 2의 쥐는 강화를 받지 못하였으므로 거의 학습을 보이지 않았다. 그러나 그룹 3은 그래프에 나타나 있듯이 처음 10일간은 거의 학습을 보이지 않았으나 보상이 미로의 끝에 주어지자 마 자 즉, 11일째 날 마치 베테랑처럼 미로로 달려가 학습이 급속도로 이루어졌다. 단지 10일간을 전혀 강화를 받지 않고 미로를 헤매기만 했음에도 그 쥐들은 올바른 길을 상당히 많이 학습하고 있었다. 이들은 보수가 주어지자마자 학습한 지식을 나타내 보이기 시작했다. 이러한 방법으로 지식을 얻는 것을 그것이 사용될 때까지 잠재하고 사용되지 않는다는 의미로 잠재학습(Latent learning)이라 한다. 우리는 실제 생활에서 전혀 강화를 받지 않은 경우라도 어떤 것이 학습된 경우를 종종 회상해낼 수 있다.

(3) 정보처리 과정으로 학습

인지심리학자들은 그들이 기대를 강조하든 동기를 강조하든지 간에 학습은 우리의 감각기관이 환경에 관해 제공해 주는 정보를 끊임없이 조사하는 활동적이며 복잡한 과정이라고 간주한다. 인간의 정신은 밀려들어오는 정보들 중에서 중요하게 보이는 것을 선별하여 주의를 기울인다. 과거 경험으로 이미 알고 있는 것과 새로운 정보를 비교하고 정보의 경중을 감안, 판단을 위하여 어떤 행동을 해야 할 것인가에 대해 결정을 한다. 새롭게 들어온 정보가 기존의 정보와 의미가 있는 연합관계를 가지게 됨으로써 정신은 기억에 새로운 정보를 저장하게 되는데 이것은 어떤 것을 학습하는 것이다.

인지심리학자에게 학습은 다음에 논의 될 기억, 언어의 사용, 사고, 지각이 밀접하게 관련을 갖는 일련의 정신과정 중의 한 요소일 뿐이다. 이러한 요소들로 인간이 환경을 어떻게 보게 되는가 환경으로 부터 어떻게 학습하는가 하는 문제를 해석하려고 하는 것이 정보처리이론(Information processing theory)으로 알려져 왔다.

(4) 관찰학습

인지심리학자들은 인간의 경우에 학습의 가장 보편적이고 유용한 형태는 관찰학습(Learning through observation)이라고 믿는다. 어떤 심리학자는 관찰학습은 모형학습(Learning through modeling)이나 모방학습(Learning through imitation)이라고도 한다. 이 세 용어는 다른 사람의 행동을 관찰하여 새로운 행동을 학습하게 되는 과정과 관련되어 있다.

인간의 관찰학습에 관한 적극적인 설명이 앨버트 반두라(Albert Bandura)에 의해 이루어졌다. 그의 실험에서 피험자 아동은 성인이 망치로 큰 인형을 때리는 영화를 보았다. 그 다음 아동에게 인형을 주어 가지고 놀 기회를 주었을 때, 그들은 놀랄 만큼 영화장면과 유사한 행동을 보였다.

관찰학습은 단순히 본 것에 대해 아무 생각 없이 자동적으로 모방하는 것은 아니다. 인지심리학자들은 오히려 어린 시절부터 우리의 생활에 일어나는 것을 관찰하고 이 관찰이 제공하는 정보를 저장해 나간다고 믿는다. 즉, 우리는 다른 사람이 가치가 있는 것, 그것을 얻는 방법, 일반적인 행동, 그리고 이 행동의 결과들을 관찰하며 동시에 어떤 판단을 하게 된다. 그들이 가치가 있는 것으로 판단할 수도 있고 판단하지 않을 수도 있다. 또 인간은 그들의 행동을 모방하지만 모든 행동을 모방하지 않고 일부분만 모방할 수도 있으며 완전히 모방하지 않을 수도 있다. Bandura에 따르면 관찰학습이란 기계적인 복사가 아니라 구조적이며 적극적인 판단 과정이다.

제2절 / 기억과 지능

인간의 실력이란 「능력×사고방식×인품＝인격(인품)」이라고 하는 말이 있다. 아무리 지적인 능력을 겸비하고 있어도 사고방식이 소극적이거나, 사람들과의 협력이 좋지 못하면 당연히 능력을 발휘하지 못할 것이다. 또 사고방식이 멋지고 좋아도 기본적으로 연구가 부족하며, 일정한 범위의 능력이 없으면 종합적으로 실력은 없는 것과 같은 것이다.

사고나 재해를 일으킨 사람에 대해서 지적인 측면, 성격적인 측면, 감각운동적인 측면 등의 심리적인 특성에서 본 특질을 보면 상당히 특색 있는 경향을 보이고 있음을 알 수 있다.

따라서 본 절에서는 인간의 소질적인 측면을 다루어 보기로 한다.

1. 기억(Memory)

기억이란 「경험의 흔적」으로 정의할 수 있으며, 우리들은 기억을 통해서 과거와 현재를 연결지을 수 있다. 따라서 추억이란 것도 가능한 것이다.

(1) 기억의 세 가지 유형

기억은 불과 수 초로 부터 평생에 이르기까지 다양한 범위의 시간 간격에서 지속되고 있다. 이러한 사실은 기억에는 세 가지 다른 체계나 과정이 있다는 이론을 유도해 낸다. 이 이론은 기억이 어떻게 작용하는가에 대한 논의에 유용하다. 기억의 세가지 유형은 그림3-6과 같다.

① 감각기억 : 1초안에 사라지는 것

인간의 감각기관에 들어오는 것은 적어도 아주 짧은 시간에는 모두 기억되는 것같이 보인다. 그러나 환경의 영향에 의해서 완전히 잊어버릴 수 있다. 기억의 세 가지 유형에서 이러한 유형을 감각적 기억(Sensory memory)이라 하며, 이것은 감각기관으로부터 뇌에 전달된 정보가 남아있는 흔적이다. 감각적 기억의 정보는 불과 10분의 몇 초 사이에 신속하게 소멸되며 만약, 이 정보가 다음 기억단계로 넘어가지 않으면 1초도 되지 않아 완전히 사라져 버린다.

② 단기기억 : 최대 30초 동안

기억체계의 두 번째는 단기기억이며 감각기억에 들어온 환경에 관한 정보 중에서 약간의 일부분만이 이 단계로 이동되어 간다.

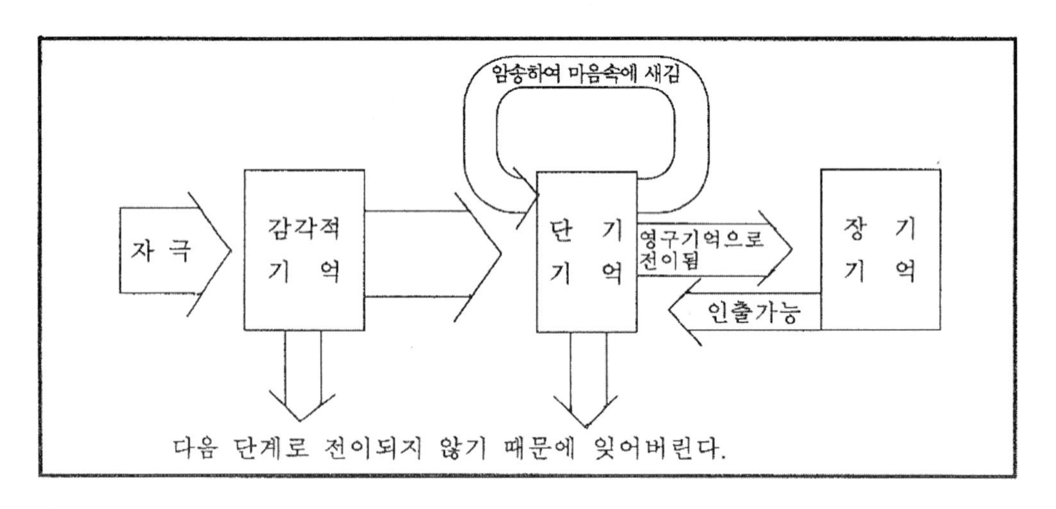

그림3-6 단기기억의 소멸과정

단기기억에서 진전이 없다면 정보는 그림3-6에 제시한 바와 같이 30초 안에 완전히 잊어버리게 될 것이다. 어떤 심리학자가 단기기억을 구멍 뚫린 물통에 비유한 것과 같이 여기서 많은 정보를 상실하게 된다.

단기기억에서의 망각은 고의적인 것처럼 보인다. 모든 정보를 단기기억할 필요는 없다. 이것은 단기기억이 유지되는 시간 간격도 짧지만, 수용하는 능력도 매우 작기 때문이다. 이 수용능력은 평균 7개 항목이며 사람에 따라 5개에서 9개 항목의 수용능력을 가지고 있다. 단기기억에 5개 내지 9개의 항목을 수용하여 가득 차게 되면 새로운 정보는 단기기억 속에 있는 오래된 정보를 없애야만 기억할 수 있다.

단기기억 과정은 많은 정보를 처리하는 활동이 포함된다. 제일 먼저 감각기억이 가지고 있는 정보에 대해 어떤 종류의 주사(Scanning)를 하는데 감각기관으로 부터 오는 빛이나 소리 그밖에 다른 메시지의 흐름 속에서 몇 개의 특별한 항목에 주의하여 선택되어 진다(이러한 주사와 선택 과정은 감각정보의 근원에 지각과 밀접한 관련이 있다).

단기기억에 있는 정보는 간단하고 쉽게 활용되도록 하기 위해 어떤 방법으로 변화되어야 한다. 이러한 과정을 부호화(Encoding)이라고 하며, 이것은 마치 복잡한 항목을 다루어 일련의 펀치카드 구멍에 부호화시키는 사무기계의 방법과 흡사하다. 단기기억에 있는 정보가 언어나 숫자일 때 부호화는 청각적인 부호로 사용되어진다. 즉, 정보는 소리로 부호화된다.

끝으로 정보가 다소 영구적으로 기억되려면 장기기억이라는 기억체계의 다음 단계로 넘어가서 저장되어야 한다. 이것을 정보의 전환(Transfer of information)이라고 하며, 이 과정에서 다음과 같은 것들이 일어나게 된다. 단기기억에서 연습을 통해 남아 있게 된 정보는 이미 장기기억에 존재하는 어떤 관련된 정보의 조각들과 연합하게 된다. 서로 비교하게 되어 어떤 관계가 만들어진다. 이 전환 과정이 성공적일 때 새로운 정보는 창고에서 새로 들여온 물건이 적당한 선반에 저장되는 것과 같이 장기기억에 영구적으로 저장되게 된다.

이러한 정보의 전환은 부수적인 부호화를 필요로 하게 되는데, 이 정보전환의 효율성은 상당한 정도가 조직화에 달려있다. 잘 조직된 재료는 의미 없는 일련의 숫자같이 조직화되지 않은 것보다 장기기억으로 훨씬 쉽게 전환될 것이다. 학습재료를 재조직화하여 학습하는 것도 역시 전환과정의 효율성에 도움을 줄 것이다.

③ 장기기억 : 평생동안

전화번호를 기억해서 전화를 걸어야 하는 상황인 경우 전화번호부에 있는 번호의 시각적 영상은 감각적 기억에 도달한 것이며, 이러한 영상은 주사(走査)되어서 소리로 부호화(符號化)되었으며, 이것은 시연(Rehearsal)을 통해 단기기억에 남아 있게 된다. 이때 전화번호를 조직화하게 되면 장기기억으로의 전환이 쉽고 효과적으로 이루어지게 된다. 장기기억에 들어간 정보는 얼마나 오래 동안 남아 있는가? 많은 장기기억은 평생 동안 계속된다. 얼마나 많은 정보가 장기기억에 저장될 수 있는지에 관해서는 정확하게 알지 못한다. 그러나 확실히 인간의 수용능력은 상당히 크다.

(2) 망각하는 이유

인간이 기억에 정보를 저장함으로써 어떤 것을 학습하게 되는데 때때로 이 정보는 지속되어 필요할 때 회상될 수도 있고 때로는 사라지는 것처럼 보일 수 있다. 이것을 우리는 기억과 망각이라 부른다. 그러면 왜 우리는 기억하기도 하고 망각하기도 하는가?

① 기억과 망각은 어떻게 측정되는가?

기억검사의 수행은 약한 동기에 의해서 뿐만 아니라 불안과 주의산만 그리고 많은 다른 요인들에 의해서 나쁜 영향을 받을 수 있다. 그러므로 기억과 망각검사는 제한되어서 다루어져야 한다. 이 검사는 흔히 두 가지 유형의 측정이 가능하다.

㉮ 재생(再生)

기억에 저장되어 있는 것을 고스란히 끄집어 낼 수 있다면, 그것은 재생(Recall)할 수 있다는 것을 보여주는 것이다.

㉯ 재인(再認)

인간은 종종 학습한 것을 완전히 재생하지는 못하더라도 재인(Recognition)을 통해서 기억이 가능한 경우도 있다. 보기 중 답을 선택하는 선다형(選多型) 시험문제가 재인이며 정확한 답을 선택하였다면 재인된 것이다. 그러므로 재인은 회상보다 쉽기 때문에 많은 평가방법에 선다형 문제를 택하고 있다.

② 망각이론

헤르만 에빙하우스(H. Ebbinghaus)라는 독일 심리학자가 심리학 연구의 초창기인 19세기에 망각에 관한 연구를 하였다. 실험을 위해 그는 무의미한 철자를 고안했다. 실험은 무의미한 철자를 피험자에 학습시키고 경과된 시간을 다양하게 한 다음 파지량(retention)을 측정하였다.

결과는 그림3-7과 같다.

이 곡선은 모든 상황에 항상 적용되지 않으며, 학습 자료를 철저하게 학습했다면 결코 잊어버리지 않을 수도 있다. 그렇지만 이 곡선은 다양한 종류의 학습 즉, 운동기술의 학습 등에 관한 많은 사실을 제공해 준다.

에빙하우스의 망각곡선의 내용은 다음과 같다. 학습한 어떤 것은 매우 큰 망각을 일으킨다. 그러나 학습된 것 중 일부분은 오랫동안 기억된다.

일상생활 중에서 물건을 잊어버리는 경험은 것은 누구에게나 있을 것이다. 그러나 작업도중에 작업하는데 필요한 절차를 망각하면 그 결과는 사고로 이어진다.

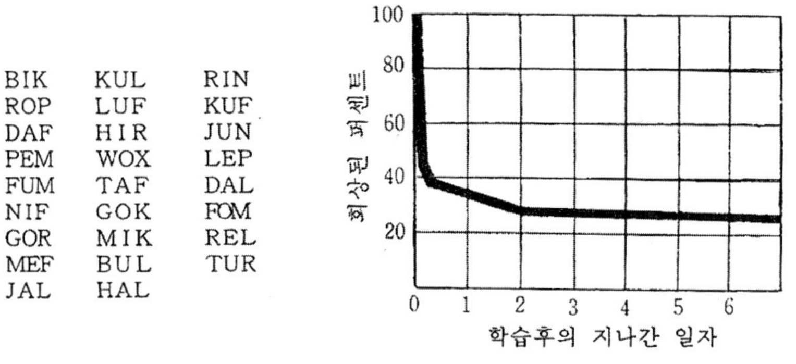

그림3-7 에빙하우스의 망각곡선

여기서 이해할 수 있는 바와 같이 한번 기억하여도 매우 빠르게 잊어버리지만, 시간의 경과와 함께 잊어버리는 정도가 완만해진다. 비슷한 기억은 잊어버리기 쉬우며, 오래된 기억은 잘 잊어버리지 않는다.

작업도중의 연락, 정보는 오늘 혹은 내일의 행동에 관한 사항이 많다. 대단히 서둘러야 할 작업정보도 있다. 30분이 경과되면 절반은 잊어버리게 되므로, 중요한 내용은 문서 연락으로 하는 것도 필요하다.

2. 지능

지능이란 "이 세상을 이해할 수 있는 능력이며 이 세상의 도전에 대처해 나가는 재주이다" 라고 데이비드 웩슬러(David Wechsler)가 정의하고 있다. 인간이 주위에서 무엇이 일어나고 있는지 알고 있다면, 또 경험으로부터 배울 수 있다면, 그리고 모든 상황 하에서 성공적으로 행동할 수 있다면, 그 인간은 지능을 구비하고 있는 것이다.

(1) 지능과 재주

웩슬러의 정의는 유용한 지침이다. 우리는 우리 자신, 우리 사회 전체가 또는 우리가 살고 있는 사회의 특수한 부분에 재주가 있으며 가치가 있다고 인정하는 특징을 구비하고 있을 때 지능이 있다고 말한다.

① 지능은 단수의 재능인가 아니면 복수의 재능인가

일반적으로 근대 산업사회는 두뇌의 왼쪽 영역에 속하는 특징에 높은 가치를 두고 있다. 즉, 가장 지적인 사람은 사실을 분석할 줄 알고, 분석된 사실을 논리적으로 판단하고, 그들의 결론을 신빙성 있는 말로 표현할 수 있는 사람을 말한다. 이러한 능력은 공부를 잘하는 것과 관련이 있으며, 지능검사는 어느 검사보다도 학구적인 능력을 잘 측정한다.

지능에 대한 질문에 답변하려는 첫 번째 시도는 써스톤(L. L. Thurstone)에 의해서만 들어졌다. 써스톤은 지능이란 7개의 다른 요소로써 구성되어져 있다고 결정하고 그 요소를 제1차적 지적 능력이라고 불렀다.

- **언어적 이해**(Verbal comprehension)
- **어휘력**(Word fluency)
- **수개념**(Number)
- **공간력**(Space)
- **연상적 기억**(Associative memory)
- **지각 속도**(Perceptual speed)
- **일반적 추론**(General reasoning)

② 새로운 이론 : 120개의 능력

길포드(J. P Guilford)는 120개의 다른 지능으로 구성 되어 있다고 주장하였고 어떤 능력은 뛰어날 수 있으나 다른 능력에는 뒤떨어질 수도 있다고 제시하였다. 길포드의 이론은 직장에서의 성공과 행복은 그 사람의 독특한 강점과 약점에 적합한 일을 선택하는데 달려 있다고 제시하였다.

120개 요인 이론은 그림3-8과 같이 한 개인이 어떤 과업에는 높은 능력을 보여주고 있으나 다른 과업에는 중간 정도의 능력을, 또 다른 과업에는 낮은 능력을 보여 줄 수 있다고 주장하고 있다.

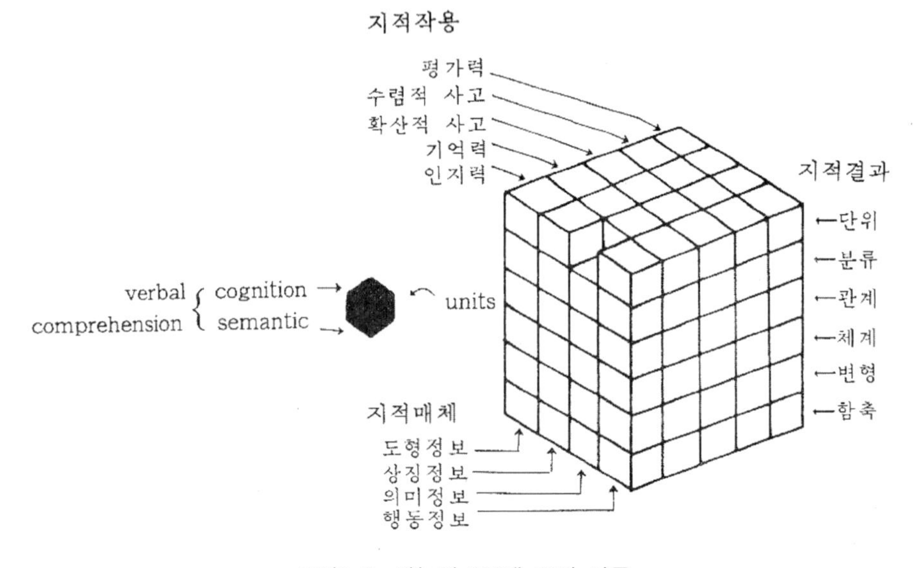

그림3-8 지능의 120개 요인 이론

(2) 지능검사

지능검사는 20세기 초 파리의 학교들이 당면하고 있는 문제를 심리학자가 해결하려고 하는데서 시작되었다. 많은 학교에서 혼잡하고 집중이 않되어 학습이 부진한 아이들이 우수한 아이들의 진행과 발달을 저지하고 있었다. 한가지 해결책은 정상 교육과정의 이수를 위해서 요구되는 지적 능력이 모자라는 아이들을 파악해서 다른 학교에 입학시키는 것이었다.

이러한 문제를 해결하기 위해, 비네는 학교에서의 행위보다도 학교 공부를 해낼 수 있는 잠재적 능력을 측정하기 위함 검사, 그리고 시험을 치르게 하는 사람의 성격이나 편견에 관계없이 같은 성적을 올릴 수 있는 검사방법을 발견했다. 비네의 검사는 1905년에 처음 출판되었고, 그 이후 여러 번 수정되었으며, 오늘날에도 널리 사용되고 있다. 실상 현대의 모든 지능검사는 비네의 최초의 검사와 상당히 비슷하다.

미국에서는 비네의 최초 검사의 가장 잘 알려진 최근 판은 스탠포드 - 비네 지능 검사(Stanford-Binet Intelligence)이다. 각 연령별로 사용되는 검사 항목의 예가 표3-1에 나타나 있다.

표3-1 스탠포드-비네 검사 항목의 예

2세	커다란 종이 인형의 머리카락, 입, 발, 귀, 코, 손 그리고 눈을 가리켜 보도록 한다. 4개의 블럭으로 지은 탑을 보여주고, 그것과 똑같은 것을 만들어 보라고 한다.
4세	가로 속에 말을 집어 넣어라. "오빠는 소년이고 ; 누나는 __이다." 그리고 "낮에는 밝고 ; 밤에는 ___." 다음 질문에 옳게 대답하라. "왜 우리는 집을 갖고 있을까?" "왜 우리는 책을 갖고 있을까?"
9세	다음의 질문에 옳게 대답하라. "스페인의 한 낡은 무덤에서 크리스토퍼 콜럼버스의 10살 때의 것으로 믿어지는 작은 두개골을 발견했다. 이 말이 어떻게 틀리는가?" 다음 질문에 옳게 대답하라. "머리로 노래하는 새의 이름을 말하라" "나무로 노래하는 수를 말해보라.
성인	게으름과 나태함, 가난과 불행, 성격과 평판의 차이를 묘사할 수 있는가? 다음 질문에 옳게 대답하시오. "당신의 오른손이 북쪽으로 향하기 위해서 당신은 어느 방향을 보아야 하는가?"

① 정신연령, 육체적 연령, IQ

비네가 최초로 사용했고 스탠포드-비네 검사의 초판에서 사용되었던 채점 방법은 "정신 연령", 또는 짧게 말해서 MA(mental age)라는 개념에 근거하고 있다. 어린이들이 성숙해 짐에 따라, 어린이들은 이 종류의 검사 항목에 보다 높은 점수를 얻는다. 많은 수의 아동을 검사하여 보면 보통의 아동이 6세, 7세 또는 몇 세이든지 정확히 대략 몇 개의 항목을 맞추는지 알 수 있게 된다(육체적 연령은 CA(corporal age)).

보통 아동에게는 정신 연령과 육체적 연령은 같다. 그러나 평균 이하의 지능을 가진 아동들은 그들 연령 수준에 맞는 항목의 정답을 맞추지 못해서 육체적 연령보다 낮은 정신 연령을 보일 것이다. 평균 이상의 지능을 가진 아동들은 나이가 많은 아동을 위해 만들어진 몇 개 항목을 더 맞추어서 육체적 연령 보다 높은 정신 연령을 보여줄 것이다.

정신 연령과 육체적 연령 사이의 관계는 잘 알려진 용어인 지능지수 또는 IQ 라고하며 이것이 기본적인 틀이다. 평균 IQ(Intelligence quotient)를 100으로 하고, 개인 의 IQ는 다음 공식에 의해서 결정되었다.

$$IQ(\text{지능지수}) = \frac{MA}{CA} \times 100$$

실제에 있어서 스탠포드-비네나 다른 지능검사를 보는 개인의 IQ는 개인의 검사 점수와 육체적 연령을 IQ로 번역해주는 표에 의해서 결정된다. 스탠포드-비네 검사에 의하면, 전체 인구의 IQ점수가 분포되어 있는 것은 그림3-2와 같다고 한다.

표3-2 IQ 점수의 해석

IQ	분 류	각 수준의 퍼센테이지
139 이상	대단히 우수	1
120~139	우 수	11
110~119	중 상	18
90~108	평 균	46
80~89	중 하	15
70~79	경 계 선	6
70	정 신 박 약	3

② 유명한 지능검사 : 개인검사와 집단검사

스탠포드-비네는 현재 사용되고 있는 많은 검사 중 하나에 불과하다. 보다 많은 검사는 데이비드 웨슬러(David Wechsler)가 만든 웨슬러 성인 지능검사(또는 WAIS), 7세에서 16세까지를 위한 검사, 그리고 4세에서 6.5세 까지의 아동을 위한 검사의 지능검사이다. 웨슬러 검사의 뛰어난 점은 언어와 동작이라고 하는 두 가지 별개의 항목을 포함하고 있다는 것이다. 언어항목은 어휘력, 정보, 일반적 이해, 기억력의 한계, 산술적 추리력 그리고 개념 간의 유사점을 발견할 수 있는 능력을 측정한다. 동작 항목은 그림 완성하기, 그림 맞추기, 퍼즐 풀기, 숫자를 생소한 상징으로 대치시키기, 그리고 블록으로도 안을 만드는 능력을 측정한다.

스탠포드-비네 검사와 웨슬러 검사는 모두 훈련된 검사자에 의해서 한 번에 한사람씩 검사하는 "개인검사"이다. 개인검사의 유리한 점은 검사자의 시험경과가 빈약한 시력, 일시적 병 또는 성취동기 부족으로 영향을 받는 가를 발견해 낼 수 있다는 것이다. 물론 개인검사의 불리한 점은 다수의 인간을 측정하기 위해서 편리하게 사용될 수 없다는 것이다.

많은 사람을 동시에 검사하는 대규모 검사에 사용되는 수개의 "집단검사"가 있다. 집단검사는 표3-3과 같은 지필검사로 되어 있다. 널리 활용되는 집단검사 중 군복무 응시자들이 보는

"군인 자격 검사"가 있다. 또 하나는 SAT라고 하는 "학업적성검사"이다. SAT는 고등학교 3학년 학생들이 평균 500점을 받을 수 있도록 만들어져 있으며, 응시자의 68%가 400점에서 699점 사이에 분포한다.

표3-3 어린 아동을 위한 집단검사

웩슬러 지능검사 문항 예

하위검사	언 어 척 도
정 보 :	새는 날개가 몇 개인가? 5센트 동전 몇 개가 있으면 10센트 동전이 되는가? 추측이란 무슨 뜻인가?
산 수 :	Sam은 과자가 3개 있었는데, Joe가 네 개를 더 주었다. Sam은 과자가 모두 몇 개인가? 사과 두 개가 15날러이면 12개는 얼마인가?
어 휘 :	___은 무엇인가? 또는 ___은 무엇을 뜻하는가? 망치 보호하다.

③ IQ와 직업

IQ가 학교 안에서의 성공은 잘 예측한다 하여도 IQ가 다른 측면은 어떻게 예측할 수 있도록 하는가에 대해서는 다소간 의문이 있다. 예를 들면, 직업에 대한 성공은 어떻게 예측하도록 하는가? 높은 IQ는 상류 직업을 갖도록 해주고, 낮은 IQ는 하류 직업을 갖도록 해주는가?

이러한 질문에 대한 많은 증거는 세계대전 중 군인 집단지능검사를 받은 수만 명의 남자에 대한 연구결과에서 유추하여 볼 수 있다. 그 결과는 IQ와 직업 간에 관계가 있다고는 하지만, 그 관계가 예상했던 것보다 낮다고 나타났다(그 결과의 일부분은 그림3-9에 제시되어 있다). 회계사나 기자와 같이 전문직에 종사하는 사람의 평균 IQ는 120 가량이며, 트럭 운전기사나 광부의 IQ는 100 이하 이었다.

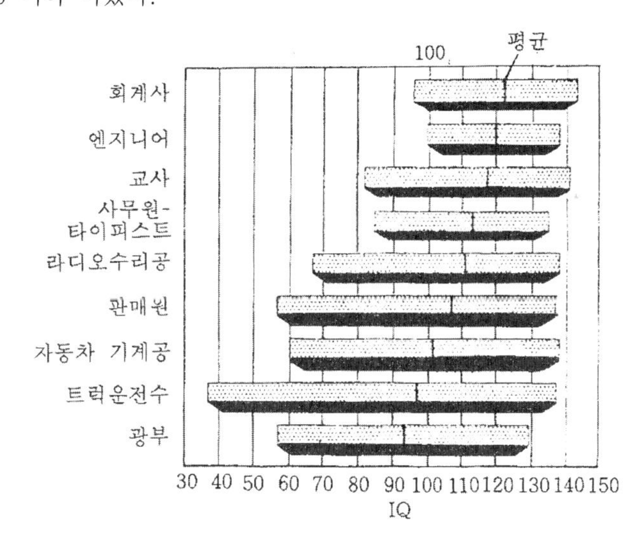

그림3-9 직업과 IQ

(3) 검사의 요건

인간 특징에 관해 본래 목적한 바를 측정하는 검사를 개발한다는 것은 그 자체로써 하나의 과학이며 많은 전문가들이 수년간에 연구에 의해서 검사가 과학적 타당성을 갖기 위해서 반드시 구비하여야 할 네 가지 조건을 제시하고 있다.

① 객관성(Objectivity)

좋은 검사는 "객관성(Objectivity)"을 가져야 한다. 가급적 심리적 검사는 동일한 방법, 동일한 검사 상황에서 피험자에게 실시할 수 있도록 만들어져 있다. 또한 채점도 동일한 방법으로 하도록 되어 있다. 그러므로 검사를 받는 사람은 누가 검사를 실시하고, 누가 검사 결과를 채점하건 동일한 점수가 얻어져야 한다.

② 신뢰도(Reliability)

왜 검사가 "신뢰성(Reliability)"이 있느냐 하는 것을 보여주기 위해 검사는 온도계가 일관성 있는 온도를 표시해 주어야만 하는 것과 같이, 우수한 검사도 일관성 있는 점수가 얻어져야 한다. 검사의 신빙성을 결정하는 한 방법으로서, 같은 사람의 홀수 번호의 항목 점수와 짝수 번호의 항목 점수를 비교하는 것이다.

③ 타당도(Validity)

검사의 가장 중요한 조건은 "타당도"에 있다. 검사는 그 검사가 측정하려고 의도하는 바를 반드시 측정해야만 한다. 타당도를 결정하는 방법에는 여러 가지가 있다. 상식은 그 방법 중의 하나이다. 검사 항목의 측정되는 성질과 의미 있는 관계를 가지고 있어야 한다. 그러나 상식은 언제나 충분하지 않다. 손가락의 기민성 검사가 치과의사가 되기 위한 적성을 측정한다고 가정하는 것은 논리적이지만, 과학적 연구 결과에 의하면 손가락의 기민성은 치과의사의 수입과는 부정적 상관관계에 있다는 것이다.

④ 표준화(Standardization)

검사결과는 그것이 다른 사람의 점수와 비교가 될 수 없다면 별로 소용이 없다. 그러므로 대부분의 검사들은 대규모의 대표적 표본 집단을 대상으로 실시된 검사들이다. 가장 높은 점수에서부터 가장 낮은 점수까지 모든 가능한 수준마다 몇 명을 대상으로 했는가 하는 기록이 얻어진다. 이 과정을 "표준화"라고 하며 이는 한 개인의 성적이 평균인 지 낮은 지 또는 높은 지를 알게 해준다.

(4) 다른 종류의 검사들

인정된 모든 지능검사는 대단위 표본 인구를 통해 표준화되어 있으며, 객관성과 신뢰성의 조건을 만족시키며, 학문적 성공을 예측하는데 타당성이 증명되어 있다. 그러나 특별한 목적을 위해서 개발된 많은 다른 종류의 검사들이 있으며, 이 검사들도 과학적 정확성에 대한 충분한 고려를 감안해서 개발되었다.

① 직업 적성검사

통계적으로 직업에 유용한 특징적 재능을 측정하려고 개발된 검사들이 있다. 이러한 검사들은 "직업 적성검사"라고 하며, 직업 선택을 상담하는데 사용되고 있다.

여러 종류의 특별한 기술과 기능을 위한 검사들이 개발되었는데 그 중에서 음악적 능력, 사무직에 요구되는 기술, 손의 기민성, 그리고 복잡한 기계류를 조작하는데 요구되는 운동신경 등을 측정하는 검사가 있다. 이러한 검사들은 산업계에서 요구하고 있는 작종별 응모자를 선발하는데 사용된다.

② 흥미검사

직업 상담을 위해서 사용되는 검사로써 "흥미 검사"가 있다. 이것은 피검자가 다양한 활동에 대해서 어떻게 느끼고 있는 가를 측정한다. 흥미 검사는 피검자가 가장 행복해질 수 있는 종류의 직업을 알아내는 역할을 한다.

③ 인성 검사

외상적 사건, 에너지 그리고 독창력 등이 인성 검사를 개발하는데 활용되며, 이는 모든 노력 중에 가장 가치가 있다고 할 수 있다. 정상과 신경과민의 성격을 정확하게 구분해낼 수 있는 검사는 임상심리학자들로 하여금 심리요법이 필요한 사람을 선별할 수 있도록 해주며, 새로운 치료법도 발견하게 해준다. 인성 검사에 대해서는 성격과 심리에서 좀 더 논의하고자 하며 현재 완전히 만족할만한 심리검사 방법은 거의 없다.

제3절 / 지 각(Perception)

1. 지각

환경이 제공하는 자극들에서 의미를 얻는 과정을 지각이라 하며 인간존재의 기능들 가운데 기적 같은 것이라 할 수 있다. 여하튼, 감각기관의 자극들로 부터 거의 순간적으로 무엇이 중요한가를 생각할 수 있다. 개인은 어떤 자극에 주의하고 다른 것은 무시한다.

지각적 원리와 관련된 인간의 행동특성에 관해서는 제2부, 1장의 간결성의 원리에서 비교적 상세히 설명하였음에 따라 여기서는 제목만 제시하고 상세한 세부적인 설명은 생략하기로 한다.

(1) 지각의 요인 1 : 선 택

인간은 선택, 조직, 해석에 의해서 환경을 지각한다. 3개의 요인 중에서 선택이 먼저 일어난다. 인간은 몇 개의 자극에만 선택적으로 관심을 가지며 나머지 자극들은 무시한다.

선택과 주의는 간혹 자극의 본질과 인간의 경향에 의해 결정된다. 사실상 인간의 주의는 선천적으로 결정되는 부분도 있다. 인간은 특히 운동, 변화, 대조 등을 지각하기 쉽다. 왜냐하면 이런 자극들은 자발적으로 인간에게서 주의를 일으키기 때문이다. 그러나 선택 역시 수의적일 수도 있다(예를 들면 산림 감시원이 연기라고 또는 연기가 아니라고 판단하는 풍경 내의 희미한 작은 점). 어떤 경우 인간의 선택 행동은 고의적이다. 어떤 경우 인간은 무의식적으로 선택한다. 왜냐하면 인간의 성격 특성이나 그 순간의 느낌이 작용하기 때문이다.

(2) 지각의 요인 2 : 조직화

여기서 책을 읽을 때 조직화가 지각에서 하는 역할을 이해할 수 있다. 책을 읽을 때강도가 틀리는 빛 파장들의 혼합이라고 지각하지 않는다. 그 대신 눈에 보이는 것들은 백지상의 검은 문자들과 단어들로 조직화한다. 사실 매우 복합적인 조직화가 이루어진다. 다수의 단어들로 구성되는 문장들을 지각한다.

(3) 지각의 요인 3 : 해 석

지각의 마지막 요인 즉 감각의 재료를 해석하는 것은 환경 속에서 의미를 찾으려는 계속적인 인간의 시도이다. 해석은 조직화와 밀접한 관계가 있다. 타인의 말을 들을 때, 연속적인 음과 정지가 단어와 절의 형으로 조직화되어 인간은 쉽게 의미를 이해한다. 사실 타인이 말하기 전에 어떤 단어를 말하는지 미리 포착한다. 그러나 외국 말을 듣는 경우, 전연 이해할 수 없는 뜻 없는 잡음으로 지각한다.

지각의 해석과 관련된 요인으로는 **지각과 전형**, **지각적 기대**가 있다.

(4) 지각과 의식 변질

지금까지는 감각기관 및 뇌가 정상으로 작용하는 일상생활 중의 각성 상태하의 지각에 관해서 살펴보았다. 그러나 우리들의 지각은 일상적인 범주에서 벗어난 경우도 있으며 이러한 지각을 흔히 의식 변질 혹은 변화된 의식 상태라고 한다. 이와 관련된 지각은 수면과 꿈 상태의 지각, 최면 하의 지각, 명상 시의 지각, 그리고 약물 복용 시의 지각 등이 있지만 본서에는 이들에 관한 자세한 설명은 생략하기로 한다.

2. 정서(Emotion)와 추동(Drive)

정서적 경험과 행동의 커다란 개인차에 관한 증거는 우리들 주위에 많이 있다. 이러한 차이는 보기는 쉽지만 설명하기는 힘들다. 실로 인간의 정서란 신비한 것이다. 바로 무엇이 정서인가? 우리가 화나고, 두렵고, 기쁘고 또는 슬플 때 어떤 일이 우리에게 일어나고 있는 것인가? 우리가 정서를 조절하는가?, 아니면 정서가 우리를 조절하는가?

이러한 질문들에 대한 해답은 없지만, 정서는 아직도 추측과 논쟁이 계속되고 있는 흥미로운 주제이다.

(1) 정서와 신체변화

정서의 한 기본적 특징은 감정이 격해지면 신체적 변화를 수반한다는 것이다. 이를 쉽게 알 수 있는 경우는 신체가 명백하게 "흥분"되었을 때이다. 사람들이 언성을 높일 때, 얼굴을 붉히거나 창백해질 때, 근육이 긴장되어나 떨릴 때 감정적이 되어 있다고 가정한다. 따라서 정서란 생리적 변화를 수반하는 격한 감정 상태로 흔히 정의된다.

① 감정과 자율신경

이 모든 변화는 자율신경과 내분비선에 의해서 조성되는 신체적 활동을 대표하며, 이에 대해 우리는 의식적인 통제력이 거의 없다. 그리고 우리는 감정에 대해서도 별로 통제력이 없다는 사실에 주의할 가치가 있다. 감정은 자발적으로 끓어오르며, 침착 하려고 미리 결심한 상황에서도 가끔 이해할 수 없는 화가 나거나 놀라거나 불안해져 있는 자신을 발견한다.

② 안면 근육의 역할

감정을 동반하는 신체적 변화로써 자율신경, 분비선 또는 내장기관과 관련성이 없는 것이 있다. 대신에 이 변화는 줄무늬 근육의 운동을 나타내며, 이 운동을 의식적으로 조정할 수 있다. 예를 들면, 근육 긴장(화가 났을 때 이로 악무는 것과 같은 것) 또는 떨림(두 조의 근육이 서로 반대로 움직일 때 일어나는)을 경험했을 것이다. 감정적으로 흥분되었을 때 많은 사람들이 눈을 깜빡이거나,

머리 뒤를 긁는다든지 손가락을 두드리는 것과 같은 신경과민적 행동을 하는 경우가 있다. 감정은 흔히 음성적(웃음, 으르렁거림, 신음소리, 또는 외침) 혹은 얼굴 표정으로도 표현된다(미소, 찡그림, 찌푸림).

③ 감정의 단서로서 눈

여러 연구를 살펴볼 경우 몇몇 감정의 가장 예민한 척도는 눈의 동공(Pupil)의 크기라고 보여주고 있다.

동공의 크기는 흥미와 같이 가벼운 감정의 좋은 척도가 된다. 대체로 가율신경과 홍채(Iris)의 부드러운 근육에 의해서 조정되는 동공의 크기는 잠정적 상태를 반영할 뿐만 아니라 우리 모두가 타인이 어떻게 느끼고 있는지를 판단하는데 사용하는 단서가 되기도 하는 것 같다.

(2) 정서와 두뇌

감정의 느낌이 궤환(제임스-랑게 이론이 가정 하듯이 내장기관으로 부터의 궤환 이거나, 안면 근육으로 부터의 궤환)에 달려 있는가 아닌가 하는 문제는 감정을 계속 추측과 논란의 주제로 만드는 많은 문제들 중의 하나에 불과하다. 그러나 감정이 동공 크기에서 부터 분비선의 활동, 소화기관, 심장근육, 혈액의 화학적 구성에 이르는 많은 신체적 변화를 동반한다는 것은 의심할 여지가 없다. 그리고 두뇌의 활동에도 변화가 온다는 사실도 의심할 여지가 없으며, 이는 현재 많은 심리학자들이 감정적 행동의 진실한 열쇠가 된다고 믿고 있다.

① 캐논-바드 이론

두뇌의 활동은 "캐논-바드 이론(Cannon-Bard)"이라는 또 하나의 유명한 감정 이론의 근거가 되었다. 환경 속의 어떤 자극이 시상하부(Hypothalaus)로 하여금 두 개의 동시효과를 가지고 있는 신경활동이 일어나도록 한다는 것이다. 첫째는 시상하부가 자율신경을 자극시켜서 감정과 관련된 다양한 생리적 변화를 일으킨다. 둘째는 시상하부가 동시에 대뇌피질(Cerebral cortex)로 통보를 보내어 감정의 느낌이 오게 한다. 케논-바드 이론은 생리적 변화는 육체가 적절한 행동을 준비하기 위해서는 유용하나 인간의 의식적인 감정적 경험에는 필수적이 아닌 일종의 부차적 효과로 간주한다.

② 감정의 인지적 견해

인지의 견해는 감정의 의식적인 경험을 강조한다. 다시 말해서 인간의 기쁨, 분노 그리고 공포의 느낌을 설명하는 정신적 과정을 중요시 한다. 많은 요인들이 이 경험에 기여를 하고 있다. 그중 하나는 감각기관으로 부터 두뇌에 전달되는 주위에서 발생하는 사건에 대한 정보이다. 또 하나는 과거에 일어난 유사한 사건에 대한 정보를 저장해 두는 두뇌의 창고이며, 이 창고는 새로운 자극을 평가하고 해석하는데 도움이 된다.

(3) 감정의 개인차

한 심리학자가 표3-4에 있는 바와 같이 열 개의 감정이 있다고 제안했다. 이 견해에 의하면, 인간의 다른 감정적 경험은 이 열 개의 기본 감정 중 두 개 또는 그 이상의 결합이라고 한다. 물론 열 개의 감정이 결합되어질 수 있는 가능성은 수천 개에 달한다.

표3-4 감정의 분류

10개의 기본적 감정	
분 노	죄의식
경 멸	흥미-흥분
혐 오	기 쁨
고 민	수 치
공 포	놀 람

네 개의 중요한 복합 감정
불 안 (공포+분노, 고민, 죄의식, 흥미, 또는 수치)
우 울 (고민+분노, 경멸, 공포, 죄의식, 또는 수치)
적개심 (분노, 경멸, 그리고 혐오의 결합)
사 랑 (흥미+기쁨)

(4) 추동(drive)과 행동

감정 이외에 생리적인 변화를 동반하고 행동에 현저한 영향을 미치는 다른 심리적 조건들이 있다. 예를 들면, 배고픔의 상태는 사람을 흥분시키고, 신경과민으로 만들고, 일에 집중할 수 없도록 한다.

인간의 신체가 필요한 물질 중 어떤 것이 부족하면, 인간은 추동을 경험하는데, 추동은 "항상성을 위협하는 생리적 불균형으로부터 기인된 두뇌 활동의 형태"로 정의되어 질 수 있다. 추동 중에는 배고픔(음식들의 부족으로 기인된), 갈증(인간 신체의 삼분의 이를 구성하고 있는 수분의 부족으로 기인된), 그리고 호흡(산소의 필요성)이 있다. 호흡에 대한 추동은 대부분 무시되고 있는데, 물에 빠져있는 사람이나 질식 상태에 있는 사람은 굶주린 사람이 음식을 찾아 투쟁하는 것과 같이 공기(산소)를 위해서 투쟁할 것이다.

(5) 추진력으로써 필요한 자극

추동은 강력한 힘이다. 추동이 만족되지 않은 채 계속되는 경우, 심한 불쾌감과 궁극적으로는 죽음까지도 초래할 수 있다. 추동은 행동에 활기를 불어 넣어주는 주요 원천으로 간주되어지고 연구되고 있다.

인간은 자극을 필요로 하는 욕구를 보이는데, 최소한 두 가지 종류의 자극을 필요로 한다. 감각적 자극의 욕구와 자극의 변화를 필요로 하는 욕구이다.

① 감각적 자극의 욕구

정상적인 기능을 계속해서 하려면 어떤 종류의 감각적 자극을 필요로 하는 것 같다. 왜 이것이 사실인지는 아직 알려지지 않고 있다. 한 해답은 두뇌의 망상체(Reticular) 활성체제에 관해서 발견된 것에서부터 얻을 수 있다.

② 자극의 변화를 필요로 하는 욕구

자극의 변화는 매력적이며 강한 흥미를 일으키는 무엇이 있다. 실로 인간은 자극의 변화라고 하는 타고난 욕구를 가지고 있는 것 같다. 기회가 있을 때 자극의 변화를 좋아하는 타고난 경향을 보이고, 자극의 변화를 찾는 경향이 있다.

③ 자극의 변화와 생존

자극의 변화를 필요로 하는 욕구는 유기체에서 유용한 역할을 하고 있다. 모든 자극의 변화는 환경에 관한 새로운 정보를 말해주고, 그러한 새로운 정보는 성공적인 적응과 때에 따라서는 생존에 필요 불가결한 것이다. 자극의 변화를 위한 타고난 욕구를 가진 유기체는 그러한 욕구가 없는 유기체에 비해서 동물학적인 이익을 가지고 있다.

특별한 주의를 요하는 자극의 변화성의 한 특징은 자극의 복잡성이다. 유기체의 욕구를 만족시키기 위해서는 자극을 일정량의 복잡성을 반드시 가지고 있어야 한다. 한편 너무 복잡한 자극은 매력이 없다.

④ 감정, 추동, 자극의 욕구, 그리고 동기

인간은 유쾌한 감정을 일으키는 일을 찾으며, 불쾌한 감정을 일으키는 일은 피한다. 추동은 음식과도 같은 자극적인 물체로 인간을 몰아댄다. 자극의 욕구는 인간에게 호기심을 주고, 인간 자신을 둘러싸고 있는 지식과 청각적 자극의 다양성에 대한 정열을 준다.

그러므로 최소한 부분적으로는 인간의 두뇌와 신체가 선천적으로 만들어진 구조에 의존하므로, 이 모든 문제들이 인간이 일상생활에서 추구하는 목적들과 관계를 가지고 있다. 감정과 추동과, 자극의 욕구는 인간의 일상 경험에는 물론 인간의 장기 계획에도 인간이 동기를 느끼는 것과 밀접한 관계가 있다. 감정 · 추동 · 자극의 욕구와 동기를 구분해서 경계를 긋기란 어렵다.

제4절 / 성격과 적응에 관련된 인간행동

1. 동기 · 좌절 · 갈등

사람은 정력적인 동기(Motive)가 있어야 성공을 예기할 수 있다. 그러나 인간은 사람마다 모두 적극적인 동기를 가지고 있는 것은 아니다.

(1) 동기

인간의 성격에는 행동을 활성화시켜 일정한 방향으로 조직화하는, 이러한 "힘"들이 존재하는 것 같다. 이러한 힘들은 충동(Drive)들이나 자극욕구(Stimulus)들과 같은 것이라 볼 수 있다. 제임스의 17가지 본능과 같은 것도 포함되어 있다. 이러한 "힘"들은 지금부터는 동기라고 부른다. 대부분의 심리학자들은 동기를 '개인에게 가치가 있다고 생각되는 목표에 도달하고자 하는 욕망'이라고 정의하고 있다.

동기에 대한 연구를 하는 심리학자들은 다음과 같은 문제를 제기하고 있다. 왜 이러한 목표(성공, 권력, 우정, 다른 사람을 돕는 것)가 많은 시간과 노력을 경주하여야 할만큼 대단한 가치가 있는가? 왜 이러한 목표가 사람마다 크게 차이가 있는가?

대부분의 심리학자들은 인간의 목표와 동기가 인간의 생물학적인 특징에 의해서 일부 결정되며, 다른 일부는 학습(Learning)에 의해서 결정된다는데 동의하고 있다. 그러나 이 두 가지 요인이 어떻게 작용을 하며 또 어떤 요인이 더 중요한 것인가에 대해서는 의견을 달리하고 있다.

① 성취동기(Achievement motive)

성공하려는 욕망, 모든 종류의 과제나 직장에서의 업무를 잘 수행하려는 욕망을 성취동기라고 한다. 강한 성취동기를 가진 사람은 모든 면에서 열심히 일하며 있는 재능을 최대한 발휘하여 적극적으로 살아간다. 성취동기를 추정하는 검사에서 높은 점수를 보인 사람은, 같은 능력을 가지고 있지만 성취동기 점수가 낮은 사람에 비해서 여러 종류의 수학 및 어휘 문제와 다른 여러 가지 지능을 요하는 문제에서 더 좋은 점수를 얻었으며 또한 전반적인 인생의 업적에서도 성취동기가 높은 사람들은 그들의 가문을 크게 일으키고 사회에서도 높은 지위를 얻는다고 한다.

무엇 때문에 어떤 사람들은 다른 사람들보다 성취에 대한 욕망이 강하지 않은가? 여기에는 여러 가지 이유가 있다. 가정과 학교에서의 경험으로 무슨 책을 읽는가와 TV의 좋아하는 프로, 누구를 존경하며 모방하려 애를 쓰는 지 또는 싫어하는 지와도 연관성이 있다. 정확하건 왜곡되었던 간에 자신의 능력에 대한 자신의 평가도 중요한 역할을 한다.

어떤 연구는 아동기에 부모가 어떻게 아동을 다루었는가 하는 방식이 중요한 요소라고 밝혀주고 있다. 한 집단의 소년들을 성취동기가 낮은 집단과 높은 집단으로 나누어 그 어머니들에게 몇 살에 자립의 기미를 보이도록 요구했는가를 물어보았다 -이를 테면 혼자서 잠자러 가기, 혼자서 놀기, 집에 혼자 남기, 자신의 친구 사귀기, 학교에서 도움 없이 잘하기, 자신의 용돈 받기, 자신의 옷 선택하기 등 20가지의 자립적인 행동의 형태에 대하여 질문이 행하여 졌다. 그림3-10과 같이 모든 어머니들은 10살이 될 때 20가지 요구를 다 한 것으로 나타났다. 그러나 성취동기가 높은 소년들은 낮은 소년들보다 좀 더 어린 시기에 자립할 것을 요구받았다. 어린 아동기에 자립을 하도록 북돋아 주는 것은 성취동기를 강화시키는 반면, 과잉보호적인 부모는 성취동기를 저하시킨다고 할 수 있다.

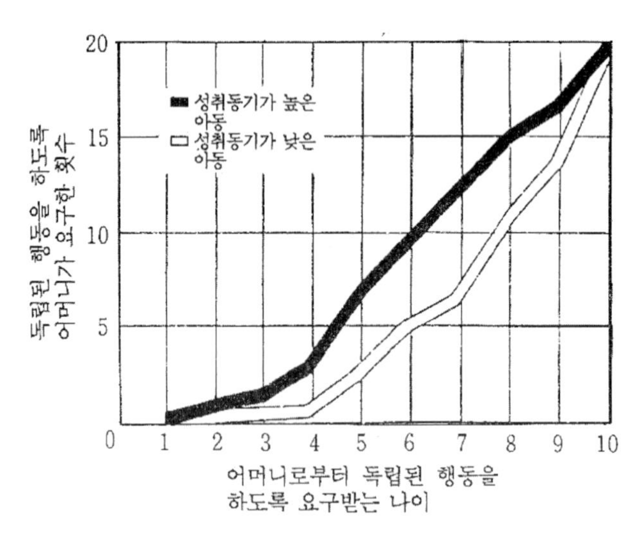

그림3-10 조기교육과 성취동기

② 권력동기(Power motive)

통제하는 위치에 있고자 하는 -보스가 되어 명령을 내리고 존경과 복종을 받으려는-욕망을 권력동기라고 한다. 언뜻 보기에는 성취동기와 같은 것처럼 보이지만, 성취동기란 무엇을 하든 잘 수행하려는 데에 중점이 있는 반면에 권력동기는 잘 수행하려는 것보다는 우두머리가 되고자 하는 데에 관련이 되어 있다. 미국 대통령들의 연구는(그들의 연설로 판단하여) 강한 권력동기들이 강력하고 결정적인 행동들을 하며 미국 사회에 지대한 영향력을 행사하였지만 반드시 중요하고 건설적인 공헌을 한 좋은 대통령은 아니라는 걸 보여주고 있다.

③ 유친동기(Affiliation motive)

다른 사람들의 주위에 있고 싶어 하는 욕망을 유친 동기라 한다. 우리 모두는 이 동기와 함께 성장한다. 처음에는 부모에 대하여 애착을 가지고 나중에는 다른 사람들과 친교 관계를 맺게 되는 것은 이 유친 동기에 의한 것이다. 그러나 이것의 강도는 다양하게 변한다. 어린 시절 부모 교육과 유친 동기와의 관련성은 그림 3-11과 같다.

④ 의존동기(Dependency motive)

의존동기는 유친에 대한 욕망과 밀접하게 관련되어 있으며 우리가 흔히 볼 수 있는 것이다. 이것은 전적으로 부모에게 의존하는 어린 시기의 경험에서부터 생기는 것이다. 의존동기와 관련된 행동은 남자보다는 여자에게서 더 쉽게 찾아볼 수 있다.

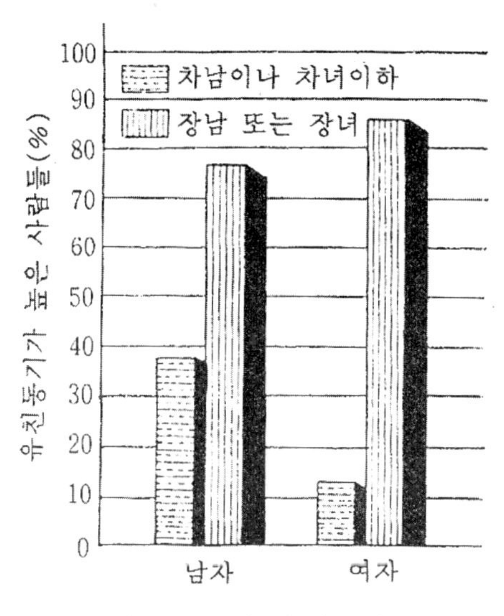

그림3-11 조기교육과 유친동기

(2) 동기와 행동의 관계

우리가 다른 사람들의 동기를 분석하는 데에 익숙하지 못한 한 가지 이유는 동기가 반드시 어떤 행동으로 나타나는 것은 아니기 때문이다. 우선 우리가 통제할 수 없는 사태 –즉 우리의 생활환경- 에 의해 방해를 받기 때문이다. 여기에서 가장 관건이 되는 것은 기회이다. 우리는 기회가 없으면 우리의 어떠한 욕망도 충족시킬 수 없다. 성취동기는 가끔 기회의 부족 때문에 희생되기도 한다.

기회의 부족은 유친 동기에서도 역시 저해요소가 된다. 이성 관계를 원하는 사람이 많이 있는데 그 사회에 남자의 수보다 여자의 수가 부족하거나 또는 그 반대로 여자의 수가 남자의 수보다 많이 부족한 경우가 있다.

심리학자들은 동기와 행동 간의 많은 격차를 알고는 최근에 그들의 접근 방법을 바꾸고 있다. 예전에는 그들 대부분이 동기를 분류하고 정의하여 측정하는데 주로 관심을 쏟았으나 지금은 사람들이 자신의 동기에 따라 행동하는 방식에 관심을 가지고 있다. 다시 말해서 동기를 만족시키기 위해 노력하는지, 얼마나 열심히 노력하는지 어떻게 만족을 구하려 하는지를 결정하는 모든 관계 요소에 관심을 기울이고 있다.

(3) 좌절과 갈등

- 우리의 가장 강렬한 동기들이 어느 정도 만족되는가 -그리고 어느 정도나 성취되어지지 못하는가?
- 우리가 자신의 동기들을 성취하지 못한다면, 어떤 방식으로 이 실패에 대해 성공적으로 대처할 것인가?

인간의 욕망과 인간 사회의 주어진 특성 때문에 우리는 대부분 자신의 모든 동기들을 결코 만족시킬 수 없다. 우리는 거의 심리학자들이 좌절이라고 부르는 것에 직면하게 된다. 이것은 일생에서 가장 불쾌한 경험이며 불행한 결과를 초래할 수 있는 것이다. 왜냐하면 흔히 좌절은 불안과 이상 성격의 원인이 되기 때문이다.

① 좌절의 근원

심리학자들은 좌절을 "어떤 종류의 장애물에 의해 동기의 만족이 방해받는 것"으로 정의하고 있다. 쉬운 사례로서 우리가 어떤 곳에 제 시간에 도착하려 하는 동기가 펑크난 타이어 때문에 방해받을 수 있고 그리하여 좌절을 경험하게 된다. 좀 더 복잡한 사례로는 많은 장해물 중의 하나가 배우나 운동선수가 되고자 하는 또는 좋아하는 사람을 친구로 사귀려 하는 우리의 동기를 좌절시킬 수 있다.

인간에게 좌절은 보편적인 것이며 우리의 환경은 우리의 소원을 성취하지 못하도록 방해하는 사태들로 가득 차 있다. 우리 자신의 신체와 성격까지도 좌절을 불가피하게 만들고 있다. 좌절의 가능한 근원들은 대개 다음의 네 가지로 분류된다.

- 물리적 장해
- 사회적 환경
- 개인적인 결함
- 동기들 간의 갈등

② 좌절의 근원으로서의 갈등

좌절의 네 가지 근원 중에서 가장 흔한 것은 갈등이다. 심리학자들은 갈등을 둘 또는 그 이상의 양립할 수 없는 동기들이 동시에 일어나는 것으로서 '불쾌한 정서를 초래하게 하는 것'이라고 정의하고 있다. '불쾌한 정서'라는 문구가 정의의 핵심적인 부분이다. 동기가 갈등상태에 있는 사람은 불안과 불확실성을 경험하고 괴로워하며 고민을 하게 되므로, 갈등은 정상적인 행동에 잠재적인 위험이 된다.

인간의 갈등은 단순한 경우가 드물다. 실제로 갈등들은 너무 복잡하여 그것을 극복하는 것은 제쳐 두더라도 이해하기도 힘이 든다. 이러한 복잡성을 피하기 위하여 심리학자들은 좋은 것에 대해서는 접근하고 나쁜 것에 대해 회피하려는 두 가지 욕망들의 갈등을 기초로 하여 놀라운 배열을 나열하여, 다음과 같은 네 가지로 모든 갈등들을 분류할 수 있다는 사실을 알아냈다.

㉮ 접근 - 접근갈등

이 갈등은 바람직한 목표로 접근하려는 두 가지 동기들 사이에서 일어난다. 그러나 두 가지 목표로 다 같이 이룰 수 없으며, 그 중 하나를 취하면 나머지 하나는 포기해야 한다.

㉯ 회피 - 회피갈등

이 갈등은 다 같이 불쾌한 두 가지의 대안들을 회피하려는 동기를 사이에서 일어난다. 예를 들면, 당신이 내일의 시험에 너무 긴장한 나머지 잠을 이룰 수 없는 경우를 생각해 보자.

㉰ 접 근 - 회피갈등

이 갈등은 한 가지 동기를 성취하는 것이 바람직한 결과와 불쾌한 결과를 같이 초래하는 경우에 일어난다. 젊은 사람은 결혼을 하려는 생각이 가끔 접근-회피 갈등을 일으킨다. 결혼하는 것은 여러 가지 장점이 있지만, 책임감의 추가, 자유의 구속이 부과되기도 하기 때문이다.

㉱ 이중 접근 - 회피갈등

이것은 가장 복잡하고 가장 흔한 형태인데 바람직한 결과와 불쾌한 결과를 동시에 가진 두 가지 목표들 사이에서 고민을 하게 될 때 일어나는 것이다.

이중 접근-회피 갈등은 흔히 볼 수 있는 것이지만 이에 대한 만족할 만한 해답은 결코 있을 수 없다. 어떤 목표를 선택하든, 선택을 잘못했다고 가끔 느낄 것이다. 사실 선택이라는 것이 너무 어려워서, 가끔 우리는 두 가지 목표를 다 포기해버리고 싶을 때가 있다.

2. 불안, 스트레스 및 그 해결

당신은 새로운 직장에서 새로운 직장 동료들과 일하게 되었을 때에 느꼈던 감정을 생생하게 기억하고 있을 것이다. 그때의 감정을 무엇이라고 표현할 수 있을까? 근심 걱정? 긴장? 안절부절? 이와 같은 말들을 심리학자들은 불안(Anxiety)이라 한다. 불안은 인간의 성격과 행동에 대해서 지대한 영향을 미치는 정서를 말한다.

당신은 생활 속에서 느껴지는 압력과 긴장이 너무 과도한 것 같다고 생각되는 경우, 즉 심장이 뛴다든지, 숨이 가빠진다든지, 손이 떨린다든지, 뱃속이 거북하다거나, 골치가 아프다든지 하는 증상을 갖는 경우이다. 이 경우는 당신은 심리학자들이 스트레스(Stress)라고 하는 것, 즉 외부 환경에서 오는 압력에 대한 생리적 반응을 경험하고 있는 것이다. 외부에서 가해지는 압력이 너무 강하여서 불가항력이 되면, 신체질환을 갖게 되고 심지어는 죽는 수도 있다.

불안이라는 심리적 경험과 스트레스라는 생리적 상태는 인간의 행동에 대해서 강력한 저항력을 행사한다. 어떤 사람도 불안과 스트레스를 피할 수 없다. 인간의 행동과 건강이 정상 수준을 유지하며 낙천적인 태도를 가지고 인생을 재미있게 살려면 불안 및 스트레스를 극복하는 것을 학습해야 한다. 만약, 불안 및 스트레스를 극복하지 못하면, 신체질환에 걸리거나 신경증(Neuroses)이나 보다 심한 정신질환인 정신병(Psychoses)(일반 사람들에게는 정신 이상(Insanity)으로 알려짐) 증상 같은 이상행동을 나타낼 수 있다. 신경증과 정신병은 여러 가지 원인에 의해서 일어날 수 있지만, 공통적으로 불안 및 스트레스가 강하거나 오랫동안 가해질 때 일어난다.

(1) 불안

불안은 무엇인가 좋지 않은 일이 일어날 것 같은 예감이 뒤따르는 애매하고 불쾌한 감정(a vague, unpleasant feeling accompanied by a premonition that something undesirable is about to happen)이라고 정의할 수 있다. 불안한 감정은 공포의 정서와 밀접히 관련되어 있다. 사실상 그 두 가지를 명확히 구분하기란 매우 어렵다. 유일한 차이점은 통상 공포란 것은 특정 자극에 대한 반응이라는 점이다. 불안이란 통상 명확한 원인이 없는 것으로서 특정한 장소와 시간보다는 미래에 있을 불쾌감과 관련된 것이다(우리가 처음으로 새로운 직장에 들어가면 우리 앞에 무슨 일들이 기다리고 있는지 모른다).

불안은 애매한 것이기 때문에 다루기 특히 어렵다. 인간은 왜 불안을 느끼는지, 장차 일어날지 모른다고 두려워하는 일이 무엇인지 잘 모르는 경우가 보통이다. 그러나 무언가 말할 수 없는 이유로 인해서 인간은 가장 불쾌한 정서의 와중에 사로잡히게 된다.

① 불안을 유발하는 상황들

불안의 원인을 꼭 끄집어내어 말하기는 어렵지만 불안을 일으키기 쉬운 상황은 4가지가 있는 것 같다.

㉮ 동기들 사이에 갈등이 있을 때(예를 들면, 남을 돕는데 인생을 바치기를 원하면서도 다른 한편으로는 부자가 되기를 바라는 경우가 여기에 해당된다).

㉯ 인간의 행동과 내면의 가치 기준 사이에 갈등이 있을 때(예를 들면, 인간이 틀렸다고 믿는 일을 했을 때가 여기에 해당된다).

㉰ 인간이 즉각적으로 이해하고 적응할 수 없는 돌발 사태에 부딪혔을 때(예를 들면, 새로운 직장에 처음 들어와서 어떤 행동을 해야 좋을 지 모를 때가 여기에 해당된다).

㉱ 결과를 예측할 수 없는 사태에 직면했을 때(예를 들면, 중요한 정밀작업을 할 때 결과가 어떻게 될지 모를 경우가 여기에 해당된다).

② 불안의 원천으로서의 불확실성

불확실성으로 인해서 불안이 유발되는 것을 가장 뚜렷하게 밝혀주는 증거는 전혀 기대하지 않았던 결과를 가져온 실험에서 찾아볼 수 있다. 말로 숫자를 불러주면서 피험자의 생리적 흥분도(Physiological arousal)를 측정했다. 생리적 흥분정도는 피험자들이 경험한 불안의 양을 나타내는 것이라고 생각되고 있는 것이다. 상식적인 견해에 따르면 충격을 받을 확률이 0.5인 피험자 집단이 가장 큰 불안을 보여야 하며, 확률이 0.05인 집단은 불안을 비교적 적게 보이고, 확률이 0.95인 집단은 거의 항상 충격을 받게 될 것을 알고 있으므로 체념하고 있을 것이다. 실험하는 사람들도 그러한 결과가 나오리라 예상했다. 그러나 가장 큰 불안을 보인 것은 그림3-12와 같이 확률이 0.05인 집단이었다.

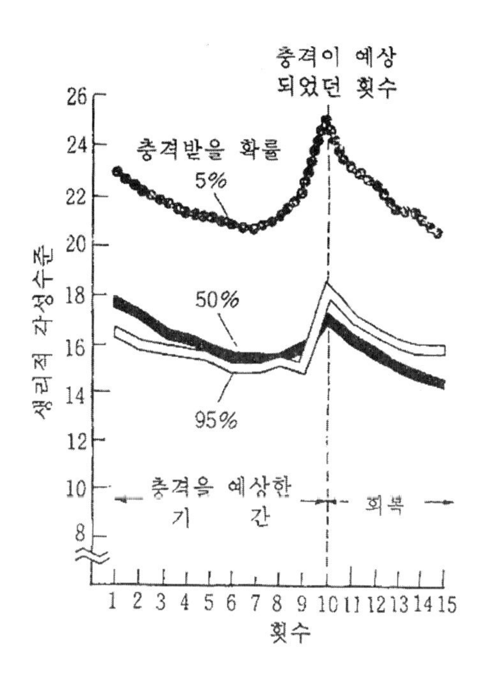

그림3-12 놀랄만한 결과를 가져온 실험

이와 같은 현상은 어떻게 해서 일어났는가? 그에 대한 대답은 확률이 0.5인 집단의 피험자들이 말한 내용 속에 들어 있다. 이 피험자들은 자신이 충격을 받게 될 확률이 실제보다 아주 높아서 '충격을 받지 않게 되었으면' 하고 바랄 정도라고 생각을 고쳐먹었다. 이런 식으로 해서 그들은 불확실성을 감소시켰다. 따라서 확률 0.5인 피험자들은 확률이 0.95인 피험자들, 즉 거의 항상 충격을 받게 되어 있는 피험자들과 비교할 때 불안을 느낀 정도가 거의 같았다. 한편 확률이 0.05인 피험자들은 다른 피험자들보다 훨씬 큰 불확실성을 경험했다. 즉, 그들은 자신이 충격받는 확률이 너무나 적어서 충격을 예상할 수도 없고 따라서 충격에 대비할 수 없었다.

③ 일반적 불안과 특성불안

불안 및 그 효과에 대해서는 많은 연구결과가 발표되었다. 한 가지 발견된 사실은 많은 상황에 대해서 불안해하는 사람들이 있다는 것이다. 즉, 그들은 장소에 관계없이 직장에서 일하든, 사교적 모임에 참가하든, 전화를 걸든, 시장에서 물건을 사든 불안을 느낀다. 그들은 여러 가지 일들에 대해서 걱정하며 장차 있을 사건에 대해서 막연하게 근심하고 있다. 이런 사람들은 일반적 불안(General anxiety)의 희생자이다. 다른 사람들은 어떤 특정 상황 속에 있을 때만 특성 불안을 느낄 뿐이다.

일반적 불안과 특성 불안은 모두 다 저절로 그 정도가 강해지는 것 같다. 불안을 경험한 적이 있는 사람은 정서적 흥분을 예고하는 징조들(심장박동이 증가한다든지, 뱃속이 거북하다든지 하는 것)을 고통스럽게 받아들이고 그 결과 불안의 강도가 증가한다. 이완훈련은 이와 같이 악순환이 되풀이되는 과정을 제지하는 것 같다. 최근의 실험결과에 의하면 호흡횟수를 조절해서 정상적인 호흡횟수의 절반정도로 줄이는 것 같은 간단한 방법을 사용해도 불안의 지표인 생리적 흥분수준과 불안한 감정을 낮출 수 있었다고 한다.

④ 불안이 직무에 미치는 영향

사실상 불안은 다방면에 영향력을 미치는 것 같다. 일반적 불안 혹은 불안수준이 높은 사람들은 그렇지 않은 사람들에 비해서 단순한 작업에서는 잘 하지만, 어려운 작업에서는 더 못한다. 그 이유는 아마도 그들이 불안수준이 높아서 복잡한 과제를 수행하는데 요구되는 고도의 집중력을 발휘하지 못했기 때문일 것이다. 불안수준이 높은 사람들은 다른 사람들이 자기를 관찰하고 있을 경우에는 능률이 더 떨어진다. 이런 현상은 단순한 과제를 수행할 때도 나타난다. 반면에, 불안수준이 낮은 사람들은 단독으로 하거나 다른 사람들이 보거나 동일하다고 한다.

⑤ 불안과 모험행동

사람들의 생활방식에 영향을 미치는 한 가지 요인은 사람들이 얼마나 모험적인 행동을 취하려고 하느냐 하는 것이다. 어떤 사람들은 아주 보수적이어서 불리한 경우에는 모험을 하려 하지 않는다. 또 다른 사람들은 선천적인 도박꾼처럼 되든 않되든 간에 모험을 하려고 한다. 모험적인 행동을 취하려는 경향성과 불안 사이에는 밀접한 관계가 있는 것 같다.

이런 견해를 지지하는 실험결과가 그림3-13에 예시되어 있다. 주목할 것은 불안수준이 비교적 낮은 피험자들은 실험절차에서 사용된 게임을 하는 동안 "확실한 행동"을 별로 좋아하지 않는 것 같았다는 점이다.

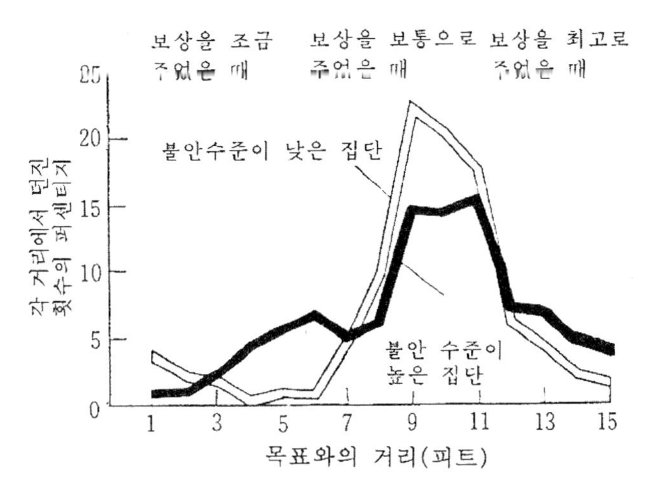

그림3-13 불안, 보수주의와 모험주의의

(2) 스트레스의 효과

스트레스란 용어는 외부환경의 압력에 대한 신체의 반응을 의미한다. 스트레스란 정서적 및 여타의 흥분을 일으키는 일들에 대해 적응하려는 시도에서 발생하는 생리적 소모 상태를 말한다. 물론 일상적인 어법으로는 스트레스란 용어는 사건(Event) 그 자체를 의미하기도 한다. 인간이 육체적으로 부담스럽게 느끼는 상황이 많다는 사실은 현대 생활의 "스트레스와 긴장(Stress & Strain)"에 대한 많은 문헌들을 통해서 오늘날 일반 대중에게 널리 인식되었다.

심리학자들에 의하면 스트레스란 유기체에 해를 미칠 위험성이 있는 모든 것에 대한 신체적 반응으로 정의된다.

① 스트레스와 일반 적응증후군

스트레스의 근원이 어디에 있든 간에 스트레스가 해로운 결과를 초래할 수 있다는 것은 몬트리올 대학의 생물학자인 한스 셀리에(Hans Selye)에 의해서 극적으로 입증되었다. 셀리에는 동물들에게 독약을 죽지 않을 정도로 주사하는 등 신체적으로 괴로운 스트레스 자극을 가했다. 그러나 그 결과 사람의 경우에 만성불안이나 기타의 정서적 긴장같이 내적, 외적 압력을 받아서 야기된 것과 아주 흡사했다.

스트레스가 장기간 지속될 경우 나타나는 결과는 초기에는 충격을 받고 경계(Alarm)하다가, 중반기에는 회복되면서 스트레스에 저항을 보이고(Resistance period), 마지막에 가서는 소진(Exhaustion)해서 죽어버리는 일련의 현상들로 나타난다는 사실을 셀리의 사례는 일반 적응증후군(General adaptation syndrome)이라 하였다(의사들에게는 증후란 말은 어떤 질병의 경과를 잘 나타내주는 사건들 및 증상들(Symptoms)의 전체적 양상을 의미한다).

② 정신신체 질환

좌절, 갈등 및 기타의 만성적인 흥분에 의해서 유발된 스트레스는 셀리가 동물에게 독약을 주사해서 얻은 결과와 마찬가지로 심각할 수 있다. 스트레스를 받은 사람은 정신신체질환(Psychosomatic disease)이라는 신체적 질환에 걸리는 경우가 종종 있다. 정신신체질환이란 정신적·정서적 원인이 반드시 개입하여 발생한 신체적 질환을 의미한다.

③ 스트레스 경험의 차이

누구나 스트레스를 경험한다. 그러나 모든 사람이 정신신체질환에 걸리지는 않는다. 왜 그런가? 한 가지 이유를 들면 똑같은 경험을 하는 사람은 아무도 없으며 각자 경험의 종류에 따라서 유발되는 스트레스의 수준, 즉 높낮이가 다르기 때문인 것 같다. 연구결과들은 많은 사람들의 인생 경험과 병력을 조사한 결과를 토대로 표3-5에 나와 있는 인생 스트레스 척도(Life Stress Scale)를 개발했다. 이 척도는 사람이 여러 가지 새로운 돌발사건에 부닥쳤을 때 경험한 것이라고 생각되는 스트레스의 정도를 수치로 표현한 것이다. 주목할 것은 이런 돌발사건 속에는 불행한 일뿐만 아니라 유쾌한 일들 -결혼, 성공, 또는 즐기는 일-까지도 포함되어 있다는 점이다. 사실상 결혼하는 것은 50점에 해당되는 스트레스를 주며 배우자의 사망으로 인한 최고의 스트레스(100)의 절반이다.

정신신체질환에 걸릴 확률은 12개월 동안에 일어났던 스트레스의 총점에 의해서 결정된다. 총점이 200점을 초과하게 되었을 때, 스트레스 척도에 따르면 어떤 사람이 일년 동안에 이혼하고(73점), 실직하며(47점), 총 수입액상으로 변동이 있고(38점), 가까운 친구가 사망하며(37점), 직장이 바뀌게 되면(36점) 그는 병에 걸릴 확률이 많아진다. 총점이 300점을 초과하게 되었을 때, 피험자들 중 거의 80퍼센트가 병에 걸렸다.

표3-5 다양한 돌발사건에 의해서 유발된 스트레스의 정도

경 험	스트레스점수	경 험	스트레스점수
배우자의 죽음	100	직장의 변동	36
이혼	73	직책의 변동	29
별거	65	친척들과의 다툼	29
교도소 복역	63	탁월한 개인적 성취	28
가까운 가족의 사망	63	부인이 취직하거나 실직함	26
결혼	50	학교에 입학하거나 졸업	26
직장에서 해고당함	47	상사와의 다툼	23
부부싸움의 화해	45	근무조건의 변동	20
퇴직	45	거주지 변동	20
임신	40	진학	20
성생활문제	39	사교활동의 변화	18
새로운 가족을 얻음	39	방학	18
수입의 변동	38	크리스마스 휴일	12
가까운 친구의 죽음	37	사소한 법률위반	11

④ 스트레스에 대한 저항능력 상의 개인차

인간은 인생 스트레스 척도를 통해서 여러 가지 인생경험이 가져올 수 있는 스트레스 효과에 대해서 대략적으로 알 수 있다. 그러나 스트레스 척도는 모든 상황과 모든 사람에게 적용하기에 적절하지 않다는 비판이 있다. 예를 들면, 척도를 개발한 사람들은 돌발 사건들이 가져올 수 있는 스트레스 효과를 일반화시키려고 노력한 나머지 외부 환경의 압력에 대한 신체적 저항능력 상에 개인차가 크다는 점을 무시했다. 이와 같은 개인차는 어떤 사람은 병에 걸리는 반면, 다른 사람은 병에 안 걸리는 이유들 중 한 가지가 된다.

스트레스 상황을 극복하려고 적극적으로 노력하면 발병한 확률이 적어지는 것 같다. 그러나 너무 과도한 노력은 오히려 해로운 수 있다는 연구결과도 있다. 연구가들은 심장 발작에 걸리는 확률을 조사해 나가는 가운데, A형이라고 명명한 사람들 중에 아주 모험을 좋아하는 사람들이 포함되어 있다는 것을 발견했다. 이 사람들은 성취동기가 아주 높고, 자신들이 노력만 열심히 하면 난관도 극복할 수 있다고 믿고 있었다. 그들은 야심이 많고 경쟁하기를 좋아했으며 자신의 일을 제 시간 내에 끝마쳐야 한다는 강박감을 가지고 있었다. 그들은 자신들이 인내할 수 있는 한계선까지 일하는 것이 보통이었고, 한계선을 초과해서까지 일하는 경우도 종종 있었다. 도중에 좌절당하면, 그들은 적대적이고 공격적인 반응을 나타냈다(물론 이런 표현은 회사주역들뿐 아니라 그 이외에도 전력투구하여 성공한 사람들에게 해당된다). 심장발작을 일으키는 확률은 B형으로 명명된

사람들의 경우에는 아주 적었다. B형의 사람들은 A형의 사람들보다 낙천적이었으며 성공하는 것을 덜 중요시했다.

(3) 성공적인 극복과 정상행동

스트레스 상황을 극복하려 하거나 굴복해 버리는 경우도 있다. 스트레스 상황을 극복하는데 성공하거나 실패할 수 도 있다. 그들은 실패할 수밖에 없는 경우가 종종 있으며, 이런 경우 그들은 스트레스 상황에 타협하는 길을 모색하거나 신체질환에 노출, 과도한 불안, 분노 또는 학습의 무력감 등에 빠질지도 모른다. 이러한 이상행동(Abnormal behavior)은 대체로 스트레스를 성공적으로 극복하지 못한 결과라고 할 수 있다. 어떤 종류의 부적응은 개인과 환경(특히 사회적 환경 : 가족, 친구, 직장동료, 상사)과의 사이에서 발생한다. 각 개인은 불안과 스트레스를 경험하고 나면 불안 및 스트레스로부터 해방되길 원하지만 그 해결 방법을 모른다.

① 적극적인 대응방법

㉮ 환경을 변화시킨다

생리학자들은 불안 및 스트레스를 건설적으로 해결하려고 노력하는 것을 적극적으로 대응(Assertive coping)한다고 말하는 경우가 많다. 적극적 대응방법의 하나는 스트레스 상황을 직접 변화시키려고 하는 것이다.

환경을 적극적으로 극복하려면 어느 정도 실현가능성이 있는 방법을 통해서 환경을 건설적으로 변화시키려고 시도해야 한다. 그러한 시도는 실패할지 모른다. 그러나 시도해 보는 노력 그 자체가 스트레스로 인한 피해를 감소시켜 주는 것 같다.

㉯ 자신의 행동을 변화시킨다

대개의 경우에 있어서 인간이 겪는 스트레스는 환경에서 초래하기보다는 인간 자신의 행동에서 비롯된다.

따라서 스트레스를 감소시킬 수 있는 유일한 방법은 인간 자신의 행동을 변화시키는 것밖에 없을 때가 있다.

㉰ 스트레스로 인한 피해를 조절 한다

인간이 스트레스 상황이나 인간 자신의 행동을 변화시키기 위해서 제아무리 열심히 노력해도 스트레스가 감소되지 않는 경우가 자주 있다. 경제 불황이 심각할 때에 사람들이 아무리 열심히 일하고 직업을 얻으려 노력한다고 해도 실업과 가계적자로 고생하는 사람들이 많아지게 된다. 새로운 기술을 배우는 등 자신의 행동을 변화시켜서 상황을 극복하려고 해도 실패하는 수가 있다. 또한 가족이 아프거나 현재의 직장에서 요구되는 기술이 모자라는 경우에 스트레스 상황에 대해서 무기력해질 수 있다.

학습된 무력감이 아닌 어쩔 수 없는 상황 속에서 느끼는 무력감은 회피할 방도가 없다. 적극적 극복방법 중 유일한 것은 스트레스 그 자체를 조절해 보는 것이다. 우리는 스트레스가 가져오는 정신적 손상을 어느 정도까지 참고 견디어내야만 한다. 그래야만 인간의 심신이 건강을 유지할 수 있게 된다.

② 정상성격

심리학자들은 오랫동안 적응(Adjustment)이란 용어를 사용해서 정상성격과 정상행동에 대한 정의를 내렸다. 일반적으로 정상적 성격 특징의 소유자는 외부 환경 및 주변 사람들에 적응을 잘한다고 생각된다. 그들은 외부 현실세계와 사회를 있는 그대로 받아들이고 현실과 조화되는 행동을 한다.

그러나 최근 많은 심리학자들은 적응이란 용어가 수동적이고 부정적인 의미를 너무 강하게 띠고 있다고 믿게 되었다. 즉, 적응이란 말속에는 자기 자신을 무시하고 다른 사람들이 생각하고 행동하는 것에 동조한다는 뜻이 강하게 내포되어 있다는 것이다. 어떤 학자들은 적응이란 말의 의미가 사회에서 다소간 맹목적으로 받아들여지고 있는 것들 -예를 들면, 전쟁에서 사람을 대량 학살하는 것과 교육보다는 군비 증강에 치중하는 것 등- 을 의미한다면 적응 그 자체가 비정상적인 것이라고 주장한다.

이와 같이 정상성격에 대한 관점은 바뀌어졌다. 심리학자들이 정상행동을 단순히 적응하는 것만으로 간주하기보다는 인생에서 부닥치는 문제들을 적극적으로 극복하고 진실된 자기모습을 깨달으며, 자신의 힘으로 무언가를 성취하려고 노력하는 것으로 간주한다. 매스로우는 자아실현이라는 용어를 사용할 것을 주장했다. 다른 심리학자들은 안정된 정체감(Sense of Identity)을 가지고 있거나 외부환경 및 다른 사람들의 압력에 굴복하기보다는 자기 스스로 결정을 내리는 여유를 가지고 있는 사람을 정상적인 사람으로 정의하고 있다.

③ 방어기제(Defense mechanism)

불안 및 스트레스를 적극적으로 극복하는 방법 이외에도 불안 및 스트레스를 해결하는 방법은 많다. 이 방법들 중에서 가장 널리 알려져 있는 것이 프로이드가 처음으로 서술한 방어기제(Defense mechanism)이다. 프로이드에 의하면 방어기제란 사람들이 불안을 덜 느끼기 위하여 무의식적으로 사용하는 심리적 과정이다. 방어기제는 적극적인 극복 방법과 다르다. 즉, 방어기제는 불안 및 스트레스를 현실적으로 해결하기 위하여 환경이나 자신의 행동을 변화시키려는 방법이 아니다.

㉮ 합리화(Rationalization)

합리화란 스트레스 상황의 실재를 부인해서 스트레스 상황에 대처하려는 시도이다.

㉯ 억압(Repression)

어떤 사람들은 자신이 갖고 있는 동기에 대해서 불안 및 스트레스를 느낀 나머지 내면의 동기를 의식적으로 전혀 의식할 수 없는 영역으로 추방하려 한다. 이런 방어기제는 억압(Repression)이라 한다. 억압을 과도하게 사용한 사람들은 기억상실증에 걸리기도 한다.

㉰ 승화(sublimation)

자신의 동기에 대해서 불안을 느끼는 사람은 무의식적으로 내면의 동기를 자기 자신 및 사회가 용납할 수 있는 다른 동기로 변형시킬 수도 있다. 이런 방어기제는 승화라고 알려져 있다. 승화란 부끄러운 동기를 보다 점잖고 고상한 형태로 표현하는 과정이다.

㉱ 동일시(Identification)

불안을 감소시키는 또 다른 기제는 불안을 느끼지 않는 것 같은 위대한 인물이나 집단의 속성을 갖추는 것이다. 이러한 과정을 동일시(Identification)라 부른다.

보다 복잡한 형태의 동일시는 증오와 공포의 대상이 되는 강자에 대하여 형성될 수 있다. 따라서 젊은 사원은 상사에 대한 적대 감정으로 인해 일어난 불안으로부터 자기 자신을 보호하기 위해 상사와 동일 시 한다. 그는 상사의 행동습관을 흉내 내거나 상사와 같은 의견을 표방하여 자기 자신도 상사와 같은 권위를 갖고 있다고 생각한다.

㉲ 반동형성(Reaction formation)

어떤 특징을 과도하게 나타내는 사람들, 즉 환경에 대한 반응치고는 너무 지나치다고 생각되는 행동을 하는 사람들은 반동형성(Reaction formation)이라고 불리는 방어기제를 사용하고 있는 것이다. 그들은 자신에게 불안을 일으킨 진짜 동기와는 정반대가 되는 동기를 가지고 있는 것처럼 행동한다.

㉳ 투사(Projection)

투사한 자기에게 불안을 일으키는 내면의 동기나 생각들을 다른 사람들에게 떠맡기는 것을 말한다. 다른 사람들이 부정직하다고 떠드는 남자는 자기 자신이 부정직한 것을 감추고 있을 수 있다. 젊은 세대가 도덕관념이 희박하다고 떠드는 여자는 자신이 강한 성욕을 가지고 있다는 것을 감추고 있는지 모른다.

투사는 방어기제 중 가장 강력한 것 중의 하나로서 해로운 결과를 가져오는 경우도 있다. 투사는 불안을 감소시키는 효과가 크지만 자기 자신과 타인에 대한 진실을 심하게 왜곡시킬 위험성이 있다. 투사를 아주 과도하게 사용하는 사람은 뒤에 설명하는 편집증(Paranoia)이라는 정신병에 걸릴 수 있다.

㉳ 방어기제의 효과

불안 및 스트레스는 누구나 겪는 것이기 때문에 이때까지 언급한 방어기제나 자기 자신에 독특한 방어기제를 사용하는 경우가 있다. 이 방어기제들이 비합리적인 것이긴 하지만, 쓸모 있는 경우가 종종 있다. 방어기제를 사용하지 않으면 우리 자신을 파멸시킬지도 모르는 상황에 처했을 경우 방어기제는 그 진가를 발휘한다. 그밖에도 방어기제는 우리가 불안 및 스트레스를 보다 현실적이고 적극적으로 극복하는데 필요한 힘, 이성 및 지식을 동원할 수 있는 시간을 벌게 해준다. 우리가 방어기제를 사용했기 때문에 이상행동을 나타내게 되는 경우는 극히 드물다.

④ 불안 및 스트레스에 대한 반응으로서의 공격성(Aggression)

그밖에도 불안 및 스트레스에 대한 반응으로서 정상과 이상의 경계선상에 있는 행동들 중 보편적인 것은 공격성(Aggression)이다. 공격성은 좌절에 의해서 유발되는 경우가 많다. 다른 어린이에게 자기의 장난감을 빼앗겨서 좌절을 맛보게 된 어린이는 화를 내고 주먹을 휘두를 것이다. 이런 행동들은 좌절을 안겨다 준 대상을 향한 것으로서 직접적 공격(Direct aggression)이라고 불린다.

좌절을 안겨준 대상을 직접 공격하는 것이 불가능한 경우에는 사람들은 엉뚱한 사람에게 화풀이 할 수 있다. 이것을 치환된 공격(Displaced aggression)이라 부른다.

⑤ 철회(Withdrawal)와 무감동(Apathy)

어떤 사람들은 스트레스 상황에 대해서 철회(Withdrawal)라는 반응을 보인다. 그들은 그 이상의 불안 및 스트레스를 경험하는 것을 회피하기 위해서 다른 사람들과의 접촉도 끊고 자신의 동기를 충족시키려는 시도도 포기한다.

마찬가지로 어떤 사람들은 스트레스에 대해서 무감동(Apathy)이라고 불리는 반응을 나타낸다. 그들은 우울해 보이고, 활기가 없으며, 자기 주변에서 일어나고 있는 일들에 대해 흥미를 상실한 것 같고, 몸치장 같은 일상적인 활동도 하지 않으려 한다.

⑥ 퇴 행

나이가 어린 사람처럼 행동하는 것을 퇴행(Regression)이라 부른다. 좌절 및 스트레스에 대한 반응으로서 퇴행적인 행동을 보이는 것은 아동들에게는 흔한 일이다. 큰아들은 여동생이나 남동생을 얻게 되면, 손가락을 빠는 것 같이 어린 시절의 버릇을 다시 나타내든지 우유를 빨려고 하는 수가 있다. 심한 정서장애로 고생하는 사람들은 극도로 퇴행적인 행동을 나타내는 수도 있다.

3. 성격(personality)

인간이 자신의 성격 또는 친구의 성격을 잘 이해하지 못하겠다고 해서 괴로워할 필요는 없다. 인간의 성격은 불가해한 심리현상들 중의 하나이다. 인간의 성격은 너무나 복잡해서, 성격을 구성하는 수많은 특질(Trait)들을 묘사하는 영어단어가 최소한 18,000개나 있을 정도이다. 이 특질들은 광범위한 사고의 유형과 언어 구사의 스타일, 다양한 정서와 동기, 수많은 형태의 불안과 스트레스 및 이들을 해결하려는 정상 또는 비정상적인 노력들을 대표한다. 특질의 종류가 얼마나 복잡할 정도로 많은가를 이해하려면 표3-6의 성격묘사 난에 자기 자신을 스스로 평정(Rating)해 보도록 하자.

표3-6 성격묘사 기술문의 예

동 기	
야심 만만하고, 열심히 노력한다	또는 야심이 없고, 게으르다.
독립심이 강하다.	또는 의존적이다.
사교적이고, 남과 어울리려 한다.	또는 비사교적이고, 혼자 있기를 좋아한다.
확실한 일을 좋아한다.	또는 소설, 모험을 좋아한다.
정 서	
몹시 불안하다.	또는 별로 불안하지 않다.
화를 잘 안낸다.	또는 화를 잘 낸다.
유쾌하다	또는 우울하다.
인 지 양 식	
사색적이다.	또는 충동적이다.
헌신적이다.	또는 공상적이고, 비현실적이다.
말하기 좋아하고, 능변이다.	또는 말은 별로 안하고, 눌변이다.

성격묘사 난에 있는 10개의 특질들은 여러 가지 방식으로 결합할 수 있다. 즉, 당신은 10개 특질 중 왼쪽이나 오른쪽 어느 한 부분에만 해당되거나, 또는 일부는 왼쪽에 나머지는 오른쪽에 해당될지 모른다. 따라서 이와 같이 10개의 적은 특질을 가지고도 다양한 성격 유형을 예견할

수 있다. 즉, 2×2×2×2×2×2×2×2×2×2=1,024개의 각기 다른 성격유형이 예견된다. 더욱이, 당신의 성격 특질이 좌단이나 우단에 해당되기 보다는 그 중간정도에 해당될지도 모른다. 그렇게 되면 성격유형의 다양성을 훨씬 더 증가한다. 앞에서 언급한 10개의 특질은 모든 특질에서 뽑아낸 조그만 표본에 불과하다. 인간의 성격이 너무나 다양하고, 그 때문에 성격을 이해하고 설명하기 상당히 어렵다는 것을 의심하는 사람은 거의 없다.

(1) 성격이론

심리학자들의 연구대상이 거의 다 사람의 성격과 관련이 있기 때문에, 심리학이란 학문이 성격에 대한 포괄적인 이론이며, 달리 말하면 사람들이 어떤 점에서는 서로 같고 어떤 점에서는 서로 다른 지를 설명할 수 있는 일반적인 원리를 찾으려 한다고 말할 수 있을 것이다. 그러나 이와 같은 일반적인 원리에 남들보다 특별한 관심을 가지고 노력한 심리학자들이 있고 그들은 많은 성격이론을 발전시켰다.

① 성격의 정의

성격(Personality)은 가장 잘 정의를 내린다면 「개인이 환경에 대해서 대처하는 독특한 방법을 반영하는 특징적 사고(생각), 감정 및 행동방식의 총체적 패턴」이라고 할 수 있다. 성격의 정의에는 핵심 단어 4개가 있다 : 1) 특징적(Characteristic), 2) 독특한(Distinctive), 3) 대처하는(Treating), 4) 패턴(Pattern)

생각, 감정 및 행동방식은 각 개인이 구별될 수 있어야 한다. 우리가 어떤 특질을 갖춘 사람의 성격의 일부라고 말할 수 있으려면, 그 특질을 갖춘 사람이 주변 세계, 특히 다른 사람들에 대처하는(treating) 방식에 대하여 그 특질로 어느 정도 설명할 수 있어야 한다. 성격 특질을 긍정적 또는 부정적인 것으로 구분해서 생각하게 되는 것은 이와 같은 요소, 즉 성격 특질이 주변 세계에 대한 한 개인의 대처방식을 설명하고 있기 때문이다. 우호(Friendliness)란 긍정적인 특질을 갖추고 있는 사람은 그 특질 덕분에 주변 사람들 및 환경에 대해서 건설적으로 대처할 수 있게 된다.

우리는 수많은 성격특질의 일부만을 가지고 있다. 성격을 정의하는데 마지막으로 중요한 요소가 되는 것은 우리가 가지고 있고 밖으로 드러내 보이는 특징들의 특정 패턴, 즉 그 특질들의 총화와 그 조직된 양상이다.

② 성격이론의 세 요소

과거 수십 년 동안 많은 성격이론들이 제시되었다. 이 이론들은 여러 점에서 서로 다르지만, 다음 세 가지 측면에서는 공통적이다.

㉮ 각 이론은 인간의 기본적인 속성에 대해 근본적인 관점을 고수하고 있다. 즉, 각 이론은 모든 사람에게 공통적으로 부여된 경향(Tendency)과 특질로 이루어진 성격의 핵심(Core of personality)이 있다고 가정한다.

㉯ 각 이론은 성격 핵심을 구성하는 경향과 특질들이 각 개인마다 독특한 발달(Development) 과정 즉, 개인이 아동시절 부터 일생동안 겪는 경험에 의해서 각 개인마다 독특하게 발전한다고 주장한다. 이와 같이, 각 성격이론은 성격이 선천적인 요소(모든 사람에게 유전된 것)와 후천적인 요소(개인 특유의 발달경험에 따른 효과)의 공통 산물이라는 점에서는 일치한다. 그러나 선천과 후천 중 어느 요인이 더 큰 영향력을 행사하는 가에 대해서는 각기 다르다.

㉰ 각 이론은 소위 말초적 특질(Peripheral traits)이라고 불리는 것, 즉 사람이 환경에 대처하는 독특한 방식들은 중요하게 다루고 있다. 말초적 특질들은 각 개인의 독특한 발달 경험에 의해서 성격 핵심으로 부터 파생된 필연적인 결과로 간주된다.

(2) Freud의 정신분석 이론

모든 성격이론 중에서 가장 유명한 것이 Sigmund Freud의 정신분석이론이다. 성격발달 및 정신질환 치료에 대한 Freud의 저술은 많은 사람들에게 숙독 되었고 논쟁을 불러 일으켰다. 그러나 그의 치료법(정신분석 : Psychoanalysis)은 추종자가 결코 많은 적이 없었다. 대부분의 정신분석가들이 소속되어 있는 미국 정신분석협회(American Psychoanalytic Association)의 회원은 최근에야 겨우 2,600명에 도달되었다. 이런 사실에도 불구하고, 그의 견해는 많은 심리학자들에게 특히 미국에서 학자들에게 커다란 영향을 미쳤다.

① 불안, 억압 및 무의식적 마음

Freud의 생각들 중 일부는 앞에서 이미 중요하게 다루어졌다. 그 중 하나는 불안을 감소시키는 역할을 하는 방어기제(Defense mechanism)란 개념이다. Freud는 불안이 정신질환에서 중추적인 역할을 한다고 믿었다. 즉, 불안은 너무나 괴로운 정서이기 때문에 사람은 불안을 없애기 위해서라면 무엇이든 하려 한다는 것이다. 그에 의하면 방어기제란 불안을 일으킬 우려가 있는 동기나 생각이 의식적으로 자각(Awareness)되지 못하도록 하는 방법이다.

무의식적 마음(Unconscious mind)은 억압된(Repressed) 동기와 생각들로 구성되어 있는데, 가장 큰 영향을 끼친 Freud 개념들 중 하나이다. Freud에 의하면 인간의 마음과 성격은 빙산과 같아서, 그 일부분만이 물위에 보이고 나머지는 잠겨서 보이지 않는다. 이 이론은 현재는 널리 받아들여지고 있지만 그 당시에는 Freud가 처음 주장했었다. Freud에 의하면 우리들 마음속에는 결코 자각되지 않는 많은 무의식적 동기가 있으며, 이 동기들은 자각되지 못함에도 불구하고 우리의 행동에 강력한 영향을 미친다고 했다.

② 원욕(id)과 쾌락원칙

정신분석 이론에 의하면 인간 마음의 기저에 있는 것은 무의식적 원욕(Id)이다. 원욕(Id)은 항상 충족(Gratification)되기만을 추구하는 선천적이고 생물학적으로 결정되어 있는 힘들로 구성되어 있다. 이 힘들 중 하나는 리비도(Libido)이다. 리비도는 성적 충동 이외에도 우리의 몸을 따뜻하고, 배부르고, 편안한 상태에 두려는 욕망들로 구성되어 있다. 또 다른 힘은 공격성(Aggression)을 향한 본능, 즉 남과 싸워서 남을 지배하려는 선천적인 욕망이다.

원욕(Id)은 Freud가 쾌락 원칙(Pleasure principle)이라고 불렀던 원리에 따라서 움직인다. 쾌락원칙이란 원욕(Id)의 모든 요구사항이 즉각적이고 완전히 충족되어야 한다는 것을 말한다. 리비도는 자신이 갈구하고 좋아하는 것은 무엇이든지 완전히 소유하려고 한다. 공격 본능은 자신의 발길에 걸리는 것은 무엇이든지 다 파괴하려고 한다. 사람은 성장하면서 원욕(Id)의 욕구를 최소한도 나마 그럭저럭 통제하는 것을 배우게 된다. 그러나 원욕(Id)은 사람의 일생동안 강력하게 작용한다. 원욕(Id)은 이를테면, 우리 내부에 존재해 있는 짐승과도 같은 본능적 욕망이다.

③ 자아(ego)와 현실 원칙

사람이 성장함에 따라서 의식적 마음도 발달하는데 이것을 자아라고 한다. 자아는 우리 자신이라고 여기고 싶어하는 "진짜(Real)" 우리 자신이다. 자아는 현실원칙(Reality principle)에 따라서 움직인다. 자아는 논리적 생각을 수행하며 우리가 현실세계에서 생활하는 것을 도와준다. 자아는 작동하는데 필요한 에너지를 원욕(Id)으로 부터 얻어온다. 이 때문에 자아는 원욕(Id)의 요구를 충족시켜 주기 위한 상황을 지각하고 적절한 행동(예를 들면, 음식을 획득하는 행동)을 취한다. 원욕(Id)의 욕구는 합리적인 방법으로 충족될 수 있는 정도만 자아에 의해서 충족될 수 있다. 그러나 인간은 원욕(id)의 욕구가 사회에 의해서 배척 당할만한 성질의 것이라면, 원욕(id)의 욕구를 억압하거나 사회적으로 용납될 수 있는 다른 욕구로 대치하려고 한다.

④ 초자아(superego)

도덕, 가치관등을 포함하는 것으로서 일반적으로 양심으로 생각할 수 있다. 이는 부모의 명령이나 금지 등을 어린이가 내면화함으로써 발달한다. 초자아와 원욕(id)은 끊임없는 갈등상태에 놓이게 되며 자아가 이를 조정한다.

(3) 사회학습 이론과 행동치료

인본주의 이론가들에 의하면 성격 핵은 바람직한 방향으로 성장하려는 욕구로 구성된다.

Freud의 정신분석이론의 성격 핵심은 갈등으로 구성되어 있다고 주장한다. 또 다른 이론가들은 위의 두 견해와 다른 입장을 취하고 있다. 이 이론들은 사회학습 이론(Social learning theories)이라고 불린다. 이 이론은 원욕(id)의 원시적 충동에 대한 Freud의 개념을 배척하면서 인간의 본성이 원래 좋으니 나쁘니 하는 의문점에 대하여 인본주의 이론과 달리 어떤 명확한 입장을 표방하지 않고 있다. 그 대신 사회학습이론들은 성격이 주로 습관들 즉 사람이 살아가는 가운데서 습관적으로 반응하는 방식들로 구성되어 있다고 간주한다. 사람이 출생 직후부터 겪은 경험은 학습원리에 따라서 우리의 성격을 다양하게 형성시킨다. 환경에서 일어난 사건들에 대해서 어떤 반응을 나타내는 것을 학습했느냐에 따라서 우리는 현실세계에 성공적으로 대처하거나 또는 무력감을 느끼고 신경증 적인 사람이 될 수 있다.

(4) 성격검사

성격을 정확하고 신뢰성 있게 측정할 수 있는 검사가 있다면 그 검사는 가장 중요한 도구들 중의 하나가 될 것이다. 성격검사(Personality tests)를 사용해서 인간의 장점과 단점 또 스트레스 및 불안을 신속하게 파악하고, 스트레스 및 불안의 근원을 찾아낼 수 있으며, 문제를 극복하는데 가장 큰 도움을 줄 수 있는 방법을 선택할 수 있을 것이다. 상담지도자(Guidance counselors)들은 틀림없이 성공할 직장과 진로를 지도해 줄 수 있을 것이다.

따라서 성격검사를 고안하는데 많은 시간과 노력 및 독창성을 동원하여 다방면으로 유용한 검사를 만들어 냈으나, 안전하고 완벽한 검사는 아직 나오지 못했다. 즉, 성격은 출생 직후부터 시작해서 일생동안 겪는 경험에 의해서 꾸준히 변화된다. 또한 성격은 각 개인에 독특한 것이어서 측정하기 어려운 대상이다.

현재 사용되고 있는 성격검사들은 어느 정도의 장점 이외에도 많은 제한점을 가지고 있다. 성격검사들은 세 종류로 나뉜다. 즉, 1) 객관적 검사(Objective tests), 2) 상황적 검사(Situational tests), 3) 투사적 검사(Projective tests)로 분류된다.

① 객관적 검사들

객관성의 기준에 부합되는 성격검사를 만들려는 노력이 진행되고 있으며, 검사자의 의견이나 편견이 검사점수에 영향을 별로 미치지 않는 객관적 검사들이 있다. 어떤 검사들은 표준화된 절차에 따라서 실시되기 때문에, 그 검사들은 누가 실시하고 채점하든지 관계가 없으며, 동일한 검사결과가 얻어진다.

가장 널리 사용되고 있는 객관적 검사는 미네소타 다면적 성격검사(Minnesota Multiphasic Personality Inventory) 또는 MMPI라 부르는 검사이다. 이 검사는 표3-7과 같이 문항이 600개

정도가 있다. 각 문항에 대해서 피검사자는 그 문항이 자신의 행동과 일치 또는 불일치한다고 응답해야 할지 아니면 "모르겠다(cannot say)"고 응답해야 할지 결정한다. 채점방법은 각 피검사자의 반응과 많은 사람들의 반응 -특히 염세주의 및 우울증, 건강에 대한 불안, 과도한 정서적 흥분, 비행 및 정신분열증과 편집증 경향 같은 성격 특질을 가지고 있는 사람들의 점수와 비교하는 것이다.

표3-7 성격검사에서 뽑은 문항 사례

맞는다	틀린다	모르겠다	
□	□	□	나는 걱정거리가 남들보다 많다
□	□	□	나는 나 자신이 다른 사람들보다 가정적이라고 생각한다.
□	□	□	나는 스릴을 맛보기 위해서 위험한 짓을 해본 적이 없다
□	□	□	나는 거의 모든 사람이 곤경을 벗어나기 위해서라면 거짓말도 한다고 생각한다.
□	□	□	나는 대부분 행복하게 시간을 보낸다.
□	□	□	나는 기대했던 것보다 더 친절한 사람을 경계하는 경향이 있다.
□	□	□	나의 부모는 내가 불합리하다고 생각한 것조차 복종하기를 강요하곤 했다.
□	□	□	나는 집안에 있으면 마음이 편하지 않다.
□	□	□	나는 잘하지 못하는 게임을 하지 않는다.
□	□	□	나는 어떤 일에 몰두하기가 어렵다

② 상황적 검사들

상황적 검사란, 검사자가 성격의 특정 측면을 부각시키도록 계획적으로 만들어진 상황 속에서 피검사자의 행동을 관찰하는 방법을 말한다. 예를 들면, 피검사자들에게 어려운 기계작업을 부여하고 "협조자들(Helpers)"의 도움을 받도록 한다. 이때 협조자들이란 사실상 대역에 불과하며, 비협조적이고 무례하게 행동한다. 또는 피검사자들에게 질문하는 사람들은 고의적으로 적대 행동을 하며 피검사자의 대답을 믿지 않는 체 한다.

③ 투사적 검사들

투사적 성격 검사들의 가정은 투사라는 방어 기제를 사용하지 않는 사람들에게 투사하기 쉬운 조건을 마련해 주면, 투사와 유사한 정신과정들을 관찰하고 측정할 수 있다는 것이다. 주제통각검사(Thematic Apperception Tests) 또는 약술해서 TAT라고 하는 검사는 피검사들에게 그림 3-14와 같은 그림들을 보여주고 나서, 그 그림들을 살펴보고, 그 그림들에 대한 이야기를 만들어 보도록 함으로써 피검사자가 쉽게 투사할 수 있는 조건을 조성해 주는 방법이다.

그림3-15에 있는 장면은 의도적으로 애매하게 그려진 것이다. 그 그림은 관찰자에 따라서 수

많은 의미를 지닐 수 있다. 따라서 그런 그림에 반응하는 가운데, 피검사자는 자신의 성격 특질의 일부를 투사하기 쉽게 된다. 피검사자가 꾸며낸 이야기는 자신의 동기, 감정, 불안 및 태도를 잘 드러낼 수 있는 요소이다.

TAT 기법은 성취동기를 측정하는데 가장 광범위하고 성공적으로 사용되어온 방법이다. 꾸며낸 이야기 속에 투쟁과 야망이 빈번하고 강렬하게 나타나거나, 반면에 성공에 대한 관심이 거의 나타나지 않거나 하는 경향을 측정하면, 피검사자를 잘 알고 있는 사람들이 판단한 것이 피험자 스스로 자신의 성취동기를 평가한 것보다 훨씬 더 정확하게 피검사자의 성취동기를 파악할 수 있는 방법일 것 같다.

그림3-14 TAT 검사

Roraschach검사는 그림3-15와 같이 잉크 반점을 사용한다. 피검사자들에게 잉크 반점들이 어떻게 보이냐고 물어보면, 대개의 경우 반점들과 연상된 내용을 20개 내지 40개 정도 이야기한다. 이런 반응들은 성격을 드러낸다고 여겨지는 여러 기준에 따라서 채점된다. 예를 들면, 잉크 반점들에 대하여 총체적으로 반응하는 경향은 피검사자가 추상적이고 객관적으로 생각한다는 것을 시사하는 반면 대부분의 사람들이 무시하는 국소 반응을 많이 포착하는 경향은 세부적인 것에 대하여 과도한 관심을 가지고 있다는 것을 시사한다.

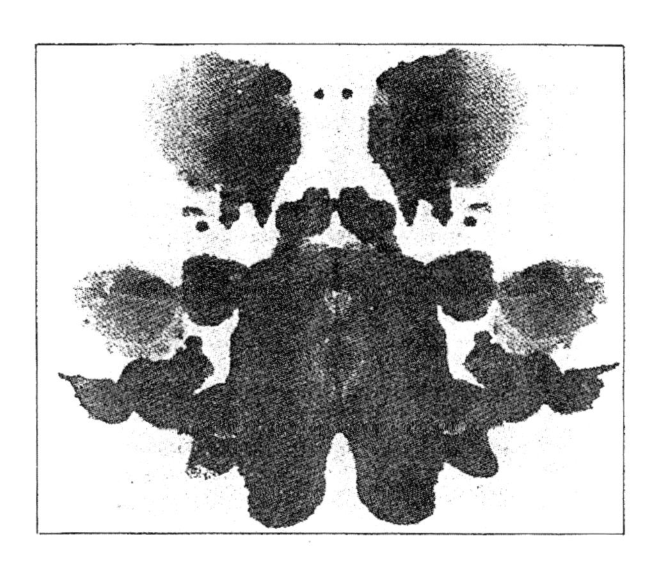

그림3-15 Roraschach 검사

제4장

인간의 생리학적 특성

제1절 / 피 로(Fatigue)

1. 피로의 개념

(1) 생산현장의 피로

피로는 순수한 근육피로만이 아니고 근육과 정신의 결합부분의 시냅스 피로 외에, 대뇌중추의 피로가 있다. 결국, 근육의 피로라 하여도 대뇌의 중추를 침범하는 것으로 보고된다. 인간의 피로를 생각하려면 육체적 피로만이 아니고 대뇌의 작용을 잊지 않아야 한다.

피로의 정도는 실용적으로 표4-1과 같이 구분되지만 ⓑ의 정도를 넘지 않도록 하는 것이 바람직하다.

피로 특징의 하나인 능률 저하는 단지 작업량의 저하만이 아니고, 작업을 많이 처리할 수 있어도 피로가 많아지면 능률상의 문제를 가져 올 수 있다. 능률이 저하하는 형태는 표4-2와 같이 여러 가지의 것이 있다. 또 피로감과 권태감, 생산고, 작업의 정확도와의 관계는 그림4-1과 같다.

표4-1 피로 정도의 분류

ⓐ 그날 중에 회복하고, 다음 날로 넘기지 않는다.
ⓑ 다음 날로 넘기지만 정규 휴일에 의해서 회복한다.
ⓒ 정규 휴일 이외에 휴일을 삽입하지 않으면 회복할 수 없다.
ⓓ 피로, 사고, 착각, 노이로제, 수면불량 등의 나쁜 상태를 일으킨다.

표4-2 능률저하의 유형

ⓐ 작업량의 감소
ⓑ 착각의 증가
ⓒ 작업량의 혼란
ⓓ 작업의 정밀도 저하
ⓔ 단위 작업량에 대한 시간의 연장
ⓕ 작업량에서 보아 활동적·적극적이 되거나 익숙해지는데 시간이 걸린다.
ⓖ 창의, 연구 등을 할 수 없다.
ⓗ 올바른 판단이 되지 않는다.

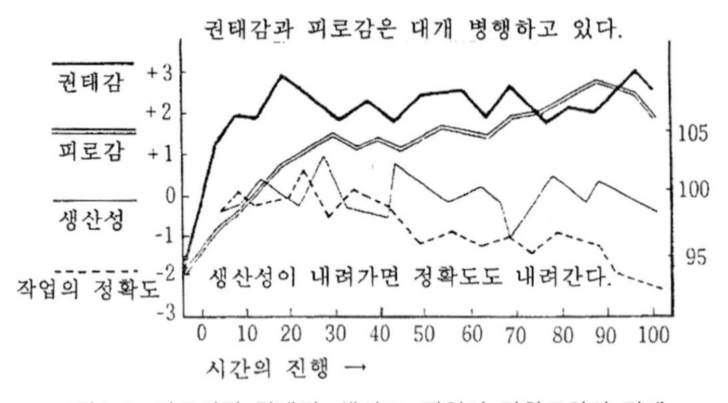

그림4-1 피로감과 권태감, 생산고, 작업의 정확도와의 관계

작업도중에는 많거나 적거나 간에 피로해 진다. 근육의 에너지 소비량이 많아지면 육체피로도 커진다. 작업시간이 길어져도 피로가 늘어난다.

최근에는 에너지의 소모가 많은 육체노동이 감소되고, 정신 피로도가 큰 작업이 늘어나고 있다. 위치를 바꾸는 업무, 자동화에 따른 감시업무, 이상(Trouble)이 발생했을 때 정신적 긴장도 등도 증가하고 있다.

정신적 피로는 뇌에서는 대뇌피질 보다는 대뇌 밑 부위(시상하부 기타)의 피로가 중요하며, 감정이나 의욕의 작용이 특히 영향을 받는다.

육체노동의 피로는 회복하기 쉽지만, 정신피로는 회복하기 어렵다. 어느 피로라도 다음 날로 넘겨버리면 과로에 빠질 위험이 있다.

표4-3 피로의 원인

ⓐ 미 숙 련
ⓑ 수면부족 또는 철야
ⓒ 통근시간이 지나치게 길음
ⓓ 연령이 너무 젊거나 또는 고령일 때
ⓔ 질병에 의한 체력저하가 되어있는 시기 또는 생리일
ⓕ 일 연속작업 시간이 지나치게 길 때
ⓖ 휴식시간의 부족, 휴일의 부족
ⓗ 철야 근무 또는 심야근무의 동시 연속근무
ⓘ 철야 근무 또는 심야근무를 몇 일이나 연속
ⓙ 지나치게 긴 잔업
ⓚ 작업강도가 지나치게 컸음
ⓛ 근무시간 도중의 평균 에너지 대사량이 지나치게 컸음
ⓜ 나쁜 환경(낮은 조도, 공기 중의 CO_2 과잉, 고온, 진동 등)
ⓝ 독물작용
ⓞ 작업조건의 미비(예를 들면, 작업위치가 지나치게 낮거나 지나치게 높은 경우)

과로는 인체의 신체기능을 저하시켜서 작업도중의 긴장감과 작업의 정확도를 떨어뜨리기 때문에 행동하는데 실수를 범하거나 에러를 유발한다. 그 때문에 사고를 발생시킬 수 있다.

피로의 원인으로 생각되는 것은 많지만, 인간공학 연구자인 大島正光씨는 이를 표4-3과 같이 정리하고 있다.

(2) 피로의 정의

호손 실험의 대표적인 연구자인 E. Mayor의 저서 "The Human Problems of an Industrial Civilization(「산업 문명에 있어서 인간문제」)" 중에서 그는 영국의 E. P. Cathcart의 말을 인용해서, 산업피로가 단순한 사실 또는 물건과 대응하는 사항인 것 같이 착각에 빠진다는 것과 산업피로의 정의가 애매하며 명확함이 상당히 부족하다는 문제 및 그 존재는 의심할 여지가 없다는 것이다. 그는 피로를 직접 측정할 수 있는 방법은 존재하지 않으며, 가장 좋은 일반적인 정의는 「작업하는 능력의 감소」라는 것 등의 견해를 표명하고 있다.

P. Chauchard는 그의 저서 "La Fatigue(「피로」)" 중에서 다른 프랑스 학자의 설명을 인용해서 「피로란 과도한 근로에 의해서 일어나며, 일종의 독특한 질병 감이 따르는 육체의 기능감퇴」(래그랜쥬), 「피로는 생체를 방어하는 일반적인 형상이며 그 특징은 조직 또는 피로를 느끼는 생체의 흥분성이 감쇠 내지 상실」(쉐리 벨)이라고 하며, 또 피로가 진행된 병적인 과로는 「기능적인 장해의 상태로부터 기질적(器質的)인 장해로, 가역적(可逆的)인 변화로부터 불가역적인 변화

로 진행한 상태이며, 가장 위험하고 또한 정상적으로 방어하는 작용을 발휘하기 불가능하게 하는 것은 시상하부(視床下部)성 전신성 신경계의 평형을 잃어버린 것이다. 신경성을 조정하는 작용이나 호르몬 성질을 조정하는 작용에 의한 평형이 일반적으로 일정한 방향으로 기울면, 항상성을 유지하고 있었던 기관(器官)은 끝내는 장해를 받게 된다」고 하는 의미로 표현하여 **과로**를 다시 「병적인 피로와 정상적인 피로와의 사이에는 점진적으로 깨닫고 느낄 수 없이 옮겨간다」거나, 「정상적인 피로에서는 피로가 일어나면 육체는 휴식을 요구해서 회복을 도모한다. 그런데 병적인 피로인 경우에는 마음이 초조해져서 휴식을 취할 수 없다」고 설명하였다. 여기서는 과로의 개념으로서 생물학적인 관점에서 생체가 방어하는 임기응변, 생체기능 내지 흥분하는 성질의 감소와 쇠약, 신경성・호르몬성 조정에 의한 평형의 조화를 잃어버린다는 사고방식을 취하고 있으며, 또 설명하는 가운데 피로한 느낌들도 결부시켜서 생각을 하고 있었다.

이번에는 일본의 피로 연구에 관하여 살펴본다. 大島는 그의 저서 「피로의 연구」에서 피로를 정의하면서 연대별 정의를 요점이 분명하게 서술하고 있다. 暉準의 「산업피로」 중에서 「산업피로는 하나의 집단적인 피로의 문제이며 생물학적인 현상임과 동시에 또 경제적, 사회적인 현상」으로 정의하고, 뒷 부분에 그 생물학적인 이해로서 **과로**를 「인간의 건강상태를 유지하고 있는 생리적인 기능체계 사이의 균형이 깨어져 수일 밤의 휴식에 의한 수면이나 수일의 휴양으로는 회복이 불가능한 상태」라고 하거나, 진행성인 피로를 동질정체 붕괴(Homeostasis Cannon) 즉, 생존하는 목적을 완수하기 위한 기구의 조정이 취해지지 않은 상태」로 간주하고 있었다. 大島는 「피로 그것은 어디까지나 직접적인 계측의 대상이 되는 것은 아니고, 주로 주관적으로 느끼어 객관적으로 계측되는 여러 가지 현상, 작업내용의 변화 등을 근거로 해서 추상화되는 하나의 약속된 개념」이며, 생체의 현상으로서는 「생체에서 어떠한 변화가 있어서 탈기능화 (Disfunction), 탈조직화(Disorganization) 등으로 총괄할 수 있는 것」이며, 이 경우 「인간의 생리적인 활동의 변화, 작용의 변화, 물질변화, 주관적인 호소, 능률의 변화 등을 초래하는 것」으로 정의하고 있다.

지금까지 외국의 학자, 특히 생리학자의 피로에 대한 이해와 해석을 기술했지만, 기본적인 내용은 큰 차이가 없었다.

산업피로, 특히 현재 산업사회에 있어서 피로의 사회적인 관련성 즉, 인간성 파탄이나 인격분열과 같은 산업피로의 사회 병리학적인 측면을 특히 심리학자인 桐原은 중시하고 있었다. 桐原은 「피로감은 특히 그것이 작업자 개개인의 기분에 영향이 미치게 되면 동작이나 판단을 둔하게 하며, 또 나아가서는 직장에서 인간관계의 명랑한 적극성을 파괴하여, 단체 활동에 있어서 행동의 단합을 방해하며, 그 영향은 직장 내에 계속 된다. 그리고 그 여파는 반드시 가정이나 사회에까지 영향을 미친다. 따라서 근로자의 불안이나 초조한 마음은 사회생활을 잘 감당할 수 없게 할 수 있다」라고 주장하였다.

중근 노동이 산업피로의 중요한 원인이 되고, 에너지의 소비나 육체노동의 강도가 중요한 지표가 되었던 과거 시대에서 기술혁신과 대량생산의 시대로 발전하면서 산업피로는 생물학적으로는 이것을 정신신경성 피로의 문제로 볼 수 있음과 동시에, Chauchard의 설명과 같이 기본적으로는 고도 산업사회, 현대의 관리사회에 있어서 인간성의 자유 문제와 깊은 관련이 있음을 부인할 수 없다. 그러므로 현대 산업피로의 규명과 이해를 위해서는 기계 외의 생산의 모든 조건과 현실의 근로와 관련 된 생산의 제반 요인들 하에서의 인간성의 과학적인 각 측면 - 피로감으로부터 관계되는 심적인 태도, 작업동작, 생체내의 변화, 밖으로 나타난 작업행위의 달성도, 노무관리에 대한 정(+)・부(-)의 방향의 태도・상태, 사회적인 현상 등 - 을 상호 관계에 따라 고려해 보는 것과, 그러한 고려를 바탕으로 각 현상의 의미를 고찰하여 종합적으로 이해하고 평가를 시도해 보는 것이 최선의 방향이다.

(3) 과로란

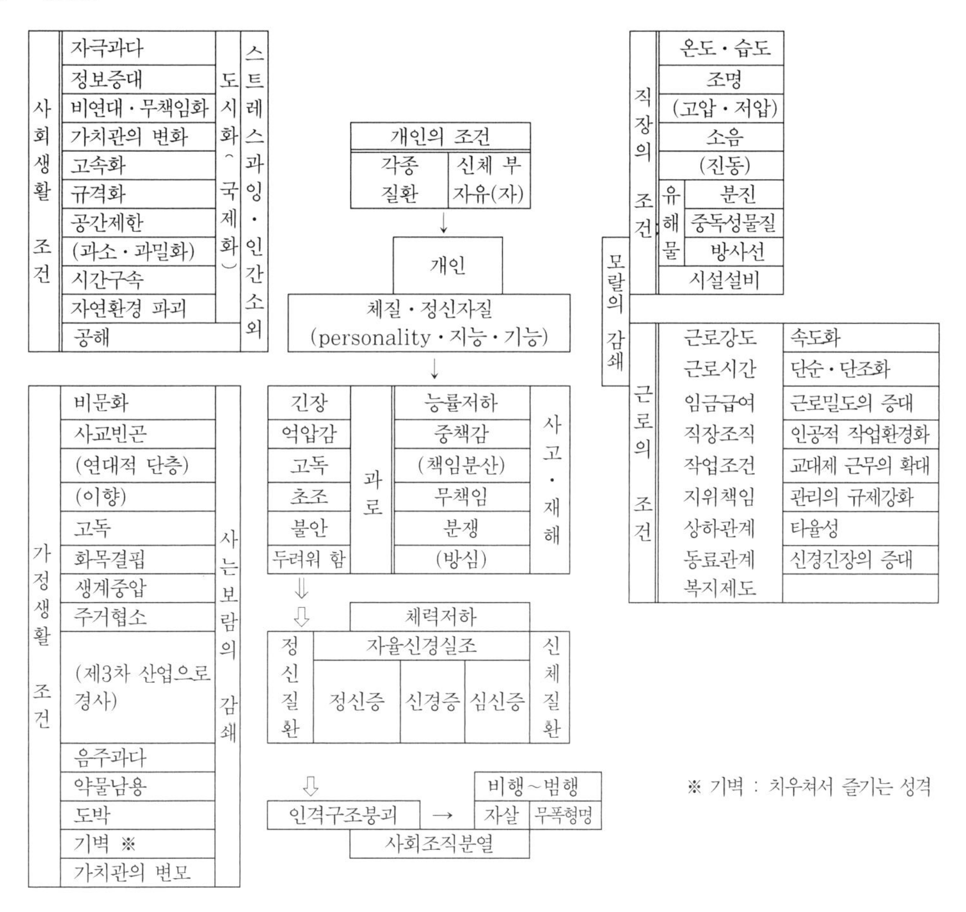

그림4-2 과로에 의한 모든 조건과 사후의 결과

그림4-2는 근로 조건과 과로에 대한 제반 조건을 나타낸 것이며, 이러한 조건들은 인간을 과로한 상태로 빠지게 한다. 과로는 다시 사고를 발생시키고, 질병과 그리고 인격 구조의 붕괴를, 최종적으로는 사회조직의 분열을 결과적으로 초래할 수 있다는 것을 그림으로 보여주고 있다.

2. 피로조사의 방법과 의의

(1) 피로조사의 의의

피로조사의 의의는 문제가 되는 피로의 징후를 감지해서 그것을 초래하는 부하조건을 찾아내는 것이다. 산업피로에 관한 연구는 노동 부담의 문제점을 지적하고 대책을 수립토록 하는데 초점을 두고 있다.

(2) 피로와 관련된 근로의 제 요소

피로가 문제가 되는 사항은 일반적으로 생리적인 기능의 변화 범위를 벗어나는 경우이다. 그러나 생리적인 범위 내에 있어서도 건강을 유지하고 증진하는데 지장이 되는 신체적・심리적인 고통을 강요하는 것, 개인의 근로와 휴양의 생활 주기를 무너뜨리는 것은 가급적 피해야 한다. 또 매일의 휴식으로 인해 피로가 회복되고 있는 것 같이 보이면서도 장기간의 근로를 통하여 작업방법 불량으로 서서히 누적되어서 병적인 증상으로 발전하는 피로도 있다. 피로의 요인이 되는 근로의 모든 요소는 근로자 생활 전체에 걸쳐서 검토할 필요가 있으며, 그중 중요한 사항을 제시한다면 다음과 같다.

① 작업내용

각 작업요소에 대해 육체적인 강도와 정신적인 강도의 양면을 고려해야 한다. 전자는 에너지 대사량으로 대표되는 동적인 근 부하 요소와 중량물을 들어올리는데 대표되는 정적인 근 부하의 요소가 있다. 낮은 속도의 작업에서는 특정한 신체부분에 동적인 부하가 과격하게 나타나며, 자세를 유지하기 위하여 정적인 부하가 추가된다. 부자연스런 자세가 강요되는 경우에는 전신적인 정적부하가 문제가 된다.

② 작업환경조건

조명, 소음, 환기, 고열 또는 한냉 , 유해물질 폭로 등이 해당된다. 특히 온열환경은 계절에 따라 다르며, 신체적인 작업강도의 강약에 따라 의미를 달리하는 등 노동 부담의 요소로서 고려할 사항이다. 작업공간, 동작 반경, 작업대, 의자, 작업공구 등도 작업과 관련하여 환경조건으로서 의미가 있다. 그 외에 직장 내의 대인관계 등도 중시되고 있다.

③ 근무제도

근무에 의한 노동시간, 연속 작업시간과 휴식시간의 길이 및 배분, 작업 여유율과 실제 노동 비율, 휴일이나 휴가제도, 교대제 근무제도 등이 관계된다. 특히, 불규칙한 근무나 교대제 근무는 노동부담이란 측면에서 중요한 영향을 미친다.

④ 생활조건

통근조건, 주거, 가정생활, 생활수준, 수면 등 휴식을 취하는 방법, 여가・자유시간의 활용방법 등 근무 외의 생활 조건도 노동부담의 관계를 좌우하며, 피로에 영향을 미친다. 통근은 반 구속 시간에 해당되며 근무 구속 시간과 합계한 총 시간이 휴양생활을 제한하고 있다. 피로가 발생하는 방법과 휴양이 표리의 반대관계에 있다는 것을 생각하면, 생활조건이 중요한 노동부담의 요소가 된다는 것을 이해할 수 있을 것이다.

⑤ 노동 적응능력과 습관화

근로자 개인별 적응능력, 특히 기초 체력과 영양상태, 심리적 적응, 지식, 기능, 익숙해져 습관이 되는 등의 조건이 다를 경우에 이런 요인들과 근로에서 요구하는 수준과의 관계에 따라서 근로의 부담이 달라진다.

(3) 피로를 조사하는 순서

① 피로조사의 준비

피로 조사가 기획되는 것은 대개의 경우 ① 근로조건의 비교・평가, ② 근무제도 기타 근로조건・생활조건의 개선, ③ 근로자의 건강관리 등을 목적으로 한다. 그 목적에 따라서 조사를 하는 순서도 다르지만, 어느 것이나 공통되는 사항은 피로의 특징을 근간으로 하여 진행한다는 것과, 근로에 부담이 되는 요인까지 폭넓게 검토해야 한다. 조사 목적이 결정되면 선택하여야 할 피로의 특징과 근로에 부담되는 요인을 결정한 후 조사계획을 진행하게 된다.

사전에 구비해야 할 구체적인 자료는 그 직장의 작업내용, 작업환경, 근무제도, 생활조건, 집단의 특성에 관계되는 피로 호소와 의견 등을 들 수 있다. 이러한 자료에 근거해서 근로에 부담되는 요인이 무엇인지를 대략적으로 추측한 뒤 피로조사 절차에 따라야 할 것이다.

② 조사의 항목

피로조사의 항목은 소위 기능검사에 국한 시켜서는 안 된다. 근로 부담 요소에 대한 개괄적인 자료가 있어야 하며 비교적 장기적으로 부하(負荷)가 주어지는 상황에서 일어나는 작업 능률의 변화에 주목하여 조사를 실시한다. 일례를 든다면 다음과 같은 조사항목의 전체가 하나의 피로를 조사하는데 필요하다.

㉮ 작업실태의 관찰

㉯ 휴양 생활조건의 조사

㉰ 자각적 피로의 조사

㉱ 현장 통계자료의 점검

㉲ 기능측정

③ 피로조사에서 기능측정

㉮ 대상자의 선정

㉯ 측정하는 시점과 일 수

㉰ 측정 장소

㉱ 측정 항목의 선정

a. 작업의 부하정도를 추정하는 것

b. 작업 특성을 파악하는 것

c. 생리적 심리적 기능이 변동되는 경과를 측정하는 것

d. 내부 환경의 변동, 대사 산물을 측정하는 것

㉲ 측정 결과의 처리와 결과정리를 하는 방법

3. 피로조사의 기능측정방법

피로 조사에는 각종 생리・심리적인 기능의 조사가 많다. 기능 검사는 매일의 생활 중에 나타나는 피로의 일면을 보는 것에 불과하지만, 객관적으로 포착하는 체내 변화의 지표로서 작업 행동 기록과 함께 이전부터 측정항목으로 이용되어 왔다. 체내변화는 다양하게 피로한 성질의 행동・동작의 변화, 자각되는 피로나 생활・건강에 대한 영향 등과 관련하여 검토가 필요하며 피로의 징후로서 이용된다.

측정하는 기법으로서 기능을 측정하는 방법에는 그 나름의 특수한 방법이 사용되기 때문에, 이 절에 정리하였다. 주로 활용되는 기법은 연속 측정방법, 기능 검사방법, 생화학적 검사방법으로 대별되며, 각각에 대해서 현재 사용되고 측정항목을 중심으로 요약, 설명토록 한다.

(1) 연속 측정방법

① 심장 혈관기능 측정

② 호흡기능 측정
③ 근 활동측정
④ 안구운동 측정
⑤ 뇌파 측정
⑥ 피부저항 · 피부 전위측정
⑦ 체온 · 피부온도 측정
⑧ 작업행동 기록

(2) 생리, 심리적 기능검사 방법

여기서는 작업자에 대한 일정한 검사를 실시하고 그 검사 결과의 추이로부터 피로의 징후를 파악하려고 하는 것이 포함되며, 각종 검사방법들이 제안되고 있다. 일부 반사기능 측정 등을 제외하면 검사를 받는 사람에게 일정한 과제를 부과하여 응답을 구하는 방법이 취해진다. 따라서 연속측정 방법과 달리 작업시간 외에 추가의 시간이 요구되며, 또 검사를 받는 사람은 익숙해질 필요가 있다. 검사방법의 선택은 조사의 목적에 따라서 다르며 조사 연구자의 사고방식에 따라서도 상당히 달라질 수 있다. 그러나 과거의 조사 사례를 살펴보면, 검사방법이 비교적 한정되어 있어서 이러한 검사방법들을 살펴보기로 한다.

① 인지 식역치

시각 · 청각 · 촉각 등 인간의 감각에는 자극의 강도, 형태, 또는 제시하는 시간 등이 그 자극을 인지할 수 있는 범주인지 아닌지의 경계가 되는 "역치(threshold : 한계 값)" 가 존재한다.

피로 조사에는 시각 자극에 대한 인지시간, 가까운 점의 거리, 동체 시력 등이 이용되고 있다.

② 변별식역치

어떤 자극 특성에 대해서 근소하게 다른 2개의 자극을 동시에 또는 계속해 주었을 때, 그것을 구별할 수 있는가 없는가의 한계를 변별식역치 라고 한다. 간신히 이해할 수 있는 자극의 차이라는 의미에서 바로 알 수 있는 차이(just noticeable difference)라고도 한다. 변별식역치는 특정한 감각 자극에 대한 한계 값이지만, 변별 자체는 대뇌 피질을 포함한 고차원 중추에서 실행하고 있고 지각기능의 지표로서 피로조사에 응용되고 있다.

③ 프리커(Flicker) 검사

빛을 단속시켜서 그것이 연속되는 빛(光)으로 보이는지, 단속되는 빛(光)으로 보이는지의 경계의 변별 한계 수치를 그때의 단속 횟수(Hz)에 의해 나타낸 것이 프리커(Flicker) 값(시각적 피로도 수치)이다. 프리커(Flicker) 값이 높다는 것은 그만큼 깜박거림의 변별이 쉽게 잘 이루어지고 있다는 것을 의미한다. 생리적인 조건 하에서 프리커(Flicker) 값의 높낮이는 대뇌 피질의 활동 수준과 대응하는 사항이다.

그것은 뇌의 전기 활동에서 보아 융합한계 값보다도 높은 빈도의 깜박거림에 대응한 임펄스(impuls : 충격 전류)가 대뇌피질에 까지 도달하고 있어 피질에서 깜박거림의 융합이 일어난다고 생각되는 것과 뇌간 망상체 등 뇌에 활력을 주는 작용에 의해서 대뇌피질의 활동수준이 올라갔을 때 깜박거림에 대한 융합한계 값도 상승한다는 것 등을 근거로 하고 있다. 직접적으로는 시지각 검사방법이지만, 일반적으로는 대뇌피질 기능의 하나의 지표로서 피로를 판정하는데 응용되고 있다.

프리커(Flicker) 값은 특히 광점의 밝기에 따라서 크게 변화되지만, 그 사람의 프리커(Flicker) 값이 어느 정도 변화해 가는가를 해석하는 것에 보다 의미가 있다. 일반적으로 작업의 진행에 따라서 서서히 저하되는 경향을 나타내며, 특히 졸음이 있을 때나 초저녁으로 부터 야간에 걸쳐서 저하 경향이 현저하다. 산소부족 실험 등에서는 통상의 수준에 비해 10~20% 정도 더 저하되며, 결과적으로 프리커 값이 빨리 저하되고 있는 상태에서는 작업을 수행하는데 지장이 발생한다고 할 수 있다.

④ 협응동작 검사

⑤ 자율신경 기능검사

⑥ 정신작업 검사

⑦ 반응시간

어떠한 자극을 제시하고 여기에 대한 반응이 발생하기까지의 소요시간을 반응시간이라 한다. 하나의 자극만 제시되고 여기에 반응하는 경우를 단순 반응, 2가지 이상의 자극에 대해 각각에 대응하는 반응을 고르는 경우를 선택 반응이라 한다. 통상 되도록 빨리 반응동작을 일으키도록 지시되어 최대의 노력을 해서 반응했을 때의 값으로 계측된다. 이 값은 대뇌중추의 상태를 파악할 수 있도록 해준다.

반응시간의 특성 : 반응시간은 여러 가지 조건에 따라 상당한 변동을 나타낸다. 먼저 시각, 청각, 촉각의 자극별 반응시간을 비교하면, 청각 자극의 반응시간이 가장 빠르다. 이는 자극의 강도, 크기에도 관계되며 시각과 청각 자극 모두 자극하는 강도의 저하는 반응시간의 연장을 초래한다. 그리고 다른 여러 요인들이 반응 시간에 영향을 미친다.

(3) 생화학적 기능검사 방법

피로검사 중 생화학적 기능검사법은 소변, 혈액, 타액들을 시료로 채취해서 화학적, 이화학적 수법에 의해서 그 성상이나 함유 물질 등에 대해서 정성・정량 분석함으로써 피로현상이나 작업에 수반하여 나타나는 신체기능의 변화(생체부담)와 물질 대사의 측면을 추정하려고 실시하는 것이며 그 상세한 설명은 본서에서는 생략한다.

4. 동작연구 · 시간연구에 의한 방법

동작연구・시간연구는 원래 주로 작업방법의 표준화와 개선을 도모하기 위해 사용되어온 방법이다. 이 방법은 작업자의 행동, 동작, 결과(Output) 등을 객관적으로 기술하려는 것이 주목적이며 이 방법을 장시간 계속하는 경우 피로를 판정하는데 필요한 자료를 얻을 수도 있다. 측정 수법에는 다음과 같은 방법들이 응용된다.

(1) Cycle Graph방법

작업을 하는 사이에 측정 점이 되는 신체의 부위(손, 팔, 어깨, 허리, 발, 머리 등)에 소형 전구를 부착해 두고, 일정한 시간 셔터를 개방한 카메라를 사용해서 이들의 작업을 촬영한다.

(2) 연속 사진방법

8㎜나 16㎜ 또는 비디오에 의해서 연속적으로 작업 상태를 촬영하는 방법이다. 이동이 많은 작업이나 협동 작업에 적합하며, 자료를 얻는데 그다지 노력이 들지 않지만, 자료의 정리・판정에는 어려움이 따른다. 이 방법에서는 작업과 그 주위의 분위기를 포착할 수도 있으므로 시간분석의 보조자료로서 같이 쓰는 것이 바람직하다.

(3) Memo Motion방법

이 방법은 예를 들면, 매분 60장면의 속도로 촬영, 기록한다는 것이다. 이 수법도 실시는 용이하지만 결과의 정리・판정에 곤란이 따른다.

(4) 시간분석

관측하려고 하는 요소 작업 또는 동작을 시간・빈도로 측정하는 것이 이 방법의 기본이다. 간단한 방법으로는 초시계(Stopwatch)를 사용해서 요소 작업의 소요 시간을 계측하고, 그 사이 동작내용을 아울러 기록한다. 요소작업이 많거나 복잡하게 동작이 바뀌는 경우에는 미리 여러 개의 요소 작업이나 동작으로 나누어 관측하도록 한다. 예를 들면, 요소 작업의 수 또는 동작 수에 대응하는 갯 수의 초시계를 준비하고, 그것을 전자식 계산기에 연결해서 계측한 결과를 프린터를 사용하여 인쇄할 수 있도록 해두면 관측자는 대상자로부터 눈을 떼지 않고 관측할 수 있으므로 보다 정밀한 결과를 기대할 수 있다. **표4-4**는 상기 방법을 사용해서 세탁기의 본체 결선 작업을 분석한 사례이다.

표4-4 작업시간분석의 일예

	평균소요시간	표준편차	소요시간의 변동율
작업 개시 후 60분간	42.1 초	5.0	0.12
주식 휴식 전 60분간	43.2 초	5.0	0.11
주식 휴식 후 60분간	47.0 초	5.9	0.13
작업 종료 전 50분간	43.6 초	5.9	0.13

기타 작업량이 시간 경과에 따라 증가나 감소를 보이거나, 작업량을 날짜 경과에 따라 변화 실태를 살펴보거나, 작업 실수를 시간경과별 변화 조사를 하거나, 자발적인 휴식 횟수를 시간이 경과함에 따라 추적하는 방법도 효과가 있을 것이다.

어느 쪽이든 이들의 수법에 정형적(定型的)인 방법은 없기 때문에 실시할 대상이 되는 작업을 충분히 예비 관찰한 뒤 효과적 관찰 기법과 수단을 여러 모로 연구할 필요가 있다.

5. 자각증상에 의한 방법

피로를 검사하는 방법에는 앞에서 설명한 것들 이외에 피로감에 의한 방법이 있다. 피로감은 주관적(主觀的)인 것이어서, 꺼려했던 경향이 있지만, 피로란 말은 원래 「지쳤다」라고 하는 작업자의 체험을 근거로 하는 것이므로, 피로감을 무시하는 것은 작업의 핵심에서 벗어나는 것이 될 것이다. 피로감을 조사하는 방법으로서 종래 널리 사용되어 온 것은 「자각적인 증상 조사표」가 있다. 여기에 대해서는 이미 「판정 기준」이 제안되고 있지만, 조사표 항목의 내용 및 항목 분류에도 여러 문제가 있다는 것이 판명되었고, 인자분석에 의해 항목을 제 분류한 개정 작업을 통해 새로운 「자각증상 조사표」가 작성되었다.

인자구조에서 볼 때 피로의 증상은 **그림4-3**에 제시한 바와 같이 Ⅰ, Ⅱ, Ⅲ의 3무리로 분류하는 것이 제시되었다. Ⅰ은 「졸음이 와서 나른하다」, Ⅱ는 「주의를 집중하기 곤란」, Ⅲ은 「일부 개소에 있는 신체의 상태가 평소와 다른 느낌」의 증상으로 생각되고 있다. Ⅰ 무리는 「졸음이 와서 나른하다」고 하는 것과 같이 자세히 보면 「졸리다」, 「하품이 난다」고 하는 것과 같은 「졸음」의 집단과,

「전신이 나른하다」, 「발이 나른하다」고 하는 것과 같이 「나른함」 집단으로 나누어진다. 그러나 위와 같이 2가지로 나눌 수 없는 직종도 있기 때문에 하나의 공통 집단으로 간주하는 쪽이 좋다고 생각된다. Ⅱ무리의 증상은 「정신적인 증상」으로 해서 분류된 것이며, 인자구조에서 보면 직종, 조사시점을 통해서 구성하는 항목이 가장 안정되어 있다. Ⅲ무리는 이상의 두 집단에 비해서 해석이 곤란한 증상으로 되어 있고, 구성항목도 안정되어 있지 못하다. 증상이 「아프다」, 「뻐근하다」고 하는 것과 같이 분명하며 국소적인 것이라는 것이 특징이다. Ⅰ무리가 「나른하다」고 하는 것은 당연히 불쾌감을 나타낸 항목이라는 것과 대조적이다.

No.

자 각 증 상 조사

성명

19 년 월 일 오전 오후 시 분 경 기입

오늘의 근부

현재 당신의 상태에 대해서 듣고자 합니다

다음과 같은 사항이 있다면 ○ 없을 때는 × 의 어느 것을 □ 안에 반드시 표시해 주시오.

Ⅰ			Ⅱ			Ⅲ		
1	머리가 무겁다		11	생각이 잘 정리되지 않는다		21	목이 아프다	
2	전신이 나른하다		12	말하기 싫어진다		22	어깨가 뻐근하다	
3	발이 나른하다		13	침착할 수 없다		23	허리가 아프다	
4	하품이 난다		14	마음이 산만하다		24	답답하다	
5	머리가 멍청해 진다		15	일에 집중할 수 없다		25	입이 마르다	
6	졸리다		16	어떤 것이 생각나지 않는다		26	목이 쉬었다	
7	눈이 피로하다		27	일에 잘못이 많아진다		27	어찔어찔하다	
8	동작이 어색하다		18	여러 가지 일이 걱정된다		28	눈꺼풀, 근육이 실룩거림	
9	자세가 불안하다		19	깔끔하게 할 수 없다		29	손발이 떨린다	
10	눕고 싶다		20	끈기가 없어진다		30	기분이 나쁘다	

그림4-3 자각증상 조사표

(1) 조사방법

조사할 때는 작업하기 전, 추후 작업하는 도중 몇 개의 시점에서 대상자에게 이 조사표를 건네주고, 항목의 전부에 대해 ○인가 ×인가를 기입하게 한다. 조사할 때는 되도록 이 번호 앞에 연습하는 일자를 설정하여 대상자에 충분히 실시하는 방법을 주지시킨다. 조사표에 기록되어 있는 바와 같이 최근 이와 같은 증상이 있었던 것을 기입하는 것이 아니고 「현재의 상태」를 기입할 것을 철저하게 주지시킨다. 조사 시점은 적어도 식전, 식후 등과 같이 휴식시간이 많은 전후에 실시하는 것이 바람직하다.

(2) 결과의 처리방법

결과는 「호소하는 비율」을 사용하여 표시한다. 먼저 30개 항목의 각각에 대하여 호소하는 비율을 다음 식을 사용해서 구한다.

$$\frac{\text{항목에 대한 대상집단의 ○표시의 총수}}{\text{대상집단의 연인원수}} \times 100$$

연 인원수란 조사인원×조사일수이다.

다음은 Ⅰ, Ⅱ, Ⅲ의 각 증상무리의 호소하는 비율을 산출하지만, 이를 위해서는 각각의 증상무리에 속하는 10개 항목의 호소하는 비율을 평균하면 된다. 끝으로 Ⅰ, Ⅱ, Ⅲ의 3가지 증후무리의 평균 호소하는 비율(즉 30개 항목 전체에 대해 호소하는 비율)을 산출한다. 이들의 「호소하는 비율」을 직종별, 남녀별, 근무별, 조사 시점별 등에 대해서 산출한다.

표4-5 자각증상의 3가지 양상이 출현하는 빈도

T	N	Pattern		
		Ⅰ〉Ⅲ〉Ⅱ	Ⅰ〉Ⅱ〉Ⅲ	Ⅲ〉Ⅰ〉Ⅱ
0~4.9%	17	5	0	12
5.0~ 9.9	59	35	1	23
10.0~14.9	43	28	7	8
15.0~19.9	39	33	3	3
20.0~24.9	35	28	6	1
25.0~29.9	23	15	8	0
30.0~34.9	17	13	4	0
35.0~59.9	17	10	7	0

(3) 결과판정의 방법

이 「자각증상 조사」를 사용하는 경우의 「판정기준」에 대해서는 아직 제안되어 있지 않지만, 지금까지의 조사한 사례에서 보아 특징적인 것들을 제시해 둔다. 먼저 30개 항목의 총(Total) 호소하는 비율(이것을 T로 표시한다)의 대소에 의해서 증상무리의 호소된 비율의 순서에 관계되는 양상(Pattern)이 변화된다. 표에 제시한 바와 같이 대개의 경우는 호소된 비율의 순서는 「Ⅰ〉Ⅲ〉Ⅱ」라는 양상을 나타내지만, T가 큰 경우에는 「Ⅰ〉Ⅱ〉Ⅲ」라는 양상(Pattern)이 비교적 우세하며, T가 작은 경우에는 「Ⅰ〉Ⅱ〉Ⅲ」이란 양상(Pattern)이 우세하다. 이 「Ⅰ〉Ⅱ〉Ⅲ」의 양상은 정신작업의 경우나 야근 뒤의 경우에 많이 출현되며, 「Ⅲ〉Ⅰ〉Ⅱ」의 양상은 육체작업인 경우에 많이 나타난다. 이 3가지 양상(Pattern) 이외의 표시 방법은 존재하지 않는다. 또 Ⅰ/T의 비율은 T의 대소에 관계없이 거의 1.5가 되지만, Ⅱ/T는 T가 커지는데 따라서 증가하며, Ⅲ/T는 반대로 감소하는 경향을 나타낸다. 이와 같은 사항에서 Ⅰ무리는 「일반적」인 증상, Ⅱ무리는 「아주 지치는」 것을 나타내는 증상이라고 생각할 수 있을 것이다.

표4-6(1) 작업형태별의 호소하는 율

작 업 형 태		육체작업자(남자)		정신·신경작업자(남자)		사무작업자(여자)	
조 사 시 점		작업 전	작업 후	전	후	전	후
항 목	연 인원수	1788명	1787명	598명	594명	1207명	1177명
I	1. 머리가 무겁다.	12.9%	20.1%	12.0%	21.9%	19.6%	34.8%
	2. 전신이 나른하다.	7.6	20.7	15.2	16.3	22.1	33.0
	3. 발이 나른하다.	15.5	42.1	13.0	23.1	21.9	34.4
	4. 하품을 한다.	7.5	12.1	11.7	21.9	17.8	19.9
	5. 머리가 멍청해 진다.	7.2	13.0	18.4	26.4	27.3	41.5
	6. 졸리다.	9.8	7.6	34.6	28.6	41.6	31.0
	7. 눈이 피로하다.	10.5	33.3	17.7	54.0	31.8	77.4
	8. 동작이 어색하다.	2.5	6.9	3.0	5.9	3.1	7.3
	9. 자세가 불안하다.	2.0	7.4	3.2	4.2	3.3	4.6
	10. 눕고 싶다.	4.5	12.9	7.2	16.2	13.4	21.8
	I의 평균	8.0	17.6	13.6	21.9	20.2	30.6
II	11. 생각이 정리되지 않는다.	1.8	3.7	5.2	9.9	5.8	9.2
	12. 말하기 싫어진다.	2.5	6.5	2.0	6.2	6.3	12.5
	13. 침착할 수 없다.	3.1	7.4	3.7	9.9	5.8	15.3
	14. 마음이 산만하다.	3.4	7.2	2.5	11.4	8.2	14.7
	15. 일에 열중할 수 없다.	1.8	4.9	4.5	10.8	7.7	13.3
	16. 어떤 것이 생각나지 않는다.	4.9	7.7	7.2	8.8	4.2.	8.2
	17. 일에 잘못이 많아진다.	1.0	2.8	1.7	5.7	2.2	8.0
	18. 여러 가지가 걱정된다.	4.8	5.8	5.2	8.8	7.6	9.6
	19. 깔끔하게 할 수 없다.	2.2	5.3	2.0	7.4	3.1	6.2
	20. 끈기가 없어진다.	2.7	12.1	5.4	17.7	5.6	17.8
	II의 평균	2.8	6.3	3.9	9.7	5.7	11.5
III	21. 머리가 아프다.	4.5	9.2	4.0	8.1	12.8	26.0
	22. 어깨가 뻐근하다.	24.7	47.4	18.4	32.2	36.2	63.2
	23. 허리가 아프다.	20.8	42.4	6.9	12.0	8.9	17.9
	24. 답답하다.	3.9	7.2	1.5	2.5	4.0	5.1
	25. 입이 마른다.	22.5	39.8	15.1	28.5	15.9	25.2
	26. 목이 쉬었다.	4.5	12.6	4.2	13.8	7.5	8.8
	27. 어지럽다.	2.3	5.5	0.8	1.9	3.9	6.5
	28. 눈꺼풀 근육의 경련	3.5	8.7	4.2	9.1	4.1	11.5
	29. 손발이 떨린다.	2.5	6.7	1.7	3.7	2.2	5.8
	30. 기분이 나쁘다.	3.2	6.3	2.2	3.2	8.0	12.3
	III의 평균	9.2	18.6	5.9	11.5	10.4	18.2
Total		6.7	14.2	7.8	14.4	12.1	20.1

표4-6(2) 교대 근무자의 근무 직별 호소하는 율

근무직*		1 근무직		2 근무직		3 근무직	
조 사 시 점		작업 전	작업 후	전	후	전	후
항 목 \ 연 인원수		62명	62명	71명	71명	66명	66명
I	1. 머리가 무겁다.	27.4%	35.5%	25.4%	33.8%	43.9%	51.5%
	2. 전신이 나른하다.	19.4	51.6	22.5	39.4	43.9	75.8
	3. 발이 나른하다.	35.5	64.5	31.0	66.2	57.6	77.3
	4. 하품을 한다.	24.2	33.9	4.2	28.2	30.3	65.2
	5. 머리가 멍청해진다.	25.8	50.0	23.9	38.0	51.5	81.8
	6. 졸리다.	33.9	37.1	12.7	35.2	50.0	92.4
	7. 눈이 피로하다.	38.7	59.7	32.4	66.2	50.0	92.4
	8. 동작이 어색하다.	12.9	24.2	2.8	16.9	4.5	50.0
	9. 자세가 불안하다.	8.1	22.6	4.2	12.7	3.0	27.3
	10. 눕고 싶다.	4.8	21.0	8.5	29.6	19.7	74.2
	I의 평균	23.1	40.0	16.8	36.6	35.4	68.8
II	11. 생각이 정리되지 않는다.	9.7	12.9	12.7	12.7	7.6	33.3
	12. 말하기 싫어진다.	3.2	11.3	2.8	4.2	-	24.2
	13. 침착할 수 없다.	4.8	17.7	7.0	19.7	10.6	36.4
	14. 마음이 산만하다.	19.4	25.8	9.9	25.4	22.7	48.5
	15. 일에 열중할 수 없다.	8.1	14.5	5.6	19.7	4.5	31.8
	16. 어떤 것이 생각나지 않는다.	6.5	12.9	11.3	16.9	15.2.	31.8
	17. 일에 잘못이 많아진다.	4.8	11.3	2.8	7.0	-	19.7
	18. 여러 가지가 걱정된다.	1.6	6.5	14.1	16.9	1.5	18.7
	19. 깔끔하게 할 수 없다.	1.6	9.7	5.6	16.9	-	25.8
	20. 끈기가 없어진다.	12.9	24.2	8.5	33.8	22.7	50.0
	II의 평균	7.3	16.7	8.0	12.3	8.5	32.0
III	21. 머리가 아프다.	11.3	14.5	14.1	22.5	15.2	27.3
	22. 어깨가 뻐근하다.	37.1	50.0	36.6	62.0	65.2	72.7
	23. 허리가 아프다.	40.3	74.2	29.6	47.9	43.9	69.7
	24. 답답하다.	8.1	25.8	5.6	21.1	21.2	31.8
	25. 입이 마른다.	54.8	80.6	45.1	60.6	66.7	83.3
	26. 목이 쉬었다.	25.8	38.7	19.7	21.1	25.8	39.4
	27. 어지럽다.	3.2	14.5	5.6	14.1	6.1	21.2
	28. 눈꺼풀 근육의 경련	14.5	27.4	14.1	19.7	21.1	31.2
	29. 손발이 떨린다.	11.3	33.9	8.5	22.5	10.6	19.7
	30. 기분이 나쁘다.	9.7	24.2	9.9	12.7	9.1	25.8
	III의 평균	21.6	38.4	18.9	30.4	28.5	42.3
Total		17.3	31.7	14.6	25.8	24.1	47.7

* 근무시간 : 1 근무직(07:30~16:15), 2 근무직(14:15~22:00), 3 근무직(21:00~08:30)

주간근무인 작업자에 대해서 작업의 형태별로 호소하는 율을 나타낸 것이 표5-5이다. 육체 작업자(남자)란 철도 구내작업자, 제철소 작업자, 철도공장 작업자, 신문사의 인쇄 작업자이다. 정신 · 신경 작업자(남자)는 동력 전동차 승무원, 택시 운전기사, 항공 관제사, 방송국 총괄 센터 직원이다. 사무직 작업자(여자)는 은행 사무직원 등이다. 작업한 뒤 호소하는 율에서 보면 다음과 같은 특징이 보인다. 모든 작업자에 공통되는 경향으로서 「눈이 피로하다」와 「어깨가 결린다」는 사항에 호소가 집중하고 있다. 정신 · 신경 작업자와 사무직 작업자가 호소하는 형태는 아주 비슷하지만, 「눈이 피로하다」, 「어깨가 결린다」다고 호소하는 율은 사무직 작업자의 쪽이 현저히 많다. 육체 작업자인 경우에는 이들 2개 항목 외에 「발이 나른하다」, 「허리가 아프다」, 「입이 마른다」는데 호소가 집중하고 있다.

표4-6(2)에 교대 근무자(남자)의 근무직 별로 호소하는 율을 나타낸 것이다. 이 공장은 4개조 근무직 3교대로 조업하고 있으며 각 근무직의 계속하는 일수는 근무직 사이에 1일의 휴일이 있다. 1 근무직, 2 근무직에 비해서 3 근무직이 끝난 뒤의 호소하는 율이 현저하게 높으며, 이 경향은 특히 Ⅰ무리와 Ⅱ무리에 현저하다는 것은 야근의 특징을 나타낸 것이다.

6. 보건통계에 의한 집단피로의 분석방법

피로란 원래 지친다는 자각적인 체험과 작업의 양이나 질이 떨어지는 타각적인 현상에 의해 이름이 붙여진 개념이고 피로감이나 타각 증상을 기초로 하여 피로를 진단하는 편이 직접적인 방법이다. 생리적 또는 심리적인 기능 변화에 의존해서 조사하는 것은 여기에 비해 간접적인 방법이라 할 수 있을 것이다.

그러나 자각 · 타각 피로는 일상적인 생산업무 중에서 자연스럽게 보고 이해된다고 할 수 없다. 또 근로자가 강한 피로감을 호소하거나, 동시에 작업의 질이 저하되어도, 호소 요인이 원인이 된다고 입증하기 어려운 사정도 있다. 또 하나 이것을 곤란하게 하는 사항으로서 피로요인은 여러 복합적 요소가 작용하는 것이 보통이며, 하나의 해석으로 피로의 영향이 나타나기 어렵다는 것을 지적할 수 있다. 이를 위해 피로 조사를 실시할 필요가 있지만, 다른 한편 현장에서 파악하고 있는 보건통계 자료 중에 피로 요인이라고 시사되는 것도 적지 않다.

여기서는 현장 자료의 범위를 약간 넓혀서 피로의 검토에 이용 가능한 자료를 제시해 보도록 한다.

(1) 작업 양과 작업 곡선에 의한 피로의 분석

먼저 작업의 생산량을 파악할 수 있는 경우에는 직종별, 연령별, 경험별 등으로 구분한 뒤 그 평균 생산량을 월간 , 주간, 근무시간 단위 등으로 비교할 수 있다.

(2) 작업 실수에 의한 피로분석

피로할 경우 동작의 실패나 작업 실수의 증가 값은 작업 결과를 통하여 나타난다. 작업의 생산량 단위가 매우 많거나 계량이 어려운 경우에는 작업 실수의 형태에 의해 피로의 영향이 포착되는 일이 있다. 작업곡선에 일치하는 작업유형에서 작업동작을 잘못하는 시각별 빈도만 도출되면 작업 실수를 증가시키는 요인을 규명할 수 있다.

(3) 휴양통계에 의한 피로분석

피로와 정반대의 관계에 있는 것이 휴양이므로 휴양의 실태를 알 수 있다면 그로부터 피로의 정도가 추측된다. 여기에는 통근시간, 주거환경 등 휴양조건에 관한 통계와, 실제 휴양을 조정하는 방법에 관한 것이 있으며 특히, 후자 중 수면시간 및 여가시간 및 그들에 의한 자각・타각 증상의 차이 등이 중요하다. 수면시간에 관련해서는 횟수, 시각, 길이, 낮・밤・가면별의 분포, 깊이, 충족감 등을 조사할 수 있다.

(4) 자각증상 조사에 의한 피로분석

건강진단 등에서 피로 자각증상이 조사될 기회가 증가하고 있으며 이들 증상 중 근로부담・피로에 관련되는 것들은 집단피로를 살펴보는데 활용할 수 있다. 특히, 작업 형태별, 연령별, 경험 연수별, 바쁨과 한가함의 비교에 의해서 문제가 되는 피로증상을 지적할 수 있을 것이다. 전신적인 나른함, 어깨 결림, 요통, 손발의 아픔이나 저린 느낌 등의 외에 위장의 이상 증상이나 신경 증상 등이 채용되는 경우도 많다.

(5) 결근 통계・질병 통계 등에 의한 피로분석

결근율, 특히 질병에 의한 결근이나 근로 부담에 관계가 있는 것 같은 결근 또는 연차휴가 사용, 작업을 위한 이동 등은 피로를 검토하는데 활용된다. 작업조건별로 비교할 수 있다면, 그만큼 문제점을 색출하기가 쉽다. 질병에 걸린 통계로 부터 피로를 미루어 짐작하는 것은 일반적으로 곤란하지만, 교대 근무나 급격한 작업조건이 변경된 때에 소화기 질환의 증가 등의 질병 형태에서 근로 부담에 대한 정도가 시사되는 일이 있다. 이것들과 피로 자각증상과의 관련이 중요시 되고 있다.

(6) 재해통계에 의한 피로분석

재해의 발생상황 중, 동작・작업의 정확도나 착오에 관련된 재해의 시간대별 변화나 생산조건과의 관계를 응용할 수 있다. 다만, 재해에만 비중을 두어서 이를 주 원인으로 분류해 버리면 관련되는 요인을 모두 조사하지 못할 경향이 있다. 재해 건별로 발생사례까지 조사하여 1건마다 관련 요인을 몇 가지를 반영해 그 요인이 되는 무리의 빈도나 상호 관련성을 분석하도록 할 필요가 있다.

(7) 기타 관련 통계자료에 의한 피로분석

취업한 뒤 체중의 추이를 직장별로 비교하거나 구내식당에서의 칼로리 량에 대한 계절별 변동, 건강에 관한 각종 설문조사의 호소나 불만사항, 근로자 상담사항 중의 피로나 식사, 작업환경 등에 관한 사항, 체력지표의 연령별 직장별 비교 등이 직장 피로의 검토에 응용될 수 있다.

이상의 각 통계자료에 보이는 변동은 어느 것이나 피로 이외의 여러 가지 요인이 합성(合成)된 결과이므로, 피로 징후의 유무로서 검토하기 위해서는 작업 내용이나 작업 조건・생활조건・집단특성에 대해서 그 집단의 분포도 포함하여 알아둘 필요가 있다. 또 작업의 실수나 결근, 재해율 등 단 기간 내 발생빈도가 비교적 적은 자료는 장기간에 걸쳐 자료 수집이 필요하며, 그 사이 작업조건의 변화 등도 충분히 고려해 두어야만 한다.

7. 피로의 판정과 응용

(1) 피로조사와 안전보건

피로는 일상생활에 있어서 피할 수 없는 것이지만, 과로 상태가 반복되면 여러 가지 장해가 건강과 생활 속에서 나타난다. 피로는 휴양에 의해서 회복할 수 있는 성질을 지니고 있으며 과로 상태가 생활 속에서 어떤 방식으로든 처리되고 있는 것 같다 하더라도 만성적인 건강장해를 유발하던지 또는 사고 가능성이 높아지는 등 피로에 의한 침착함의 결여로 대인 관계나 작업 측면에서 큰 마이너스로 나타날 수 있다. 그러므로 피로 경감대책으로써 어느 정도의 피로징후가 나타나고 있는지를 파악하는 것이 요청된다. 이런 피로 징후의 검출・평가를 피로 측정 또는 피로 판정이라 부른다.

직장의 안전보건에 피로판정을 응용할 때 ① 어느 단계에 관련된 노동부담 요소를 취급할 것인가를 먼저 분명하게 하고, ② 부담요소와의 관련된 피로징후가 어떻게 나타나는가를 파악하여 조사항목을 정하고, ③ 얻어진 결과를 과로 상황에 어떻게 대응시킬 것인가, ④ 혹시 누락된 피로징후가 없는지의 순서로 검토를 진행할 필요가 있다.

피로의 경감이 직장의 안전보건이 갖는 의의는 단순히 직접적 과로 상태의 방지를 하는데 있는 것만이 아니고, 문제가 되는 노동부담 요소를 점검(Check)해 가는데 따라 동시에 건강의 유지 증진, 안전도를 향상시키는데 전체적으로 기여하게 된다. 그래서 문제가 되는 피로징후에는 종합적인 피로정도에 해당되는 것을 판정한 결과 외에 개개의 사례에 대한 노동부담 요소 중 미비한 것 하나 하나를 확인해야 한다. 직장 피로는 안전보건을 추진하는데 자칫 종합적 대책과 그 휴양관리만이 중요 시 될 수 있지만 보다 폭넓게 노동부담의 각 요소를 확인하여 그 문제점을 지적해 갈 필요가 있다.

(2) 피로징후의 표시방법

근로에 종사하면 시간에 따라 여러 가지 변화가 생체에 일어난다. 이들 중 작업을 계속하는데 지장이 되어 휴양을 취하면 회복되는 생체의 변화가 피로징후이다. 일반적으로는 일상 과제를 수행하는 조건 하에서 관찰할 수 있으며, 당해 작업의 가역적(可逆的)인 지장을 초래할 만한 검증이 가능한 변화가 피로조사의 대상이 된다.

피로의 징후를 표시하는 방법은 노동 부담의 장면에 따라 다르지만, 시간적으로 일어나는 방법에서 다음 3가지로 대별할 수 있다.

① 급성 피로

연속 작업 또는 단기간의 반복 작업에 의해서 유발되는 피로를 급성피로라고 할 수 있다. 이 경우 시간이 경과함에 따라 피로의 징후는 점차 확대되어 나타나며, 그대로 작업을 계속하면 비교적 빨리 명백히 사람이 녹초가 되는 상태에까지 이르게 된다.

급성피로에서는 작업 초기로부터 각종 변화가 병행되어 일어난다. 결국은 녹초가 되어 버리지만, 그 이전에 어떤 변화를 피로의 징후로서 채용하는 것이 문제가 된다. 마지막의 녹초가 되는 상태나 그 직전의 상태가 검증하기 용이하므로, 그것들을 근거로 해서 피로가 진행하는 단계를 구분할 수 있다. 단기 피로에서는 다음과 같이 된다.

㉮ 정상 작업기(작업의 지속이 용이하며 뚜렷한 피로의 징후는 없다)

㉯ 초기 피로시기(피로감이 있으며, 자발적으로 작업을 그만두는 일도 있으며 타각적인 징후가 눈에 띈다)

㉰ 피로 증대시기(피로의 자각이 격심하며 고통 받는 느낌이 따른다. 전신에 파급되는 효과가 나기 시작하며 작업에 지장이 일어날 수 있다)

㉱ 극도 피로시기(작업을 계속하는데 명확하게 고통스러우며 전신에 영향을 받아 작업의 질도 분명하게 떨어진다)

㉲ 녹초가 되는 시기(작업을 계속하는 것이 전혀 불가능해 진다)

결국 과로사태가 출현되는 것을 파악하려면 ②~③의 초기 피로의 징후가 중요하다. 자발적으로 휴지(休止)가 일어나는 것도 이 초기 피로의 단계이다. 그러나 초기 피로의 확증을 파악하는 것은 대단히 어렵다. 거기에는 ④~⑤의 후기 피로와 같은 누구라도 분명하게 과로 사태를 알 수 있어서 그들이 호소한 「틀림없는」 피로의 징후를 참고로 해서 거기서부터 거꾸로 올라가며 조사하는 수밖에 없다.

② 생활주기 중의 피로

생활주기 중에서는 활동 시기와 수면・휴양시기 등에 따라 하루 중 리듬이 형성되기 때문에 거기에 따라서 피로의 징후를 나타내는 방법은 영향을 받는다. 작업하는 경과와 함께 일정하게 피로가 확대되는 것은 아니다. 통상, 주간 작업에서 오전 중에는 기능이 높으며 오후에는 떨어지는 경과가 보이나 피로의 징후는 이들을 다시 꾸미는 형태로 실제 나타나며, 일반적으로 초기・후기와 같이 확실한 양태는 아니다.

1일 근로하는 날의 작업 부하가 과중하면 휴양을 여분으로 필요하게 되므로 생활주기 중의 피로를 다루려면 이 휴양이 필요한 정도의 문제가 된다. 통상적 생활에서 휴양에 의해 충분히 회복되지 않는 피로가 「틀림없는」 피로 징후로서 그 전형적인 사례로 철야 피로를 예로 들 수 있을 것이다.

생활주기 중의 피로는 어떤 시각의 기능수준 그 자체만으로는 판정하기 어렵고, 통상의 활동시기 수준과의 비교와 휴양시기를 포함한 경과 등이 중요하다. 특히, 다음 날까지로 넘어 가는가 하는 것이 유력한 결정적인 수단이 될 것이다. 야근이 끝난 상태 등을 참고로 해서 생활주기 중의 피로 징후의 단계를 구분한다면 다음과 같다.

㉮ 1일 계속작업시간 뒤의 통상적인 휴식에 의해서 회복하는 피로(가벼운 정도의 비급성 피로)

㉯ 1일 노동일 뒤의 통상적인 생활에 의해서 용이하게 회복되는 피로(가벼운 정도의 1노동일 피로)

㉰ 다음 날까지 충분한 휴식을 취해서 회복하는 피로(생활에 지장이 따르는 피로)

㉱ 다음 날로 연속되는 피로 또는 다음 날에 여분의 휴양을 필요로 하는 피로(매일 축적된 피로)

㉲ 통상적인 휴양시기로는 회복되지 않아 장기간 가지고 가는 피로(장기간 축적된 피로 내지 만성 피로)

작업에 지장은 ①~②의 단계에서 나타나므로 안전이나 작업 성적, 본인의 고통 등을 생각하면 이 단계의 가벼운 피로에서부터 문제가 야기된다. 정확히 포착하기 어려운 경우라도 ③이후에서는 상당한 영향이 휴양 시기나 생활행동에 미치고 있음에 따라 그러한 피로의 회복 지연은 문제가 된다.

③ 만성피로

통상적인 생활주기 내에 나타나는 주간의 휴양 등에 의해서도 용이하게 회복되지 않는 피로한 상태를 만성피로라고 한다. 만성피로 상태에서는 앞의 2가지 종류와 같은 경우, 기능의 변화가 일어나기 이 전의 상태에 이미 매우 피로하기 쉬운 상태에 있으며 더구나 반응의 질도 상당히 다르다.

만성피로가 되면 휴양의 효과도 감소되어 피로해지기 쉬운 성질로 인하여 그 회복이 어려워지며 어떤 경우에는 심리적인 증상이 중요한 판단 기준이 된다. 이러한 형태의 만성피로를 심리학자들은 특히 과로라 부르며 안정이 되지 못하고 평소의 부담을 소화시킬 수 없다고 느끼며, 일반적으로 무기력하며 불쾌하고 또한 우울한 증세를 띈다고 한다. 이 상태에서는 개인적인 욕구를 찾아내서 잘 처리하지 못해 욕구불만이 되어 언제나 침착하지 못한 기분이 되기 쉬우며, 주의를 집중하기 어렵게 되어 하나의 일에 전념할 수 없게 된다. 기억력의 저하, 불만, 불면을 호소하며, 두통이나 현기증 등이 빈번해 진다. 이와 같은 상태가 강하게 사람을 압박하며, 다시 증세가 나빠져서 신경증 적인 증상이나 소위 정신신체의 질환이 진행되는 것으로 생각된다.

이 만성피로의 상태는 기능의 저하・회복을 관찰하는 것만으로는 충분히 검증할 수 없다. 다만, 기초체력 내지 전신의 영양상태의 저하나 만성적인 수면부족이 있을 때 거기에서 간접적으로 만성피로의 상태를 포착할 수 있는 것이다. 그 외에 일반적으로 작업의 수행, 마음이 불안한 것을 호소하는 등의 사례에서 발견되는 경우가 있다.

(3) 기능변동의 의의

피로조사에서 측정되는 기능 변동은 하루 중의 리듬에 겹쳐서 나타나며, 일조량, 계절의 차이, 환경 등에 영향을 받는 이외에 일반적으로 개인 차도 많다. 이들 기능변동 중에서 의미가 있는 피로의 징후를 굳이 도식적(圖式的)으로 말한다면 「적응하고 있는가, 피로한가」의 견해가 필요하다.

① 작업부하에 직접 대응한 기능변화

② 부하자극과 피로에 대응하는 기능변화

③ 피로의 진전에 따른 기능변화

(4) 기능변동의 분석

피로판정 시 기능측정 값은 1회 측정한 값으로 결론내리기 어려우며, 반드시 시간적인 변화를 분석해야 한다. 이 경우 그 변화가 전 항의 어느 형태에 해당하는지를 잘 확인해야 한다.

① 피로의 징후를 포착하는 방법

㉮ 작업부하에 직접 대응하는 기능변화의 크기는 작업의 강도 내지는 부하의 지표로 보아야 한다. 다만, 그 부하의 크기가 일반적으로 현저한 피로징후를 나타내는 크기인 경우와, 일반 작업에서는 통상 나타나지 않는 과대한 것일 경우는 그 변화를 일종의 피로징후로 해석할 수 있다.

시간을 두고 이들 기능이 변화하는 양이 점점 증가하거나 변동하는 경우, 그것을 피로징후로 볼 수 있다(호흡순환 계통의 정상상태의 파괴, 근전도의 진폭이 증대, 주의를 집중하는 정도의 혼란 등).

비교하는 기준으로는 당일 작업을 시작하기 전의 안정 값(모로 눕거나 눕는 자세)이나 최대로 노력할 때의 변화하는 양 등이 참조되어지지만, 시간 차이 외에 측정하는 환경, 시각, 음식물, 담배 등에 영향을 받는다는데 주의한다.

㉯ 작업 부하에 대응한 기능의 변화하는 양이나 작업이 끝난 뒤 회복하는 방법은 피로의 정도에 의해서 달라지므로 작업이 끝난 뒤 일정한 시분(時分)이 경과될 때에 잔류하는 수준이나 회복하기까지의 시간 적분치(積分値) 등을 조사하는 것이 적합하다(심장박동수나 혈액이 흐르는 회복곡선과 회복할 때의 적분치, 산소 빚 등).

② 작업부하의 종별에서 본 반응 양상(Pattern)

작업 부하의 종별에 따라서 다른 시계열 양상(Pattern)을 나타낸다는데 주의해야 한다. 이것은 측정된 값의 증가나 저하를 한 가지 의미로 피로의 유무와 관련지우기는 어렵다는 것을 나타내고 있다.

③ 하루 중 리듬과의 관련

피로한 성질의 변화는 하루 중 리듬에 따른 변화와 함께 관찰되기 때문에 판정이 어렵다. 기능 지표나 자각 증상에 어느 정도의 변화가 있으면 확실한 피로 징후로서 간주되지만 이런 경우는 드물다. 반대로 작업 수행과 관련이 깊은 기능 값에서는 하루 중 리듬에 의한 야간의 저하 등 그 자체를 문제로 삼아야 하는 것이 있다. 즉, 「굳이 따져서 말한다면」 하루 중의 리듬과 피로와의 구별은 일반적으로 곤란하기 때문에 다음과 같은 사항에 유의해야 한다.

㉮ 통상 주간 작업에서는 하루 중 기능이 높게 유지되는 시기에 다른 급성 피로의 징후가 포함되는지 주의한다.

㉯ 초저녁부터 야간에 걸쳐서 저하되는 생체리듬을 작업능력 감소와 관련짓는 것은 문제가 된다. 저하되는 것이 빠르게 내지는 대폭적으로 일어나는 경우나 일정한 작업부하

에 의한 자극효과가 변화되는 경우 등도 고려해야 된다.

㉰ 심야 특히 밤12시~05시경에는 중추신경과 수행검사 등의 지표가 크게 저하되며, 부교감신경의 긴장에 해당되는 자율계통의 기능에 변화가 일어난다.

㉱ 오전 05~06시경부터 보이는 기능 값의 회복(소위 새벽의 현상)은 반드시 피로의 경감을 의미하지 않으므로, 새벽현상 이전의 심야의 변화되는 것을 포착해 두지 않으면 착각할 우려가 있다. 기능 값의 수준에 현혹되지 말고 전일 같은 시각과의 비교, 분산의 변화나 분포하는 형태의 검토, 많이 변화하는 양 사이에 관련되는 분석을 실시해야 할 것이다. 또 이른 아침 근무를 개시할 때 등에서는 작업에 대하여 충분히 조정되어 있지 않으므로 이 작업하기 전의 값을 기준과 여러 가지로 비교하면 판정에 어려움이 있다.

㉲ 야근이 끝난(또는 전날 밤의 휴양부족) 뒤 하루 중에 측정한 값과 같이 하루 중의 리듬에 의해서 외관상의 회복이 있을 때, 언뜻 보아 기능수준이 상승하는 것 같이 보이는 일이 있다. 그러나 잘 검토해 보면 자각피로가 현저하여 쉽게 기능이 저하되거나 앉아 졸거나 하는 상태가 나타나는 경우도 있다. 이러한 결과는 선정한 기능지표와 관련하여 짧은 시간의 변화뿐만 아니라 전체의 휴양결과로 부터 문제점을 찾아내야 필요가 있다는 사례이다.

(5) 과로의 사례

문제가 되는 과로 사례는 작업부하의 종류별, 휴양을 취하는 방법, 대상 집단의 특성, 생활 조건 등에 따라서 다양하게 제시된다. 그것을 분명하게 하려면 작업부하의 상황과 휴양조건을 잘 파악한 뒤에 의미가 있는 피로 징후를 검출하여 그것이 건강・안전・사회생활 등에 있어서 적합하지 못할 정도 인지를 검토해야만 한다.

과로 사례로서 사회 통념상 인정되는 사례는 급성피로로 인한 작업의 지장과 철야작업이 끝난 상태가 이에 해당된다. 전자는 그대로 방치하면 확실히 녹초가 되며, 후자에서는 휴양이 불가결하며, 이들의 상태에서 사고가 발생하면 과로가 원인이라고 인정하는 사회적인 동의가 형성되어 있다. 이렇게 분명한 과로의 사례를 참고로 하면, 과로사례를 검증해 가는 논리가 명확하여 판정에 응용할 수 있다. 이 2가지 사례에 공통되어 있는 점은 ① 피로한 느낌이 현저하며 작업을 계속하는데 고통이 된다, ② 통합된 작업수행이 어려워 작업에 지장이 발생하고 있다, ③ 작업을 수행하는 기능 이외에도 영향을 미치며, 2차적인 피로의 징후가 존재한다, ④ 누적되는 피로는 작업의욕의 감퇴를 가져온다, ⑤ 사고나 실수(miss)가 발생하는 경계의 상태가 출현되기 쉽다, ⑥ 휴식을 취하는 소요시간이 급증한다, ⑦ 작업한 뒤의 생활 행동이 제약을 받아 소극적으로 된다, 등의 모든 사항이다. 이것을 과로판정의 일반적인 기준의 기초로 생각할 수 있다.

과로를 판정할 때는 피로한 징후를 검출하고 그것이 과로 사례와 어떤 관련성이 있는 지를 검토할 필요가 있다. 이미 알려진 과로 사례를 참고로 하여 관찰 자료의 변화가 이러한 의미를 갖는지 검토해야 한다. 명료한 과로현상으로 지적이 용이한 것을 판정의 근거로 삼을 수 있을 것이다. 이러한 과로 사례 중, 분명하게 혜택을 받는 반면에 거기서 파생하는 불이익이나 불편을 참아내야 된다고 받아들여지고 있는 몇 가지를 참고로 제시해 보자.

① 연속작업의 피로

㉮ 정적작업

최대 근력 대비 10% 이상의 부하에서 몇 분 안에 근육의 통증이 나타나며, 이것을 반복하면 수족의 떨림이나 자세를 제어하기 곤란하게 된다. 협소한 발판에서 무리한 자세를 취하게 되는 주상(柱上)작업에서는 작업을 개시한 뒤 60분 이상이 경과하면 다리의 근육이 떨리며 근전도가 서파로 변하고·무리로 와서 동작을 제어하기 어렵게 된다.

㉯ 동적인 작업

통상 작업에 보이는 일일 연속작업은 RMR이 3인 작업에서는 20~30분, RMR이 6인 작업에서는 10분 정도 등이라고 보고되어 있으며, 이를 많이 초과하는 경우에는 호흡 순환계통에서 보아 정상 상태의 파괴, 산소 빚의 축적이나 증가, 주요 근의 근육통 등이 나타난다.

㉰ 경속도 작업

타자기 작업, Key Puncher 작업에서는 40~50분이 지나면 급격한 작업속도의 저하와 실수(miss)가 발생하는 비율의 증가가 나타난다. 그 뒤 일 연속시간이 목, 어깨, 팔(頸肩腕)에 장해를 발생시키는데 관련된다는 것이 확인되었으며, 수지(手指)작업은 연속작업을 40~60분 정도하고 휴식을 10~15분 이상으로 하는 규정을 실시하게 되었다.

㉱ 검사작업

연속해서 유리병을 검사하는 작업이나 그와 유사한 검사작업에서 각 10~30분간 방식을 비교하면 30분에 가까운 작업 말기에는 현저하게 기능저하가 나타나 불량을 검출하는 비율도 낮아지고, 작업자세의 붕괴가 오후에 나타나며 자각하는 피로도 커지고, 회복도 지연되었다.

② 1 근로 일의 피로

㉮ 육체작업

중근 근로자는 8시간 작업 시 동작분석의 결과를 보면 후반기에 동작의 빈둥거림, 작업 주기의 연장이 발생하며 중추기능의 지표도 저하되는 경향이 나타났다. 이러한 사항에서 8시간 노동량의 상한은 성인 남자는 1,600(~ 1,800) Kcal. 정도로 해야 한다고 되어 있다.

㉯ 고열작업

8시간 작업도중 땀을 흘리는 양을 단계별로 조사해 보면 땀을 흘리는 양이 4~6ℓ를 넘으면 소변을 배설하는 양, 혈액 수분의 감소, 구역질·현기증의 자각 등이 현저하기 때문에 땀을 흘리는 양 측면에서 본 부하 한계는 4ℓ(여자 2ℓ)로 제안되어 있다.

㉰ 검사작업

눈으로 확인하는 비율이 높은 이동물의 검사작업에서는 오전의 후반기와 오후의 후반기에 불량을 검출하는 비율이 낮아지며 프리커(Flicker) 값 등의 대폭적인 저하에 따라 잡담의 감소와 앉아서 조는 상태의 증가, 소극적인 감정의 빈도가 증가하는 것 등이 일관된 결과이다. 이런 경우 식사한 뒤의 휴식 또는 작은 휴식 1~2회로는 휴식의 부족이 나타난다.

㉱ 사무작업

여자의 사무작업에 대해서 면접소개, 작업자의 발언내용, 속기사의 작업량, 프리커(Flicker)값 등에서 1일의 면접 내지 번역 시간을 210분~240분으로 한정시켜야 한다고 제안되어 있다. 이 내용은 사무의 주 작업이 지속적인 긴장을 요하거나 비교적 자율적인 경우에 해당될 것이다.

㉲ 야근작업

교대근무 간호사의 기능변동은 업무가 끝나는 시각이 같은 8, 12, 16시간 야근에 대하여 비교하여 볼 때 장시간에서는 선택 반응, 프리커(Flicker)값, 제어도중, 예비능력 중의 여분 저하가 현저하고, 체온·심장박동 수의 저하가 보다 현저하게 드러나서 주의를 집중하기 곤란하다는 자각증상이 상대적으로 증가하는 것이 나타난다. 야간작업의 부담으로서 8시간 야근에 대해서 불리하게 작용된다고 생각된다.

㉳ 장시간 노동

택시 운전기사의 연속운전 시간이 7시간을 넘으면 졸림, 눈의 증상, 어깨 결림, 입이 마름, 머리가 무거워지며, 12시간을 넘으면 프리커(Flicker)값의 저하, 협응 동작의 실수(miss), 복통 등이 나타나고, 16시간을 넘으면 손발의 떨림, 혈압의 저하, 탈력감(脫力感)이 나타난다. 이러한 자료는 대개 근무의 단축이 필요하다는 것은 입증하고 있다. 또 집중해야 하는 제어실의 근무 등 앉아 감시하는 작업이라도 야근이 끝나는 것과 같은 기능 이상이 인자 분석을 통해서 나타나고 있다.

③ 다음 날로 넘기는 피로

㉮ 방적작업

젊은 여성이 2교대로 취업하고 있는 방적공장에서 주초와 주말의 상태를 비교하면 체중 감소, 혈색소 양의 저하, 그리고 프리커(Flicker) 값은 작업 일자가 늘어날수록 저하되었다.

㉯ 휴양부족

도시 생활자의 생활시간을 조사하면 근무와 왕복 통근시간의 합계가 12~13시간을 넘으면 수면시간이 단축되어 생리적인 휴양까지 저해되고 있다는 것이 제시되고 있다.

㉰ 연속야근

연속 야근에서는 수면 부채가 축적되며 또 야근 작업이 빈번한 승무원의 피질기능지표를 보면, 2일째 밤 시기와 그 후 주간에 승무 할 때의 피질상태는 하루 중 1일째 밤 시기와는 다른 인자가 우세하였다. 일반적으로 야근 2일째 이후의 기능저하가 현저하여 야근은 습관이 될 수 없다. 야근 기간은 짧은 기간으로 하여야 한다.

④ 만성 내지 장기간에 걸친 피로

㉮ 작업밀도

빈 공병을 검사하는 속도별로 결근 비율을 비교했을 때, 매분 검사밀도가 200개 이상이 될 때 월간 결근비율이 제조업 평균치를 크게 상회하고 있다는 것을 감안하면 분당 200개가 한계치에 해당한다.

㉯ 교대근무

건강진단을 실시할 때 체중을 측정한 값을 교대근무와 일상 주간근무에 취업한 근무연수를 사용해서 비교하여 보면 교대 근무한 사람의 체중 증가가 나타나지 않는다. 젊은 여성이 기숙사 생활을 하면서 2교대 근무한 사례에서는 성장기간인데도 불구하고 약 3개월간 체중이 감소되는 경향을 보였다.

㉰ 수지 작업

금전등록기 작업의 근 압통, 운동 통, 근력저하와 경견완 장해가 발생하는 상황에서 수지 작업부하가 일반적으로 과중하다고 인정되었으며, 60분 작업에 10~15분의 휴식을 삽입해서 1일 금전등록기 조작시간 4시간, 1일 200명, 2,000건 이내, 각 기기마다 교대요원의 확보 등을 규제할 필요가 인정되었다.

(6) 피로조사 시 누락의 문제

기계화, 자동화를 비롯하여 작업방식의 첨단화나 소위 「합리화」에 의해서 노동부담의 질도 격심한 변화를 보이고 있다. 근에 대한 작업부하의 동적 강도의 감소, 정적인 부하·국소 부하의 증대, 정신 긴장·구속 정도의 증대 등에 의해서 피로조사의 내용도 여러 방면에 걸쳐 복잡하게 할 필요가 발생하였다. 다른 한편 한정된 수의 많은 항목 기능검사로부터 피로판정을 실시하는 경향이 어떤 시기에 적용했다 하여도 중요한 피로의 징후를 「누락」시켜 당해 직종의 피로는 「문제없다」고 하는 사태가 적잖게 있었다. 교대제, 국소 장해, 단조로운 노동이나 육상 교통수단에 단독으로 근무하는 문제 등을 통해서 이렇게 안이한 조사에 대한 비판이 집중되었다. 이 누락시키는 문제는 피로판정의 분석방법 자체에 결함을 가져오는 것이며 결코 보충할 문제는 아니다.

8. 피로의 대책

피로의 대책을 고려할 때는 피로가 발생하고 있는 원인을 확인해서 그 개개에 대한 피로를 방지하는 대책이 첫째이며, 다음에 발생한 피로의 회복을 촉진하기 위한 대책이 아울러 필요하다. 이러한 방식으로 과로나 피로의 축적을 예방해 나가야 한다. 피로가 발생하는 요인에는 근로조건, 작업조건에 관계되는 것, 환경(물적, 인적) 조건에 관계되는 것 기타 작업자 개인이 구비하고 있는 성질에 관계되는 것들이나 생활조건에 관계되는 것 등과 같이 다양하다.

주로 발생의 원인과 회복을 방해하는 요인을 구분하지 않고 피로 대책에서 고려해야 할 조건들은 다음과 같다.

- 개인 특성 조건

  성별, 연령, 신체적 정신적인 적성(체격 체력, 정신기능, 지능 등).

- 개인생활 조건

  통근(방법, 시간, 혼잡한 장도), 주거환경(거주하는 평수, 일조량, 통풍, 소음, 냉난방 및 침실의 환경),

가정 내 인간관계, 사교, 식사(영양 및 알코올・약물) 생활시간(특히 수면・휴식, ・운동 기타 레크리에이션) 목욕, 마사지 등

- 직장환경 조건
  상하・동료 간 인간관계, 리더십, 작업 공간, 작업대・의자, 작업복・신발, 소음, 온도습도, 기류, 조명, 색채조건, 배경음악(BGM), CO_2, 기타 화학적 환경 등
- 노동시간 조건
  1일・1주 및 1년의 각 노동시간, 교대제도, 잔업, 연속작업 시간과 휴식, 휴일・휴가 등
- 작업내용 조건
  작업 동작, 작업 사세, 공구, 기계, 작업 강도, 작업 속도 및 밀도 등
- 작업 조직 조건
  직제와 정원(그 구성내용, 상별, 연령, 기능 등), 작업량과 생산계획(작업지시・연락을 포함), 양성・훈련, 적성배치, 정기 건강진단 등
- 복리후생 조건
  기숙사・사택, 통근 전용버스, 급식시설, 가면시설, 휴게실, 레크리에이션 시설들

이상의 모든 요인들이 직접 간접으로 피로의 발생과 회복에 관계되며 종합적인 대책은 기업, 작업자 개인 양면을 고려하여 수립되어야 한다. 본 서에서는 단지 피로회복 대책만 중점하여 살펴보기로 한다.

(1) 휴식배분의 적정화

노동 강도가 매우 높을 때 예를 들면, 최고의 중노동 작업에서는 산소 빚이 매우 크며, 작업자는 짧게 쉬면서 작업을 중지하는 시간을 작업 시 자주 갖지 않으면 작업을 계속할 수 없다. 즉, 산소 빚을 되돌리기 위한 작은 휴지가 작업 간에 자주 자연스럽게 이루어져야 한다.

중 근력을 필요로 하는 요소가 있는 작업이나 중등 정도의 근로에서는 외부로부터 그다지 구속을 받지 않고 할 수 있는 작업 예를 들면, 주물 작업자와 같은 경우에는 적당히 임의로 작업 간에 휴식을 취하여 피로회복을 도모하는 것은 효과가 있으며, 소위 자발적인 휴식 또는 임의적인 휴식이다. 이 휴식을 취하는 방법도 노동의 강도가 강할수록 빈번하게 취하는 현상은 계속 지속적인 것이 바람직하다(그림4-4 참조). 그러나 능률면에서는 일정하게 하는 것이 더욱 요망된다(그림4-5 참조). 그림 5-5는 벽돌 수동 성형작업 등에서 합리적이라고 간주되는 작업과 휴식을 취하는 방식의 사례이며, 중근 노동에서 휴식 배분의 좋은 사례이다. 그림4-7은 공병을 검사하는 작업(190㎖, 200BPM)에서 공병검사 10분을 계속하고 10분 대기(휴식이 주가 된다)하는 조건이지

만, 프리커(Flicker) 저하가 있으며, 불량 공병의 검출비율도 역시 가장 좋다는 것을 보여준다. 표4-7은 집계를 합계하는 사무 작업자의 경우 1일 타자작업 4시간, 부대작업 3시간 20분에서 오전과 오후의 중간에 각각 20분씩의 휴식에 의해 프리커(Flicker) 저하에서 보인 피로가 적정 한계 내 이었지만, 타자 6시간, 휴식 15분씩 합계 30분에서는 CFF 저하가 바람직한 한계치를 넘었다는 것을 나타내고 있다.

표4-7 택 회계기 작업자의 휴식배분방식과 Flicker값 저하

택기계 집계 (타자)	부대작업	작업간 휴식 (오전 오후 각 중간)	누적 타자시간 경과에서 본 Flicker저하 5% 이상의 사람(%)					
			1시간	2시간	3시간	4시간	5시간	6시간
60분×6회(6^H)	6회 계 90분	15분씩 계 30분	30%	30%	30%	50%	60%	50%
60분×4회(4^H)	4~5회 계 200분	20분씩 계 40분	0	6	7	14	-	-

휴게실은 작업장 가까이 설치하는 것이 좋다. 대규모 공장 등에서 단 1개소를 작업장으로부터 격리, 설치하는 것은 바람직하지 않다. 즉, 작업자가 실제 이용하기 어렵기 때문이다. 휴게실에는 의자(긴 의자)와 따뜻한 차를 마실 수 있는 설비나 고온 작업자를 위해서는 특히 선풍기나 여름철 냉방설비가 필요하다. 또, 서서 일하는 여성 작업자를 위해서는 모노륨이 깔린 휴게실에서 다리를 쭉 뻗고 편히 쉴 수 있도록 해 주는 것이 좋다.

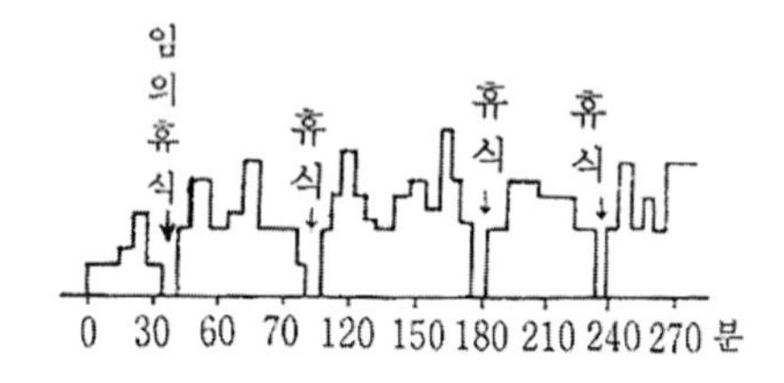

(a) 계획적으로 작업과 휴식을 자신이 채용하고 있는 사례

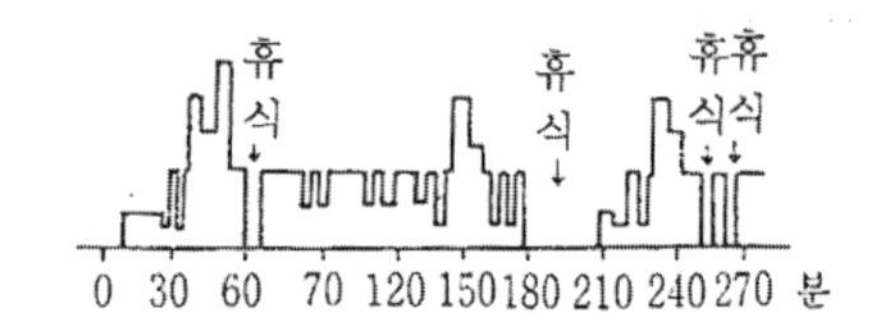

(b) 작업과 휴식의 배분이 그다지 계획되지 않는 사례

그림4-4 중노동작업(주물)에서 작업과 임의휴식

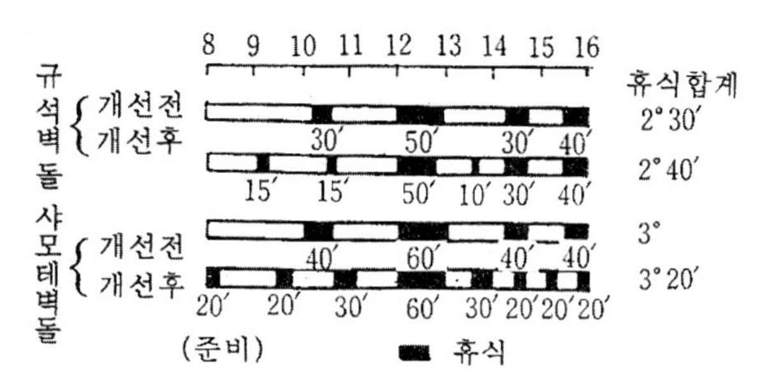

그림4-5 중근노동작업에서 휴식배치의 개선사례

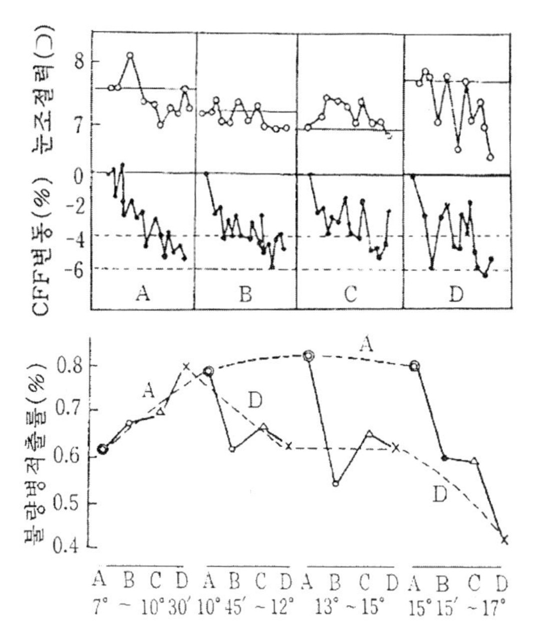

(주) 공병검사기간 : 대기시간을 합쳐서
A…10분 : 10분, B…15′ : 15′, C…20′ : 20′, D…30′ : 30′

그림4-6 공병검사 컨베이어 작업에서 검사시간과 대기시간의 각 조합에서 수행도와 생리기능 변동의 비교

(2) 직장체조의 이행

오전 10시, 오후 3시에 일제히 직장체조를 실시하고 있는 곳이 증가하고 있다. 그 효과는 다음과 같은 여러 내용들이 있다. ① 의자에 앉아 작업하거나 서서 작업하거나 전신의 움직임이 적은 상태에서 동일한 자세를 지속하는데 따른 다리의 혈액순환 정체로 인한 국소적인 부종이 나타나지만, 체조가 혈액순환을 촉진시켜 그것을 완화시킨다. ② 정적인 작업에서 작업자세로부터 오는 국소적인 경직, 특히 목, 어깨, 등, 허리 부위의 경직이 나타나는 일이 많지만, 체조의

율동적인 운동으로 시정할 수 있다. ③ 단순 반복작업 등으로부터 단조로운 느낌에 대해 체조가 하나의 기분을 전환시키는 역할을 한다. ④ 체조가 졸림을 부르는 단조로운 성질이 있는 작업일 때 뇌의 부활에 대한 적당한 자극이 되어 중추의 흥분 수준을 유지한다(그림4-7 참조). 단 3분 정도의 작업 중단으로 체조만을 하고 휴식을 끝내는 것은 효과가 없다. 최저 10~15분간 휴식이 필요하다.

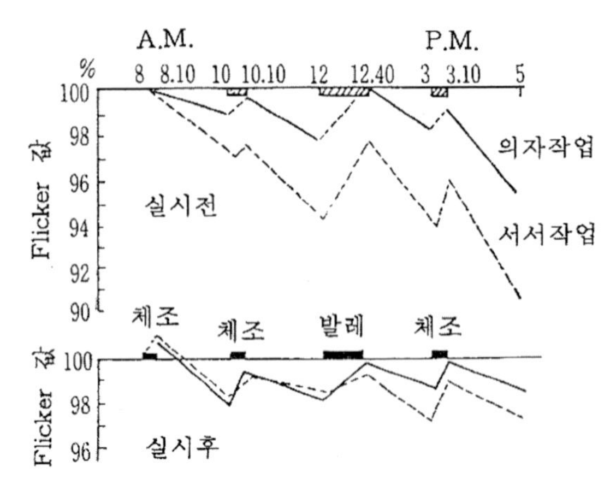

그림4-7 푸대 제조작업자의 체조와 발레 실시가 Flicker값 변동에 미치는 영향

(3) 점심식사 후의 휴식시간

식사한 뒤 휴식은 위의 정상적인 소화기능을 유지하고 피로를 회복하기 위해 대단히 효과가 있으며, 특히 고온 작업자는 시원한 장소에서 식사한 뒤의 휴식시간은 농축된 혈액의 상태를 회복시키는데 효과가 있다(그림4-8 참조). 그러나 여름철 고열작업에서는 1시간의 휴식이라도 완전히 회복시키기는 어렵다. 심리학자가 음향통신 작업자에 대해서 프리커(Flicker)값 검사에 의해서 식사한 뒤 휴식의 효과를 살펴보는 실험에서 40분의 휴식에 의해 거의 회복을 나타내고 있다(그림4-9).

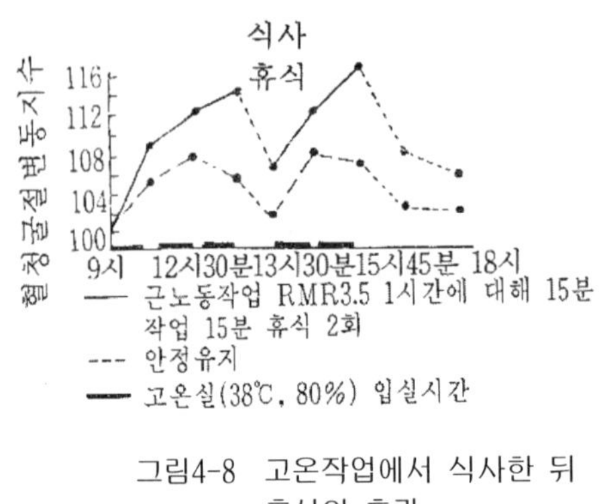

그림4-8 고온작업에서 식사한 뒤 휴식의 효과

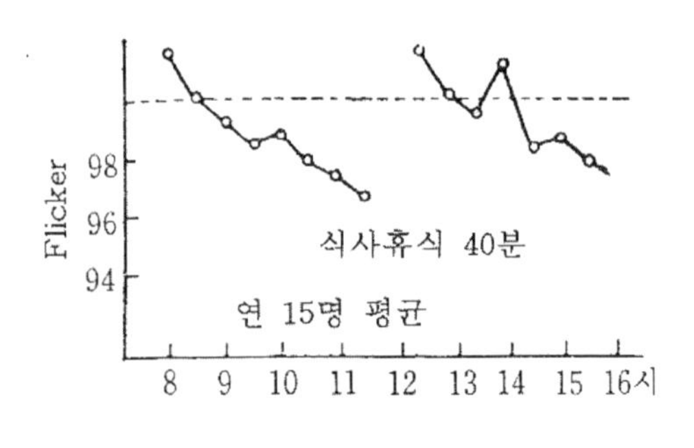

그림4-9 음향통신작업에서 식사한 뒤 휴식의 효과

(4) 컨베이어 규제 작업에서 배경음악(BGM)의 채용

배경음악(BGM)은 공장의 소음과 달라서 리듬이 있는 음악을 작업장에서 들려주는데 따라 작업자의 단조로운 느낌을 완화시켜 능률을 유지하도록 하는 것이 목적이다. 최근에 활용 사례가 많아지고 있으며, 의견 조사에서는 배경음악을 환영하는 사람이 상당히 있는 반면, 환영하지 않는 사람이나 관심이 없는 사람도 상당히 존재하고 있다. 단조로운 느낌이나 조름을 완화시키려면 그것은 하나의 피로대책이라 하여도 좋지만, 컨베이어에 의한 모델 작업에서 이것을 실험한 결과는 매우 흥미가 있는 소견도 얻어지고 있다(그림4-10).

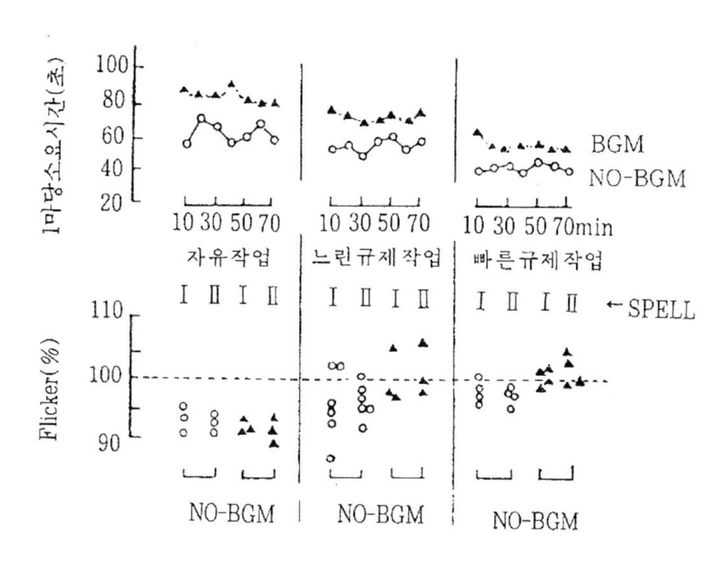

(주) 실험에서 부과된 작업은 일정한 방안지의 5㎜ 눈금에 적색과 청색의 색연필을 사용해서 바둑판 무늬모양의 그림본과 똑같이 색칠을 하는 것이다.

그림4-10 자유작업 및 컨베이어 규제작업의 실험에서 BGM의 유무와 Flicker변동의 관계

(5) 노동 후의 가정에서 휴식

집에 귀가한 뒤 휴식, 휴양은 노동이 생리적으로 많건, 적건 간에 피로가 남아 있기 때문에 중요하다. 실제 신문사 종업원의 경우 가정에서의 휴식시간(다른 것은 아무 것도 하지 않고, 단지 휴식으로 보내는 시간)을 보면, 직장에서의 근육노동량, 근무시간 도중의 평균 에너지 대사율이 높은 직종일수록 길고, 더구나 양자의 관계는 곡선적으로 나타나며 평균 RMR이 1.2배가 넘으며, 주간 근무할 때에는 급격하게 연장되어 있는 경향이 있다(그림4-11). 야근일 경우 이 관계는 보다 직선에 가깝고, 더구나 평균 RMR에서도 주간에 근무할 때보다도 가정에서 휴식시간을 취하고 있는 길이가 짧다는 것도 야근의 문제 중 하나이다.

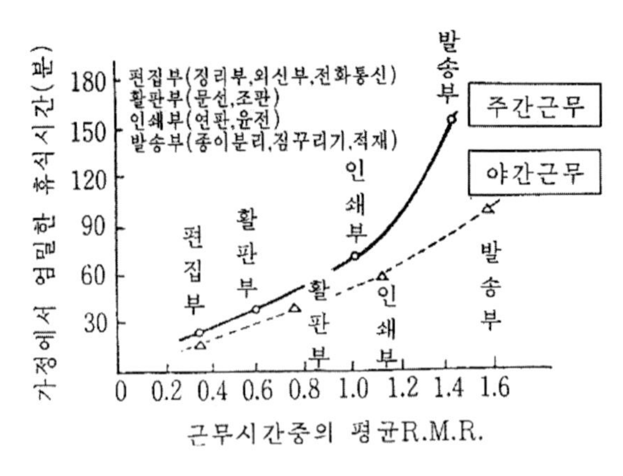

(주) 휴식시간은 연 1013명의 생활시간 조사에 의해 각 직종, 각 근무별 평균

그림4-11 신문사 종업원의 근무 중의 평균 RMR과 가정 휴식시간

(6) 수 면

수면은 피로회복의 가장 생리적이고 효과적인 방법이며, 그 시간과 깊이가 문제가 되지만, 일반적으로 7시간 이상이 필요하며(그림4-11 및 4-12), 표준은 8시간으로 되어있다. 영국의 오래된 속담에도 "8hours ′ work, 8hours ′ sleep, 8hours ′play make a just healthy day"라는 것이 있다. 근무 간격시간이 짧은 경우나 통근시간이 긴 경우, 교대제의 야근한 뒤 수면하는 경우 등은 시간이 짧아지므로, 특히 수면의 깊이로 보충할 필요가 있다. 야근한 뒤인 주간에 수면을 취하는데 대해 가장 방해가 되는 옆방이나 가까운 문밖에서 사람이 말하는 소리가 들리지 않도록 정숙을 유지하는 것이 중요하다. 어떤 사업장의 사택이나 단지에서 주간에 수면하고 있는

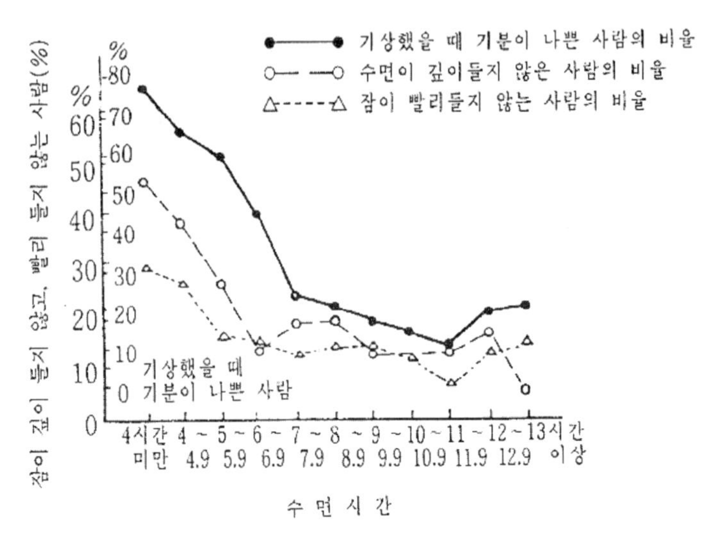

그림4-12 신문사 종업원 1013명의 수면시간과 수면내용과의 관계

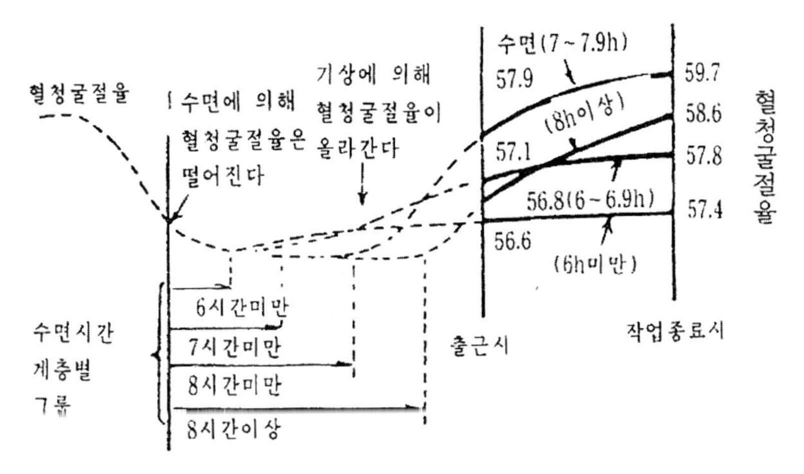

(주) 1) 8시간 이상 수면한 사람이며 출근할 때의 혈청 굴절 율이 낮은 것은 기상한 뒤부터 공장에 도착하기까지의 시간에서 30분 미만인 사람이 1/3이나 포함되어 기능상승이 아직 낮기 때문이다.
2) 수면 7시간 미만에서는 생물체 조수의 간만현상이 기상한 뒤 파동의 솟아오름이 억제되어 있다.

그림4-13 수면 시간별로 본 공장 근로자의 생체조석현상

사람이 있는 집에는 붉은 작은 깃발을 창문에 내걸어서 외부 통행자가 정숙하도록 배려를 하여 사고감소에 실질적인 효과를 거두고 있는 곳도 있다.

(7) 목욕 · 마사지 · 체조

목욕, 마사지나 체조는 혈액순환을 촉진하고 노동에 의해서 일어난 근육의 경직이나 아픔, 국소적인 울혈(鬱血) 등은 충분히 그 혈액의 흐름을 왕성하게 하는데 따라서 신진대사에 의한 노폐된 부산물의 배설을 촉구하는 효과가 있다. 장시간 서서 작업하는데 종사하는 여성은 자주 취침시 발을 높여서 쉬고 있다는 사례는 똑같이 울혈에 의한 다리의 부어오르는 것을 회복하기 위한 시도이며, 효과적인 방법이다. 마사지는 안마 치료, 지압(指壓) 공히 효과적이며, 생리적으로도 압반사(壓反射)로서 뚜렷한 생체변화가 따르는 것이다. 목욕은 보통 목욕, 온천 등에 의한 것 외에 증기욕, 냉수욕(30~25℃), 냉수 온수 교환방법, 천연 분무목욕 등에 의한 것도 좋으며, 그 위에 공기 이온, 자외선 조사(照射)나 적외선 조사도 때로는 사용되고 있어서 좋은 방법이다.

(8) 약물 대책

공장, 사업장에서 피로회복을 촉진하기 위해 여러 가지 약물지급이 시도되는 일이 있지만, 지나친 기대는 삼가야 한다. 여기에 관한 설명은 생략하기로 한다.

제2절 / 수면 · 알코올

1. 수면

(1) 수면부족

일본 총무청이 실시한 사회생활 기본조사(1986년)를 보면 5년 전과 비교해서 사람의 생리적 활동시간(수면 · 식사 등)은 19분이 감소되었고, 여가 시간이 23분 늘어났다. 그 중 남성 직장인의 작업시간은 평균 4분(평일에는 12분) 길어지고 있었다.

현대인은 작업시간은 늘어나도 수면시간을 줄여서 여가시간을 만들고 있다.

하룻밤 자지 않아도 즉시 질병이 걸리는 것은 아니지만, 작업안전을 위해 좀 더 수면시간을 중요하게 생각해야 한다.

표4-8 수면부족의 영향

ⓐ 피로가 크게 늘어난다.
ⓑ 능률이 떨어진다.
ⓒ 사고를 일으킨다.
ⓓ 질병에 걸리기 쉽다.
ⓔ 결근이 늘어난다.
ⓕ 계획성이 없어져 버린다.
ⓖ 새로운 사태에 즉각 대응할 수 없게 된다.
ⓗ 오인, 못 보고 빠트린다, 숫자의 실수나 타성에 휘말려 실수가 늘어난다.
ⓘ 과실, 평소 일으킬 수 없는 부주의나 자기 자신을 잊는데 가까운 과실을 일으킨다. 위험하다고 알면서도 해버린다.
ⓙ 평소는 억제하고 있었던 자신의 버릇이 나타난다.
ⓚ 보고 있다, 혹은 정신차리고 있는 부분이 한정되어 그 때문에 예상하지 못해 걸려 넘어지거나, 충돌이나 자빠지는 등의 상해를 입는다.
ⓛ 상태에 맞게 순간적으로 실행하여야 할 작업을 오래 끌어서 할 수 없게 된다.
ⓜ 다른 것과의 연락이 나빠진다. 다른 사람과 이야기를 하여도 생각지 않는 것을 말하거나 중요한 것을 말하려는데 잊어버리거나, 잘못 듣거나, 말을 못하게 되거나 한다.
ⓝ 전신의 조화를 잃어, 부자연스런 자세를 타성적으로 계속해 국소적인 피로의 원인이 된다.

수면부족인 상태에서는 ⓐ 졸린다고 느낀다. 특히 오후 이 느낌이 강해진다. ⓑ 신체가 나른하고, 활력이 부족한 느낌이 있다. ⓒ 자율신경계에 장해가 발생하기 쉬워 식욕부진, 구역질, 설사 등이 일어나기 쉽다. ⓓ 정신기능 영역에서는 의욕이 없고, 주의가 집중되지 않으며, 끈기가 없어지는 등의 경향이 보인다.

또, 수면부족이 매일 계속되면 내장이나 혈관계통의 기능장해가 일어나, 피로감이 강해진다. 정신면에서도 의욕, 기력이 저하되어 주의의 지속 · 집중을 할 수 없으며, 정서 불안정에 빠진다.

지식 · 지능에는 현저한 장해가 일어나지 않지만, 그것을 활용하는 의지, 의욕에 지장을 준다.

앉아 졸거나 게으름 피우는 것은 생물학적인 자기방어 수단이지만, 이와 같은 행위를 하는 사람은 앞에서 설명한 피로증상은 그다지 나타나지 않을지도 모른다.

심리학자는 수면부족에 의한 영향을 표4-8과 같이 정리하고 있다. 즉, 수면부족은 인간의 안전을 지속하기 위한 신뢰성을 저하시키며, 사람의 행동결함을 유발하는 가장 두드러진 사안이라고 할 수 있다.

(2) 수면의 의의

수면은 인간이 24시간의 주기성에 의한 것이며, 활동의 위상과 수면의 위상과의 교체에 의해서 매일 계속할 수 있는 것이다(그림4-14). 그래서 수면에 의해서만 피로의 회복이 가능하며 이 점이 수면의 의의 중 중요한 사항이다.

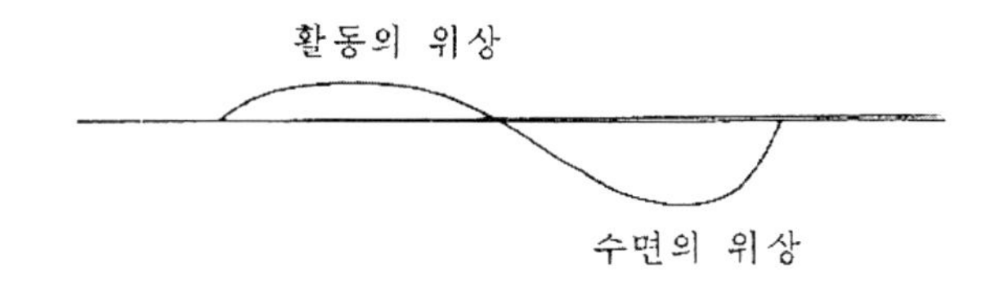

(a) 다른 유기물이나 무기물로 분해시킴	(a) 알맞은 성분으로 변화시킴
(b) 교감신경 긴장상태	(b) 부교감신경 긴장상태
(c) 높은 수준	(c) 낮은 수준

그림4-14 인간의 시간별 생리적 리듬

(3) 수면의 생리

수면의 시기와 생리적 리듬을 대응시켜 보면, 수면은 리듬 수준이 낮은 곳에서 취해지고 있다는 것을 이해할 수 있다. 이것은 수면에 대한 욕구가 자고 싶은 느낌에 의해 평가된다고 하면, 수준의 높낮이는 이 자고 싶은 느낌과 반비례하는 것이다(그림4-15). 더구나 수면의 시기에 해당해서 잠드는 위상과 깨어 정신 차리는 위상과의 2가지가 있다. 이 2가지의 위상을 비교해 보면 그림4-16과 같다.

(4) 수면조사

수면조사는 생활시간중의 수면을 조사하기 위한 것이다. 수면은 피로 회복에 중요한 의의를 가지며, 그래서 수면조사 또한 중요한 것이다.

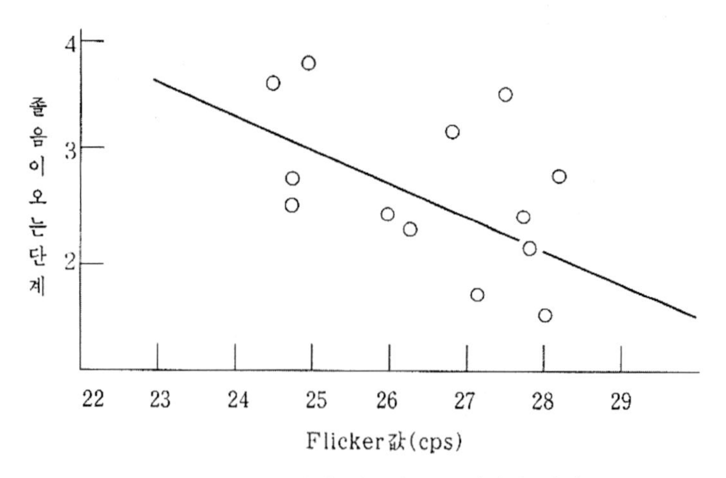

그림4-15 Flicker값과 자고싶은 느낌과의 관계

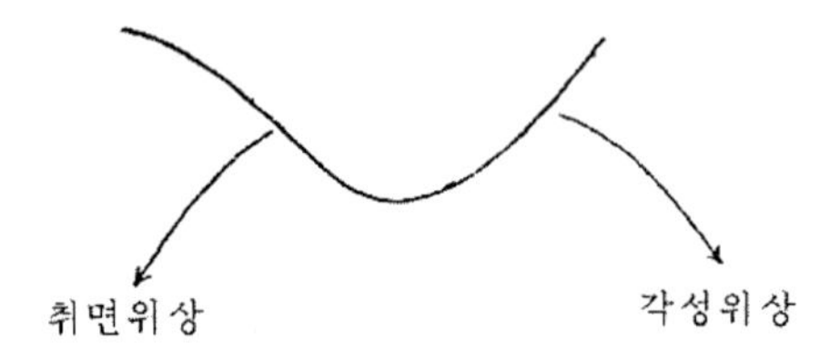

(a) 저하의 경향
(b) 느릿한 경사
(c) 비교적 긴 위상
(d) 깨어 정신차릴 때 상승
    깨어 정신차리는 시점이 낮고
    좀 급격하게 상승
(e) 음향 각성자극 효과가 적다
(f) 보다 야간적 반응성을 나타냄
(g) 수면이 적다

(a) 상승하는 경향
(b) 급격한 경사
(c) 비교적 짧은 위상
(d) 깨어 정신차릴 때 상승
    깨어 정신차리는 시점이 낮음
    좀 완만한 상승
(e) 음향각성 자극 효과가 크다
(f) 보다 주간적 반응성을 나타냄
(g) 수면이 많다

그림4-16 잠드는 위상과 깨어 정신차리는 위상과의 비교

① 수면의 길이

수면의 길이는 연령에 따라서 다르다. 성인에서는 8시간이 우선 기준으로 되어있다. 그러나 이 수면의 길이는 습관에 따라 또는 기타 생활조건에 따라서 다른 것은 물론이다. 또, 작업 양식의 상위도 생활 중의 수면에 관계되며, 일반적으로 육체 근로자는 정신 근로자보다 수면을 길게 취하고 있다. 또, 성별의 차이도 어느 정도 확인되어 있다.

② 적당한 수면의 길이

㉮ 이것은 앞에서 설명한 생활시간의 평균을 기준으로 생각한다. 여기서부터 한쪽으로

치우지는 정도가 심한 것은 그 원인을 분명하게 하여야 한다. 교대근무의 사례에서도 1일의 수면하는 길이의 합계는 역시 대략 이 기준에 가까운 길이가 되어 있어야 한다.

㉯ 수면 길이의 시일 경과 : 피로의 축적에 따라서 수면의 길이는 또한 연장되어 가는 경향이 크다. 따라서 수면의 길이는 1일만이 아니고 교대근무를 전체적으로 감안해서 조사할 필요가 있다.

㉰ 휴일에는 또한 휴일 전날에는 수면을 충분히 취하는 경향이 많기 때문에 이점도 주의해서 본다.

㉱ 수면이 어떤 원인에 의해 단축되었을 때는 다음 날에 그것을 보충하는 의미에서 긴 수면을 취할 때가 많다. 이런 의미에서 통계적으로 이력현상을 보는 방법을 채용하는 것도 필요하다.

㉲ 수면의 길이를 규정하는 것은 취침 및 기상하는 시각이지만, 같은 길이의 수면이라도 일찍 자고 일찍 일어나는 유형과 늦게 자고 늦게 일어나는 유형 등이 있다.

㉳ 기상하는 시각의 빈도 분포곡선을 보면 Poisson분포를 나타내며(그림4-17), 취침시각의 빈도 분포곡선을 보면 분포형을 나타내는 것이 많다(그림4-18).

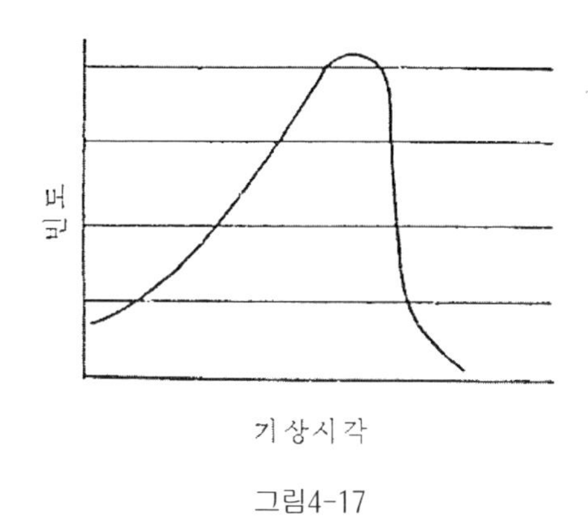

그림4-17

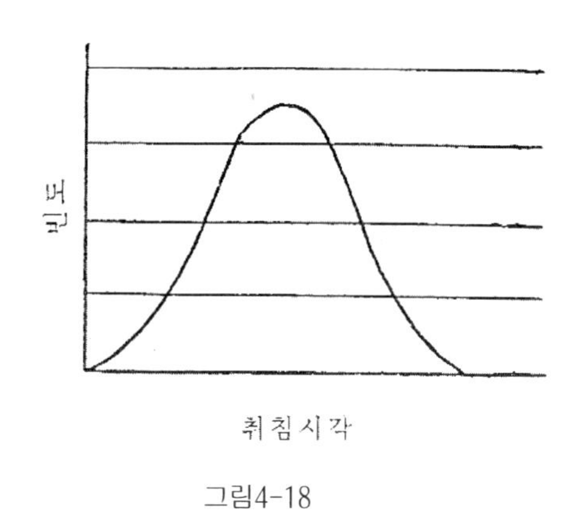

그림4-18

이것은 기상시각은 되도록 늦게까지 자고 있지만, 출근하는 시각이 정해져 있어서 기상한다는 것에 대한 빈도 분포이다. 여기에 비해 취침시각은 이와 같은 제약이 없기 때문에 정규분포형을 나타낸다.

㉴ 수면부족인 경우에는 아침의 프리커(Flicker)값이 낮다고 한다. 따라서 수면이 충분했는가의 타각적 판정에서 수면시간의 길이와 함께 아침의 프리커(Flicker)값을 대조하는 것도 필요하다.

㉴ 교대 근무자의 경우에는 각 근무 직을 한번 또는 수면시간의 경과를 관찰할 필요가 있다. 야간근무가 되었을 때는 수면시간이 짧아 이것을 보충하는 의미에서 주간근무일 때는 수면시간이 긴 경우가 많다.

㉵ 야근할 때는 가면을 취하는 방법을 상세하게 조사할 필요가 있다. 가면시간, 가면장소의 조건 등이다.

③ 수면상태에 관해서

수면상태를 이해하려면

㉮ 잠드는 것

㉯ 깊이 잠자는 것

㉰ 꿈꾸는 것

㉱ 일어났을 때의 기분

의 4가지 항목에 대해 질문을 한다. 이것은 물론 주관적인 판단에 의한 기록이다.

(5) 수면시간에 관계된 제 인자

수면시간에 관계되는 제 인자는 다음과 같은 것이 있다.

① 연 령

나이가 많은 층에서 길어지고 있으며, 어린이도 수면시간은 길다.

② 성 별

표4-21과 같이 남성이 여성보다 수면시간이 길다.

표4-9 연령별, 성별 수면시간

연 령	남 성		여 성		남녀 차이
	평균수면시간	사례 수	평균수면시간	사례 수	평균수면시간
20~24세	7시간35분	87명	7시간 02분	65	33분(남>여)
25~29	7 15	48	6 35	42	40 (〃)
30~34	7 16	85	7 10	71	6 (〃)
35~39	7 53	15	6 59	21	54 (〃)
40~49	7 22	146	6 50	123	32 (〃)
50~59	7 27	104	7 15	108	12 (〃)
60~69	7 30	70	7 09	74	21 (〃)
70~	8 05	78	7 54	13	11 (〃)

③ 개인차

현재 남성에 대한 개인차를 보면 표4-10과 같다.

표4-10 수면의 개인차(사례 수치 남자 146명)

수면시간(시:분)	사례 수	%
4:30~ 4:59	1	0.68
5:00~ 5:29	5	3.43
5:50~ 5:59	3	2.03
6:00~ 6:29	17	11.6
6:30~ 6:59	16	10.9
7:00~ 7:29	49	33.6
7:30~ 7:59	19	13.1
8:00~ 8:29	21	14.4
8:30~ 8:59	6	4.12
9:00~ 9:29	6	4.12
9:30~ 9:59	2	1.37
10:00~10:29	0	0
10:30~10:59	1	0.68

④ 계 절

Erwin은 409명의 어린이들에 대해서 계절별 수면을 조사해 겨울철이 가장 수면이 긴 것으로 보고하며, Kleitman, Cooperman, Mullin 등은 겨울철에는 어린이의 수면 중 움직임이 적다고 한다. 또, Garvey는 수면의 계절 차이는 없는 것으로 보고하여 의견 일치가 이루어지고 있지 않다.

⑤ 근무개시 시각별의 수면시간과 통근시간+근무시간과 수면시간과의 관계

인간의 수면은 낮의 생활 결과로서 발생하는 것이다. 따라서 다음날의 근무개시 시간이 변경되어도 거기에 크게 지배되지 않는다(그림 4-19). 예를 들면, 근무개시 시각이 8시부터 16시까지 엇갈림이 있어도 수면시간의 굴곡 점은 8시간이다. 그리고 수면시간에 크게 영향을 주는 근무+통근시간의 길이는 아침 8시부터 근무가 시작되는 경우에는 16시간이다. 이 보다도 근무나 통근시간이 짧은 경우에는 자유 시간 및 구속시간에 따라서 조절되는 것이다.

⑥ 근무 연수별 수면시간

표4-11과 같이 근무 연수가 긴 때에는 수면시간이 짧고 또한 분산이 안정되어 있다.

⑦ 수면시간이 어느 날 단축되었을 때 그 뒤의 수면시간의 변화

그림4-20, 21과 같이 단축된 수면시간을 회복하는 방법으로 2가지 방식이 있는 것 같다. 하나는 다음 날 밤에 충분히 수면시간을 잡아서 그것을 회복시켜 거기서부터 서서히 원래대로 회복시키는 경우와, 서서히 길게 하면서 회복시키는 방법 2가지가 있다. 이것은 어느 쪽이나 인간생활이 습성화되어 있음을 보여준다.

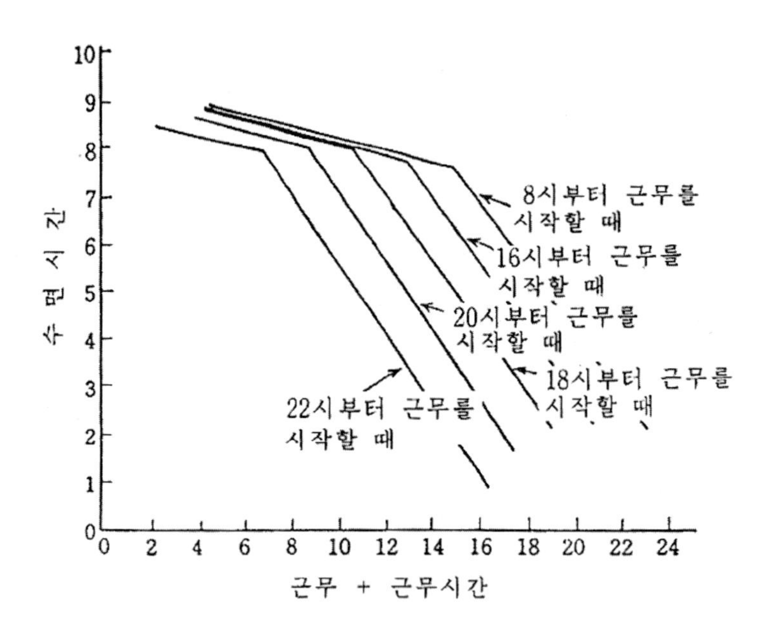

그림4-19 근무개시시각이 다를 때의 근무+통근시간과 수면시간과의 관계

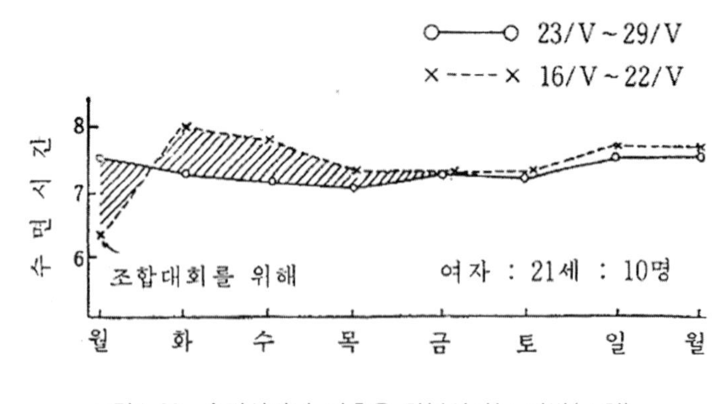

그림4-20 수면시간의 단축을 회복시키는 방법(I 형)

⑧ 통상의 근무일과 토요일의 수면시간

현재 금요일과 토요일의 기상시각을 비교하면 그림4-22와 같이 일요일은 느린 쪽으로 벗어나며, 분산이 커지고 있다. 그러나 수면시간은 거의 차이가 없다. 이것은 토요일의 취침시각도 늦어지고 있기 때문이다.

표4-11 근무 연수별 수면시간(여자 작업자)

수면시간	인 원			
	78명(근속 1년)	113명(근속 2년)	144명(근속 3년)	335명
5:00~ 5:19			1(0.7)	1
5:20~ 5:39	1(1.3)			1
5:40~ 5:19	2(2.6)			2
6:00~ 6:19	1(1.3)		1(0.7)	2
6:20~ 6:39	12(15.4)	5(4.4)	2(1.4)	19
6:40~ 6:59	3(3.8)	2(1.8)	4(2.8)	9
7:00~ 7:19	4(5.3)	7(6.2)	17(11.8)	28
7:20~ 7:39	15(19.3)	11(9.6)	18(12.6)	44
7:40~ 7:59	6(7.7)	26(23.0)	33(23.2)	65
8:00~ 8:19	12(15.4)	22(19.6)	35(24.4)	69
8:20~ 8:39	19(24.4)	30(26.6)	17(11.8)	66
8:40~ 8:59	1(1.3)	4(3.5)	5(3.5)	10
9:00~ 9:19	2(2.6)	2(1.8)	3(2.1)	7
9:20~ 9:39		2(1.8)	6(4.8)	8
9:40~ 9:59			1(0.7)	1
10:00~10:19			1(0.7)	1
10:20~10:39				0
10:40~10:50		1(0.9)		1
11:00~11:19		1(0.9)		1

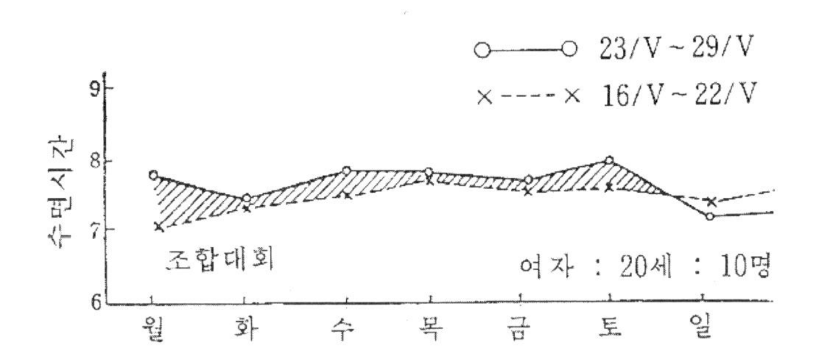

그림4-21 수면시간의 단축을 회복시키는 방법(Ⅱ형)

(6) 숙면을 위한 요령

수면을 잘 취하기 위해서는 수면 생리학에 입각해서 다음과 같은 주의가 필요하다.

① 환경조건의 조정

인간은 외적 자극에 대해서 반응함으로 외적 자극조건을 없애는 것이 필요하다. 즉, 표 4-12와 같은 것이 필요하다.

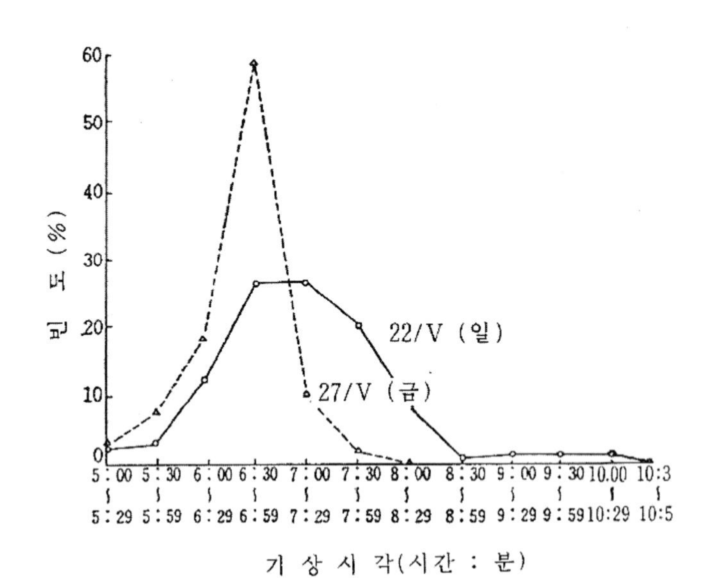

그림4-22 금요일과 일요일의 기상시각 비교(18~21세 131명의 여자인 경우)

표4-12 외적자극조건을 없애는 방법

(a) 시 각 :	빛을 차단할 것
(b) 청 각 :	a. 소음을 없앨 것 b. 마음에 걸리는 소곤대는 이야기가 들리지 않도록 할 것 c. 평소 수면할 때의 조건에 맞출 것(예를 들면, 어느 정도의 소음환경에 있는 경우에는 너무 고요한 것은 오히려 수면을 방해한다) d. 마음에 걸리는 소리, 예를 들면 물건이 연소하는 소리 등이 들리지 않도록 할 것
(c) 피부감각 :	a. 추위, 더위를 없앨 것 b. 가려운 느낌, 아픈 느낌 등을 없앨 것 c. 기류(바람)를 없앨 것
(d) 후 착 :	자극적인 냄새를 없앨 것
(e) 미 각 :	기분이 나쁜 자극적인 맛을 없앨 것

② 내적 자극조건을 없앨 것

표4-13과 같이 내적 자극조건을 없애는 것이 필요하다.

③ 적극적인 최면효과가 있는 것을 시도할 것

㉮ 조건 반사적인 작용을 기대해서 다음과 같은 것을 실시할 것

a. 어려운 책을 볼 것. 예를 들면, 육법전서와 같은 것

b. 숫자를 셈할 것. 0에서 10까지를 반복할 것

c. 메트로놈(Metronom)을 사용해 일정한 곡조의 소리를 들을 것

㉯ 취침하기 전에 체조를 해서 혈액순환의 균형을 취할 것

표4-13 내적 자극조건을 없애는 방법

(a)	배고픔 느낌, 배부른 느낌을 없앨 것
(b)	아픈 느낌을 없앨 것. 예를 들면, 복통, 치통, 두통 등
(c)	소변이 극도로 고여서 소변을 참는 상태를 없앨 것
(d)	심리적인 고민이 발생하지 않도록 할 것
(e)	흥분상태(분노, 슬픔, 질투심, 놀램 등)가 없도록 할 것
(f)	흥분상태를 일으키는 것(커피, 홍차, 자극적인 약제 등)을 피할 것
(g)	자극적인 독서를 피할 것

㉰ 베개가 높거나 단단함, 요의 상태 등이 바뀌었을 때는 잠자리가 나쁘기 때문에, 가능한 한 평소 사용하고 있는 조건에 맞출 것

또 이불이 너무 무거우면 시달리게 되므로 가벼운 이불로 할 것. 꼭 끼이는 셔츠나 바지 등은 수면을 방해하기 때문에 느슨한 잠옷으로 바꿀 것

㉱ 기상시각이 걱정될 때는 잠깨는 시계 또는 기상 시각에 일어나도록 습관을 붙일 것

㉲ 전기 최면기를 사용해 볼 것. 단, 의사의 지시에 따를 것

㉳ 전계(Electric field) 작용장치를 시험 삼아서 사용해볼 것. 단, 전문가의 지시에 따를 것

㉴ 수면용 약제를 사용할 것. 단, 의사의 지시에 따를 것

2. 알코올

(1) 알코올 농도

교통안전에서는 음주운전은 엄격한 단속대상이 되지만, 산업안전에서도 음주작업은 금물이다. 작업도중의 안전 확보와 알코올은 밀접한 관계가 있다.

표4-14는 알코올 혈중농도에 따른 행동이 변화를 보여주고 있다.

혈중농도 0.02%는 취하기 시작하는 상태이지만, 0.05% 정도가 되면 알코올 마비작용이 대뇌에까지 미쳐서 자기 억제력이 약해지고 인격의 변화가 일어날 수 있다.

그 이상의 혈중농도에 대해서는 설명하지 않지만, 문제는 술이 깨는 속도 - 소실시간이다. 실

험에 따르면 64g의 알코올(청주로 환산해 약 360cc)을 마시면, 혈중 알코올이 소실되기까지 대체로 8시간 이상이 걸린다. 알코올 163g(청주로 환산 약 900cc)이라면 24~25시간 정도 경과되지 않으면 혈중농도는 Zero가 되지 않는다고 한다.

개인차가 있으며, 마시는 방법에도 기인되지만, 음주량 180cc에 대해, 완전히 깨어나기까지의 시간은 약 5시간이라고 생각하면 좋다. 540cc정도 마시면 15시간정도가 경과되어야 알코올이 소실된다. 다음 날 점심때가 지나기까지 알코올이 남아 있어서 대뇌의 활동수준이 완전하지 못한 체 작업하게 되어 불안전 행동을 하기 쉽다.

이것이 720cc나 900cc가 되면 다음 날 저녁까지 알코올이 남아 있는 상태에서 작업하게 되므로 상당히 위험하다.

주말에는 청주로 환산하여 360cc까지만 마시도록 해야 한다.

표4-14 알코올 혈중농도와 취하는 상태

농도(%)	변 화
0.01	머리가 몽롱해지기 시작한다
0.02	흥분을 느끼며, 유쾌한 느낌, 왜 그런지 핑 돌기 시작한다.
0.03	경솔하게 들떠 떠든다.
0.04	큰 소리로 지껄인다.
0.05	자기억제가 없어져 충동적이 된다.
0.10	비틀거리며 잠이 온다.
0.20	혼자서 걷지 못한다. 소리내어 운다.
0.30	말하는 것을 알아들을 수 없다.
0.40	마비상태가 되며, 끝내는 사망한다.

(2) 알코올 중독(産業衛生핸드북, 1032)

일반적으로 생산 현장의 종업원이 음주의 상태와 문제점, 숙취(宿醉)와 작업능력 장해・사고・근무 태만, 습관성 음주자 및 중독자, 그리고 직장의 분쟁 내지 소란, 그들 사람들의 내장질환, 중추성・말초성 신경질환 등의 이환에 의한 인사・노무・안전관리상의 문제, 만성 알코올 중독자의 각종 정신장해에 의한 직장의 분쟁, 그리고 「각종 화학공장에서 화학제의 체내 흡수와 음주와의 상승작용에 의한 상태 및 여기에 기인된 직업병」 등의 문제점 등은 음주와 관련되어 산업의학의 문제가 되며, 이를 점검하고, 대책을 세워야 한다.

① 통계적인 사실

미국에서는 7~8천만 명이 음주하며, 그중 대체로 6%, 결국 4~5백만 명이 음주에 기벽(특히 좋아하는 버릇)에 이르고 있다. 그런데 한 사람의 알코올 중독자가 있으면 가족, 고용주, 사회 등에서 5~10명이 이것을 괴로워하고 있기 때문에, 결국 2천 5백만 내지 5천만 명의 사람이 이 문제와 관련되어 있다.

기업에서도 알코올에 의한 손실은 매년 20억 달러에 이르며 「10~20 달러의 숙취」 등이라고 하는 말도 있지만, 알코올을 좋아하는 버릇이 된 200만 명 이상의 사람 (즉, 전직업인구의 3%)이 기업에 고용되어 있다. 이들은 최고 관리자로부터 생산현장의 근로자로 분포되어 있으며, 이들의 결근율은 일반인의 3배에 이르고 그 사고율도 2배에(이것을 염려하여 위험작업에서 미리 조치하면서도) 이른다. 어떤 회사에서 알코올 중독자 1명에 1년에 소비된 숨겨진 비용은 500달러에 이른다는 계산을 한 것도 있으며, 어떤 석유회사에서는 술에 취한 직원이 스위치를 오 조작하여 5만 달러의 손실을 가져오기도 하였다. 또, 어떤 책임자가 알코올 중독에 빠져서 이 회사에 100만 달러 이상의 손실을 끼쳤다(더구나 그 회사는 그가 알코올 중독자라는 것을 사전에 모르고 있었다).

표4-15을 통해서 같이 미국 산업계의 알코올 중독 문제의 심각성을 알 수 있다.

표4-15 미국 산업에서 알코올 중독

알코올 중독자 고용자 수		206만 명	손실 평균 가동일	22일	이들중 음주에 의하지 않은 것 약 2%
내	미숙련 하층 근로자	69만 명	손실 총 가동일	2,970만 일	
역	생산공장, 공익사업 등에 종사	137만 명	직장에서 사고사	1,500명	
알코올 중독 산업인의 수명은 비음주자 혹은 보통 음주자에 비해서 12년이 짧다.			가정 또는 공공장소에서 치명적인 사고에 책임 있음	2,850	
			이 사고에서 상해	39만 명	

② 산업계 종업원 알코올 중독에 관한 일화

㉮ Henderson과 Bacon은 2,000명의 남자 환자 진료기록 카드를 점검했으며 그 결과는 대단히 의외였다. 즉, 오히려 그들은 사회적 안전성을 가지고 있었으며, 정도가 강한 신경증 혹은 변질성의 사례는 매우 적다는 사실을 발견하였다.

70% 정도의 사람이 특수 기능을 요하는 책임 있는 직책에 취업하고 있으며, 60%의 사람은 같은 건실함으로 3~10년 그 직책에 종사해 오고 있었던 것이다. 80% 이상은 50세 이하이며, 25%는 35세 이하의 연령에 해당했으며, 기업의 고용 연령에 균형을 이루고 있었지만, 그들은 알코올 중독에 의한 현저한 불리함에도 불구하고 평범한 생활을 하려고 결사적인 노력을 하는 것을 보여주었다. 따라서 이 문제의 인식을 새로이 하게 되었다.

㉯ 미국에서 1940년까지는 기업의 알코올 중독자의 처리는 가혹하였고 그래서 그들은 실직자로 전락되었다. 결국, 사회복귀 등을 고려할 대상이 되지 못했다. 그러나 A. A(Alcoholics Anonymous, 알코올 누명자 모임)의 설립을 통해 사정이 바뀌었으며, 금주, 사회복귀, 작업능력 재획득이 가능하게 되었던 것이다(어떠한 약물적 치료수단도 결국 A. A 및 여기에 준한 환경의 순화에 미치지 못하는 것이다).

㉰ 미국에서 기업의 대 알코올 중독 프로그램은 1964년 창립된 The National Council on Alcoholism(법인)의 협회에 의해서 적어도 203개 회사(500만 명의 종업원)에 의해 만들어졌으며, 이 프로그램에 따라서 회사는 거액의 금전을 절약하게 되었고, 종업원의 사기 및 관리상의 진척이 두드러지게 되었다.

③ 음주에 관한 것

알코올 중독문제에서 산업에 종사하는 종업원은 이와 같이 폭넓은 음주(그 대부분은 사교성 음주)가 이루어지고 있지만, 음주에 따른 안전의 문제에 대한 관심은 대단히 적었다.

제3절 / 중 · 고령자 문제

1. 중 · 고령자의 의미

노동행정상 일본에서는 종래 35세 이상을 중 · 고령자로 해서 직업안정을 중심으로 일정한 시책이 실시되어 왔지만 고용과 실업정세의 개선에 따라, 1971년의 「중 고령자 등의 고용의 촉진에 관한 특별 조치법」 이후 45세 이상이 중고령자로 되어 있다. 몇 살부터 중년이 되는가 하는 정의는 곤란하지만, 사회적으로는 일단 40세 전후로 생각하면 되며, 노동행정을 중시한다면 45세에서 구분하게 될 것이다.

사회적인 의미에서 고령자는 노동의 모든 능력상의 쇠퇴가 크지 않지만 정년제에 의해서 대기업 및 본격적인 고용 근로자로부터 이탈이 시작되는 55세가 하나의 기준이 되고 있다. 또, 고령자중 노동의 모든 능력이 상당히 크게 쇠퇴하여 취로가 곤란해지고, 동시에 후생 연금의 지급이 개시되는 연령인 65세가 또 하나의 구분이 되며 역시, 모든 노동 능력이 거의 소멸되어서 주위로부터 간호가 필요하게 되는 75세 이상의 단계로 구분된다. 그래서 55, 65, 75의 각 나이를 경계로 해서 향 노인기, 초로기, 중 노인기, 고 노인기라 할 수 있다.

2. 연령과 정신적 제기능

(1) 정신능력의 연령적 변화

이 문제에 대한 연구는 극히 적다. 특히, 50세 이후의 고령자에 대한 조사 자료는 부족하다. 또, 정신적인 연령이 어떠한 변화를 나타내는가 하는 것은, 종래 정신 측정방법 즉, Test에 의한 자료가 많지만, 이 Test 자료가 생각한 바와 같이 노인 정신기능의 실상을 표시하는가 하는 것은 의문이다. 가령 이 Test적인 방법은 정신적인 기능의 연령적인 변화를 잘 포착할 수 있다고 가정해도, 고령자 집단의 경우 상당히 많은 수의 표본을 검사하는 것은 대단히 어렵다. 젊은 사람으로부터 고령자까지 거의 동일한 직업 내지 생활환경 조건에 있는 상당수의 표본을 얻는 것조차 지극히 어려운 것이다. 본 서에서는 극히 한정된 단편적인 자료를 토대로 추정이 가능한 내용들을 소개하기로 한다.

① 정신기능의 연령적인 추이는, 일반적으로 14~15세까지는 약간 급격하게 상승하고, 이후 완만한 상승을 계속하고 20세 전후에 최고가 되며, 당분간 그 수준을 유지하지만, 30세경부터 서서히 저하가 시작된다. 그러나 그 이후에 저하되는 경향 및 정도는 기능별로 차이가 난다.

② 운동, 동작, 변별(辨別), 인지 등의 비교적 단순한 기능에서 더구나 그 속도에 대한 측면은 30세 이후의 저하가 상당히 급격하지만, 정확도 상의 저하는 심하지 않다.

③ 비교적 복잡한 기능이나 개개의 기능을 종합했을 때, 또는 경험적인 요소가 가미된 작업에서는 저하되는 정도가 완만하다.

④ 각종 능력의 개인차는 고령자가 될수록 커지는 경향이 있다. 또, 정밀검사 수검자 1,440명에 대해서 지능검사를 실시한 결과에 따르면, 이 집단은 특수한 조건의 집단이지만, 언어 득점은 20대 후반부터 40대 전반 경까지 거의 감퇴하는 것이 보이지 않으며, 그 이후 서서히 감퇴의 경향은 다 다르지만, 그만큼 현저하지 않는데 대해, 동작 득점은 20대 후반을 정점으로 해서 이후 연령과 함께 감퇴하는 경향이 매우 현저하다. 후자는 속도 요인이 고도로 작용하기 때문이라고 해석된다.

⑤ 공무원 7,424명(연령 30~67세)을 대상으로 실시한 행정적인 판단능력에 대한 시험 성적을 연령대별로 제시하면 다음과 같다. 그들에 의하면 이 시험은 공무원의 지위(국장, 과장, 일반직)별, 고등고시 문과 합격자로 하였던 것이고 또한 학력별로 현저한 성적의 차이가 보이며, 행정적인 판단능력의 Test로 해서 식별력이 있는 가 하는 것이다. 이 자료는 행정적인 판단능력과 같은 것이 아니고 고도하고 복잡한 시험의 Test를 연령별로 득점한 자료라는 것이 특징이다. 그러나 이 자료에 따르면 이와 같은 능력을 평균해서 보면 30세 이후 서서히 감퇴하고 있다. 다만, 고등문과 합격자의 하강하는 곡선은 비교적 완만하며, 이 무리는 40대에서는 그 성적에 큰 차이는 없다는 것이다.

노동연구소의 성격검사 결과에서는 향성(내향성・외향성을 합쳐 부르는 것), 자주성, 지도성, 사교성 등의 사회적인 인간성 또는 대인적 성격 특성은 40세 이후에도 적극적인 방향으로 가는 것을 보여주고 있다(그림4-23).

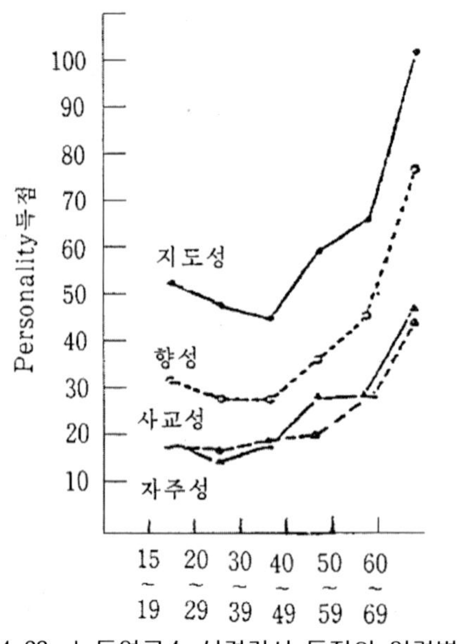

그림4-23 노동연구소 성격검사 득점의 연령별 변화
(점수가 높을수록 적극적인 방향을 나타낸다)

(2) 고령자의 정신기능

정신기능의 연령별 변화에 대한 검사 자료들은 득점 분포의 평균이 연령과 함께 감퇴되는 경향을 보여준다는 것을 제시하였다. 그러나 Welford 등에 따르면 인간 정신기능의 연령적 변화를 몇몇 검사들을 통해서 고려하는 것은 신뢰성이 부족하다는 점을 제시하고 있다. 즉, 인간의 정신기능 변화는 다른 면이 있을 것이며, 어떤 기능의 쇠퇴는 다른 기능에서 보완하고 있을 지도 모른다. 따라서 Welford들은 실험적인 방법에 따라서 고령자 정신기능의 특징을 포착하려 하고 있다. 이들 연구의 몇 가지 내용만을 소개해 본다.

① 고령자에 있어서 능력이 저하되는 것은 정신기능의 효과기 측면에 있는 것이 아니고, 수용기 측면에 있다. 즉, 노인은 이해하기 어려우면 새로운 작업에 착수하기가 곤란하거나 또는 시간이 걸리며, 일상적인 경험과 동떨어진 것에는 융합이 어려우며, 자신의 경험에 얽매이는 경향이 있으며, 새로운 경험의 재조직(학습)이 곤란하고, 또 시간제한이나 작업 속도를 타율적으로 규제하면 과제 수행이 불리하다는 것을 제시하고 있다.

② 노인 기능이 유리한 점은 작업이 신중하고 정확한 것이다. 속도보다도 정확을 중요시 하는 태도가 있다. 시간제한이 없는 작업 또는 작업속도를 자신이 조절할 수 있는 작업은 성적이 양호하다. 기준에 따른 변별에 시간이 걸리지만, 일단 기준의 습득이 이루어지면 변별능력은 젊은

사람과 별 차이를 보이지 않는다.

③ 노인은 개인차가 매우 크다. 노인이라도 20세의 젊은 사람과 같은 결과를 보여 줄 수 있으며 극단적으로 능력이 낮은 경우도 가능한 것처럼 개인차가 매우 클 수 있다.

3. 연령과 체력 · 신체적인 제기능

(1) 중 · 고령자의 체격

여기서 중 · 고령자란 30세 이상 60세 정도를 말한다.

체격(몸의 외관적 형상의 전체)이 좋다는 것은 일반적으로 체력(신체의 작업 능력과 저항력)이 있다는 것이지만, 최근에는 예외로 볼 수 있는 일이 많아졌다.

심리학자는 제철소 근로자가 1951년도보다 1966년도의 신장 · 체중상의 증가가 있었지만 근력으로서의 악력(握力) 등 근력의 저하, 호흡 기능으로서의 폐활량이 감소한 것을 보고하고 있었다. 그때 체력 향상의 필요성을 강조한 세상 사람의 관심은 희박했다. 기계화된 공장에서 일하는데 체력이 필요한가에 대한 여론마저 있었다. 그런데 작업을 하면 곧 피로하다, 신체가 나른하다 등의 자각적인 느낌이 있어서 세상의 여론도 체력 향상의 필요성을 강하게 주장하여 관심이 높아졌다. 이러한 것을 감안하여 운동열기도 높아지고 있었고, 1967년도와 1971년도의 체격을 비교한 것이 그림4-24이며, 후자의 쪽이 좋아지고 있는 것을 알 수 있다. 여성은 신장의 발육이 약간 정체되는 기미가 있지만, 가슴둘레의 향상을 보이고 있는 것은 바람직하다.

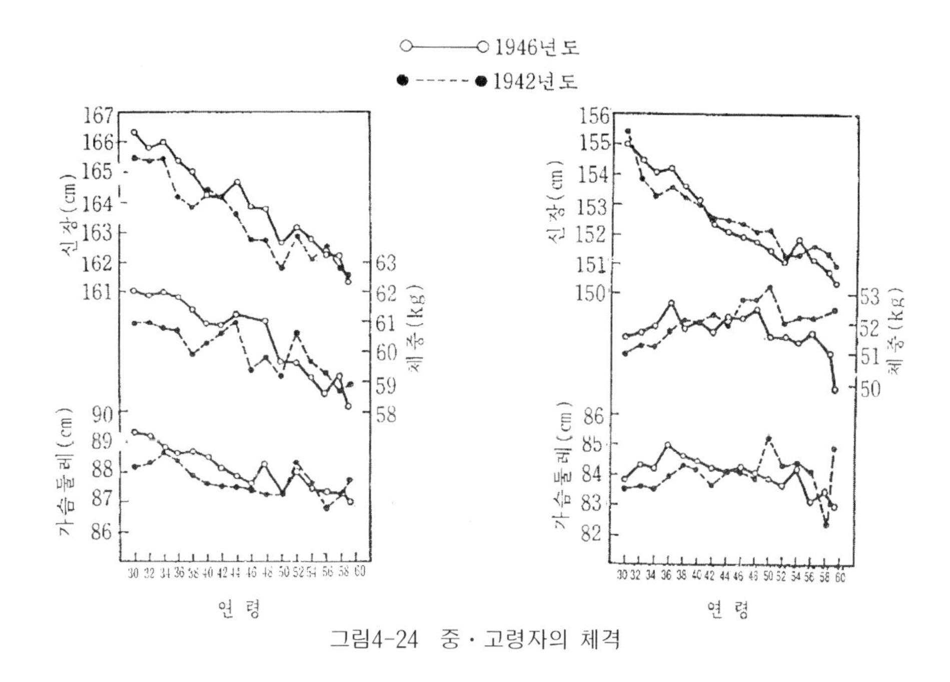

그림4-24 중 · 고령자의 체격

(2) 중 · 고령자의 체력

중·고령자의 체력은 어떠한 방법으로 표시해야 하는가의 문제에 있어서 간단하지 않다. 중 · 고령자에서 체력을 알아보는 방법은 결과적으로 사회의 활동력이 높다는 것과 관련성이 있어야 한다. 중 · 고령자는 직업도 가정환경도 상당히 다르기 때문에, 체력을 보는 방법은 몇 가지를 조합시키는 것이 필요할 것이라는 것이 예상되며, 더구나 중 · 고령은 30~60세라는 폭이 넓은 연령층에 걸쳐 있으며, 거기에다 개인차도 크므로 체력을 알아보는 방법은 어렵다.

① 민첩성(반복 모로 뜀)

나이를 먹음과 동시에 동작도 둔해진다.

② 순발력(수직으로 뜀)

「노화는 발로부터」라고 하지만, 다리의 힘은 도약(Jump)력으로 보는 것이 간단하다. 순간적으로 자신의 체중을 들어 올리는 도약력(跳躍力)을 이용한다. 동적인 운동에서 체력이 쇠퇴하고 있는 것을 보는 중요한 검사이며, 초등학교로부터 실시되고 있으므로 연령적인 경과도 알 수 있다.

③ 근력(악력)

근력은 사용하면 발달하고 사용하지 않으면 퇴보한다. 손은 일상생활에서 언제나 사용하고 있기 때문에 악력(握力)의 저하는 심하지 않다.

④ 정교하고 치밀한 성질(Zigzag dribble)

나이를 먹음과 동시에 동작의 어색함이 늘어나고 있다. 현대 공장에서 벨트 컨베이어 작업 등은 눈 · 손 · 발의 협응 동작이 중요하며, 노화에 의해서 협응력이 상실되면 작동하는 컨베이어의 속도에 적응하지 못하게 된다.

⑤ 지구성(남자 1,500m 빠른 걸음, 여자 1,000m 빠른 걸음)

그다지 세지 않은 근 작업으로부터 어느 정도까지 지구성을 갖는 것은 중 고령자라도 필요하다. 걷는다는데 이 Test는 중점이 있으며 강한 발과 빠른 걸음걸이가 요구된다. 발의 근과 다시 순환기능 등이 관여하고 있다.

이상 보행이 2종목, 도약 2종목, 팔의 근력 1종목으로 검사가 이루어지며, 노화에 따라 저하가 분명함으로 중 · 고령자의 체력을 검사하는데 적합하지 않다.

다만 중 · 고령자 특히, 고령자에서는 상기 검사들이 사고를 초래하기 쉽기 때문에 「건강상태 기록용지」(표4-16)에 의해서 건강하다는 것을 확인할 필요가 있다. 이 Test는 질병을 진단하는 것이 아니고, 건강한 중 고령자의 활동력을 보는 것이다. 때로 일어나기 쉬운 사고는 순환기 계통이 많기 때문에 표4-16의 조사 이외에 가족 이력에서 심장질환, 뇌졸중, 고혈압의 사람이 없는지도 조사한다.

표4-16 건강상태 기록용지

건강상태의 기록
검 사 번 호
검사 년월일
성　　　명

다음 각 질문에 대해서 해당되는 것의 번호를 ○으로 표시하고, II, IV에 대해서는 다시( ) 안에 필요한 것이 있으면 기록해 주시오

I 현재 신체 상태가 나쁜 곳이 있습니까? 「1. 있다」고 답변하는 사람은 (2)에 대해서도 답변해 주시오

(1) 1. 있다　　　　2. 없다

(2) 신체의 상태가 나쁜 곳은 다음 중 어디에 해당됩니까?

1. 열이 있다.	6. 근육이 아프다. 관절이 아프다.
2. 기분이 나쁘다.	7. 상해를 당하고 있다.
3. 머리가 아프다. 어질하다.	8. 목이 대단히 마르다. 소변 횟수가 많다.
4. 가슴이 아프다. 숨이 차다. 기침이나 담이 나온다.	9. 빈혈증이 있다.
5. 구역질을 한다. 자고 싶다. 설사를 한다. 배가 아프다.	

II 금년에 다음과 같은 일이 있었습니까?

1. 언덕을 오르면 심하게 심장의 고동이 있다. 숨이 차다.
2. 정신을 잃은 일이 있다. 현기증이 있다. 손발이 저리다.
3. 가슴이 조여드는 기분이 있다. 왜 그런지 괴로운 날이 있다.
4. 대단히 피로해지기 쉽다. 발이 붓는다.
5. 기타 (그 내용　　　　　　　　　　　　　　　　　　　　　　)
6. 별로 없었다.

III 의사로부터 심장병이나 고혈압이 있다는 일이 있습니까?

1. 있다　　　　　　　2. 없다

IV 중증의 질병을 앓은 일이 있습니까?

(1) 1. 있다.　　　　　　　2. 없다

(2) 있었던 사람은 그것이 어떤 병명이며 언제쯤입니까.

1. 병명 (　　　　　　　　　　　　　　)
2. 언제쯤(　　　　　　　　　　　　　　)

혈압 측정치(이 난은 의사가 기입할 것)

1. 최 고 값
2. 최 저 값

(3) 중·고령자의 생활 활동과 체력과의 관계

각 항목에 관한 체력 검사결과를 남자는 그림4-25에, 여자는 그림4-26에 제시했지만, 나이를 먹게 되면 어느 것이든 저하되고 있다. 이 결과를 보면 60세 정도의 사람이 20대 근로에 종사하는 것은 무리라는 것을 알 수 있다. 체력을 합계한 점수에서 1968년과 1972년을 비교하면 그림4-27과 같이 전자보다도 후자가 뛰어나며, 최근에는 체력 향상이 효과를 거둔 것으로 생각된다.

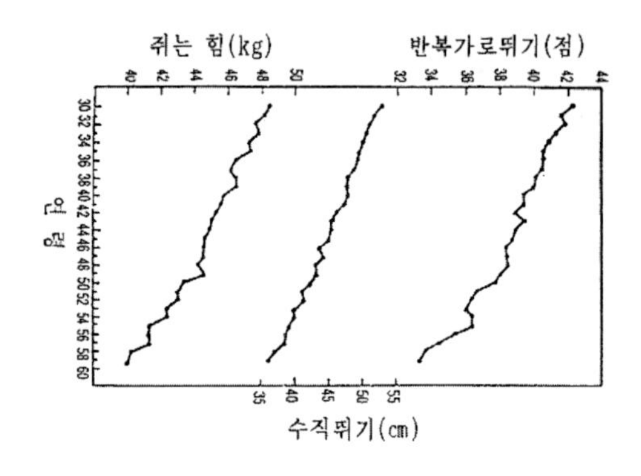

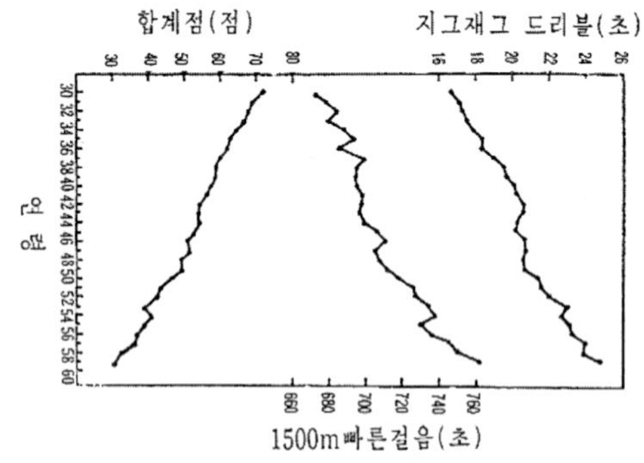

그림4-25 장년 체력 검사결과(남자)

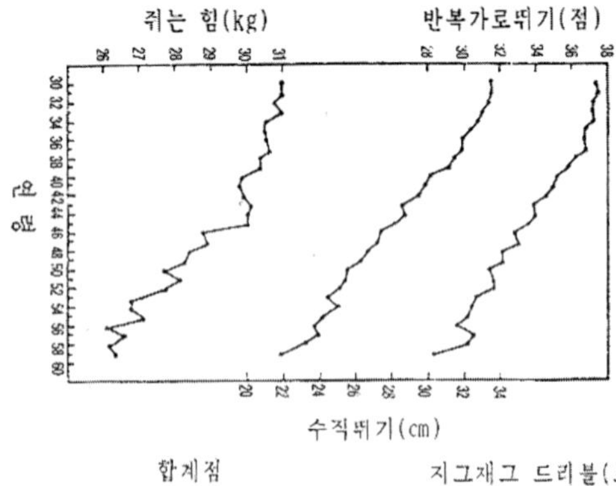

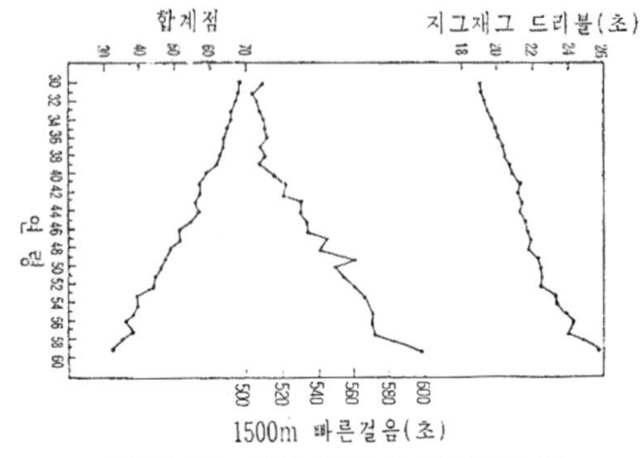

그림4-26 장년 체력 검사결과(여자)

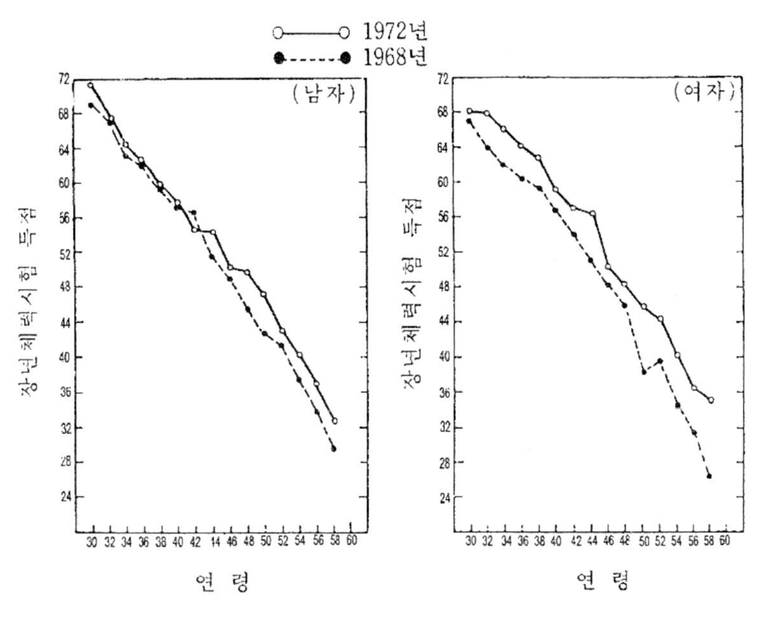

그림4-27 장년 체력 검사점수

직업별로 보면 육체 근로자(노무적인 직업)가 정신 근로자(사무적인 직업)보다 체력이 우수하다는 결과를 보이지 않으며, 남자는 그림4-25, 여자는 그림4-26에 나타나 있다. 각 종목 중에서 육체 근로자가 사무 작업자보다 뛰어난 것은 남자에서는 빠른 걸음, 여자에서는 악력과 빠른 걸음 만이며, 합계한 점수에서는 전자는 후자보다 못하다. 그림 이외의 직업을 포함해 45~49세의 남자, 여자에 대해서 체격 · 체력을 나타낸 것이 표4-17. 표 4-18이다. 남자에서는 육체적인 근로자가, 여자에서는 무직자가 최하위에 있다. 근로의 이상적인 상태가 문제가 되는 것이다. 또, 청소년 근로자는 운동하는 것이 하지 않는 것보다 체력이 뛰어나며 중 · 고령자도 같다.

표4-17 직업별 체력 평균치(45~49세 남자)

		농림어업	노 무	판매 서비스	사 무	전문관리	무 직	기 타
체격	신 장 (cm)	162.9	163.0	164.1	164.3	164.7	162.8	162.4
	체 중 (kg)	60.7	58.8	61.7	60.9	62.1	61.4	60.0
	가슴 둘레 (cm)	87.6	87.1	88.5	87.8	87.9	87.0	87.7
장년체력테스트	반복 모로 뜀 (점)	36.7	37.8	38.7	38.9	40.2	39.6	37.3
	수직 뜀 (cm)	41.6	42.5	44.3	44.8	45.6	42.6	44.9
	악 력 (kg)	44.1	44.3	44.9	44.6	45.0	46.1	44.9
	지그재그 드리볼(초)	21.9	21.8	20.9	20.0	19.6	19.8	20.1
	빠른 걸음 (초)	705.3	713.9	720.5	703.7	708.8	679.7	695.6
	합계 점수	56.0	47.1	50.7	52.7	55.3	53.9	53.4

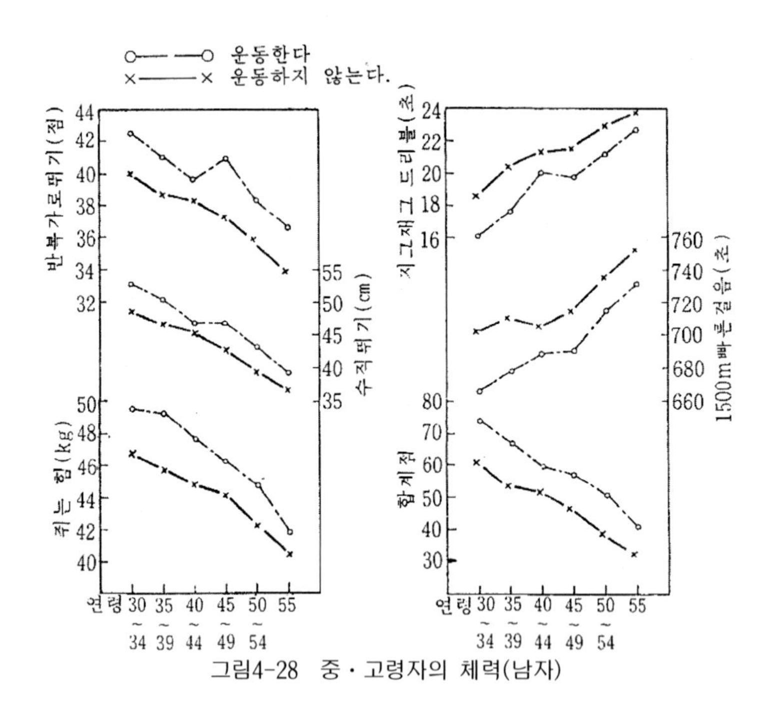

그림4-28 중・고령자의 체력(남자)

그림4-26. 그림 4-27에서 이해할 수 있다. 특히, 남자의 경우는 차이가 현저하다. 운동을 실시하는 정도에 따라 체력의 차이를 45~49세의 남자, 여자에 대해서 보는 것이 표4-19이며, 이따금 운동하는 것이라도 하지 않는 경우보다 체력의 합계한 점수가 많아지고 있다.

직업별로 보아 걷는다는 것, 서 있는다는 것, 앉아 있는다는 것을 조합한 작업을 하고 있는 직종은 단지 서있는 직업에 종사하는 직종보다는 체력이 뛰어나다는 것이 남자에서는 그림4-26, 여자에서는 그림4-27에서 이해할 수 있다.

여기에서 보아 작업도중에 걷는다는 것을 포함하는 것으로 체력 향상에 쓸모가 있다는 것을 이해하고, 근무 이외에 운동하는 것이 얼마나 체력을 증강시키는데 쓸모가 있는지를 이해하여야 한다.

표4-18 직업별 체력 평균치(45~49세의 여자)

		농림어업	노 무	판매서비스	사 무	전문관리	부 인	무 직	기 타
체격	신 장 (cm)	151.5	152.7	152.2	153.0	152.5	152.6	152.1	151.2
	체 중 (kg)	51.3	52.4	54.8	52.6	53.8	52.7	53.7	51.2
	가슴 둘레 (cm)	83.6	83.8	86.2	83.7	86.0	84.9	86.7	83.1
장년체력테스트	반복 모로 뜀 (점)	32.0	33.3	31.9	33.8	35.2	33.1	31.4	31.0
	수직 뜀 (cm)	26.0	27.7	27.9	29.0	30.3	27.5	28.4	27.3
	악 력 (kg)	29.2	28.5	29.0	29.6	29.1	28.7	27.6	30.1
	지그재그 드리볼(초)	22.6	24.0	22.5	21.1	19.3	21.5	21.9	22.0
	빠른 걸음 (초)	544.8	548.1	542.5	540.0	517.6	541.8	553.7	538.0
	합계 점수	48.1	47.2	50.3	55.0	62.3	51.2	45.3	50.3

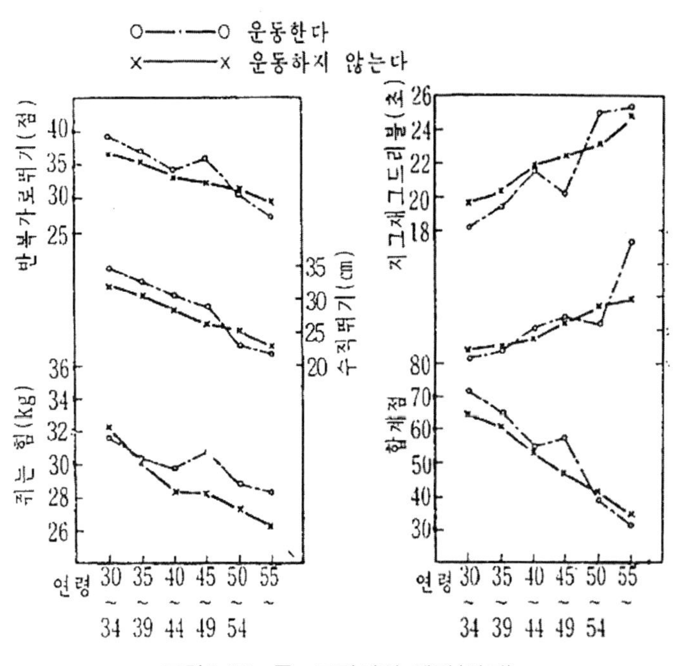

그림4-29 중·고령자의 체력(여자)

표4-19 운동하고, 하지 않는데 따른 체력차(45~49세)

항목		실시상황	거의 매일 주 3~4회	때때로 주 1~2회	이따금 월 1~2회	하지 않음
남	체격	신 장 (cm)	163.9	164.3	164.1	163.5
		체 중 (kg)	61.0	61.4	61.6	60.6
		가슴둘레 (cm	88.2	87.9	87.3	87.8
	체력조성	반복 모로 뛰기 (점)	41.0	40.0	39.2	37.2
		수직 뛰기 (cm)	45.8	44.9	44.3	42.7
		악 력 (kg)	46.2	45.8	44.5	44.2
		지그재그드리볼 (초)	19.9	19.5	19.9	21.5
		1,500m 빠른 걸음(초)	691.3	697.3	709.5	716.4
		합 계 점 수	58.3	56.4	51.8	46.9
여	체격	신 장 (cm)	153.2	152.9	153.6	151.9
		체 중 (kg)	51.8	53.8	53.2	52.2
		가슴둘레 (cm)	83.7	85.4	84.8	84.2
	체력조성	반복 무루 뛰기 (점)	36.0	34.8	33.5	32.0
		수직 뛰기 (cm)	28.4	30.1	28.3	26.4
		악 력 (kg)	30.6	30.8	29.3	28.3
		지그재그드리볼 (초)	20.1	21.1	21.6	22.5
		1,000m 빠른 걸음(초)	548.5	541.0	545.5	545.9
		합 계 점 수	57.1	58.6	53.6	46.9

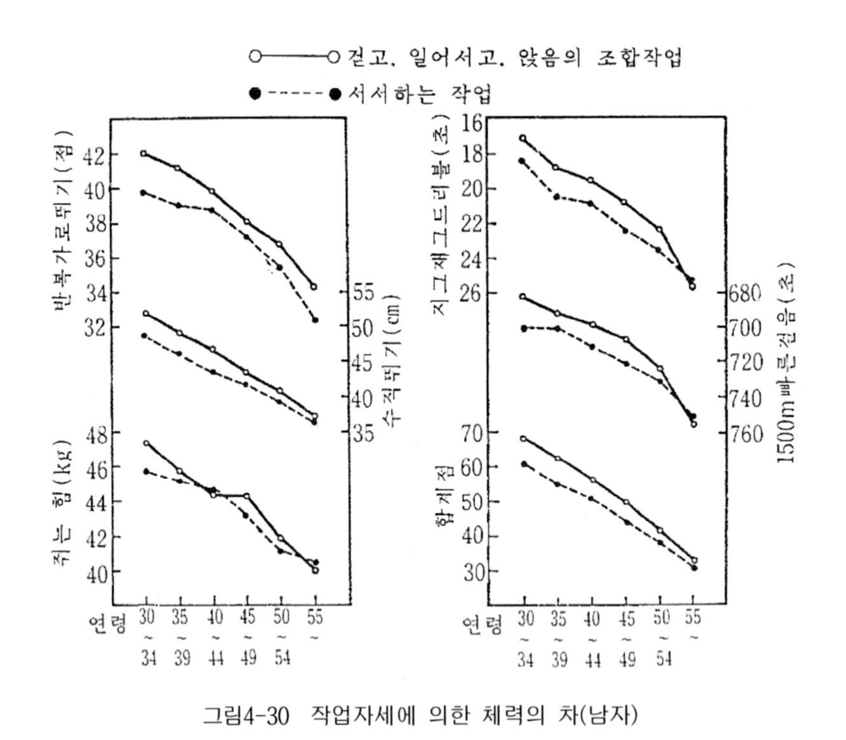

그림4-30 작업자세에 의한 체력의 차(남자)

(4) 중 · 고령자의 신체적 기능

지금까지 중 · 고령자는 나이를 먹음과 동시에 체력이 저하된다는 것을 설명했지만, 그 이외의 신체적 기능도 저하되는 것이 나타난다. 체액의 주야간 변동, 예를 들면, 혈청의 저녁 때 단백 농도가 저하되고, 식염의 농도 상승 등이 젊은 사람보다 빨리 일어나며, 활동상태를 나타내는 혈압, 체온도 젊은 사람보다 중 · 고령자는 저녁때에 빨리 저하된다. 또, 중 · 고령자는 대사기능의 저하가 있기 때문에 근로할 때에 피로가 젊은 사람보다 빨리 나타나며, 회복도 더디다. 또, 온도에 대해서도 겨울철 추위를 느끼기 쉬우며, 여름철에는 불감증설기가 적어 체온을 조절하는 능력이 저하되어 더위에 지치기 쉽다. 또, 시각에 대해서는 시력의 저하, 암순응 능력이 부족하다. 그 위에 보행할 때의 순환 기능에서도 중 · 고령자는 청소년층에 뒤떨어진다. 매분 100m의 보행에서 심장박동수는 청소년에서는 분속 80m의 경우와 그다지 변함이 없는데, 중 · 고령자는 상승이 크며, 더구나 평상 시 값에 대한 회복시간이 길다. 그 위에 속도를 빠르게 했을 때는 심장박동수의 증가에 의해 혈압의 상승이 과격하다. 이것은 청소년과 같이 심장박동수를 높이는 능력이 충분치 않아, 말초 혈관의 저항을 적게 해서 혈압상승을 완화하는 능력이 저하되고 있기 때문이다.

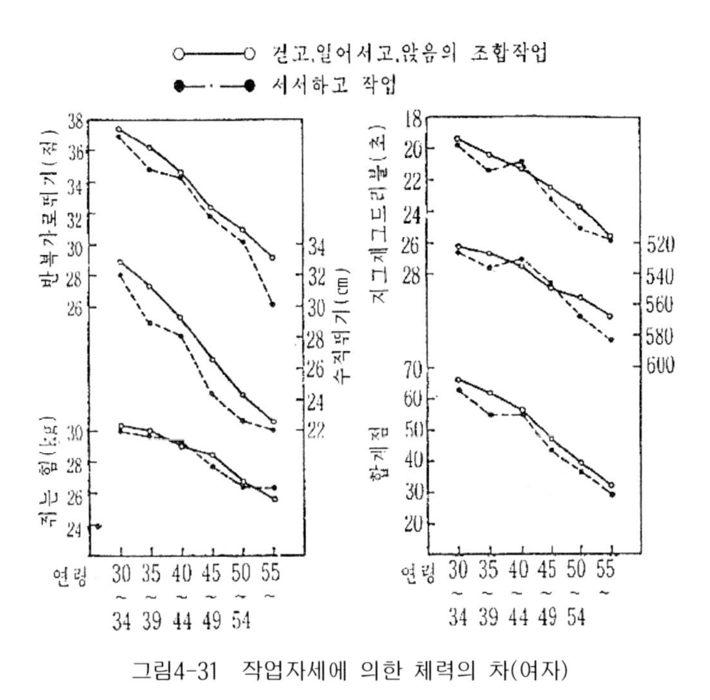

그림4-31 작업자세에 의한 체력의 차(여자)

호흡기능에 있어서도 노동할 때에 필요한 산소를 섭취하기 위한 호흡 기능으로서 호흡수가 청소년에서는 적게 끝나는데 중·고령자에서는 호흡이 얕고, 호흡수를 많게 한다. 즉, 산소를 섭취하는 효율의 저하가 보인다. 더구나 중 고령자에서는 호흡수를 많게 하는데도 한계가 있으며, 산소를 섭취하는 기능의 저하와 함께 과격한 노동은 불가능하게 되어 있다.

표4-20 50세와 20세의 체력비교
(어떤 측정사례)

1. 근력	악력 75%	6. 감각	시력 63
	팔굽힘력 80		청력 44
	등근력 75		눈의순응력 36
	다리신장력 63		피부감각 35
2. 호흡기능	환기능력 75		평형기능 48
3. 산소운반	Hb 88	7 운동속도(전신기능)	광자극 77
4. 근 노동작업 지구능력	82		낙하봉 71
5. 유연성	앞으로 굽히기 92	8. 정신기능	기억 53
	옆으로 굽히기 85		학습 62
	어깨관절 70		판단 69

중・고령자의 신체기능 등에 대해서 20세를 기준으로 해서 50세를 비교하면 표4-20과 같지만, 이러한 신체적인 모든 기능의 저하는 체력의 저하도 포함하여 생리적인 것이지만, 신체를 단련하는 것으로 이 저하를 완만하게 유지하는 것은 가능하다.

(5) 중・고령자의 체력형성

중・고령자의 체력형성은 청소년의 경우와는 상당히 틀리며, 체력의 가능성의 한계까지 높이는 훈련은 없으며, 나이를 먹음과 함께 체력이 떨어지면 최근 문제가 되고 있는 비만을 방지하는데 중점을 두어야 한다.

근력은 40대로부터 현재의 상태보다 약간 강하게 하는 것이 단련으로 가능하며, 70대라도 희망을 버리지 않아야 한다. 다만, 이러한 경우에는 근의 비대가 아니고, 신경 지배를 양호하게 할 수 있는 효과를 말하는 것이다. 순환기능도 운동에 따라서 50대라도 기대할 수 있으며, 사람에 따라서 60대라도 무시할 수 없다는 발표가 있다.

그러나 중・고령자에서는 체력의 저하를 완만하게 하기 위한 체력단련이라는 것을 잊어서는 않된다. 무리가 없는 단련방법으로는 보행이 있다. 생리학자들은 매분 100m의 속도로 20분간 걷는 것을 장려하고 있다. 심장작동 수는 매분 130 전후가 되며, RMR은 4.5이므로 최대 산소를 섭취하는 양의 46% 정도가 된다. 심장박동수를 가늠으로서 매분 간 130을 넘지 않게 속도를 느리게 하고, 적을 때는 일찌감치 걷도록 하고 있다. 일반 중 고령자의 경우 매분 80m에서 5분의 보행이 개인차를 무시하고 할 수 있는 체력 향상의 운동이며, 심장 박동수는 50% 늘려도 되지만, 혈압 상승에 의한 위험이 없도록 해야 한다. 단련된 중・고령자라면 분속 100m에서 5분의 처방이 적당하다는 발표도 있다.

또, 어떤 학자는 중・고령자는 청소년과는 틀려서 얕고 빠른 호흡을 하기 위해 산소를 섭취하는 능력이 뒤떨어지기 때문에 심호흡을 실시하도록 장려한다. 그 위에 유연성을 유지하는 운동을 겸해서 실시하면 좋을 것이다. 이것은 근을 강하게 하기보다는 근의 응어리를 풀어 늘어남을 좋게 해서 결과적으로 근 기능의 향상을 목표로 하는 것이다.

또, 어떤 학자는 RMR×시간(분)이 500이 될 수 있는 운동을 일상생활에 가산시키도록 장려하고 있다. 운동의 RMR은 이미 많이 발표되어 있지만, 그 일례를 표4-21에 제시하였으므로 이것을 이용하면 된다. 그러나 청소년에게는 RMR×시간의 500도 좋지만, 중・고령자나 과격한 노동에 종사하는 사람은 300으로 충분하며, 특히 중・고령자에는 RMR 5 이상의 운동은 적당하지 않으며, RMR을 약간 작게 하여 시간을 연장하는 편이 좋다. 그리고 중・고령자에게는 운동하기 전 가벼운 준비운동을 하는 것이 필요하며, 피로할 때는 휴식을 취하는 것도 잊지 말아야 한다. 단련은 무리하게 하는데 의의가 있다는 청소년들과 같은 생각을 갖는 것은 삼가야 한다. 승부에 구애되는 운동을 피하는 것은 당연하다.

표4-21 사회인이 하는 운동의 RMR, 에너지 소비(남자)

운동종목	운동의 대체적인 설명	RMR	1시간당 소비 Cal
1. 배 구	원형이 되어 서로 던진다.	2.1	198
2. 포크 댄스	원기 있게, 활발하게	5.7	414
3. 하 이 킹	평지, 매분 80m의 속도	2.8	240
4. 하 이 킹	평지에서 30㎏의 배낭을 매고 70m/분	4.0	312
5. 등 산	언덕길(경사 5도), 65m/분	4.8	360
6. 자전거 여행	10㎞/hr, 평지	3.4	276
7. 스 키	하강(남자)	4.5	342
8. 스케이트	(여자)	6.0	432
9. 보 트	하천에서 물놀이	5.5	402
10. 해 수 욕	평영	5.0	372
11. 야 영	시설·건물을 만든다.	3.8	300
12. 골 프	걷는다	2.5	222
13. 낚 시	앉아서 때때로 미끼를 끼운다, 낚아올린다.	1.2	144
14. 배드민턴	뛰는 경우가 많다.	4.1	318
15. 체 조	TV 체조 정도	3.5	282
16. 줄 넘 기	원기 있게, 활발하게	8.0	552
17. 민속무용	북청 사자놀이	4.0	312
18. 민속무용	조용한 정도	1.2	144
19. 테 니 스	단독으로	5.2	377
20. 캐 치 볼	연식으로 친구들과 서로 던진다.	4.2	324
21. 드라이브	자동차 운전	1.3	150
22. 수 렵	산길을 걷는다.	3.6	288
23. 탁 구	때때로 힘을 넣는다.	3.5	282

4. 연령과 3재해

20세기 초 Vernon의 고전적인 연구에 의하면, 일반적으로 젊은 사람들은 정신적·육체적으로 성수되지 않았고, 또한 경험이 부족하다는 등의 이유에 의해서 재해율이 높았다. 다만, 중근력·위험한 노동인 경우에는 장년층으로부터 고령자가 빨리 피로해져서 사고를 일으키기 쉽기 때문에 고령자 사고율이 높다고 되어 있다.

그 뒤 외국에서의 연구는 연령과 재해와의 관련이 현저하게 복합요인이 많다는 것을 제시하고 있다. 한편에서 Vernon을 계승한 연령증가-사고감소 라는 연구성과의 발표가 계속되었으나,

그 뒤 연령증가-사고증가라는 Data의 제시나 또는 사고율은 연령에 관계없이 거의 일정하며, 다만 사고원인만이 변화한다는 연구도 나왔다. 노동과정의 양상과 그 가운데서 고령 노동력의 배치 여하에 따라서 관계는 달라지고 있을 것이다.

최근 일본의 산재통계에서는 표4-22와 같이 산업에 따라 양상을 달리하지만, 중・고령자층에서 보다 사고가 많다는 경향이 강하다. 또, 젊은 사람의 사고율이 높다는 경향도 관찰된다. 1969년 근로자 사상년보와 취업구조 기본조사에서 추정한 전 산업적인 연령별 사고율(천인율)의 자료에 따르면 20세 미만 9.6, 20~24세 9.2, 25~29세 10.4, 30~34세 12.0, 35~39세 14.1, 40~54세 16.7, 55세 이상 22.2라고 하는 관계에 의해 20~24세의 사고율이 가장 낮으며, 중・고령자는 젊은 사람과 비교해서 배 또는 배 이상의 사고율로 되어 있다.

표4-22 연령과 사고율

연 령	건설업	화물운송	항만운송	제조업
	1968년	1969년	1969년	1971년
~19세	22.31	24.46	28.67	
20~29	12.99	26.12	43.67	남 5.16
30~39	16.70	21.40	42.05	여 2.29
40~44 45~49	18.40	23.07	43.65	
50~59	26.42	26.23	42.75	남 7.12
60~69	38.90	28.46	33.84	여 6.06

숫자는 $\frac{\text{7~9월의 사상수}}{\text{근로자수}}\times 1,000$

산재동향 특별조사(1968, 69년) 및 직장안전보건관리 종합실태측정(1971년)

5. 중 · 고령자의 특성

(1) 중・고령자의 중요성

우리나라는 현재 고령화 사회로 향해서 진행되고 있으며, 거기에 복지국가를 유지한다고 하면, 이대로는 커다란 혼란이 오는 것은 뻔하다. 그래서 이제부터는 고령자에 대해서도 그들에 적합한 직장을 제공해서 사는 보람을 주며, 그들이 가지고 있는 잠재 능력을 적극적으로 활용하도록 하는 것이 금후의 중요한 과제가 되고 있다.

종래 고령자이며 취업하려고 하는 사람에 대해서는 그들은 노동 기능이 저하되어 있으므로, 「중 근력작업은 피하고, 정도가 높은 기능을 필요로 하지 않는 미숙련 노동에 배치한다」고 하는 사고방식이 일반적이었다. 이것은 기본적으로는 「고령자를 배제하는 논리」이며, 지극히 소극적인 대응밖에 되지 않는다.

이들 중 고령자문제는 아직 정리된 결론은 나오지 않았지만, 현재 밝혀지고 있는 범위 내에서 「중·고령자에 대한 직무 재설계와 그 안전대책」에 대해서 간단히 살펴보자.

(2) 중·고령자의 장점과 단점

나이를 먹음과 동시에 체력이 떨어진다고 하는 것은 일반적으로 인정되고 있다. 이것을 육체적 노동기능이란 면에서 보는 경우에, 어느 기능이 특히 떨어지는가를 본다면 일반적으로 ① 다리의 굽혀 펴는 힘, ② 어깨 관절의 운동, ③ 척주(등심대)의 옆으로 구부리기, ④ 근 작업의 지구력, ⑤ 운동조절 기능, ⑥ 순발 반응력 등이 제시되며, 또 ⑦ 야근한 뒤의 기능회복이 특히 더디다고 한다. 감각기능에 대해서는 ⑧ 시력의 쇠퇴, ⑨ 명(明) 순응의 저하, ⑩ 청력의 쇠퇴, ⑪ 반응시간이 길어지는 것 등이 현저하다고 한다.

정신기능에 대한 기존의 실시검사 중에는 고령 근로자의 적극적 활용이란 면에서 적당하지 않은 것도 있음으로 재검토의 필요가 있다. 현재 말할 수 있는 것은 ⑫ 단시간에 디지털(Digital)적인 정보처리(불연속적으로 흩어져 있는 물건을 선택하는 작업)에서는 실수(miss)가 많다는 것, ⑬ 기억력의 저하 등이 제시되고 있다.

여기에 대해서 고령자의 장점 내지 지금까지 체득한 능력에서 해를 거듭해도 떨어지지 않는 것은 무엇인지를 제시해 보면

① 고령 작업자는 아나로그형의 정보처리에 우수하다.

아나로그형 정보처리란, 최초에 대체적인 단서를 잡고, 조금씩 내놓고 해보며 그 결과를 보면서 조금씩 수정해 가며, 마지막에 잘 마무리하는 작업 등을 말한다. 노년의 명인이 많은 공예와 같은 작업에는 이러한 종류의 것이 많지만, 일반 산업계에도 이러한 종류의 작업이 있을 것이다.

② 앞을 간파하는 능력이 있다.

Line 감독자에는 이러한 종류의 능력이 필요하지만, 이 직무는 심신 공히 격무이기 때문에, 고령자를 배치하는 경우에는, 어떠한 조치가 필요할 것이다.

③ 대인 절충이 능숙하다.

사람에 따라 다르지만, 이런 종류의 능력을 수련하여 인격이 원만한 사람인 경우에는 활용할 수 있다.

④ 조언에 대한 역할에 적합하다.

⑤ 기억력의 저하도 그다지 걱정하지 않아도 된다.

기억에 대해서는 (a) 정보를 확실히 익히기 위한 Input, (b) 그것을 비축해 두는 저장력, (c) Output에 필요한 생각해 내는(Recall) 능력의 3단계로 나누어서 검토하여야 한다. (a)에 대해서는 해마다 저하된다는 것은 확실한 것 같지만, 제일 중요한 것은 본인의 의욕이며, 의욕이 있다면 젊은 사람보다 기억하는 정도는 느리지만, 새로운 것을 학습하는 것도 가능하다. (b)에 관해서는 이 기능을 어떻게 정의하는가에 문제가 있지만, 그다지 쇠퇴하지 않는다고 한다. (c)에 관해서는 일반적으로 「물건을 잊는다」고 하는 것은 이 능력의 저하를 나타내는 것이지만, 그 분야의 정보를 빈번하게 사용하여 생각해 내는 횟수가 많으면 그 종류의 정보에 대해서는, 거의 떨어지지 않는다. 또, 단기기억에 대해서도 그런 종류의 정보를 상시 취급하고 있으면 떨어지지 않는 것 같다.

이상 노동기능에 관해서 육체적 기능, 감각 기능, 정보 기능으로 대별하고 다시 개별 기능에 관해서 설명했지만, 작업 현장에 있어서 인간의 행동은 전 인격적인 것이며, 여러 기능 사이에 상호 작용이 있어서 그 종합으로 실시되는 것이라는 것을 잊어서는 안 된다. 이는 뒤에 좀 더 상세히 다루기도 한다.

(3) 중・고령자 취로시의 고려할 조건

원칙적인 사실을 제시하면 다음과 같다.

① 가령화(加齡化) 현상, 결국 나이를 먹음과 동시에 신체적・정신적 제 기능이 쇠퇴한다는 현상은 엄연한 사실이지만 그 개인차는 나이를 먹음과 동시에 확대되고 있으므로, 어떠한 종류의 작업은 몇 살 정도에서 부적합하게 되는지, 라고 하는 문제는 현실적이지 않다. 정확하게 개개 작업자에 대해 고려되어야 할 사실이며, 일반론으로 단언하는 것은 경우에 따라서는 실수를 범하게 된다.

② 중・고령자의 취로를 할 때 가장 고려되어야 할 것은, 사고 가능성을 높이기 쉽다고 생각되는 작업의 종류이며, 만약 그와 같은 종류의 작업에 중 고령자가 많이 작업한다고 하면, 우선 첫째 그 작업조건, 작업방법의 개선이 요구된다. 그렇지 않으면 중 고령자의 작업을 피해야 한다.

③ 탄광재해에 관해서 연구한 Vernon과 Bedford의 결과에 따르면, 21℃(70°F) 이하의 온도에서는 재해율은 45세경까지 연령과 함께 감소되고, 이후 조금씩 상승하고, 21℃에서는 35세경 까지는 감소하고, 그 이후 급증한다. 30대 사고 경향은 양쪽 온도에서 같지만, 50세 이상에서는 낮

은 온도일 때보다 높은 온도일 때에 40% 정도 높은 사고율로 보고되어 있다. 일반적으로 고온노동에서는 특히 심장 혈관계의 부담이 높게 진행되고 있는 것이 알려져 있지만, 이것은 중・고령자에는 현저하게 불리한 조건이며, 탄광 갱내와 같이 30℃를 넘는 고온이라면 사고 가능성을 떠나서 거기서의 육체노동은 50세 가까운 사람에게는 현저한 부담을 주게 되며, 경우에 따라서는 생리적 문제가 발생하게 될 것이다.

④ Richardson은 채탄이나 주조작업의 노동자 약 500명에 대해 조사하여 연령이 진행하는데 따라 경작업으로 이동하고 있는 것을 인정하였고, Clark도 건설 노동에서 똑같은 내용을 보고하고 있다. 대개의 경우, 고령자가 이동하는 경작업은 기계의 가동이나 어떤 상태를 맞춘다는 성질의 것보다 자신의 자유로운 속도로 할 수 있는 것이며, 이것은 고령자의 작업 적응을 고려할 때 중요한 요소가 된다.

⑤ 작업속도와 작업의 정확도의 관계에 대해서는 작업속도를 늘리면 정확도가 떨어진다는 관계가 일반화 되어있지만 OECD(Organization for Economic Cooperation and Development : 경제개발협력기구)에서는 고령자는 작업의 정확도를 속도의 저하 시에도 유지할 수 있는 경우에 정확도를 유지하려는 특징이 고령 근로자에게는 일반적이다. 또한, 고령자 팀에 일정한 작업속도에서 규제하려고 한다면, 능력이 저하된 저속의 조건을 설정하여야 하지만, 고령자는 개인차가 크고, 중・고령자 팀의 다수의 사람에 적응하도록 평균적으로 정해진 속도는 절반의 사람에게는 저부하의 비경제적인 속도이며, 오히려 개개인의 자유작업으로 하는 편이 수행에서도 바람직한 것으로 인정되고 있다.

⑥ 신체 유연성, 즉 관절 가동정도는 연령과 함께 감퇴하는 외에, 고령자에게는 뼈 조직 변형을 수반하게 된다. Forssman은 공장의 고령자 질병과 결근에서는 관절의 질환이 많다는 것을 보고하고 있지만, 중량물 취급작업, 빈번하게 허리를 굽혀서 하는 작업, 그 외에 뼈 조직에 지속적으로 부하가 걸리는 장시간의 강제적 자세유지에 의한 정적인 작업 등은 관절의 질환을 유발하기 쉽기 때문에 고령자에게는 피해야 할 것이다.

⑦ 시력감퇴는 나이 먹는 현상 중에서도 특히 강조되는 변화이지만, 시력은 밝은 조명에 의해 보상될 수 있는 것이다. 그 이유는 노안(老眼)의 하나의 특징인 최대 동공의 크기 감소에 따른 시삭효율을 높이기 위해서는 조도를 높여야 하기 때문이다. 따라서 시각에 의지할 필요가 특히 요구되는 검사작업이나 정밀작업에서는 고령자의 경우 안경을 착용한다 해도 조명수준의 고려가 필요하다.

⑧ 눈부심은 밝기가 다른 두 개의 시야 부분의 과도한 대비에서 발생하는 시각 방해의 현상

이지만, 그 영향은 젊은 사람보다도 고령자에 보다 현저하다. 또, 밝은 곳에서 갑자기 어두운 곳으로 옮겼을 때나 그 반대의 경우에 있어서 눈이 순응하는 능력은 나이를 먹음과 동시에 감소한다. 야간 자동차 운전에서는 자주 대향하는 자동차의 전조등에 의해 눈부심이 되거나, 눈의 순응이 신속하게 요구되는 등의 기회가 적지 않으므로 고령자의 야간운전은 안전을 위해 가능한 피해야 한다.

⑨ 야근한 뒤 주간근무에 들어가서 체중이 회복되는 경과를 보면 40대부터 늦어지는 것이 두드러지고 있다. 따라서 대기적 요소가 많은 수위를 제외하고 공장의 3교대 근무는 고령자에 특히 불리하다. 이와 같은 회복지연은 질병에서도 나타나고 있다.

⑩ 기억이나 학습능력의 저하는 고령화 현상의 정신적 측면을 다루는 가장 특징적인 요소이지만, 일련의 올바른 순서를 밟는데 따라서 안전이 확보되는 성질의 작업인 경우, 도중에서 예상하지 못한 어떤 정보의 자극에 반응하는 행동을 취하는 것이며, 다음에 밟아야 할 작업순서 기억을 잊어버려거나 생각나지 않아 실패나 사고를 일으키는 일은 흔히 있는 일이다. 따라서 고령 근로자는 동시에 많은 것을 해야 하는 경우에 정확한 작업수행에 실패를 일으키기 쉽다고 하므로, 효과적으로 명기해서 이와 같은 측면에서 제3자의 조력을 받거나 또는 고령 근로자가 그러한 것을 항상 자신이 점검하도록 할 필요가 있을 것이다.

⑪ 작업과정 내의 정보 종류가 많아서 각각 적시에 적절한 반응행동을 해야하는 복잡한 작업은 고령 근로자에게는 실패를 초래하거나, 가령 잘못은 없었다 하더라도 능률적상의 지연이 두드러짐으로 불리하다. 따라서 이와 같이 지나치게 복잡한 작업이 아니고, 정보에 대한 인지・판단・의사결정과 행위의 선택과 같은 정보처리가 단순화된 간단한 내용의 작업으로 환원시켜 주어야 한다.

⑫ 고령자를 새로이 취업시키려고 하는 경우, 개인의 소질 능력, 의욕이나 노력에 의해 예외의 사례가 있을 수 있지만, 일반적으로 젊었을 때에 체득한 기능을 활용하는 종류의 작업이나 거기에 밀접한 성질의 작업이 본인에게 가장 잘 적응할 수 있는 작업이라고 생각해야 한다.

⑬ 중・고령자 심신의 제 기능이 쇠퇴하는 것은 일반적이라 하여도, 동작의 정확도, 정서의 안정, 책임감, 단락적 속단이 아니고 경험이 풍부하다는데서 종합적으로 사물을 판단하려고 하는 신중함 등 작업의 실제 측면에서의 이점이 있다. 또한 일반적으로 직업활동을 통해서 심신의 제 기능을 행사해 감에 따라 저하를 완화시킬 수 있다. 그리고 때로는 약간 지나칠 정도의 기능 행사가 인간에는 단련적 효과를 발생하는 자극이 된다는 사실을 생각하면 고령자라 하여 헛되이 과보호를 하는 것은 사회적으로도, 건강면에서도 정당하지 않다고 해야 할 것이다.

제3부

조직내의 인간행동과 안전심리

제1장
동기부여

제1절 / 동기부여(Motivation)의 개념

동기는 심리학분야에서 중요한 대부분의 이론이 동기에 관련된 사실이라는 점에서 그 중요성을 쉽게 알 수 있다. Hull, Skinner, 그리고 Tolman과 같은 심리학자들은 "인간이 왜 그런 행동을 하는 가"에 대한 동기를 설명하려 하였다. 이러한 이론은 생산 현장에서 작업에 대한 동기를 설명하는데 상당히 포괄적이면서도 구체적으로 적용할 수 있다. 이들의 일반적인 동기이론을 변형한 이론이 제시되었고, 이렇게 변형된 이론을 통해서 산업심리학자들은 작업동기를 다루고 있다.

작업행동에서 여러 작업수행이 다음과 같이 평가될 수 있다. "그는 게으르다", "그는 정말 거칠다", "그 사람은 충분한 보수만 받는다면 무엇이든 할 것이다". 인간의 행동은 여러 이유 때문에 동기화되며, 다양한 상황에서 서로 다른 이유로 동기화 시킬 수 있는 것이다.

1. 동기부여의 특성

인간의 행동과 동기부여(Motivation)에 대한 연구는 인간성(Human nature)에 관한 복잡한 문제에 대한 해답을 찾으려는 노력이다. 조직의 인적 요소의 중요성을 인식하고 관리자가 인간행동을 이해하는데 도움이 될 수 있는 이론적 체계, 다시 말해서 현재 행동이나 과거 행동의 이유를 이해할 뿐만 아니라 미래의 행동까지 예측, 변화 및 통제하는데 도움이 될 수 있는 체계를 이해해 보려고 하는 것이다.

(1) 행동은 왜 일어나는가

행동이란 기본적으로 목표 지향적인 것이다. 우리의 행동은 일반적으로 어떤 목표를 달성하고자 하는 욕망에 의해서 동기가 유발된다. 그러나 사람은 반드시 그 구체적인 목표를 의식하고 있는 것은 아니다. 우리들 대부분이 「도대체 내가 왜 그런 일을 하였는가?」 하고 의아해 할 때가 많듯이 행동의 이유를 항상 분명하게 의식하고 있다고 할 수 없다.

프로이드(Sigmund Freud)는 무의식적인 동기부여의 중요성을 인식한 최초의 사람이었다. 그는 사람이 반드시 하고 싶어하는 모든 것을 다 의식하지는 못하며, 인간의 많은 행동이 무의식적인 동인(動因)과 욕구(欲求)의 영향을 받는다고 믿었다. 인간의 동기부여의 주요한 부분은 수면(水面) 밑에 감추어져서 본인에게 의식되지 않으며 인간은 동기부여의 아주 작은 부분만을 본인이 분명하게 알 수 있거나 의식하게 된다. 이처럼 자기행동의 동기부여를 자기도 의식하지 못한다는 사실은 각 개인이 자기통찰(self-insight)의 노력을 하지 않는 것에도 원인이 있다. 그러나 가령, 심리요법의 전문가와 같은 어떤 전문가의 도움을 받는다고 해도 자기 자신을 이해한다는 것은 어려운 과정이고 그것을 성공으로 이끌어가기가 어렵다.

행동의 기본적 단위는 활동(activity)이다. 모든 행동은 일련의 활동으로 이루어져 있다. 인간은 항상 무엇인가를 하고 있는 존재이다. 다시 말해서 인간은 산보를 하기도 하고, 식사를 하기도 하고, 수면을 취하기도 하고, 일을 하기도 하는 등 항상 어떤 활동을 하고 있는 것이다. 그리고 동시에 두 가지 이상의 활동을 하는 경우가 많다. 예를 들면 인간이 보행이나 자동차를 운전하면서 다른 사람과 이야기하는 것이 바로 그것이다. 또 인간은 지금 하고 있는 활동을 그만두고 다른 활동을 시작할 수도 있다. 여기서 우리는 몇 가지 의문을 제기해볼 수 있다. 즉 사람은 왜 여러 활동 중에서 어떤 활동은 하고, 다른 활동은 하지 않는 것인가? 왜 현재의 활동을 바꾸어 다른 활동을 하는 것인가? 관리자로서 우리는 어떻게 하면 다른 사람의 활동을 이해하고, 예측하여, 통제할 수 있을 것인가 등의 문제들이다. 인간의 행동을 예측하고 위와 같은 의문들에 대한 해답을 얻기 위하여 관리자는 인간의 동인과 욕구가 어떤 행동을 유발시키는가를 알고 있어야 한다. 다시 말해서 사람은 특정한 시점에서 어떤 동인과 욕구 때문에 그와 같은 특정한 행동을 하게 되는 것인가에 대해서 잘 알고 있어야 한다.

① 동기(motive) - 사람으로 하여금 행동하게 하는 것

인간은 무엇인가를 하는 능력에 있어서 뿐만 아니라 무엇인가 하려고 하는 의지(will to do), 즉 동기부여에 있어서 개인차가 있다. 인간행위에 있어서 동기부여의 강약은 동기의 강약 여하에 달려 있는 것이다. 여기서 말하는 동기란 각 개인 내부에 있는 욕구(needs), 욕망(wants) 또는 추동(drives)이라고 정의된다. 동기는 목표(goals)지향적인 것으로서 의식되는 것도 있고 의식되지 않는 것도 있다.

동기가 곧 행동의 이유이다. 그래서 동기를 아는 것이 행동을 이해하는데 있어서 열쇠가 된다. 인간의 내부에 있는 동기 바로 그것이 인간의 행동을 유지해나가고, 그리고 행동의 일반적 방향을 결정짓는다. 요컨대 동기, 즉 욕구가 행동의 원천이다. 흔히 동기와 욕구 이 두 가지 용어는 구분 없이 사용한다.

② 목표(goals) - 행동이 지향하는 것

목표는 개인의 외부에 있는 것이며, 때로는 동기가 지향하는 「기대되는」 보상이라고도 말한다. 이와 같은 목표를 심리학자들은 종종 유인(incentives)이라고 부르기도 한다. 그러나 여기서는 유인이란 말을 사용하지 않기로 한다. 왜냐하면 오늘날 많은 사람들이 유인이란 말을 급여인상과 같은 유형적인 경제적 보상과 같은 말로 사용하고 있지만, 실제 인간의 행동을 유발시키는 요인으로서 중요한 역할을 하는 칭찬이나 권력과 같은 무형적인 보상 등 얼마든지 있기 때문이다. 어떻든 종업원을 성공적으로 동기를 부여하고 관리자는 종업원의 욕구만족에 도움이 되는 적절한 목표(유인)가 있는 여건을 조성하고 있음을 보게 된다(그림1-1).

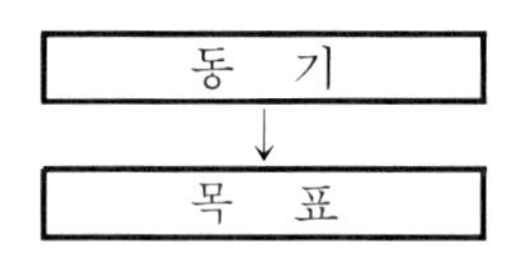

그림1-1 동기는 목표를 지닌다

③ 동기의 강도 - 행동을 결정하는 것

앞에서 동기와 욕구는 행동의 밑바닥에 깔린 이유라고 설명했다. 인간은 누구나 수많은 욕구를 가지고 있으며, 이들 모든 욕구들이 인간을 행동하게 하려고 경합하고 있다. 그러면 도대체 이들 동기들 중의 어떤 것이 행동을 일으키는 것일까? 다시 말해서 이들 동기들 중의 어떤 동기를 만족시키려고 행동하는 것일까? 그림5-2에서 설명하고 있는 바와 같이 어느 특정한 시점에서 가장 강한 욕구가 행동을 일으키게 하며, 일단 만족된 욕구는 그 힘이 약화되어 버린다. 그리하여 일반적으로 일단 만족된 욕구는 그 욕구충족을 위한 목표(유인)를 추구하도록 동기를 부여하지 않는다. 다시 말해서 일단 만족된 욕구는 행동을 유발시키는 동기로서의 힘이 약화된다는 것이다.

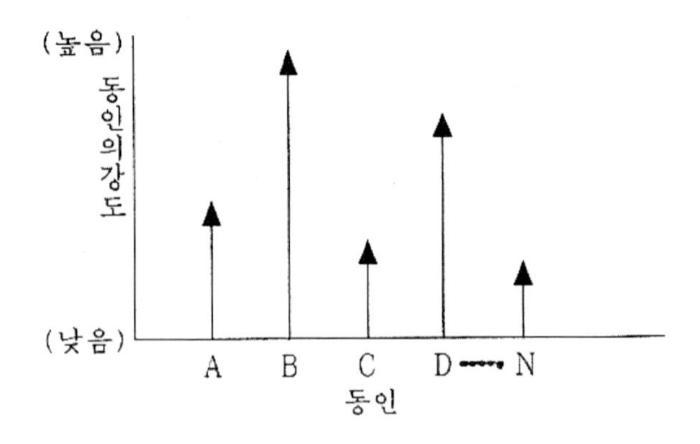

그림1-2 가장 강한 동인이 행동을 결정한다

그림1-2와 같이 욕구B가 가장 강하며, 따라서 행동을 결정하는 것은 바로 이 욕구 B이다.

④ 동기 강도의 변화

동기는 일단 만족이 되거나 혹은 저지되면 그 힘이 약해지는 경향이 있다.

㉮ 욕구 만족(Need Satisfaction)

매스로우(Abraham H. Maslow)가 말한 바와 같이 욕구가 일단 만족되어지면 그것은 이미 행동의 동인으로서의 역할을 하지 않는다. 그리고 아주 강한 욕구가 충족되었을 때를 우리는 「욕구만족」이라고 말한다. 이와 같이 강한 욕구가 만족되는 상태에 이르면 만족된 그 욕구 대신에 경합하고 있었던 다른 욕구가 보다 강력한 욕구로 등장하게 되어 그 욕구가 다시 만족되는 상태를 욕구만족이라고 한다.

㉯ 욕구만족의 저지(Blocking Need Satisfaction)

욕구만족은 저지되는 수가 있다. 이러한 경우 욕구의 강도가 저하되는데, 그것은 반드시 처음부터 그렇게 되는 것이 아니고, 오히려 욕구 충족의 저지를 받은 시초 단계에서는 그 강한 욕구를 충족시키기 위해 저지상태에 대하여 대처해 나가려는 행동을 취하는 경향이 있다. 이것은 문제해결을 위한 시행착오에 의하여 장애를 극복하려고 하는 시도이다.

그림5-3과 같이 인간은 목표를 달성하게 해주는 방법을 찾기 위해, 그리고 저지에 의해 생긴 긴장을 감소시키는 방법을 찾기 위해 여러 행동을 취하려고 한다.

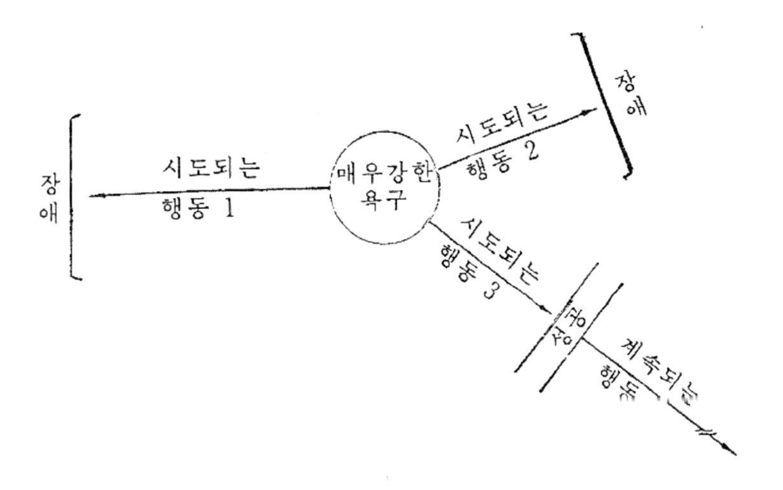

그림1-3 특정 목표를 달성에서의 장해요인에 대한 대처행동

처음에 이와 같은 대처행동(coping behavior)이 아주 합리적일지도 모른다. 그림1-3에서 보는 바와 같이, 아마 인간은 방향 2의 행동을 시도하기 전에 반향 1의 행동을 여러 번 시도해보고, 그 다음에 방향 3의 행동을 시도하기 전에 방향 2의 행동을 시도해보고 난 다음, 최종적으로 어느 정도의 성공 또는 목표달성이 가능하게 보이는 제3 방향의 행동을 시도하게 된다. 그래서 방향 3의 행동을 시도함으로써 어느 정도의 성공 또는 목표의 달성이 이루어지면 계속되는 행동이 일어나게 된다.

㉰ 욕구불만(Frustration)

욕구의 만족이 내부적 원인 또는 외부적 원인으로 말미암아 방해되는 상태 - 목표의 달성이 저지되거나 방해되는 경우에 욕구불만의 상태가 발생한다.

⑤ 동기강도의 증가

어떤 욕구의 강도가 증가하여 그 욕구가 가장 강한 동기가 되는 데까지 이르게 되면 행동이 변화한다. 그런데 어떤 욕구의 강도는 순환적 양상(cyclical pattern)으로 나타나는 경향이 있다. 그러나 우리는 이와 같은 순환적 양상의 속도를 어느 정도 빠르게 할 수도 있고, 느리게 할 수도 있다. 이는 환경을 조작함으로써 가능하며, 가령 맛있게 보이는 음식을 보여주지 않고 코로 음식의 맛있는 냄새를 맡지 못하도록 한다면 음식에 대한 욕구는 그렇게 강하게 나타나지 않을 것이다.

(2) 활동의 종류

강도가 가장 강한 욕구에서 비롯된 활동은 일반적으로 두 가지로 분류할 수 있다. 이를 두 가지 활동이란 목표 지향적 활동(goal-directed activity)과 목표활동(goal activity) 바로 그것이다. 그런데 이들 두 가지 활동은 욕구의 강도에 서로 다른 영향력을 지니고 있기 때문에 실무자가 인간의 행동을 이해하는데 있어서 매우 중요한 개념이다.

목표 지향적 활동이란, 목표달성을 위하여 동기화 된 수단적인 활동이다. 만약, 어떤 사람의 가장 강한 욕구가 배가 고파서 음식을 먹고 싶은 욕구라면, 식사를 하기 위하여 식사할 장소를 찾는다든지, 음식을 산다든지 또는 음식을 준비하는 활동 등이 바로 목표 지향적 활동이 될 것이다. 그리고 음식 그 자체는 목표이며, 그 음식을 먹는 것이 바로 목표활동이다.

이와 같은 두 가지 활동을 구별하는 중요성은 각 활동이 욕구의 강도에 영향을 미치는데 있다. 목표 지향적인 활동의 경우, 목표활동을 하게 될 때까지 또는 욕구불만이 생길 때까지는 목표 지향적인 활동을 계속함에 따라 욕구의 강도가 증가하는 경향이 있다. 앞에서 살펴본 것처럼 욕구불만은 목표 도달이 계속적으로 저지될 때 생기게 되는데, 욕구불만, 즉 좌절이 너무 강해지면 그 목표에 대한 욕구의 강도는 도리어 약해지고, 마침내 행동에 대한 그 욕구의 영향력도 없어지게 된다. 그렇게 되면 사람은 행동을 포기해 버린다.

(3) 동기부여란(안전관리의 행동과학 입문. 長野 三生, 76p)

동기부여란 작업자 자신의 내면적 문제이며, 그들 자신이 안전한 작업을 할 필요를 인정하여 안전한 행동을 하려는 열의를 가지고 안전한 작업을 하기 위한 자기의 역할에 정신 차리는 데서부터 출발하게 된다. 따라서 그는 스스로의 의지로 안전하게 노력하는 것이다. 일반적으로 동기부여란 인간 내면에 행동하는 에너지가 넘쳐흐르고, 그 에너지가 행동 목표로 방향이 주어져서 행동으로 나타나는 것이다.

단지 이와 같은 내면적인 동기(動因 : 어떤 현상을 일으키거나 변화시키는 데에 직접 작용하는 원인)가 행동으로 표현되지 않는 사람이 있으며 스스로 동기가 부여되지 않는 경우이다. 결국 외부로부터 인간에게 자극을 주거나 동기부여가 생기기 쉬운 환경을 만드는데 따라서 내면으로부터 동기가 생겨나도록 유도하는 것도 동기부여에 필요한 방법이다.

(4) 동기부여의 상황

동기, 목표, 활동의 관계는 그림1-4와 같이 제시할 수 있다. 이 그림은 동인이 목표달성을 지향하고 있는 상태를 나타낸 것이다. 가장 강한 동기가 행동을 유발하는데, 이때의 행동은 목표 지향적 활동 또는 목표활동들 중의 하나이다. 그러나 그 동기가 아무리 강력하다고 하여도 모든 목표가 달성 가능한 것이 아니기 때문에 사람이 반드시 목표활동을 한다고는 할 수 없다. 그래서 그림의 목표활동을 점선으로 표시하고 있다.

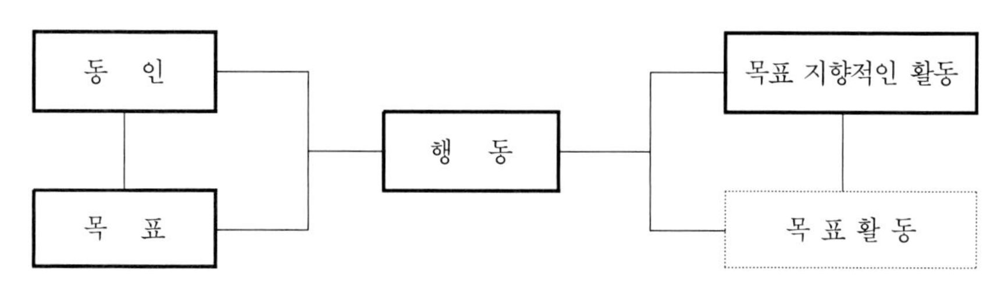

그림1-4 동기부여의 상황

그림1-5는 약간 실제적이고 구체적인 목표를 사례로 하여 설명하려는 그림이다. 음식물과 같이 범위가 좀 넓은 목표의 경우, 배고픔의 동인을 만족시키는 음식물의 유형은 상황에 따라 다르다는 사실에 주목해야 한다. 만약, 극단적인 기아상태에 있다면 어떤 음식이나 마구 먹으려고 할 것이고, 그러한 상황이 아닌 다른 경우에는 목표인 음식물들을 견주어보아 불고기만이 그 사람의 기아(飢餓)동기를 만족시키게 될 것이다.

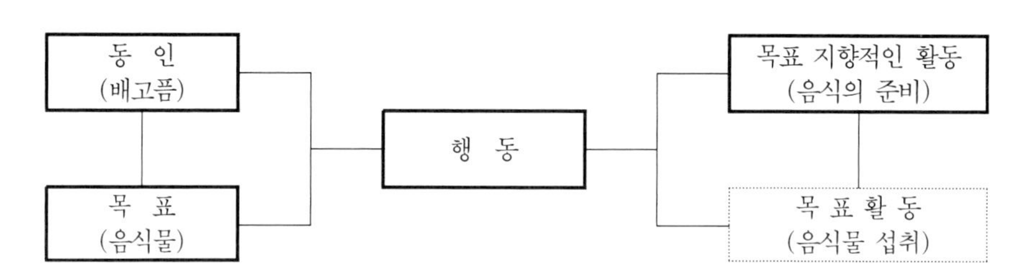

그림1-5 동기부여 상황하의 유인의 활용

작업현장에서 인정에 대한 욕구가 가장 강한 종업원의 경우, 관리자나 감독자가 칭찬을 하는 것은 그 종업원으로 하여금 그 직무를 계속하게 하는데 있어서 효과적인 유인이 될 수 있다는 것이다.

한 가지 문제가 되는 것은 목표 지향적인 활동을 하는 것과 목표활동을 하는 것 중에서 어느 것이 더 유용한가 하는 문제이며, 실제로는 두 가지 활동 모두 그 활동을 계속하고 있으면 각각 문제가 발생한다. 목표 지향적 활동에 너무 오래 머물러 있으면 욕구불만 상태가 지속되므로 좌절에 빠지게 되어 마침내 그 활동을 포기하기도 하고, 다른 유형의 비합리적인 행동(irrational behavior)이 발생한다. 그리고 목표활동만을 계속하고 또 그 목표가 도전적인 것이 아니라면 흥미를 잃게 되고 무관심하게 되어 동기부여는 다시 저하되어 버린다. 그래서 이 두 가지 활동 사이에 계속적인 순환작용이 있는 것이 보다 적절하고 효과적이다.

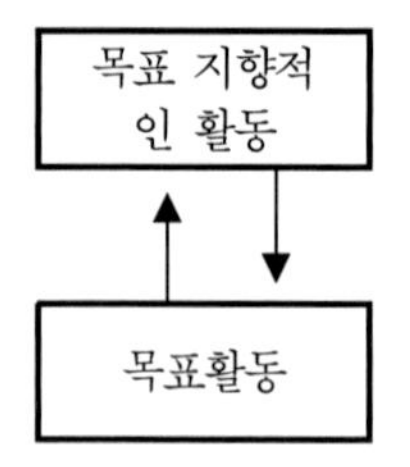

그림1-6 목표 지향적인 활동과 목표활동의 순환작용

목표 지향적인 활동과 목표활동 사이의 순환적 과정은 부모나 관리자에게 계속적인 도전이 될 것이다. 종업원은 목표달성 능력이 높아짐에 따라 상급자는 종업원의 능력을 평가하고 계속적으로 목표를 높일 수 있는 환경과 자기성장 및 자기계발의 기회를 줄 수 있어야 하기 때문이다. 그리고 학습이나 발달과정은 일생의 어느 한 시기에 국한된 현상이 아니다(그림 1-6).

그리고 목표 설정은 너무 높게 하여도 안 되고 너무 낮게 설정하여도 안 된다. 그래서 목표는 그것을 달성하기 위하여 실제적으로 가능한 노력을 기울일 수 있는 현실적이고 실제적인 것이 되어야 한다.

맥클러랜드와 애트킨스(David C. McClelland and John W. Atkinson)의 목표수준에 관한 연구 결과는 다음과 같다. 즉 모티베이션과 노력의 정도는 그 목표에 대해 성공의 확률이 50 %에 이를 때까지 계속 상승하다가 성공의 확률이 50 %를 넘어 계속 증가하게 되면 모티베이션과 노력의 수준은 계속 떨어지기 시작한다(그림1-7). 이와 같은 관계는 그림1-7에서 볼 수 있는 것과 같이 종 모양의 곡선으로 표시되어 있다.

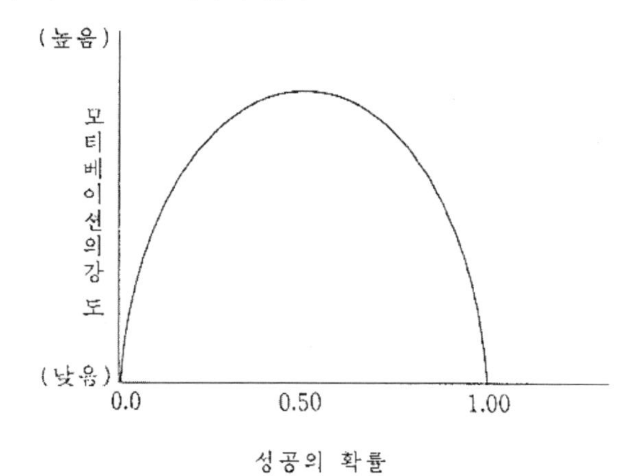

그림1-7 성공의 확률과 모티베이션의 관계

2. 욕구의 계층이론

(1) 욕구란

자동차와 비교했을 때 인간의 욕구란 가솔린을 연소시켜 발생하는 에너지에 해당된다고 할 수 있다. 자동차는 가솔린에 의해서 움직이지만, 인간도 욕구가 있어서 움직이는 것이다.

욕구에 대응하는 말로 목표가 있다. 목표란 그 욕구가 기대하는 보수를 말하는 것이며, 심리학에서는 유인(誘因)이라고 한다. 먹고 싶은 욕구가 있을 때는 어떤 음식물이 목표이며 유인이 된다. 누구라도 일반적으로 몇 가지 욕구를 동시에 가지고 있지만, 몇 가지 욕구 중에서 그 때에 가장 강한 것이 행동을 이끈다. 반대로 인간을 동기부여 하려면 그 장면에 필요한 욕구를 제일 강하게 의식시키면 된다.

(2) 인간의 욕구체계

개인의 행동을 일반적으로 그 시점에 있어서 그 개인의 가장 강한 욕구에 의해 결정된다. 그럼으로 인간에게 공통적으로 가장 중요한 욕구에 대한 이해는 관리자에게 중요하다.

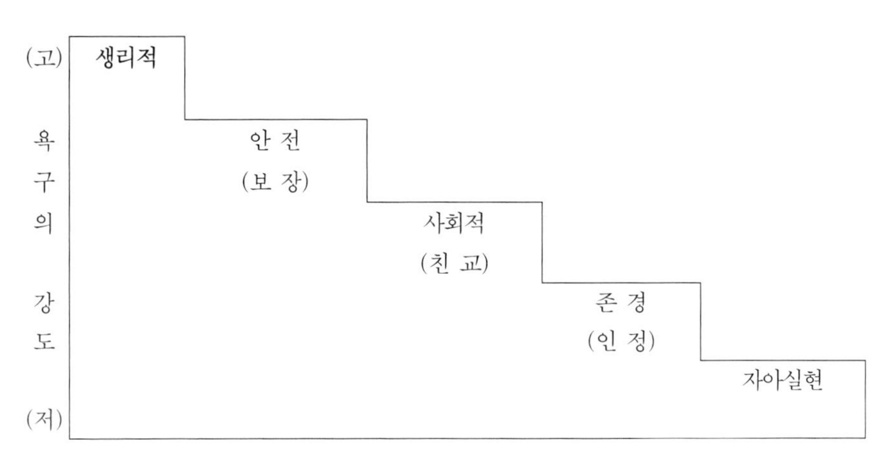

그림1-8 매스로우의 욕구계층

심리학자 매스로우(Abraham Maslow)는 인간의 욕구의 강도를 설명하는데 도움이 되는 매우 흥미 있는 욕구위계이론을 개발했다. 그에 의하면 인간의 욕구는 그림1-8과 같이 위계를 이루고 있다.

① 생리적 욕구

생리적인 욕구는 강도의 제일 높은 곳에 위치해 있는데, 이는 생리적 욕구가 어느 정도 만족될 때까지는 이 욕구의 강도가 가장 강하기 때문이다.

② 안전의 욕구

생리적 욕구가 일단 만족되면 그림1-9와 같이 안전(보장)의 욕구가 우세하게 된다. 이들 욕구는 신체적 위험에 대한 공포로부터 벗어나려는 욕구이며, 또 기본적인 생리적 욕구를 충족시키지 못하게 되는 위험으로부터 해방되려는 욕구이다. 다시 말하면 자기보존에 대한 욕구이다.

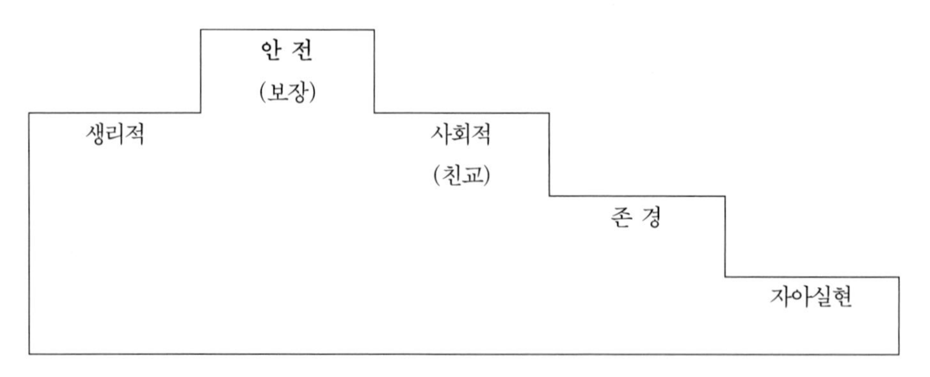

그림1-9 안전욕구가 욕구구조 내에서 우세한 경우

③ 사회적 욕구

인간은 사회적 존재이기 때문에, 인간에게는 여러 집단에 소속하고 싶은 욕구와 여러 집단에 의해 받아들여지고 싶은 욕구가 있다. 사회적인 욕구가 강해지면 다른 사람들과 의미 있는 관계를 가지려고 노력한다(그림1-10).

사회적(소속) 욕구가 만족되기 시작하면, 일반적으로 사람은 단지 집단의 일원이 된 것만으로 만족하지 않고 존경에 대한 욕구, 즉 자존이나 또 다른 사람으로부터 인정을 받고 싶어 한다.

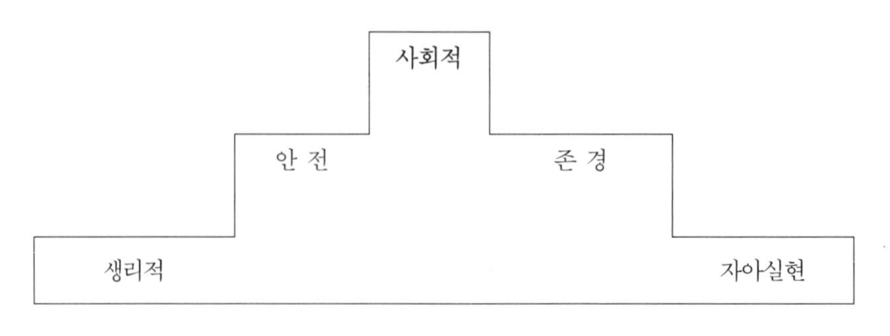

그림1-10 사회적 욕구가 욕구구조 내에서 우세한 경우

④ 존경(자아)의 욕구

대부분의 사람들은 현실적으로 다른 사람들로부터 존경과 인정을 받으려는 욕구, 즉 자신을 높이 평가하고자 하는 욕구를 가지고 있다(그림1-11). 이와 같은 존경의 욕구가 만족되면 자신감, 위신, 권력, 지배 등의 강한 감정이 생겨나고 자신은 유용한 인물이고 주위에 대해 영향력을 가지고 있다고 느끼기 시작한다. 그러나 건설적인 행동을 통해서 존경의 욕구를 만족시키려고 하지 않는 경우도 있다. 존경의 욕구가 지배적으로 우세할 때 다른 사람의 주의를 끌기 위해서 파괴적이고 미숙한 행동에 의존하는 경우도 있다.

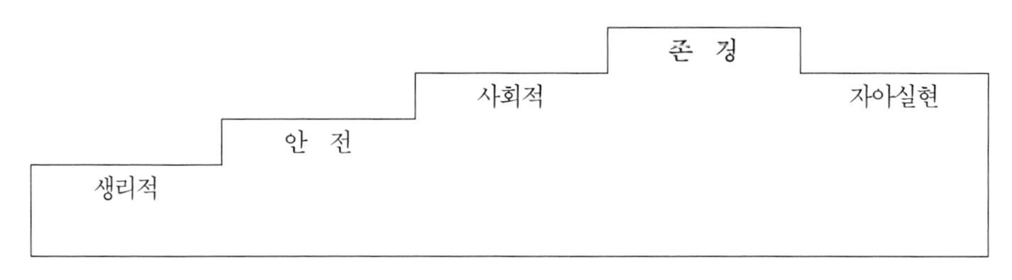

그림1-11 존경의 욕구가 욕구구조 내에서 우세한 경우

⑤ 자아실현의 욕구

존경을 받고 싶은 욕구가 일단 만족 되면 그림1-12와 같이 자기실현의 욕구가 우세한 것으로 나타난다. 자아실현(self-actualization)이란 자기의 잠재능력을 극대화하려고 하는 욕구이다. 음악가는 음악을 연주해야 하고, 시인은 시를 써야 하고, 장군은 전투에서 승리하여야 하고, 교수는 가르쳐야 한다. 매스로우가 표현하고 있는 바와 같이 「사람은 자기가 가진 능력을 최고도로 발휘할 수 있는 존재가 되어야 한다.」 그래서 자아실현이란 자기가 가진 잠재 가능성을 능력껏 발휘하고 싶어 하는 욕구이다.

자아실현이 표현되는 방법은 생의 주기에 따라 변화한다. 예를 들면 자아실현을 하고 있는 어떤 운동가는 시간이 지나 신체적 특성이 변화해감에 따라, 그리고 그의 시야가 넓어짐에

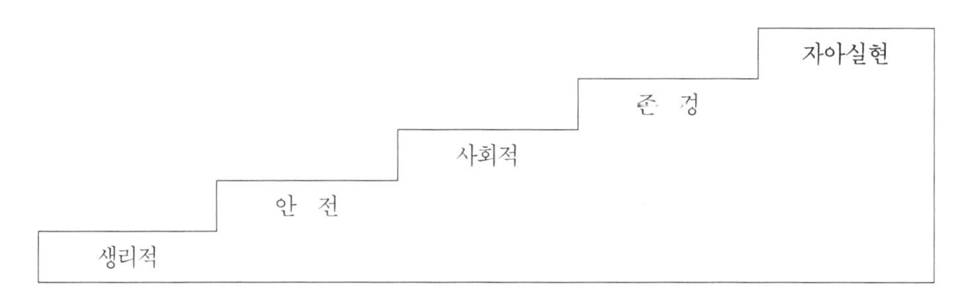

그림1-12 자기실현의 욕구가 욕구구조 내에서 우세한 경우

따라 다른 분야에 눈을 돌려 거기서 자기의 잠재능력을 극대화시키려고 한다. 그리고 자기실현의 욕구는 매스로우가 주장한 위계 이론을 반드시 그대로 따르지 않는다.

하나의 욕구가 다른 욕구보다 우세하다고 말할 때, 다음과 같은 것에 주의하여야 한다. 즉 「어느 한 계층의 욕구가 어느 정도 만족되면 다음에 다른 욕구가 우세한 욕구로 나타난다」는 말을 사용할 때 주의하여야 한다. 왜냐하면 이 말은 「어느 한 계층의 욕구가 완전히 만족되어야만 그 다음 계층의 욕구가 가장 중요한 욕구로 나타난다」는 말로 오해될 가능성이 있기 때문이다. 실제로 현대 사회 대부분의 사람들이 각 계층의 욕구를 완전하게 만족하고 있는 것이 아니라 부분적으로 만족도 하고 부분적으로 불만족도 하면서 살아가는 것이 사실이며, 아울러 사회적, 존경 및 자아실현의 욕구 계층에서 보다 생리적·안전욕구의 계층에서 만족이 더 잘 된다는 것이 보편적인 경향이다.

제2절 / 동기부여이론

1. 인간관계 이론(호오손 연구)

1924년 미국 일리노이(Illinois)주에 있는 웨스턴 일렉트릭 사의 호오손(Hawthorne) 공장에서는 조명이 생산에 미치는 영향을 연구하기 위한 계획이 수립되었다. 당초 이 계획에는 특별히 흥미를 끌만한 것이 있었던 것은 아니었다. 그래서 공장의 능률전문가들은 작업자가 그의 능력을 최대한으로 발휘하여 생산성을 높이도록 자극하기 위해서 작업의 물리적 조건이나 근로시간 및 작업방법 등의 이상적인 혼합이 어떤 것인가를 발견하려 노력하고 있었다. 그러나 이 연구가 끝날 무렵에 이르러서는(10년 이상이 소요), 호오손 공장의 이 연구는 그 이전까지 산업계에서 행하여진 연구 프로젝트 중 가장 중요한 것의 하나가 되었다. 왜냐하면 인간관계 운동이 주목을 끌기 시작한 것은 바로 이 회사의 호오손 공장에서 이었고 또 이 연구의 주창자 중 한 사람이었던 하아바드 경영대학원의 교수였던 메이요(Elton Mayo)가 인정을 받게 된 것도 이 호오손 공장의 연구 때문이다.

호오손 공장에서의 최초 연구에서 능률전문가들은 조명도를 높이면 생산성도 따라서 높아질 것이라고 가정하고 있었다. 그래서 종업원 집단이 선정되었는데, 그 하나는 실험집단으로서 여러 다른 조명도 하에서 일하게 하고, 다른 하나는 통제집단으로서 그 공장의 보통 조명도 하에서 일하게 하였다. 예상한 대로 조명도가 증가함에 따라 실험집단의 생산성도 따라서 증가하고 있었다. 그러나 예기치 않게 통제집단의 생산성도 - 조명도는 증가되지 않고 그대로였음에도 불구하고 - 증가하고 있었다.

그래서 이 예기치 못한 놀랄만한 실험결과를 해명하기 위해 능률전문가들은 호오손 공장에서의 연구를 더욱 확대하기로 하였다. 그리고 그들은 기술적·물리적 변화 외에 행동 면에도 고찰할 필요가 있다고 느끼게 되어 Mayo와 그의 동료들에게 원조를 요청하게 되었다.

Mayo와 그의 연구팀은 전화교환기용 계전기의 조립작업을 하는 여자 종업원 집단을 대상으로 실험을 시작하였는데, 하버드 관계자들도 능률전문가들처럼 놀랄만한 결과를 발견하게 되었다. 1년 반 이상에 걸친 이 실험을 통해, Mayo와 그의 연구팀은 작업시간 중에 계획된 휴식시간의 삽입, 사내 급식, 근로시간의 단축 등과 같은 작업조건의 개선을 시도해보았다. 그러나 이해할 수 없는 연구결과로 당황하게 되어 연구자들은 돌연 이제까지의 작업조건을 폐기하고 실험을 시작 때와 같은 작업조건으로 다시 돌아가 보기로 하였다. 이러한 급격한 변경은 당연히 종업원들에게 매우 부담이 큰 심리적 충격을 주게 되고, 따라서 생산성의 저하를 가져오게 할 것이라고 기대하였다. 그러나 그 반대로 그들의 생산성을 계속 높여져서 항상 새로운 생산기록을 보이고 있었다. 그러면 그 이유는 무엇일까?

이 의문에 대한 해답은 실험의 생산적 측면, 즉 공장의 물리적인 작업조건의 변경 등에서는 얻을 수 없었고 인간적 측면에서 찾을 수 있었다. 즉 실험기간 중 여자 종업원들은 연구자들에게 주목되고 있었으므로 자기들은 회사를 대표하는 중요한 존재들이라고 느끼고 있었다. 그들은 더 이상 그들 자신들을 서로 분리된 별개의 개인들이라고 보지 않고 또 물리적으로 서로 가까이에서 함께 일한다는 의미에서 보다 의기양양하며 응집력 있는 집단의 참가 구성원이라고 느끼게 되었다. 이렇게 형성된 관계에서 친교, 유능 감 및 성숙 감 등이 생겨나게 되었고 이제까지 오랫동안 작업현장에서 만족시킬 수 없었던 이러한 욕구들이 만족되고 있었다. 그래서 여자종업원들은 전보다 더 열심히 그리고 능률적으로 일하고 있었던 것이다.

하버드팀은 이상에서 발견한 현상을 매우 흥미 깊은 것이라고 생각한 나머지 그들의 연구를 확대하여 이 회사의 전 부문의 종업원 2만 여명을 대상으로 면접을 실시하기로 하였다. 이와 같은 면접의 목적은 종업원이 자기가 하고 있는 일, 작업조건, 감독자, 회사 및 그들의 일에 방해가 되는 것 등에 관하여 어떻게 느끼고 있으며 또 그들이 느끼고 있는 감정이 생산성과 어떠한 관계가 있는가를 알아보기 위한 것이었다. 몇 차례의 면접기간을 거치고 난 뒤 Mayo와 그의 연구팀은 사전에 짜여진 질의-응답방식의 면접방법은 그들이 원하는 정보를 끄집어내는데 도움이 되지 못한다는 것을 알았고, 또 작업자들은 자기가 스스로 중요하다고 생각하는 것을 자유롭게 이야기하고 싶어한다는 것을 알게 되었다. 그래서 면접자는 사전에 준비한 질문을 포기하고, 작업자가 마음 내키는 대로 자유롭게 이야기하도록 하였다.

이러한 면접방법은 다음과 같은 여러 가지 점에서 가치가 있는 것으로 입증되었다.

첫째로 이와 같은 면접방법에는 치료의 의미가 있었다. 즉 작업자들은 그들의 가슴속에 담겨져 있었던 많은 것을 털어놓을 수 있는 기회를 얻게 된 것이다. 많은 작업자들이 이러한 면접이야말로 회사가 지금까지 해온 것 중에서 가장 좋은 면접이었다고 느끼고 있었고 그 결과, 태도가 변화하고 있었다. 그리고 그들의 많은 제안들이 받아들여져 실현되고 있었기 때문에, 작업자들은 자기들이 회사에서 개인으로서 뿐만 아니라 집단으로서도 중요시되고 있다고 느끼게 되었다. 그래서 그들은 이제까지처럼 단지 시시하고 보람 없는 일을 날마다 하고 있는 것이 아니라, 회사의 운영 및 회사의 장래문제에 참여하고 있다고 생각하고 있었다.

둘째로 호오손 실험의 의미는 관리자가 종업원들 간의 인간관계에 대한 연구와 이해를 깊게 해야 한다는 것을 알려주고 있다. 이 연구에서는 물론 뒤따라 진행된 많은 연구에서 조직의 생산성에 영향을 미치는 가장 중요한 요인이 임금이나 근로조건이 아니라 업무수행 과정에서 생기는 대인관계임이 발견되었다. Mayo는 이 호오손 공장에서 실시하였던 면접을 통해서 비공식집단이 관리자와의 사이에 일체감을 가지고 있을 때 생산성이 향상된다는 것을 발견하게 되었다. 이러한 생산성의 향상은 작업자의 유능감 – 즉 자기가 하는 일이나 작업환경에 정통하고 있다는 생각 – 을 반영하고 있는 것 같다. 또 Mayo는 작업집단의 목표와 관리자의 목표가 서로 상반되는 경우 – 즉 작업자들이 엄격하게 감독되거나 또는 작업자들이 자기 일이나 환경에 대해 중요한 영향력을 행사할 수 없는 경우 – 생산성이 낮은 수준에서 맴돌거나 더 저하되기까지 한다는 것을 발견하였다.

이와 같은 여러 가지의 발견은 매우 중요한 것이었다. 왜냐하면 이들 발견들이 왜 집단 사이에 생산성의 차이가 생기는가 하는 의문에 대한 해답을 얻는데 도움이 되는 것들이었기 때문이다. 다시 말해서 어떤 집단은 높은 생산성을 유지하는데, 왜 다른 어떤 집단은 최하의 생산수준에 맴도는가에 관한 이유를 찾아내려고 애쓰던 관리자들에게 큰 도움이 되었기 때문이었다. 또 이러한 발견은 작업자들의 적극적인 협력을 얻기 위해 그들 자신의 일을 계획하고, 조직화하고, 통제하는데 있어서 작업자 자신들을 참가시키도록 관리자들에게 용기를 주는 것이었다.

2. X이론과 Y이론(맥그리거)

Mayo의 연구 가설에서 밝혀진 여러 사실들이 맥그리거(Douglas McGregor)의 「X이론과 Y이론」 탄생의 기반이 되었다. 맥그리거에 의하면, 의사결정이 상층부에 집중되고, 상사와 종업원의 구성이 피라미드 모형을 이루게 되고, 작업이 외부로부터 통제되는 전통적인 조직은 인간성과 인간의 동기부여에 대한 여러 가설에 근거하여 운영되고 있다는 것이다. X이론은 인간성에 대해 다음과 같은 가설을 설정하고 있다. 즉 「대부분의 사람은 남에게 지휘받기를 더 좋아하고, 스스로 책임지는 것을 싫어하며, 무엇보다도 안전을 추구한다」 라는 가설이다. 이와 같은 사고방식은 돈이나, 부가적 급여(복리후생) 및 처벌의 위협에 의해서만 인간이 동기부여 될 수 있다는 신념을 수반한다.

X이론의 가설을 받아들이는 관리자는 그들의 종업원을 구조화하고, 통제하며, 종업원을 엄격하게 감독하려고 한다. 이러한 관리자는 신뢰할 수 없고, 무책임하고, 미숙한 사람을 다루는데 있어서 외부적인 통제야 말로 가장 적절한 관리방법이라고 생각한다.

맥그리거는 관리자가 인간성과 동기부여에 대한 보다 올바른 이해를 바탕으로 관리활동을 수행하는 것이 필요하다고 생각하였다. 그리하여 그는 Y이론이라 불리는 인간행동에 관한 또 하나의 이론을 제시하였다. 이 이론에서는 인간의 본성은 게으른 것도 아니며 또 신뢰할 수 없는 것도 아니라고 가정한다. 그래서 인간은 적절하게 동기부여가 되기만 하면, 기본적으로 인간은 직무에서 자율적일 수 있고 또 창의적일 수 있다고 가정하고 있다. 그러므로 개인의 잠재능력을 촉발시키는 일이야말로 관리자의 본질적인 일이라 할 수 있다. 적절하게 동기부여 된 사람은 자기자신의 노력을 조직목표의 달성에 기울임으로써 자기 자신의 목표도 달성할 수가 있는 것이다.

표1-1 X이론과 Y이론의 토대가 되는 인간성에 대한 가설의 목록

X 이 론	Y 이 론
1. 일이란 원래 대부분의 사람들에게 있어서 하기 싫은 것이다.	1. 일이란 작업조건만 잘 정비되면 놀이를 하거나 쉬는 것과 같이 극히 자연스러운 것이다.
2. 대부분의 사람들은 야망이 없고 책임 맡기를 싫어하고 지휘 받기를 좋아한다.	2. 조직목표를 달성하는데는 자기통제가 불가결하다.
3. 대다수의 사람들이 조직문제를 해결하는데 창의력을 발휘하지 못한다.	3. 조직문제를 해결하기 위한 창의력은 누구나가 가지고 있다.
4. 동기부여는 생리적 욕구나 안전욕구의 계층에만 가능하다.	4. 동기부여는 생리적, 안전욕구의 계층에서는 물론 사회적, 존경, 자기실현의 욕구계층에서도 가능하다.
5. 대다수의 사람은 엄격히 통제되어야 하고 조직목표를 달성하기 위해서는 강제되어야 한다.	5. 사람은 적절하게 동기가 부여되면 일에 자율적이고 창의적이다.

X이론의 가정(假定)을 받아들인 관리자는 일반적으로 종업원의 작업환경을 엄하게 규제하

거나, 통제하고, 엄격한 감독을 하게 된다. 그리고 Y이론의 가정을 받아들이는 관리자는 종업원을 지원하고 작업환경을 개선하여 목표 달성을 촉진해 나간다. 그러나 X・Y 이론에서 위와 같은 결론만을 도출해내는 것은 경계해야 한다. 왜냐하면 X이론은 나쁜 것이고 Y이론은 좋은 것이라는 식의 생각을 하도록 오도(誤導)할 수 있기 때문이고 또 맥그리거가 주장하고 있듯이 대다수의 사람이 성숙할 수 있는 「잠재력」이나 자발적으로 동기화 될 수 있는 「잠재력」을 가지고 있는 것을 고려하지 않고, 모든 사람이 이미 성숙되어 있고 독립적이고 자발적으로 동기화 되어 있는 것으로 생각하도록 만들 위험성이 있기 때문이다. 인간에게 잠재적인 자발적 동기화의 능력이 있다는 가정을 이해하는 데는 태도(attitude)와 행동(behavior)의 다른 점을 인식할 필요가 있다.

X이론과 Y이론은 태도, 즉 인간에 대한 반응의 경향성이다. 그래서 관리자가 가져야 할 가장 좋은 가정이 Y이론의 가정이라고 할지라도, 그것이 언제나 그와 같은 가정과 모순되지 않게 행동하는 것이 적절한 것이라고는 할 수 없다. 관리자가 인간성에 관한 Y이론적인 가정을 가지고 있을지라도 지시・명령적이고 통제적인 방법으로(마치 X이론적 가정을 가지고 있는 것처럼) 관리하여야 할 필요가 있는 것을 깨닫게 될 때가 있을 것이다. 왜냐하면 종업원을 개발하는데 있어서 단시일 내에 그들이 Y이론적인 인간성을 갖도록 지도할 필요가 있는 경우도 있기 때문이다.

3. 인간집단(호먼즈)

강력한 비공식적인 작업집단은 그 구성원의 행동을 통제하여 그 결과 생산성 수준까지도 통제하는 잠재력을 가지고 있다. 이 때문에 관리자들은 강력한 비공식집단에 대해 부정적인 태도를 가지게 된다. 그러면 이러한 비공식 집단은 행동을 통제하는 힘을 어디서 얻는 것일까? 호먼즈(George C. Homans)는 이러한 의문에 답하기 위해 노력한 나머지 관리실무자들에게 유용한 사회체계 모델(a model of social systems)을 개발하였다.

호먼즈의 사회체계에는 활동, 상호작용, 감정 등의 세 가지 요소가 있다. 활동이란 사람이 수행하는 과업이며, 상호작용이란 이들 과업을 수행하는 과정에서 사람들 사이에서 여러 가지 교호작용에서 일어나는 행동이며, 감정이란 개인 내에서나 집단 내에서 생기는 태도이다. 호먼즈에 의하면 이들 세 가지 개념들은 각각 별개 적인 것이기는 하지만, 그들은 밀접하게 상호 관련되어 있다고 한다.

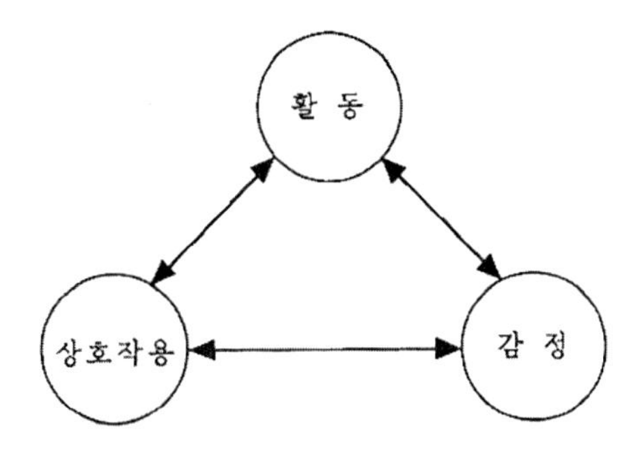

그림1-13 활동, 상호작용, 감정의 상호 의존성

그림1-13에 명시되어 있는 바와 같이 그들은 서로 의존관계에 있으며, 이 세 가지 요소 중 하나가 변화하면 다른 두 가지 요소에도 어떤 변화가 일어난다.

조직이 존속해 나가기 위해서는 조직 내에 어떤 활동이나, 상호작용 및 감정은 필요 불가결한 것이고, 또 조직의 구성원들에게 그것이 요구되어진다. 환언하면 직무(활동)는 조직에서 수행되지 않으면 안 되고, 직무수행은 구성원들의 협동(상호작용)에 의해서 이루어진다. 그리고 그들의 직무는 충분히 만족스러운 것이 되어야(감정) 구성원이 그 직무수행을 계속하게 된다. 또 사람들이 그들의 직무활동에 상호 작용하는 과정에서 서로에 대한 감정이 생겨난다. 사람은 서로 간에 상호작용이 증가함에 따라 보다 긍정적인 감정이 서로 간에 생기게 되는 경향이 있다. 그리하여 감정이 보다 긍정적이 되면 될수록 그만큼 더 서로간의 상호작용이 증가하는 경향이 있다. 그 결과 집단 내의 구성원들이 어떤 특정한 상황 하에서 어떻게 행동하게 되는가에 기대(expectation)와 규범(norms)이 생겨나게 된다. 이러한 압력에 대해 집단구성원은 여러 가지 방법으로 반응한다. 즉 집단규범에 순응하거나 또는 집단규범에서 계속 이탈하려고 한다. 그러다가 동료들로부터의 압력이 너무 크게 되면, 그 이탈자는 그 집단을 아주 떠나버리는 경우도 있다.

집단압력이 사람의 지각과 행동의 일치에 미치는 영향은 서적을 통해서 잘 알려져 있다. 애쉬(S. E. Asch)는 8명의 대학생으로 된 여러 집단을 대상으로 고전적인 실험을 실시하였다. 여기에서 그는 8명 각각에게 길이가 서로 다른 선을 3개씩 나누어주고 나서 별도로 또 하나의 선을 나누어주고, 먼저 나눠준 3개의 선 중의 어느 하나의 길이를 맞추어 보도록 한다. 각 집단의 일곱 사람과 미리 의논하여 똑같이 답을 차례로 말하기로 하고 나서 나머지 한 사람에게는 마지막 여덟 번째로 답하도록 묻는다. 이렇게 하면 여덟 번째의 사람은 자기가 바르다고 생각한 답을 말할 것인지, 아니면 자기의 답과 다르더라도 일곱 사람이 똑같이 답하고 있는 집단의 규범과 일치하기 위해 틀린 답을 말해야 할 것인지 난처한 입장에 처하게 된다.

이 실험의 결과에 대해 애쉬는 다음과 같이 보고하고 있다. 즉 「8번째의 답들 중 3분의 1

은 다른 7사람과 같이 틀린 것을 답하거나 또는 그 방향으로 왜곡된 답들이었다.」 이렇게 비교적 객관적으로 말할 수 있는 문제에 대해서도 압력에 의해 지각과 일치하지 않는 왜곡된 행동을 일으키게 한다면 주관적인 판단의 경우 친구집단의 압력이 어떤 작용을 하는가를 상상할 수 있을 것이다.

강력한 비공식 작업집단이 조직에 유해물 이라고 보아서는 안 된다는 것은 거듭 강조되어야 한다. Mayo도 호오손 실험에서 발견한 바와 같이 강력한 비공식집단은, 만약 그것이 조직목표의 달성을 위하여 일 함으로써 자기 자신의 목표도 달성될 수 있다고 생각하게 되면, 조직목표를 달성해 가는데 있어서 강력한 추진력이 될 수 있는 것이다.

4. 대인능력의 신장(아지리스)

X이론의 가설에 입각한 관리가 맥그리거 및 다른 사람들의 견해로는 이미 널리 통용되지는 않고 있지만 오늘날 널리 사용되고 있는 것도 사실이다. 이런 결과로 현대 미국의 대다수의 사람들은 그들의 작업환경 속에서 미성숙한 인간으로 취급당하고 있다. 지금은 하버드대학에 있는 아지리스(Chris Argyris)는 이러한 상황을 분석하려고 관료적 / 피라미드 모형의 가치체계(bureaucratic/pyramidal value system) - 인간성에 대한 X이론적 가정에 대응하는 조직으로서 아직도 대부분의 조직에 지배적이다 - 와 인간중심주의적 / 민주적 가치체계(humanistic/democratic value system) - 인간성에 대해 Y이론적 가정에 대응하는 조직 - 를 비교하였다. 이와 같은 2 가치체계는 표1-2에 잘 나타나 있다.

표1-2 아지리스가 본 두 가지 다른 가치체계

관료적 / 피라밋 모형의 가치체계	인간중심주의적 / 민주적 가치체계
1. 결정적으로 중요한 인간관계는 조직목표의 달성에 관련된 것들이다. 예를 들어 업무를 수행하는 것.	1. 중요한 인간관계는 조직목표의 달성과 관계되어진 것들뿐만 아니라 조직의 내부시스템의 유지 및 환경에 적응하는 것과도 관련된 것들이다.
2. 인간관계의 유효성은 행동의 보다 합리적이고 이론적이고 분명하게 의사소통이 됨에 따라 증가하고, 행동이 보다 감정적인 것이 되면 유효성은 감소된다.	2. 인간관계는 모든 관련된 행동(합리적인 행동이나 대인간의 행동)이 의식되고, 토론할 수 있게 되고, 통제할 수 있게 될 때 그 유효성이 증가한다.
3. 인간관계는 합리적 행동이나 목표달성을 강조하는 적절한 상벌은 물론 세밀하게 규정된 지시 권한 및 통제에 의해서 가장 효과적으로 동기화된다.	3. 지시나 통제 및 상벌 이외에도 신뢰하는 관계, 심리적 성공, 확인과정 등에 의해서 인간관계는 효과적으로 영향받게 된다.

아지리스에 의하면 관료적 / 피라미드 모형의 가치체계는 빈약하고 천박하며 불신의 관계를 낳게 한다는 것이다. 이와 같은 관계에서는 자연스럽고 자유로운 감정의 표현이 허용되지 않기 때문에, 관계가 진실하지 못하고 불신 관계가 되어 결과적으로 대인능력을 감소시키게 된다.「대인능력이 없거나 심리적으로 안전한 환경이 이루어지지 않으면, 조직은 불신과 집단 간의 갈등, 비 융통성을 길러내는 온상이 되고, 결국 문제 해결에 있어서 조직의 성공을 저해하게 된다.」

반면에 조직 내에서 인간중심주의적 / 민주적 가치체계가 고수되는 경우에는 어떻게 될까? 아지리즈에 의하면 믿고 신뢰하는 관계가 사람들 사이에 생겨나게 되어 대인능력이나 집단 간의 협동, 융통성 등이 증가하게 된다. 그리고 이에 따라 결과적으로 집단 간의 협동, 융통성 등이 증가하게 된다. 따라서 결과적으로 조직효과도 증가하게 된다. 이와 같은 환경 속에서는 사람들이 인간으로 취급되고 조직구성원에게나 조직에 각기 잠재능력을 최대한도로 개발할 수 있는 기회가 주어진다.

(1) 성숙 - 미성숙이론

아지리스에 의하면, 관료적 / 피라미드 모형의 가치체계가 아직도 대부분의 조직에서 지배적이라는 사실 바로 그것이 오늘날 많은 조직문제를 일으키고 있다는 것이다. 그가 예일대학에 재직하고 있을 당시, 관리방법이 작업환경 속에서 개인의 행동과 성장에 어떠한 영향을 미치는가를 알아보기 위해 산업조직을 검토하였다.

아지리스에 의하면 개인이 여러 해에 걸쳐 성숙해 가는 과정에서 그의 성격(personality)에 일곱 가지 변화가 일어난다고 한다. 즉 첫째로 어린이의 수동적 상태에서 어른의 능동적 상태로의 발달, 둘째 어린이의 다른 사람에게 의존하는 상태에서 어른의 비교적 독립적인 상태로의 발달, 셋째 어린이의 단순한 행동방식에서 어른의 다양한 행동방식으로의 발달, 넷째 어린이의 변덕스럽고, 제멋대로의, 그리고 천박한 흥미에서 성인의 보다 넓고 보다 깊은 흥미로의 발달, 다섯째 어린이의 현재밖에 없는 짧은 시간적 전망에서 어른의 미래와 과거까지도 포함하는 긴 시간적 전망으로의 발달, 여섯째 어린이의 누구에게나 종속된 상태에서 어른의 다른 사람과의 대등한 관계나 우월한 상태로의 발달, 일곱째 어린이의 「자아」에 대한 몰지각에서 어른의 「자아」에 대한 지각 및 자기통제로의 발달 등이다. 아지리스는 이와 같은 변화는 연속선상에 있는 것으로서 「건강」한 성격(personality)은 그 연속선을 따라 「미성숙」에서 「성숙」으로 발달해 간다고 가정하였다(표1-3).

이러한 변화는 단지 일반적인 경향에 지나지 않지만 성숙이라는 문제에 대한 어느 정도의 이해를 가능하게 해준다. 그 개인이 속한 문화의 규범이나 성격 때문에 위와 같은 어른의 특성이 최고도로 발현하고 성장하는데 제한이나 제약을 받게 되지만, 사람이 나이를 먹어감에 따라 연속선상을 따라 성숙의 극치를 향하여 발달해 나아간다는 것은 일반적인 경향이라 할 수 있다. 아지리스는 완전한 성숙이 가능한 사람은 거의 없다는 것을 인정한 최초의 사람이었다.

표1-3 미성숙 - 성숙의 연속체

미 성 숙 ——→	성 숙
1. 수동적	⇒ 능동적
2. 의존성	⇒ 독립성
3. 한 두 가지의 단순한 행동방식	⇒ 여러 가지 다양한 행동방식
4. 변덕스럽고 천박한 흥미	⇒ 보다 깊고 강한 흥미
5. 짧은 시간적 전망(현재)	⇒ 긴 시간적 전망(과거와 미래)
6. 종속적인 지위	⇒ 동등하거나 우월한 지위
7. 자아의식의 결여	⇒ 자아의식 및 자기통제

산업계에서 종업원들 간에 널리 퍼져 있는 무관심과 노력의 결여를 검토한 아지리스는 그것이 단순히 개인의 태만한 결과라고만 할 수 없다는 것을 시사하고 있다. 아지리스가 주장하기를 대개의 경우, 사람이 회사에 들어갈 때 그 조직에서 활용되고 있는 관리방식에 의해 그 개인의 성숙이 방해받는다고 한다. 이와 같은 조직에서는 사람이 자기의 환경에 대해 최소한의 영향력밖에 행사할 수 없게 되어 오히려 수동적이고 의존적이며 종속적인 행동이 조장된다. 그 결과 그들은 미성숙한 행동을 하게 되는 것이다.

(2) 이론의 실천

아지리스는 맥그리거와 마찬가지로 관리자는 종업원들이 조직목표의 달성을 위해 일하는 동안에 자기자신의 욕구를 만족시킴으로써 개인으로서는 물론 조직의 구성원으로서 성장하고 성숙하는 기회가 주어질 수 있는 작업풍토를 마련할 수 있어야 한다고 주의를 촉구하고 있다. 이와 같은 말속에는 인간은 기본적으로 자율적 존재이고 적절하게 동기부여만 되면 일에 창조적일 수 있다는 신념이 암시적으로 전제되어 있다. 그러므로 Y이론의 가설에 입각한 관리가 조직이나 개인에게 보다 더 유익하다고 말할 수 있다.

아지리스의 이러한 제안에 대해 점점 더 많은 회사들이 귀를 기울이기 시작하고 있다. 예를 들면 어느 대기업의 사장이 종업원을 보다 효과적으로 동기부여하기 위해 어떻게 하면 좋겠는가에 대해 아지리스의 의견을 묻기에 이르렀다. 그리하여 아지리스는 그 사장과 함께 라디오와 흡사한 제품을 조립하고 있는 한 공장을 방문하게 되었다. 거기에는 12명의 여자종업원이 조립작업을 하고 있었고, 각 종업원은 산업공학자가 설계한 대로 조립과정의 아주 작은 부분을 담당하여 일을 하고 있었다. 그리고 그 작업집단에도 역시 감독자가 있었고, 검사공 및 포장공 등도 있었다.

아지리스는 각 여자종업원이 자기의 마음에 드는 방법으로 제품 전체(아주 작은 부분이 아닌)를 조립하도록 하는 1년간의 실험을 제의하였다. 동시에 그 실험기간 중에는 각 종업원이 자기가 만든 제품을 자기가 검사하고 거기에다 자기 이름을 기록하고 포장까지도 자기가 하게 하였다. 그리고 그 제품에 대해 고객으로부터의 불평을 적은 편지도 자기가 처리하게 하였다. 또 이 기간 중 생산량이 저하되어도 임금에는 변함이 없고 생산량이 증가하면 더 높은 임금을 지급 받게 된다는 보장이 되어 있었다.

이와 같은 실험이 많은 다른 산업현장에서도 실시되고 있다. 그리하여 개인의 책임 범위를 넓히는 것이 회사나 개인 모두에게 유익하다는 사실이 거듭 판명되고 있다. 종업원이 업무수행을 통해서 성장하고 성숙할 수 있는 기회를 갖도록 하면 생리적 욕구나 안전욕구 이상의 욕구를 만족시킬 수 있게 되어 동기가 유발되고 또 조직목표의 달성을 위해 자기의 잠재력을 보다 잘 발휘할 수 있게 된다. 모든 작업자들이 보다 많은 책임을 지려고 하지 않고 또 모든 종업원이 단순한 일보다 다양한 업무를 수행함으로써 책임이 더하게 되는 것을 좋아하는 것은 아니지만, 책임의 폭을 넓이고, 책임을 강하게 함으로써 동기부여가 개선될 수 있는 작업자의 수는 대부분의 관리자들이 생각하는 것보다 훨씬 많다고 아지리스는 주장하고 있다.

5. Herzberg의 2요인이론(동기-위생요인)

인간이 성숙해감에 따라 자존과 자기실현의 욕구가 더욱 중요하게 된다는 것을 지금까지 살펴보았다. 이 분야에 대한 집중적인 연구시리즈 중에서 아주 흥미 있는 연구가 현재 미국 유타대학(University of Utah)에 재직 중인 허즈버그(Frederick Herzberg)교수에 의해 이루어졌다. 이 연구에서 작업 동기부여 이론(a theory of work motivation)이 개발되었는데, 이 이론은 인적자원의 효과적인 활용을 도모하는데 관리자들이 고려해야 할 광범위한 내용을 시사하고 있다.

허즈버그는 인간행동에 대한 가설을 세우기 위해 직무태도에 관한 자료를 수집하였다. 그의 동기부여 - 위생이론은 허즈버그 자신이 피츠버그 심리학연구소의 동료들과 함께 행한 최초의 연구분석의 결과로 얻어진 것이었다. 데이터를 분석한 결과, 허즈버그는 다음과 같은 결론, 즉 인간에게는 상호 독립된 두 종류의 서로 다른 욕구범주가 있는데, 이들이 인간의 행동에 각각 다른 방법으로 영향을 미친다는 결론을 내리게 되었다. 그리고 사람들이 자기가 하고 있는 일에 불만을 느끼게 되면, 자기가 일하고 있는 환경에 대한 관심을 갖게 된다는 것을 발견하게 되었다. 다른 한편 사람이 자기가 하는 일에 만족하고 있는 경우는 그 만족이 일 그 자체와 관계가 있었다. 허즈버그는 이 첫 번째 범주의 욕구가 사람의 환경에 관련된 것이고, 직무 불만족을 예방하는 기본적 기능을 담당하고 있기 때문에 그것을 가리켜 위생요인이라 부르고, 또 두 번째 범주의 욕구는 사람을 보다 우수한 업무수행을 하도록 동기부여하는데 유효한 것이라고 생각하여 그것을 가리켜 동기부여요인이라 불렀다(표1-4).

(1) 위생요인(Hygiene factors)

회사의 정책과 관리, 감독, 작업조건, 대인관계, 금전, 지위신분, 안정 등이 위생요인에 해당한다. 이들은 모두 업무의 본질적인 면, 즉 일 자체에 관한 것이 아니고, 업무가 수행되고 있는 작업환경 및 작업조건과 관계된 것들이다. 허즈버그는「위생」이라는 용어를 의학상의 의미(예방적이라는 의미와 환경적이라는 의미)와 관련지어 사용하고 있다. 그래서 위생요인은 작업자의 생산능력의 증대를 가져오는 것이 아니라 단지 작업제약요인에 의한 작업수행 상의 손실을 예방할 따름이다. 이런 이유 때문에 허즈버그는 최근에 와서 이와 같은 요인을 유지요인(maintenance factors)이라 부르고 있다.

(2) 동기부여요인(Motivation Factor)

보람이 있고 지식과 능력을 활용할 여지가 있는 일을 할 때에 경험하게 되는 성취감, 전문직업인으로서의 성장, 인정을 받는 등 사람에게 만족감을 주는 요인을 동기부여요인이라고 부른다. 허즈버그는 이들 요인들이 직무만족(job satisfaction)에 긍정적인 영향을 미칠 수 있고, 그 결과 개인의 생산능력의 증대를 가져오기 때문에 동기부여요인이란 용어를 사용하였다.

최근에 와서 동기부여 - 위생요인에 대한 연구가 널리 확대되어 대상범위가 과학자나

표1-4 위생요인과 동기부여 요인

위생요인	동기부여요인
환 경	직무 그 자체
정책 및 관리	성취
감 독	성취에 대한 인정
작업조건	도전적이고 보람있는 일
대인관계	책임의 증대
돈, 지위, 안정	성장 및 발전

회계사를 넘어 조직의 모든 계층, 즉 최고경영층으로부터 말단 시간급 근로자에 이르기까지 모든 계층의 종업원을 대상으로 시행되고 있다. 예를 들면 텍사스 인스트루먼트(Texas Instruments)의 광범한 연구에서 메이어즈(Scott Meyers)는 다음과 같은 결론을 내리고 있다. 즉 허즈버그의 동기부여 - 위생이론은「모든 계층의 책임 부서에 있는 감독자의 행동에도 용이하게 적용할 수 있다. 그리고 유능감, 자신감 및 자율적 감정 등을 높이는데 유용하다.」위생요인과 동기부여요인의 구분을 예를 들어 설명해 보기로 하자.

K라는 사람이 고도로 등기화 되어 있고, 자기 능력의 90%를 발휘하여 일을 하고 있다고 가정하자. 그리고 그는 그의 상급자와 좋은 작업상의 관계를 유지하고 있고, 임금과 작업조건에도 매우 만족하고 있으며, 마음에 드는 작업집단의 일원이 되어 동료들과의 인간관계도 매우 좋다. 그런데 K의 상사가 갑자기 다른 부서로 전근되고, 그 자리에 다른 사람이 배치되어 왔는데, K는 그와 함께 일을 할 수 없다고 하자. 그리고 K에 비해 작업능력이 열등함에도 불구하고 K 자신보다 많은 임금을 받고 있는 사람이 있음을 K가 알고 있다고 하자. 그러면 이와 같은 요인들이 K의 행동에 어떤 영향을 미치게 되는 것일까? 업무수행과 생산성은 능력과 동기부여에 달려 있으므로 위생적 욕구(감독과 임금)의 불만족은 K의 생산성을 제한하게 되어 생산량은 저하하게 될 것이다. 이러한 생산성의 저하는 의도적일 수도 있고, 전혀 의식하지 못하는 가운데 생산성의 저하가 발생할 수도 있다. 위의 어느 경우도 그림1-14와 같이 생산성은 저하하게 된다.

이 사례의 경우, 다른 부서로 전근되었던 K의 감독자가 다시 돌아오고, K의 임금도 그의 기대 이상으로 조정되었다고 하자. 그래도 그의 생산성은 아마 원래의 수준까지만 증가하게 될 것이다.

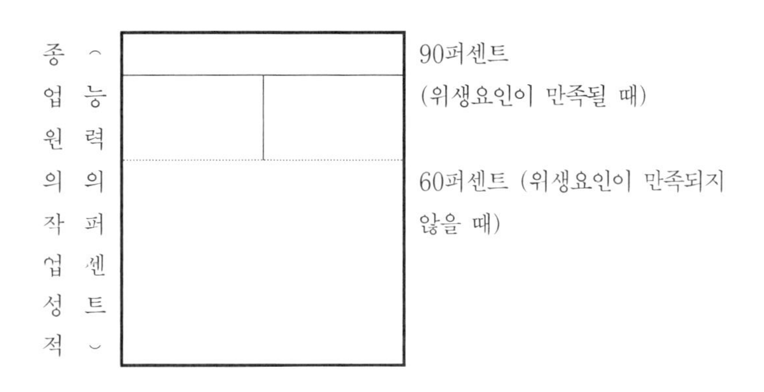

그림1-14 위생요인이 만족되지 못한 경우에 나타나는 효과

거꾸로 말해서 K가 불만족에 빠지지 않게 되면 90퍼센트의 능력을 발휘하여 일하고 있다고 할 수 있다. 그런데 만약 K에게 성장할 수 있는 기회가 주어지고 또 자유로 창의력과 독창성을 발휘하여 의사결정도 하고, 문제도 해결하며, 책임 있는 일을 할 수 있는 환경이 마련되어 동기부여요인을 충족시킬 수 있는 기회가 주어진다면, 이러한 것들이 K에게 어떠한 영향을 미치게 될 것인가? 이 경우 K가 새로운 책임을 수행하는데 있어서 감독자의 기대에 성공적으로 부응할 수 있다고 해도 그는 여전히 90퍼센트의 능력을 발휘하여 일할지도 모른다. 그러나 K는 한 사람의 인간으로서 보다 성숙되고 능력에 있어서의 성장이 이루어졌으므로 그림1-15와 같이 보다 높은 생산성을 올릴 수 있는 가능성을 갖게 될 것이다.

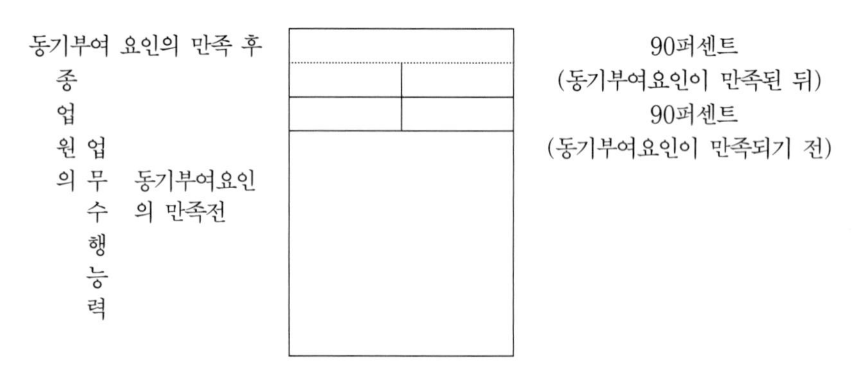

그림1-15 동기부여요인이 만족되는 경우에 나타나는 효과

위생요인이 만족되면 불만족이나 생산제한은 없어지는 경향이 있으나, 보다 우수한 업무수행과 보다 높은 능력발휘를 하도록 종업원을 동기를 부여하는데는 거의 도움이 되지 않는다. 그러나 동기부여요인이 만족되면 사람은 성숙의 방향으로 성장·발달하여 능력의 증대도 실현시킬 수 있다. 그래서 위생요인은 개인의 자발성, 즉 동기부여(individual willingness or motivation)에 영향을 미치고 동기부여요인은 개인의 능력(individual ability)에 영향을 미친다.

(3) 허즈버그와 매스로우의 비교

허즈버그의 이론은 동기부여의 상황에 대해서 매스로우의 욕구 위계설과 양립할 수 있는 것 같다. 매스로우는 욕구와 동인에 대하여 언급하였고, 허즈버그는 그림1-16과 같이 이들 욕구나 동인을 만족시키는 행동의 목표, 즉 유인에 대하여 통찰하고 있다.

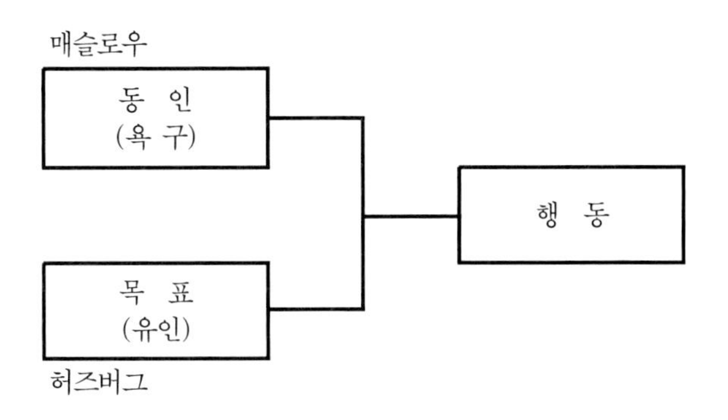

그림1-16 동기부여상황에 있어서 매슬로우와 허즈버그의 관계

동기부여의 상황에서 우리가 영향력을 행사하고 싶은 대상 인물의 높은 강도의 욕구(매스로우)가 무엇인지 알고 있다면, 그 사람을 동기부여하기 위해서 어떤 행동목표(허즈버그)를 제공해야 할 것인지를 결정할 수 있을 것이다. 이와 동시에 그 사람이 어떠한 목표를 만족시키고 싶어 하는 가를 우리가 알고 있다면, 그들의 높은 강도의 욕구가 무엇인지 예측할 수 다. 왜냐하면 금전과 복리후생은 생리적 욕구와 안전욕구를 만족시키는 경향이 있는 위생요인의 하나의 예이며, 도전적이고 보람있는 일, 책임의 증대 및 성장과 발전은 존경과 자기실현의 욕구를 만족시키는 동기부여요인이기 때문이다.

그림1-17은 매스로우와 허즈버그 이론의 관계를 도식화 한 것이다. 생리적 욕구, 안전욕구, 사회적 욕구 및 존경욕구의 일부는 모두 위생요인이라고 생각된다.

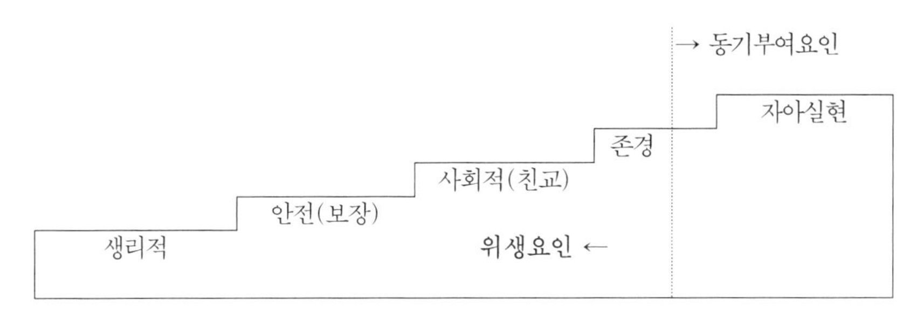

그림1-17 동기부여 - 위생이론과 매스로우의 욕구계층설의 관계

여기서 존경욕구가 두 개로 분할되는 것은 지위·신분과 인정은 분명한 차이가 있기 때문이다. 지위·신분은 개인이 차지하고 있는 지위의 한 기능인데, 개인은 가족관계나 사회적 압력에 의하여 그 지위를 얻게 된다. 그래서 이 지위는 개인의 성취나 본인 자신의 노력에 의해 획득된 것에 대한 인정을 반영하고 있지 않다. 인정(recognition)은 자기의 능력(competence)

과 성취(achievement)를 통해서 얻어지는 것으로서 다른 사람의 용인에 의해서 얻어진다. 그러므로 존경욕구를 두 개로 분할할 경우 그 중의 하나인 지위·신분은 생리적 욕구, 안전욕구, 사회적 욕구와 더불어 위생요인으로 분류되고, 인정은 자아실현욕구와 함께 동기부여요인으로 분류된다.

맥클랜드의 성취동기개념(concept of achievement motivation)도 역시 허즈버그의 동기부여-위생요인인 이론과 관련 지울 수 있는 것 같이 보인다. 높은 성취동기를 가진 사람도 동기부여요인(직무 그 자체)에 관심을 갖는 경향이 있고, 성취동기화 된 사람(achievement-motivated people)은 과업과 관련된 피이드백을 얻고 싶어한다. 그래서 그들은 자기가 하고 있는 일이 어떻게 되어가고 있는가에 대하여 알고 싶어한다. 반면에 낮은 성취동기를 가진 사람은 일 자체보다는 작업을 둘러싸고 있는 환경에 더 관심을 나타내 보인다. 그래서 그들은 자기가 하고 있는 과업이 어떻게 달성되고 있는가에 대한 것보다는 다른 사람들이 자기를 어떻게 생각하고 있는가에 대하여 알고 싶어한다.

(4) 직무충실

허즈버그의 연구가 각광을 받기 전에는 많은 행동과학자들이 작업자의 동기부여에 많은 관심을 기울이고 있었다. 그리고 여러 해 동안 소위 「직무확대(job enlargement)」나 또는 「직무 순환(job rotation)」에 강조점을 두었다. 이것은 많은 산업조직에서 특징적으로 나타나고 있었던 지나친 단순화에 대한 해결책을 마련하려는 취지에서였다. 그리고 직무확대에 대한 생각은 다음과 같은 가설에 근거하고 있었다. 즉 작업자의 직무가 확대되면, 다시 말해서 작업자가 하고 있는 작업의 공정 상 단순한 한 가지 일만 아닌 여러 가지의 다양한 일을 하게 되면 작업자가 직무에서 더욱 만족을 얻을 수 있을 것이라는 가정이다.

허즈버그는 이러한 가정이 가능한가에 대해 치밀한 관찰을 시도하였다. 그리고 나서, 그는 이것저것 단편적인 일을 많이 한다고 해서 반드시 동기가 부여되는 것은 아니라고 주장하고 있다. 접시를 씻고 나서 식탁용 은그릇을 씻고, 그리고 항아리와 냄비를 씻는다고 해서 단지 접시만을 씻을 때보다 더욱 만족하게 되고 성장의 기회가 주어지는 것은 아니다. 우리가 정말로 일과 관련지어 생각할 것은 직무를 충실히 하는 것이라고 허즈버그는 주장하고 있다. 직무충실(job enrichment)이란 작업상의 책임을 높이고, 능력발휘의 여지를 마련하고, 도전적이고 보람있는 일이 되게 하는 것을 뜻한다.

(5) 직무충실의 사례

직무충실의 사례는 어느 공장의 노사관계 담당부장과 청소부 집단의 사이에서 일어났던 일을 사례로 들어 설명하면 쉽게 이해할 수 있을 것이다. 그 부장이 새 공장으로 전근되어 왔다. 그런데 놀랍게도 부장은 본래의 직무 이외에 15명이나 되는 청소부 집단의 관리책임도 맡아야 된다는 것을 알게 되었다. 사실, 이 사람들은 관리・감독하는 직장이 없었던 것이다. 어느 날 그 부장은 문서철을 뒤적거리다가 공장주위의 청소상황에 대한 불평이 많았던 전력(前歷)이 있는 것을 알게 되었다. 이 문제에 대해 다른 사람들의 의견도 들어보고 또 몸소 관찰하였던 바, 곧 바로 문서철에서 읽었던 것들이 사실이라는 것을 확인할 수 있었다. 청소부들은 게으르고, 거의가 일할 의욕이 없고, 동기화 되어 있지 않았다. 그래서 그들은 인간성에 대한 X이론의 산 표본이었다.

청소부들의 행동에 대해서 무엇인가 하기로 결심하고, 그 부장은 15명 청소부 전원을 소집하여 회의를 개최하였다. 회의의 벽두에서 그는 공장 내외를 깨끗하게 보존하는데 문제점이 많은 것을 알고 있으나 솔직히 말해서 자기로서는 어찌해야 좋을지 모른다고 말했다. 그리고 계속해서 말하기를 여러분은 청소부로서 그 분야에 전문가이니 모두 함께 자기를 도와서 이 문제를 해결해 나가자고 부탁하였다. 그리고 나서 누가 좋은 생각이나 제안이 없느냐고 물었다. 한참 동안 침묵이 계속되었다. 그 부장도 앉은 채로 아무 말도 하지 않았고, 청소부들도 아무 말도 하지 않고 있었다. 이런 상태가 10분간이나 계속되었다. 드디어 한 청소부가 입을 열었다. 그리고 자기가 담당하고 있는 분야에서 느끼고 있는 문제점에 대하여 이야기하고 하나의 제안을 하였다. 이윽고 다른 청소부들도 가담하게 되었고, 갑자기 모든 청소부들이 활발한 토론을 하게 되었다. 그 부장은 묵묵히 그들의 말에 귀를 기울이고, 그들의 좋은 생각들과 제안을 메모하고 있었다. 회의의 마지막에 가서는 제안들이 요약되었고, 그것은 부장을 포함한 전원에 의해 전면적인 지지를 받았다.

이 회의 이후 그 부장은 공장의 내외를 깨끗이 보존하는 문제는 모두 청소부에게 맡기기로 하였다. 예를 들면 청소장비나 청소재료를 판매하는 판매원들이 공장에 오면 부장이 그들을 만나지 않고 청소부들이 만나도록 하고, 청소부들이 판매원과 만나는 사무실까지 마련해주었다. 게다가 정기적으로 회의를 가지고 거기에서 문제점이나 제안에 대해 논의하게 되었다.

이 모든 사실들이 청소부들의 행동에 대단히 큰 영향을 주었다. 그들은 그들의 일에 자부심을 갖는 응집력과 단결력이 있는 생산적인 팀으로 변모되었다. 그리고 그 청소부들은 외모까지 변하게 되었다. 그 전에는 용모가 단정치 못하고 더러운 사람들이었으나, 이제는 의복이 청결하고, 옷도 다려 입고 직장에 나오게끔 되었다. 이제는 공장 내외의 어디를 가나 깨끗하고 모든 것이 잘 보존되어 있는 것을 보고 모든 사람들이 놀라게 되었다.

다른 관리자들은 그 부장을 붙들고 묻기를 도대체 그 게으르고 아무 쓸모 없던 청소부들에게 무엇을 어떻게 했기에 그렇게 달라졌느냐고 묻기 일쑤였고, 혹시나 강장제를 먹인 것은 아니냐고 야단들이었다. 사실 그 부장 자신까지도 그의 눈을 의심할 정도였다. 이제는 두 세 사람의 청소부가 어느 왁스와 청소용 약품이 가장 효과가 있는가를 시험하고 있는 것을 보는 것은 흔한 일이 되었다. 그들은 소모품의 구매예산을 비롯하여 모든 결정을 그들이 내리지 않으면 안 되었기 때문에, 그들은 어느 왁스와 청소용 약품이 가장 좋은 가를 알고 싶어하였다. 그러한 활동은 시간이 걸리는 일이었지만 가장 좋은 제품을 알고자 하였다. 그리고 그러한 일은 시간이 걸리는 일이었지만 청소부들은 그들 본연의 일을 소홀히 하지는 않았다. 실제로는 종전보다 더 열심히 그리고 더 능률적으로 일하고 있었다.

이와 같은 사례는 조직의 낮은 계층에 있는 사람들까지도 성장과 성숙의 기회가 주어지는 작업환경이 마련되어, 책임감을 가지고 생산적인 방법으로 일하게 된다는 것을 잘 설명해 주고 있다. 사람들은 자기의 과업을 계획, 조직화, 동기부여 및 통제하는데 참가함으로써 존경의 욕구나 자기실현의 욕구를 만족시키기 시작한다.

(6) 배치의 문제

동기부여의 문제는 반드시 직무를 충실화하는 것에 한정된 것만은 아니라는 것을 지적하지 않을 수 없다. 아지리스가 정신적으로 발달이 늦은 근로자들을 조립작업에 성공적으로 활용하고 있었던 사례에서 극적으로 설명하고 있는 바와 같이, 조직에 따라서는 직무가 요구하고 있는 능력수준보다 훨씬 높은 수준의 능력을 가진 사람들을 채용하는 경향이 있다.

이와 같은 문제에 대한 하나의 사례로서 어느 새로 건설된 큰 공장에서 조업을 시작하게 될 무렵에 일어났던 사례를 들어보자. 대부분의 새로 건설된 공장들의 경우와 마찬가지로 맨 먼저 모집하여야 할 작업집단은 경비원이었다.

그래서 그 공장의 경비담당 관리자는 채용을 위한 최소한의 자격요건으로 고등학교 졸업자로서 3년간의 경찰관 경력 또는 공장경비 경험을 채용기준으로 설정하였다. 그 공장은 그 농촌지역에서는 최초로 세워진 큰 생산공장이었기 때문에 그 회사는 최저자격기준을 훨씬 상회하는 사람들을 고용할 수 있었다.

그런데 이 사람들이 일을 시작하고 보니 그 경비원의 직무란 것이 단지 들어오는 사람들의 명찰을 점검하는 일과 종업원용 도시락 통을 운반하는 일이 고작이었다. 그들의 업무수행 모습에서 권태와 무관심과 동기부여의 결여가 눈에 띄었고, 그 결과 고도의 이직율을 가져오게 하였다. 그래서 문제의 원인을 검토한 결과 채용기준을 바꾸는 것이 적절하다고 결정하였다. 즉 고등하고 졸업자로서 경찰 및 경비 경험이 있는 사람은 그 일에 자격 과잉이라는 것이었다. 그래서 경험 있는 작업자들이 아니라 초등학교 4~5학년 정도의 교육수준을 가지고 비교적 낮은 업무기대를 가진 사람들이 채용되었다. 그 결과 그들의 업무수행은 매우 우수하고 퇴직율, 결근율, 지각율이 모두 최소의 수준으로 떨어졌다. 왜 그랬을까, 사실은 이들 작업자들에 있어서는 새로운 제복, 경비원 명찰, 그리고 경비원의 권력 등에 매력적인 데다가 그들에게 이 직무가 보다 않은 책임과 도전적인 일을 아울러 갖도록 해주었기 때문이었다.

6. 관리시스템 논리(리커트)

「당신의 공장과 공장설비 및 자본의 절반이 갑자기 손실된다면 당신은 어떻게 하시겠습니까?」 하고 질문하면, 대개의 경영자들은 당장 대답하여 말하기를, 「가입된 보험금을 찾거나 또는 융자를 얻는 것이 손실된 공장, 설비 및 자본을 원상으로 복구하여 일신시키는데 가장 빠른 길이지요.」 하고 대답한다. 그러나 그 경영자에게 다시 묻기를 「당신 회사의 인적 자원, 즉 관리자, 감독자 및 종업원들의 절반이 갑자기 손실된다면 당신은 어떻게 하시겠습니까?」 하고 묻게 되면 대개의 경영자들은 그 말에 대한 대답이 궁색해 지는 것을 보게 된다. 인적 자원의 유출에는 보험이란 것이 없다. 그리고 많은 수의 새로운 종업원을 채용하고, 훈련하고, 개발하여 하나의 작업 팀을 형성해 가는 데에 수년간이 소요된다. 오늘날과 같이 경쟁이 심한 경영환경에서는 위와 같은 일을 단기간 내에 해내는 것은 거의 불가능한 일이 되었다. 그래서 오늘날 많은 조직들은 자기들의 가장 중요한 자산인 인적 자원을 잘 관리하는 것이 그들의 가장 중요한 과업 중의 하나라는 것에 대하여 이제야 겨우 생각이 미치기 시작하고 있다.

미시건대학 사회연구소(Institute for Social Research)의 리커트(Rensis Likert)와 그의 동료연구자들은 인적 자원과 자본적 자원 모두 다 적절한 관리를 필요로 하는 자산으로 고려하여야 할 필요성을 강조하였다. 많은 조직을 대상으로 행동과학적 연구를 시행한 결과에 근거하여 리커트는 여러 산업분야에서 조직변화계획(organizational change program)을 실현하였다. 그리고 이 계획은 조직이 X이론에서 Y이론으로 이행해 가는 것을 돕고, 또 미성숙한 행동의 조장에서 성숙한 행동의 격려 및 개발의 방향으로, 그리고 단지 위생요인의 강조에서 동기부여요인을 만족시키는 방향으로 나아가도록 의도한 계획이다.

리커트는 그의 연구에서 현재 일반적으로 통용되고 있는 조직관리 스타일(management style)들을 시스템 1에서 시스템 4까지 하나의 연속선상에 그려볼 수 있음을 발견하게 되었다. 이들 시스템들은 다음과 같이 설명될 수 있다.

시스템 1: 관리자는 그의 멤버들을 신뢰하지 않고 있다. 그래서 멤버들은 의사결정과정의 어떤 측면에도 좀처럼 참가하는 일이 없다. 대부분의 의사결정과 조직목표의 설정은 최고 경영층에서 결정되어 명령계통을 통해 아래로 내려온다. 하급자 들은 공포, 위협 및 처벌에 의해 마지못해 일하게 되고, 때때로 보수가 주어지고, 욕구충족은 주로 생리적 욕구나 안전욕구 계층에서 이루어지고 있다. 극히 드물게 상사와 상급자간에 상호작용이 있기는 하지만 그것도 공포감과 불신감 위에서 이루어진다. 통제권한이 최고경영층에 고도로 집중되어 있고, 공식조직의 목표와 대립되는 비공식조직이 생겨난 것이 일반적인 경향이다.

시스템 2: 관리자는 자신의 하급자들에 대하여 일종의 신뢰감을 가지고 있지만, 그것은 마치 주인이 하인에 대하여 가지고 있는 은혜적인 신뢰감과 같은 것이다. 대부분의 의사결정과 조직목표의 설정은 최고경영층에서 이루어지고 있으나, 미리 정해진 테두리 안에서 많은 결정들이 하위계층에서도 이루어지고 있다. 작업자들을 동기부여하기 위하여 보수 및 실제적인 처벌 또는 잠재적인 처벌 등이 사용된다. 상사와 하급자 간에 상사 쪽에서는 은혜를 베푸는 식의 생각을 가지고, 하급자 쪽에서는 공포나 경계심을 가지고 상호 작용하고 있다. 통제권한은 여전히 최고경영층에 집중되어 있기는 하지만, 중간계층이나 하위계층에 어느 정도의 권한 위양이 이루어지고 있다. 그리고 일반적으로 비공식조직이 발생하지만, 공식조직의 목표에 대하여 반드시 저항적인 것은 아니다.

시스템 3: 관리자는 하급자들에 대하여 실질적인 신뢰감을 가지고 있으나 완전한 신뢰감이라고는 할 수 없다. 일반적인 방침과 일반적인 결정은 최고경영층에서 이루어지고 있으나, 낮은 계층의 보다 구체적인 결정은 하급자들이 하도록 허용하고 있다. 그리고 의사소통은 계층을 따라 위 아래로 소통된다. 작업자들은 동기부여하기 위해서 보수와 때로는 처벌과 의사결정에 참가시키는 방법 등을 사용한다. 상사와 하위자 사이에 상당한 정도의 상호작용이 이루어지고 상위자와 하위자 상호간에 상당한 신뢰감을 가지고 상호작용 한다. 통제권한의 상당부분이 하부에 위양되고 있는데, 그렇다고 상부나 하부 모두 무책임하지는 않다. 비공식조직이 발생하여 공식조직목표를 지지하는 경우도 있으나, 부분적으로는 공식 조직목표에 저항을 나타내는 경우도 있다.

시스템 4: 관리자는 하위자를 전적으로 신뢰한다. 의사결정은 널리 조직의 각 부서에서 이루어지고 있으나 잘 통합되어 있다. 의사소통은 계층을 따라 상하로 잘 이루어지고 있으며, 동료 간 횡적 의사소통도 잘 이루어지고 있다. 종업원은 경제적 보수제도의 제정, 목표의 설정, 작업방법의 개선 및 목표달성의 진도의 평가 등에 관여함으로써 동기화 된다. 상사와 하급자와의 사이에 광범위하고 친밀한 상호작용이 상호 신뢰의 바탕 위에서 잘 이루어지고 있다. 통제권한은 낮은 조직단위까지 널리 그 책임이 분산되어 있다. 비공식조직과 공식조직은 종종 하나로 통합되어 있다. 조직 내의 모든 상호작용의 힘이 설정된 조직목표의 달성방향으로 나아가게 한다.

요약해서 말하면, 시스템 1은 과업 지향적이며 고도로 구조화된 독재적인 관리유형(authoritarian management style)인데 비해, 시스템 4는 팀워크, 상호신뢰, 상호작용 등에 기반을 둔 관계 지향적 관리유형(relationship-oriented management style)이다. 시스템 2, 3은 두 개의 양극단의 중간단계인데, 이것은 X이론 및 Y이론에 매우 가깝다.

이론에서 실천으로: 관리스타일 변경의 성공적인 예는 파자마 제조업계의 어느 유수한 회사조직에서 찾아 볼 수 있다. 이 회사는 여러 해 동안 이익을 올리지 못하고 있었기 때문에 다른 회사가 이 회사를 인수하게 되었다. 인수할 당시에는 시스템 1과 시스템 2 사이에 해당하는 관리스타일을 사용하고 있었다. 그런데 새로운 소유자가 들어와 당장 몇 가지 주요한 변경을 단행하였다. 변경이 단행된 사항에는 작업조직의 대폭적인 개혁, 기계보존의 개선 및 모든 계층의 종업원과 관리자의 교육훈련계획 등이 포함되어 있었다. 그리고 관리자들과 일선감독자들은 시스템 4를 깊이 이해하고, 시스템 4의 관리스타일의 사고방식을 가지고 관리하기 시작했다. 이 모든 변경은 그 회사의 최고경영층의 후원 아래 단행되었다.

이러한 변경계획이 실시되기 시작한 최초의 수개월 동안 생산성이 떨어졌지만, 2년 안에 30퍼센트의 생산성 향상을 보여주었다. 이와 같은 생산성의 향상이 어느 정도로 관리시스템의 변경에 기인한 것인가를 정확하게 측정할 수는 없지만, 변경의 영향이 상당히 작용했다는 것을 연구자들은 분명히 알아 볼 수 있었다. 생산성 향상 이외에도 생산비용이 20퍼센트나 절감되었고 종업원 이직율은 약 절반으로 떨어졌다. 또 사기도 상당히 상승하고(종업원들이 조직에 대하여 전보다 우호적인 태도를 보이고 있었다), 지역사회에서의 회사의 이미지도 좋아지게 되었고, 수년만에 처음으로 이익이 발생하게 되었던 것이다.

7. 의사교류분석(베른)

리커트(Likert)의 연구에서도 알 수 있는 바와 같이 관리시스템 4는 장기적인 생산성(long-term productivity)을 낳는데 가장 효과적(성공적)인 관리시스템인 것을 제시하고 있다. 그러나 관리자의 개입(management intervention)에 대한 사람들(종업원들)의 반응을 예측할 수 없기 때문에 관리시스템 4가 그와 같은 영향을 가져다 줄 것이라고 단언(보증)할 수는 없다(이점에 대해서는 이후에 더 논의하게 된다). 이와 같이 관리자의 개입에 대한 종업원들의 반응행동을 예측할 수 없는 것이 사실이라면, 그와 같은 관리자의 개입에 의해 유발되는 종업원들의 반응을 어떻게 잘 예측할 수 있는 방법은 없는 것일까? 아마도 의사교류분석(Transactional Analysis; TA)이 이 분야에도 도움이 될 수 있을 것 같다.

의사교류분석이란 배른(Eric Berne)이 개발한 인간행동의 이해와 분석을 위한 방법인데, 최근에 와서는 해리스(Thomas Harris), 제임스(Muriel James)와 종그와드(Dorothy Jongeward), 와그너(Abe Eagner) 등의 저술을 통해서 일반화되었다. 특히 종그와드와 와그너는 이와 같은 의사교류의 분석이란 개념이 조직에 어떻게 적용될 수 있는가를 설명하고 있으며, 맥그리거나 리커트의 이론 및 기타 다른 이론들과도 관련을 지어 설명하고 있다.

알다시피 TA는 프로이드 심리학에서 파생된 것이다. 프로이드는 성격의 내면에 인간의 행동을 자극하고 통제하는 세 가지 원천이 있음을 시사하였던 최초의 사람이었다. 프로이드의 원욕(源欲; id), 자아(ego), 초자아(superego) 등은 매우 중요한 개념들이다. 그러나 이는 관리실무자들이 정신치료법에 대한 광범위한 훈련이 없이는 이해하고 적용하기 어려운 개념들이다. 그런데 TA이론의 주요한 공헌은 프로이드의 이론에서 차용하기는 하였으나 그의 개념을 모든 사람이 이해할 수 있는 말로 바꾸어 놓은 것이다. 그리하여 정신치료의 훈련이 없어도 왜 사람들이 그렇게 행동하는가를 이해하기 위한 진단목적에 활용할 수 있게 한 것이다.

제3절 / 능동적인 인간행동

1. 능동적행동을 이끌어내는 방법

작업으로의 동기부여에는 자기와 작업과의 관계에 대해서 이해하는 데서부터 시작하여 자기의 작업하는 가치, 회사의 업무 중에서 직무의 위치를 알리고 작업에 대처할 때의 즐거움과 긴장에 대해서 대화하고, 그리고 작업을 잘 개선하여 작업내용 중에서 창의 연구하는 즐거움을 체험시키는 것이다. 이 욕구의 자극을 주는 것에 의해 그 뒤에는 그들이 자발적으로 개선목표나 달성목표를 세워서 추진하게 하는 것이다.

예를 들면 최근 「사는 보람」 이나 「할 만한 가치론」이 활발하게 전개되고 있지만, 작업의 할 만한 가치를 분석하면, 그 중심요인은 작업 중의 능력 발휘여부이다. 그림1-18은 어떤 기업의 사원에 대한 할 만한 가치가 어떠한 요인과 관련성이 있는가를 상관분석을 통해 얻어진 연구결과이다.

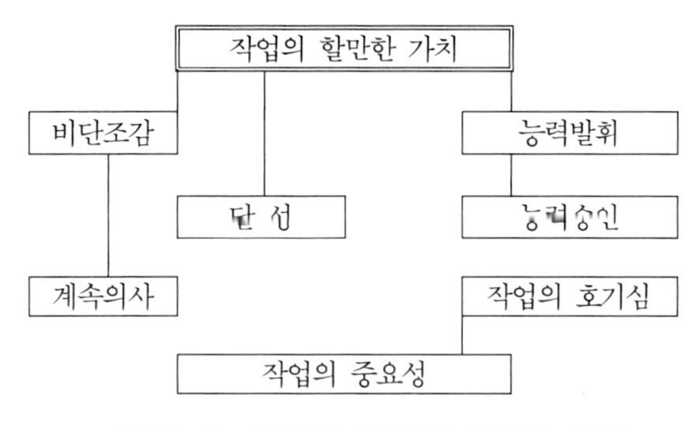

그림1-18 작업의 할만한 가치의 요건

이 그림 속의 항목은 통계적으로 의미가 있으며, 특히 그 의미가 높은 것만을 추출한 것이지만, 작업의 할 만한 가치와 직접적인 관계를 가지고 있는 것이 능력발휘·달성·비단조감(작업이 복잡하며 재미있는 느낌)이며 비단조감(非單調感)에 간접적으로 관계를 갖는 것으로 작업의 중요성이 있다. 이와 같이 항목은 모두 자아의 욕구와 자기실현의 욕구에 관련하는 항목이며, 그 중에서 특히 작업 자체에 능력을 사용해 도전하고 있는 자세가 인정되면 그 사원은 작업의 할만한 가치를 가지고 있다고 할 수 있다.

안전에 대한 동기부여를 생각하는데도 똑같다. 안전에 노력하여 자기나 다른 동료에게 상해를 시키지 않는 의식은 작업과 자기와의 관계(자아의 욕구)로부터 시작하는 것이며, 사고발생의 현상인식으로부터 높은 안전목표의 설정이 행해져 거기에 도전하는 것이며, 거기에는 안전행동에 대한 자기계발과 위험인자의 감수성 등에 관한 자기성장이나 직장개선이나 안전행동 등으로의 능력발휘가 기초로 되는 것이다. 이와 같은 기회나 높은 욕구수준으로의 계발이 있어야 작업자는 안전으로의 동기부여가 되는 것이다.

2. 감정의 중요성

(1) 성격의 형성

인간은 성숙해짐에 따라 여러 가지 자극에 대해 습관적인 행동패턴과 조건반사의 경향을 스스로 형성해간다. 다른 사람의 눈에 비친 이와 같은 습관적인 행동패턴의 총계가 그 사람의 감정을 결정하게 된다.

습관 A, 습관 B, 습관 C, ……, 습관 N = 성격(personality)

어떤 사람이 동일한 상황 하에서 행동을 하게 되면 그 사람의 행동을 보고 그 사람을 알게 되는데, 바로 그것이 그 사람의 성격(personality)이다. 그리고 그 사람의 성격을 알고 있으면 그 사람에게서 어떤 종류의 행동을 기대할 수 있고 또 그러한 행동을 예측하는 것까지 가능하다.

(2) 성격의 변화

많은 심리학자들이 기본적인 성격의 구조는 인생의 아주 초기에 형성된다고 주장하고 있다. 그리고 7세 내지 8세가 지나면 성격은 거의 변화하지 않는다고 주장하는 학자들도 있다. 그림1-19과 비슷한 모델을 사용하면 사람이 나이를 먹어감에 따라서 그의 퍼스낼리티를 바꾸기가 더욱 더 어려워지게 되는 이유를 이해할 수 있을 것이다.

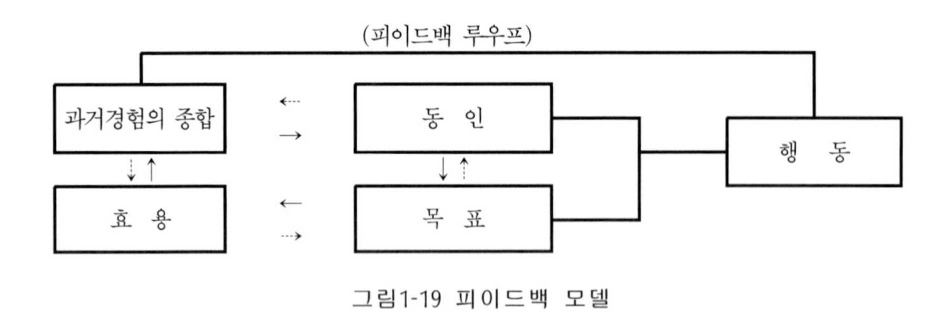

그림1-19 피이드백 모델

이 모델에서는 그림1-19의 「기대」란 말 대신에 「과거 경험의 종합」이란 말로 바꾸어 사용하고 있는 것에 주의하여야 한다. 이들 두 가지 용어는 상호 교환적으로 사용될 수 있다.

개인이 어떤 행동을 할 때, 그림의 「피이드백 루우프」가 나타내고 있는 바와 같다. 그 행동은 하나의 새로운 투입(input)으로서 그 사람의 과거의 많은 경험으로 이루어진 「경험의 창고」 속에 부가되어진다. 그런데 이 「투입」은 인생의 조기에 발생하면 할수록 그만큼 더 그 뒤의 행동에 영향을 미치는 잠재력이 크다. 왜냐하면 인생의 조기에 있었던 행동의 경험이 인생의 후기에 있었던 행동보다 그 사람의 과거의 총체적인 경험 내에서 차지하고 있는 비율이 크기 때문이다. 더욱이 행동의 강화기간이 길면 길수록 그 행동은 더욱 더 고정화되고, 변화시키기 어려워진다. 바로 이것이 젊은 시기일수록 성격 변화가 더 쉽다는 이유이며 또 나이를 먹을수록 퍼스낼리티를 변화시키는데 시간도 걸리고, 행동을 변화시키기 위해서 새로운 경험이 필요하게 되는 이유이다.

다음과 같은 예를 들면 이해에 도움이 될 것 같다. 투명한 액체가 들어 있는 0.2리터의 병에 새로운「투입」, 즉 한 방울의 빨간 액체를 떨어뜨리면 병 속에 들어 있는 액체는 눈에 뜨일 만큼 변색이 될 것이다. 그러나 똑같은 양의 빨간 액체를 1개론의 병에 떨어뜨렸다면 이렇다 할만큼의 변색을 볼 수 없게 될 것이다. 이와 같은 예는 과거 경험의 양과 어떤 새로운 경험의 효과와의 관계를 이해하는데 도움이 될 것이다.

(3) 과학적 관리방법

「인간이란 무엇인가」라는 과제에 대한 해답은 인간과학의 역사, 즉 제1장에서 살펴봤지만 좀 더 상세하게 설명해 보기로 한다.

그것은 Taylor에 의한「과학적 관리법의 원리」이다. Taylor는 현장 기사로서 장기간 직장체험에서 작업관리나 공장관리가 결과에 의해 하여져야 한다고 하고, 특히 작업자에 대한 관리를 효율적으로 실시하는 방법으로서 작업의 과학적 관리를 제창하였다.

그것을 몇 가지 살펴보면,

① 작업에「표준」이란 개념을 도입해서 표준적으로 정해진 순서에 입각해서 표준적인 작업시간 이내에 작업을 수행하도록 작용하는 것.

② 그것을 실행하려면 모든 작업자에게 표준적인 기준 이상으로 생산할 수 있도록 작업을 단순화시킴과 동시에, 가급적 인간을 선정해서 훈련하거나, 표준을 달성 또는 그것을 초과하도록 자극하는 방법으로 임금을 이용할 것 등의 것이다. 좀더 설명을 추가하면 높은 임금을 바라는 인간이라면 생산에 전력하게 될 것이라는 것이며, 인간에는 경제적 욕구가 있다는 이론을 배경으로 하는 사고방식이다. 또 인간에는 개인차가 있지만 그것은 생산에 도리어 방해가 되는 요소이므로 임금과 작업의 표준에 의해서 되도록 개인차를 줄이려고 하는 사고방식도 포함되어 있다.

당시의 경제정세에 반영되어 그와 같은 인간-기계관은 크게 환영을 받아서 경제계에 도입되었지만, 이러한 사고방식은 인간성의 관점에서 잘못되어 있다는 것이 오늘날 판명되고 있지만, 당시로부터 80년 이상 경과된 오늘날의 기업 경영자나 관리・감독자 중에도「과학적 관리법」과 같은 사상을 갖는 사람은 적지 않다. 이 사상은 어느 시대에도 인간을 다루는 입장에 있는 사람이 빠지기 쉬운 함정과 같은 사고방식이라고 할 수 있다.

(4) 여자 사원의 감정분석

앞에서 소개한 호손 공장의 실험에 협력한 하버드대학의 교수들은 단지 실패한 것으로 포기하지 않고, 실험에 참가한 여자 작업자를 면접하여 그들의 심정을 분석했던 것이다.

그러자 그들은 「매일 명랑하고 즐거웠다」고 하며, 자신들이 조건변화를 의식해서 생산성을 향상시키는 방법을 적용한 것도 아니고 생산능률의 증대에 정신을 집중한 것도 아니며, 또 특별히 생산에 대한 압력도 느끼지 않았다고 한다.

그리고 그들은 실험을 위해 「선발된」 것이며 대학 교수들에 협력하는 것이 즐거웠던 것이며, 명랑하고 자유스런 분위기가 좋았다고 한다. 실험조건의 변화에는 담당자가 그녀들과 「상담하는」 일이 많았다. 또 감독자도 공장의 「감독자 Type」가 아니라는 것 등을 지적하고 있는 것이다. 또 오랜 실험생활동안 행동을 같이하는 가운데 그들과 친밀한 관계가 깊어지고, 상호간에 개인적인 고민을 숨김없이 이야기하거나 상담할 뿐만 아니고 동료의 생산능률이 저하되는 일이 있으면 서로 지원하는 「동료의식」마저 가지고 있었던 것이다.

이와 같이 면접의 분석결과를 전망하여 이해할 수 있는 바와 같이 그들의 감정이 매우 밝고, 그리고 그 「감정」은 작업이나 동료나 실험 전체에 대해 적극적으로 작용하고 있었던 것이다. 휴식을 늘려서 하거나, 때로는 오전 휴식할 때 커피나 샌드위치를 주고 있어서 거기에 의해 그들의 기분이 작용한 것이 아닌가 한다.

이 감정(Sentiment)이 작용하는 힘과 동료의식(비공식조직)이 작업집단 내에서 중요한 작용을 한다는 사고가 기초가 되어 Mayo의 인간관계적 관리법으로 발전하였다.

(5) 감정의 작용

우리들은 주위의 여러 가지 것에 감정을 가지고 있다. 가지고 있는 감정의 성질에 따라서는 보는 것이 불결하지 않고 아름다운 것으로 보인다. 봄의 화창한 감정은 바로 그때 피는 꽃에서도 깨끗한 마음을 느낀다.

직장을 생각하는 것도 똑같다고 할 수 있다. 어떤 직원이 갖는 감정의 성질에 따라서 그의 직장에서 행동하는 태도가 다르다.

여기서 A라는 사람과 B라는 사람이 있다고 하자. 2명이 젊은 청년이라고 하자. 두 사람은 각각 업무를 담당하고 있지만, A의 직무에 대한 감정은 작업이 즐겁고 자신의 흥미에 맞는 작업이라는 좋은 감정인데 비해서 B는 싫은 작업이다, 왜 자신에게 이런 더러운 작업을 시키는가, 하는 부정적인 감정을 가지고 있다. 이 경우에는 A와 B의 작업에 대해 대처하는 방법에 상당한 차이가 나타나는 것이다. A는 적극적으로 작업에 대처하여 miss가 발생하지 않도록 연구를 하고 안전한 작업을 하려고 배려할 것이다. 한편 B는 일을 아무렇게나 하며 miss나 사고가 발생하여도 그것은 회사나 상사의 책임이라고 말할 것이다.

두 사람은 다른 동료들에게도 어떤 감정을 가지고 있을 것이다. A는 동료인 선배를 존경하고, 선배와 같이 수완을 향상시키는 것을 기대하고 있을 것이며, 그렇게 하기 위해 함께 작업하면서 배우려고 하는 기분을 가지고 있다. B에 있어서도 성격이 통하는 동료는 제외하고, 모두 자신을 뚜렷한 이유 없이 싫어한다고 생각하여 동료에게도 나쁜 감정을 가지고 있다. A는 협조할 수 있지만 B는 팀에서 잘 벗어난다.

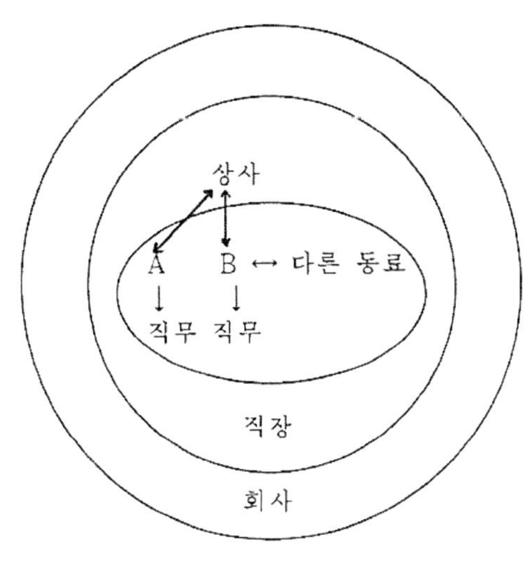

그림1-20 감정의 모든 관계

상사에 대한 두 사람의 감정도 다르다. A는 상사를 신뢰하여 상사와의 사이도 좋은데 비해서 B는 불공평한 상사이며 자신을 게으른 자로 단정하는 것으로 생각하고 있다. 상사가 A에게 안전하게 작업하는 것이 능률적인 작업을 하는 기본이라고 설명하면 그는 잘 받아들이지만, B는 사고가 발생되면 상사의 책임이므로 저렇게 말한다고 생각한다. 똑같이 두 사람의 회사가 시행하는 모든 시책이나 관리의 방식에 대한 감정도 틀려서, 조직단위에서 안전운동을 전개하고 있는 회사의 움직임에 두 사람을 각각 다른 반응을 한다.

이와 같은 감정의 모든 관계를 표현한 것이 그림1-20이지만, 한 사람의 작업자는 자신이 담당하는 직무·동료·상사·직장·회사 기타의 것에 각각 감정을 가지며, 그 감정이 좋으면 그들에 대한 관계도 좋아져서 올바른 행동이 되며, 좋지 못한 감정이 있으면 바람직하지 못한 행동이 발생한다.

(6) 좋은 감정을 신장시키려면

종업원을 관리하기 위해서도 안전관리를 추진하기 위해서도 첫째 개개의 종업원이 가지고 있는 여러 가지 감정을 좋은 감정으로 이끌어 가는 관리가 필요하다. 회사에 대해 좋은 감정을 육성하면 회사에 대한 일체감이 형성되고 그래서 상사나 동료에 대한 좋은 감정이 생겨나도록 배려하면, 직장의 인간관계가 좋아지며, 직무에 대한 감정이 좋아져서 작업에 대한 흥미가 솟아난다. 이와 같은 감정의 관리를 사기 관리라고 부르기도 하지만 작업자를 에워싼 모든 요소에 대해서 좋은 감정이 존재하는 것이야말로 그는 회사를 위해 일하고 작업을 하고 싶은 기분을 갖는다.

안전관리를 효율적으로 실행하기 위해서는 이와 같은 일반 사기관리나 노무관리가 선행되어야 한다. 결국 작업자의 감정육성이 되어야 한다. 안전모를 착용하라고 하여도 그에게 작업에 대한 하고 싶은 기분이 없어서 감독자에 대한 불신감이 있으면 말한 바와 같이 하지 않는다. 그렇게 하기 위해서는 직무와의 관계, 직무의 중요성, 좋은 리더십과 명랑한 직장을 만드는 배려, 회사의 방침이나 목표의 이해 등, 여러 가지 교육이나 대화에 의한 지도를 행하여 그 속에 안전에 대한 좋은 감정을 육성하는 것이다.

3. 사회적 관계의 직무수행

(1) 직장집단의 사회적 연계

영국에 매우 흥미가 있는 연구가 있다. 낡은 탄광에서는 여러 사람의 작업자가 하나의 그룹이 되어서 막장에서 채탄작업을 행하게 되어 있었다. 숙련자가 우두머리가 되며, 숙련정도에 대응하는 작업의 배치를 고려해서 위험한 작업이기 때문에 작업자의 개개인이나 대인관계에 상세한 배려를 하였다. 또 지상에서는 우두머리의 부인이 멤버의 가족을 돌보아 주는데 유의하고, 어린이들의 교육문제나 병자의 사항까지 여러 가지로 배려했다. 이와 같이 해서 옛날의 탄광은 위나 아래나 직장생활의 상하관계가 사생활까지 계속되어 따뜻한 인간관계가 형성되어 있었다.

그런데 기술혁신과 대량생산방식의 도입에 의해서 지금까지 인력에 의한 집단 채탄방식과 틀려서 컨베이어 벨트를 적용한 기계식 채탄방식으로 변경되어 종래와 같은 소집단방식이 사라지고 대집단 방식이 되어 세밀하게 운영되던 관리가 소멸되어 버렸다. 작업도 단순화되고 전문화되어서 숙련 정도에 맞는 배치도 필요 없게 되었다.

그 결과 작업자 사이의 감정적인 대립이 발생하였으며, 때로는 싸움이나 소동이 발생하였던 것이다. 종래 집단(group)작업이 집단사이에 바람직한 사회적 관계를 만드는 바탕이 되었던 것이, 기계화되어 인간끼리의 결합이 불필요하게 된 것이 사회적 연대감을 파괴하여 버렸다.

인간에게는 사회적인 결합이 필요하다. 인간과 인간과의 관계, 인간과 외적 환경과의 결합, 인간과 자연과의 결합 등을 통해서 인간이 동물적 생활을 탈피하는 것이야말로 본질적으로 필요한 것이다.

(2) 관리사회의 특징

자주성이 없고 특별한 것도 없는 관리 기구로 되어있다. 이와 같은 관리사회에 빠지면 인간은 점차 고립되게 되어 다른 사람과의 관계를 기피하게 된다. 그래서 결과적으로는 정신적으로 너무 건강하지 못한 인간이 된다. 어떤 심리학자의 조사에 의하면 아파트 단지에 장기간 생활한 사람은 그렇지 않은 사람과 비교해서 정서 불안정이 높다고 한다. 단지 안에서 인사를 나누는 것을 귀찮아하고, 다른 사람의 집에 어떤 일이 있어서도 무관심하며 그래서 자기 멋대로 하여도 예사롭게 생각한다. 피아노 소리가 시끄럽다고 하여 다른 사람의 자식을 뛰어들어가 죽이는 이상한 일이 일어나는 것이다.

(3) 바람직한 사회적 관계

인간은 역시 인간끼리 적당하게 사귀며, 자연이나 사회와 교류하여야 한다. 사회적 관계란 인간끼리의 사회적 연결이며, 인간이 연대적으로 사회를 구성하는 관계를 갖는 것을 말한다. 이와 같은 사회적 관계가 있어야 만이 인간은 건강하며 사회의 일이나 국가의 일을 생각하게 된다. 사회적 연대감이 없는 곳에 다른 사람의 것을 생각하는 인간은 육성되지 못한다.

직장도 똑같은 것이다. 근대적인 기업은 근대 경영관리를 성급하게 도입한 결과, 작업자라는 인간의 특질을 잊어버리고 있는 면이 있다. 비용을 절감하기 위해 기계화하는 것은 시인한다 하여도, 자동화된 공장 내에는 진짜 몇 사람의 인간이 있으며, 그들은 때로는 고독감이나 불안감을 품는다. 작업자가 많이 늘어서서 작업하고 있어도 그것은 벨트 컨베이어에 대해서 충성스럽게 작업하고 있는 것이며, 이웃한 인간과는 관련이 없다. 자신은 노력해서 하고 있는 작업 그것에 자주성이 인정되지 못하고 있다.

이와 같이 고독하며 그리고 단조로운 생활을 하면 차차 인간을 싫어하게 되며, 또 자주적인 관계를 싫어하고, 소극적이며 규제되는 것을 좋아하여 그것은 이미 바르지 못한 사회적 관계의 모습이다.

직장이야말로 동료끼리의 사이에 강한 이어짐이 있어야 하며, 직장의 연대감이 필요한 것이다. 그야말로 모든 사원이 협력한 결과로서 이윤과 기업의 발전이 약속된다.

(4) 직장의 사회적 관계

그러면 직장의 사회적 관계란 무엇인가. 그것은 어떤 방법으로 보증되는가.

거기에는 먼저 작업자가 직무와의 관계를 강화하는 것이며, 다음에 작업자끼리 팀의 자주적인 능력에 의해 협력하면서 생산에 도전하게 하는 것이다. 먼저 전자에 대해서는 직무에 대해 소극적 관계로부터 능동적 관계로 변화시켜야 한다. 그렇게 하려면 직무의 형태를 작업자에 있어서 매력적인 내용의 것으로 바꾸어야 한다. 그것을 직무 재설계라고 하며, 그와 같은 직무라면 작업자는 직무 중에 능력을 발휘할 수 있는지 어떤지를 발견해서 직무수행에 집중하게 될 것이다.

이와 같은 작업자가 많이 모여서 직장집단을 만들면, 그들의 공통 관심은 직무를 어떻게 수행하는가에 대한 문제이며, 그들이 서로 협력하여 직장의 문제해결이나 개선에 능력을 결집하게 된다. 그 가운데 양호한 인간관계가 육성되는 것이다. 감독자나 참모 중에는 1박 2일의 합숙으로 생활을 함께 해 보는 것만으로 마음이 맞아 원만하게 지내지 못한 직장의 인간관계가 몰라보게 개선된 모습을 보고 놀랜 일이 있을 것이다. 이것이 직장의 사회적 관계라고 할 수 있다.

(5) 인간관계가 필요

예로부터 우리 민족은 가족사회이며 집단주의에 의해서 형성되어 왔다. 누가 곤란을 겪으면 이웃 사람들이 지원하였다. 오늘날의 사회는 이러한 풍조가 무너지고 합리성이 통용되는 시대가 되었지만 인간관계를 중요시하고 그것을 희망하는 모습으로 바뀌지 않고 있다.

표1-5 동료가 이직하는 이유(%)

항목 \ 연령층(세)	15~17	18~19	20~24	25~30	31~40	41~50	51이상
작업이 괴로운 것	20.0	9.2	3.8	4.5	2.6	4.6	1.7
상사와의 거북한 인간관계	12.0	9.2	10.8	15.9	21.4	19.2	20.0
동료와의 거북한 인간관계	4.0	12.6	7.5	4.5	1.3	4.6	4.3
차용금의 불만	32.0	21.8	19.4	17.8	19.7	11.5	13.0
승진의 가능성이 낮다는 것	4.0	3.4	2.7	5.7	16.2	20.0	13.0
작업이 단조로우며 흥미 없는 것	16.0	26.4	24.2	14.6	7.7	6.2	3.5
경영자가 우수하지 못한 것	0.0	0.0	0.0	1.3	4.7	0.8	0.9
기숙사, 식당등의 후생이 좋이 않은 것	0.0	0.0	0.0	0.0	0.4	0.0	0.9
회사의 장래성이 좋지 않은 것	0.0	1.1	4.3	5.1	4.3	4.6	1.7
작업에서 복장이나 손이 더러워지는 것	4.0	0.0	0.0	0.6	0.4	0.0	0.0
누군가에 권유되어서	0.0	0.0	0.0	1.9	1.7	3.8	1.7
봉급 생활자가 싫어져서	0.0	0.0	3.2	6.4	6.0	6.2	1.7
잔업이 많기 때문에	0.0	4.6	1.6	4.5	1.3	0.0	0.9
멀기 때문에	0.0	0.0	0.5	0.0	0.4	1.5	0.9
기타	8.0	11.5	22.0	17.2	12.0	16.9	35.7

표1-5는 이직하는 이유의 본심을 조사하는 방법으로서 「귀하의 동료는 어떠한 이유로 회사를 그만 두었는가」라는 질문에 대한 응답을 정리한 것이다. 연령별로 다양한 특징을 판단할 수 있지만, 그 가운데서 「상사와의 거북한 인간관계」와 「동료와의 거북한 인간관계」가 25세 이상에서 첫째의 이직하는 이유가 되고 있으며, 젊은 사람조차 둘째~셋째의 이직하는 이유가 되고 있다.

표의 수치는 작업자는 어떠한 인간관계 상이 문제가 발생하면 중요한 직장을 그만두어야 하는 심경이 되고 있다.

표1-6 하고 싶은 기분의 조건(%)

귀하는 어떠한 때에 "하고 싶은 기분" 이 일어납니까	전체	15~17세	18~19세	20~24세	25~30세	31~40세	41~50세	50세 이상
계	934	25	87	186	157	234	130	115
임금이 높다	5	8	5	6	6	3	3	5
직장의 인간관계가 좋다	25	32	14	25	20	26	31	34
작업내용이 재미있다	27	20	44	31	34	23	20	17
노력하면 기회가 있다	6	8	6	1	4	11	12	3
깨끗한 작업환경	1	0	1	1	0	0	0	2
작업에서 지식·기술을 체득한다	22	20	18	28	27	25	15	14
상사의 지도가 좋다	4	0	5	4	5	3	4	3
근로시간이 짧다	1	4	2	1	0	0	0	0
사외에 소용되는 작업을 한다	8	4	6	4	4	5	12	19
경영자가 우수하다	1	4	0	1	0	2	2	3
복리후생이 좋다	0	0	0	0	0	0	1	0
%	100	100	100	100	100	100	100	100

표1-6은 같은 사람에 의해서 조사한 결과이지만, 「작업하는데 어떤 때 하고 싶은 기분이 일어납니까」라는 질문에 대답을 정리한 표이지만, 역시 연령별로 차이가 있지만 하고 싶은 기분의 조건 중에서 「직장의 인간관계가 좋다」를 선택하는 것이 35세를 넘으면 첫째가 되며, 30세 사람의 경우도 세 번째로 중요한 조건으로 되어 있다. 작업하는데 「하고 싶은 기분」의 사항에서 작업내용이 재미있다거나 작업이나 기술에 관한 것이 첫째의 조건이 된다고 생각되는데 「좋은 인간관계」가 첫째 또는 중요한 요인으로 되어 있다. 특히 인간관계 중에서 상사와의 인간관계나 동기부여 혹은 하고 싶은 기분이 중요 시 되는 특징이 있다.

(6) 안전에도 인간관계가 중요

자동차와 비교하는 중에서 인간관계나 사회적 관계를 자동차에 대한 외적 환경이란 방법으로 표현했다. 외적환경이 운전에 좋은 상황이라면 운전은 쾌적하지만, 그것이 방해가 되는 경우라면 자동차 사고가 일어날지도 모른다.

인간에 있어서 사회적 환경(인간관계)은 확실히 이와 똑같은 요소를 가지고 있어서 양호한 사회적 환경은 안도의 기분을 갖도록 하지만, 특히 인간을 보호 육성하는 작용을 한다. 반대로 양호하지 못한 사회적 관계는 사람들의 기분을 냉정하게 하여 감정적인 대립을 초래하며 나아가서는 인격적인 붕괴를 초래한다.

안전에 대해서 작업자에 동기를 부여하려고 할 때는 직장 내에서 사회적 관계가 붕괴되어 있으면 작업자는 정서적인 불안정감을 가지고 있기 때문에 작업안전에 노력하려고 하여도 노력의 대상이 되지 않는다. 평소 직장집단 내에 집단적인 연대감이 있어서 그러한 기분이 서로 통하고 있어 정신적으로 안정되어 있으면 안전목표를 제시하여도 그것을 의식할 수 있을 것이다.

다른 것 보다 한층 더 안전에 대해서 소집단이란 작은 단위에서 서로가 잘 통하며 명쾌하게 돕는 분위기를 갖는다면 아이디어를 서로 내놓고 도전해 가는 힘이 집단 속에 싹트게 된다. 안전이 개인의 힘으로 어떻게 할 수 없는 결함에 의해서만 위협받게 되고 하고 싶은 기분으로 이어지는 사회적 관계를 육성하는 것은 안전관리에 불가결한 요소라고 할 수 있을 것이다.

(7) 성숙과 안전한 행동

안전한 행동을 취할 수 있다는 것은 상황에 즉시 대응해서 객관적으로 판단하며 올바른 행위를 할 수 있는 것을 말하는 것이다. 그것은 무례한 기분을 억제하고 냉정한 판단에 따라 미래의 상황을 예측을 할 수 있고 또한 자기자신을 통제하는 것이다. 결국 성숙된 인간이라면 자연히 안전한 행위를 할 수 있어야 한다.

미성숙-성숙이론에서 생각한다면 미성숙한 인간일수록 불안전행위를 일으켜 사고발생의 가능성이 높은 인간이며, 성숙된 인간일수록 자기통제를 하여 안전행위를 할 수 있어 사고를 일으키기 어려운 인간이라고 할 수 있을 것이다. 그렇다고 하면 사원 전원이 성숙된 인간이 되어야 한다는 것이다.

그러면 성숙된 사원이 되게 하려면 어떻게 하는 것이 좋은가, 하는 것이 다음의 문제가 된다. 그렇게 하기 위해서는 표1-6의 오른쪽 성숙란에 해당하는 행동을 취하게 하는 것이며, 그것은 3가지 요인의 조합으로 이루어진다. 그 하나는 직무의 내용이며, 둘째는 리더십이고, 셋째는 회사조직의 자세의 문제이다.

먼저 직무내용이나 안전을 추진하는 방법에 대해 말한다면, 작업이나 안전의 추진방법에 대해 작업자 자신이 계획하고 이에 따라 수행하도록 하는 것이다. 회사측이나 참모가 정한 사항을 오로지 따르게 하는 방법을 취하면 작업자는 종속적, 의존적이 되어 버린다. 리더십도 강압적인 입장이 아니라, 그들이 자주적인 행동에 의해 책임감을 가지고 안전을 연구하여 능력을 발휘하도록 하면 성숙된 인간이 된다. 또 조직 자체는 관료적이며 종적 계열이 매우 강해도 작업자들이 어떤 발언할 권한이 없는 시스템이라면 작업자는 의존적이며 단기적인 발상밖에 하지 못하는 인간이 되어 버린다. 전원이 자주적으로 참가하여 창의적인 사고를 바탕으로 작업이나 안전을 수행해 가는 것이 성숙된 인간의 자세이다.

4. 직무수행과 의무

(1) 하고 싶은 기분이란

하고 싶은 기분이란 사물에 대한 적극적 직면의 태도를 말하며, 도전적이며 의욕적인 심적 상태를 말한다. 할 마음이 있다는 것은 동기부여란 말과 같은 뜻이며 일반적으로 동기부여란 말보다 많이 사용하고 있다.

「하고 싶은 기분」이란 용어와 동기 부여의 구분은 다음의 Herzberg의 연구를 살펴보면 잘 이해가 될 것이다.

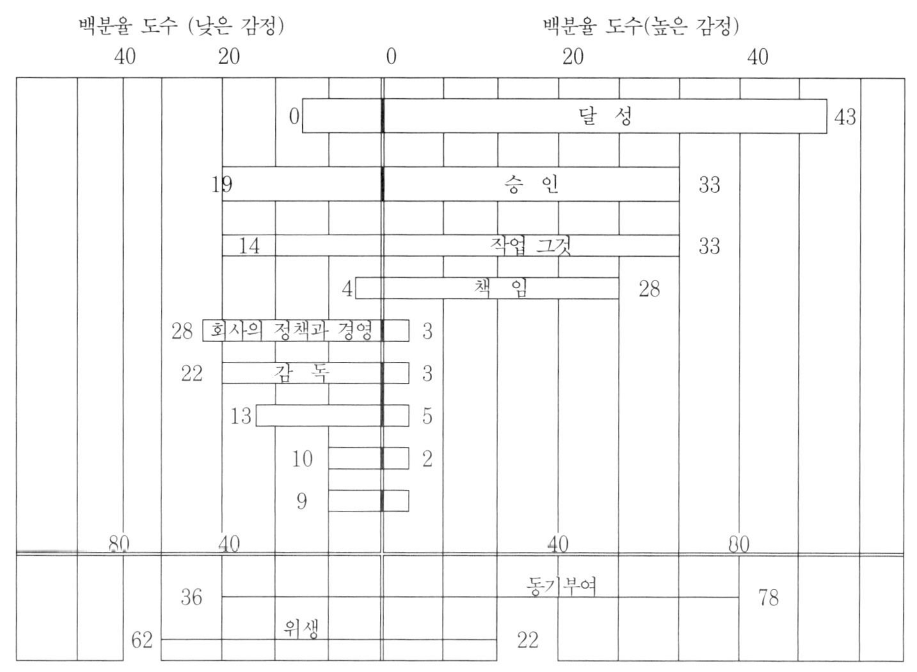

(주) 21단계 평정에서 12를 중심으로 해서 그 이상을 높은 감정, 그 이하를 낮은 감정으로 해서, 피험자가 말한 체험 중에서 각 요인의 빈도를 표시한다.

그림1-21 만족요인과 불만족 요인의 비교(Herzberg)

허즈버그는 직무체험 중에서 쾌적한 체험 또는 만족한 체험으로서 기억되고 있는 사항과, 불쾌한 체험 또는 불만족한 체험으로서 기억되고 있는 사항과를 면접을 통해서 밝혀냈다. 그림1-21은 그중 하나의 사례이며 미국인이나 외국인이 많은 직종에 대한 조사결과에서는 대부분 비슷한 패턴을 나타낸다. 이 그림 중 특히 중요한 것은 만족의 감정(그림의 오른쪽)을 초래한 요인과 불만족 감정을 초래한 요인들이 완전히 분리되어 나타나 있다는 점이다. 예를 들면 「책임」을 가지게 하는 것이 만족의 체험을 하는 원인으로 되어도 불쾌함이나 불만족의 체험 원인은 거의 되지 않으며, 또 작업조건이 나쁘다고 하는 것은 불만의 요인이 되어도 그것이 좋아졌다고 해서 만족한 체험으로 거의 연결되지 않는다.

만족한 체험은 작업에 적극적인 자세를 만들어 내지만, 불만족한 체험은 불평불만의 감정으로 남아, 그 요인을 만족하도록 개선하여도 작업에 대한 적극적인 자세를 만들어 내지 않는다는 점에서 만족 요인을 허즈버그는 「하고 싶은 기분의 요인(Motivate)」, 불만족에 관계되는 요인을 「위생적 요인」이라 부른다. 「위생적」이란 용어를 건강 만들기와 비교해보면 대수롭지 않은 찰과상을 치료하는(불만족 요인을 개선하는 것과) 것은 적극적인 체력 만들기와는 상당히 먼 보건 위생적인 의미에 불과한 의미를 갖는다.

하고 싶은 기분이란 무엇인가 하면 그림1-21에서 「달성」, 「승인」, 「작업 그것」, 「책임」 등이며, 위생적 요인은 그 이외의 요인이며 임금은 위생요인에 포함된다.

(2) 하고 싶은 기분의 요인

「달성」이란 어떤 목표를 완수하는 것이며, 「승인」이란 달성한 목표에 대해 상사나 동료로부터 인정받는 것이다. 본인 자신이 자기의 성과를 나름대로 인정하는 것도 다음 목표에 대한 동기부여가 되기 때문에, 승인에 포함해도 된다. 「책임」이란 직무 수행에 따라 권한과 책임이 주어지게 되지만, 공식적이지 않더라도 비공식적으로 또는 그 직장의 자유재량에 의해서 책임을 느낄 때는 동기(혹은 동인)작용을 한다. 「작업」이란 복잡하고 높은 지식과 능력이 요청되는 것으로 인식되며, 당연히 하고 싶은 기분이 생겨나게 된다. 스콧트 마이야즈는 텍사스 인스트루먼트 회사의 종업원에 허즈버그와 같은 조사를 실시했다. 단지 그는 체험의 빈도와 영향의 지속기간을 조사했다. 그 결과 중 하나가 그림1-22이다. 이것은 시간급 반숙련공의 결과이지만, 상 방향의 막대는 동기요인으로 작용한 것이며 하 방향의 막대는 위생 요인을 표시한다. 상하의 높이는 그 요인의 지속시간이며, 다른 말로 영향의 중요도를 나타낸다. 또 가로축은 체험빈도를 나타낸다. 시간급의 반숙련공을 일급제의 현장 종업원과 거의 동일시한다면, 이 그림은 의미가 있다. 동기요인과 「책임」, 「성장(진보)」, 「인정되는 것」이며, 「임금」은 동기요인은 위생요인으로서 작용하고, 위생요인으로는 「작업 그것」, 「회사의 정책과 관리」, 「감독자의 능력」이 있다. 임금이 양면의 작용을 한다고 하는 것은 대상이 시간급 근로자라는 점에서 이해될 수 있으며, 또 「작업」의 특성을 단순하며 능력 사용을 통해 순환(Rotation)이 가능한 상태라고 해석할 수 있다.

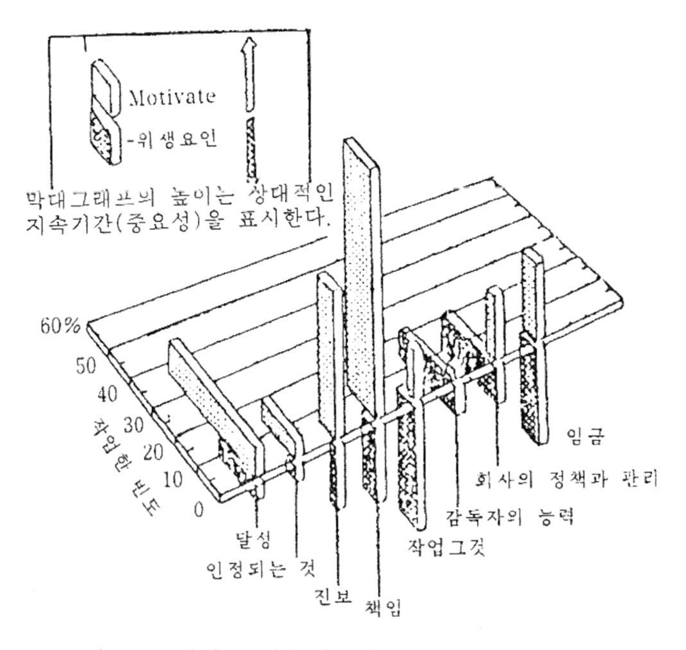

그림1-22 시간급 반숙련공의 하고싶은 기분의 요인

(3) 안전 추진력으로서의 하고 싶은 기분

하고 싶은 기분을 안전에 적용시키려면 어떻게 하는 것이 좋은가. 우선 안전과 작업이란 일체적인 관계에 있어서 작업을 수행하는 중에 안전이 있으므로, 작업에 밀착된 안전 Point를 발견시킬 필요가 있다. 그리고 그 안전 Point가 실행되고 있지 않는 현상인식으로부터 행동의 목표설정을 설정하고, 그것이 달성되면 그 성과를 인정하는 제도가 필요하다. 이 발견 - 목표설정 - 실행 - 달성 - 승인의 Cycle이 관리·감독자나 리더에 의해서 지원되고 자극되면 된다. 미국의 경우 안전은 위생요인이지만, 전사적으로 안전목표가 명확하며 아름다운 말의 안전 슬로건이 발표되고 이것들이 전체의 분위기를 주도하면 안전에 대한 하고 싶은 기분을 조성할 수 있다.

(4) 작업자는 직무에서 무엇을 원 하는가

동기에 관해 설명할 때 명심해야 할 중요한 것은 인간은 많은 욕구를 가지고 있으며, 그 모든 욕구들이 행동을 일으키기 위해서 계속적으로 경합하고 있다는 사실이다. 이들 욕구의 혼합정도나 강도는 보는 사람에게 정확히 동일하지는 않다. 주로 금전에 의해 동기 부여된 사람도 있으며, 기본적으로 안정에 강한 관심을 기울이는 사람도 있으며, 그 밖의 다른 욕구 등에 의하여 동기 유발된 사람도 있다. 이처럼 개인차가 있는 것은 사실이지만, 그렇다고 종업원에게 있어서 어떤 동기가 다른 동기보다 현저하고 강력한 동기인가를 예측할 수 없다는 것을 의미하지는 않는다. 매스로우에 의하면 아직 충족되지 않고 있는 욕구가 가장 강한 동기이다. 그럼으로 관리자가 고려해야 할 문제는 작업자가 직무에서 무엇을 요구하고 있는가 하는 것이다.

이와 같은 의문을 해결하기 위한 시도를 미국 산업계에 종사하는 종업원들을 상대로 아주 흥미 있는 연구가 행해졌다. 그 연구에서 작업자들이 그들의 직무에서 원하고 있다고 생각되는 항목들을 적은 목록을 일선 감독자들에게 배포하고, 근로자의 입장에서 중요도에 따라 순위를 매기게 하였다. 그리고 중요도에 따라 순위를 매기는데 있어서 감독자 자신이 원하는 것이 아니라 근로자가 원하는 항목을 근로자의 입장에서 순위를 매기도록 강조하였다. 그리고 나서 작업자 자신들에게도 똑같은 항목들을 배포하고 직무에서 가장 원하는 것이 무엇인가를 그 중요도에 따라 순위를 매기게 하였다. 그 결과 표1-7을 얻을 수 있었다(중요도는 1이 최고이고, 10이 최저이다).

표1-7 작업자는 직무에서 무엇을 원하는가

	작업자	감독자
좋은 작업조건	4	9
상대방의 입장에서 일을 생각해 주는 것	10	2
알맞은 훈련	7	10
수행된 작업에 대한 충분한 평가	8	1
작업자에 대한 경영자의 신뢰	6	8
좋은 임금	1	5
회사와 함께 성장하고 승진하는 것	3	7
개인적인 문제에 대한 공감적인 이해	9	3
직무와 안정	2	4
흥미 있는 일	5	6

위의 결과표에서 분명히 나타나 있는 바와 같이, 1948년도의 연구에서 감독자들은 일반적으로 임금, 직무의 안정, 승진, 작업조건 등의 순으로 작업자들이 작업에서 원하고 있는 것을 들고 있으며, 한편 작업자들은 수행된 작업결과의 대한 충분한 평가, 상대방의 입장에서 일을 생각해 주는 것, 그리고 개인적인 문제에 대한 공감적인 이해 등 모두 친교나 인정에 대한

동인과 관련되어 있는 것들을 열거하고 있다.

그런데 여기서 아주 흥미 있는 것은 작업자들이 가장 원하고 있는 것을 감독자들은 중요한 것으로 보지 않는다는 것이다. 그래서 감독자들은 근로자들에게 실제적으로 무엇이 가장 중요한 것인가에 대해 민감하지 못하다는 것을 이 연구가 시사하고 있다. 감독자들은 작업자들의 생리적 동인이나 안전동인의 충족을 위한 유인이 작업자들에게 가장 중요한 것으로 생각하고 있는 것 같다. 이처럼 감독자들이 그들의 작업자들이 이러한 동인을 가지고 있는 것으로 지각하기 때문에 실제로 작업자들에게 이러한 동인이 가장 중요한 동인인 것처럼 생각하였던 것이다. 그래서 감독자들은 옛날부터 만능 적인 유인이라고 믿어온 유인, 즉 돈, 복리후생(부가적 급여), 안정 등을 작업자의 동기부여 수단으로 사용하게 된 것이다.

우리가 지난 수십 년에 걸쳐 관리자 훈련계획의 일환으로 이와 꼭 같은 연구를 주기적으로 실시해본 결과, 관리자들의 지각(perception)에는 변동이 없이 비슷한 결과를 보이고 있었다. 그러나 유일한 변동은 지난 5년 내지 10년 동안 작업자들이 「회사와 함께 성장하고 승진하는 것」, 「흥미 있는 직무」(둘 다 허즈버그의 연구에 나타난 동기부여를 위한 인자들이다) 등에 보다 많은 욕망을 나타내고 있는 것이었다. 그러나 1970년대의 경제적 불경기에는 작업자들에게 「좋은 임금」이나 「직무의 안정」 등이 또다시 매우 강한 욕구로 등장하고 있었다. 그래서 관리자들이 직무에서 무엇을 가장 원하고 있는 가에 대한 그들의 생각과 작업자들이 실지로 원하고 있는 것과의 사이에 현격한 차이가 있다는 것을 알아야 하고 또 경제적 변동과 기타 다른 변동이 작업자들이 원하고 있는 것들의 우선 순위에 어떤 영향을 미치고 있는가를 이해하는 것도 관리자에게 있어서 매우 중요한 일이다.

위와 같은 사실로 미루어 보아 사람은 실제적인 현실에 근거하여 행동하기 보다 그들의 지각에 근거하여 행동한다고 일반화하여 말할 수 있다. 따라서 관리자는 자기의 지각(perception)을 현실, 즉 작업자들이 정말로 무엇을 원하고 있는가에 더욱 더 접근시켜감으로써 종업원들과 협동적으로 일을 해 나가는데 있어서 효과를 높일 수가 있을 것이다. 그래서 관리자는 무엇이 종업원들을 동기화 시키는가를 이해하기 위해서 그 종업원에 대하여 잘 알고 있어야 하고, 멋대로 추측하거나 가정만을 세워서는 안 된다. 그리고 관리자가 종업원에게 어떤 것에 대하여 어떻게 생각하고 있는가를 물어본다고 해서 그것이 반드시 그 종업원을 알기 위한 적절한 피이드백으로 나타나지는 않는다. 왜냐하면 관리자가 종업원으로부터 받아들인 커뮤니케이션의 질은 오랜 기간에 걸쳐 그 종업원과 관리자와의 사이에 이루어진 관계의 친밀도에 근거하고 있는 경우가 많기 때문이다.

오늘날 성장하고 있는 경제환경 속에서 사람들이 그들의 직무에서 원하는 것이 수십년 전의 사람들이 그들의 직무에서 원하던 것과는 현격한 차이가 있다는 것을 관리자들은 깨닫지 못하고 이해도하지 않고 있다는 것이 분명한 것 같다. 고용수준이 높은 오늘날의 미국에서는 일부 대도시의 빈민가나 기타 가난한 지역의 사람들을 제외하고는 다음끼니를 걱정하거나 자연의 재해나 위험에 어떻게 자신들을 보호해나갈 것인가에 대하여 염려하는 사람은 거의 없다. 이와 같은 생리적 욕구나 안전욕구의 충족이 쉽사리 이루어질 수 있는 것은 생활수준의 급속한 향상, 모든 작업계층에서 임금과 복리후생의 극적인 개선, 그리고 복지·사회보장·의료·실업보험 등과 같은 정부의 광범한 계획에 힘입은 결과이다. 더욱이 노동조합운동과 노동법의 제정은 안전한 작업조건과 직무의 안정을 보장하는데 중요한 역할을 해왔다.

5. 가치지향과 직무수행

(1) 가치관과 가치지향

먼저 가치관이란 쉽게 말하면 대상물에 대한 사고방식을 의미하며, 몇 가지 욕구 중 어느 것을 선택할 때에 보다 강한 욕구나 자신에 있어서 중요하다고 생각되는 것과 관계된다.

가치지향이라고 하는 것은 이와 같은 가치관이 하나의 경향으로서 몸에 배어있는 상태를 말하며, 다양한 장면에서 구체적이며 감각적으로 포착되는 대상에 대한 사고방식이 어떤 일관된 방향이 있다는 것을 의미한다. 그러므로 직장에서 일하는 태도나 직장회의에서 발언하는 내용 또는 안전에 대해 대처하는 방법에서도 그 사람의 가치지향이 공통적으로 작용함으로 행위의 공통점을 발견할 수 있다.

(2) 가치지향 이론

작업에 대처하는 방법과 가치지향의 관계를 측정할 수 있다면 편리하다. 다음과 같은 2개의 축에 따라 가치지향을 측정하는 것을 고려해보자. 그림1-23과 같은 자기지향 - 타인지향의 축과, 생산지향과 비생산지향의 축과에 따라 인간의 가치관의 방향을 측정할 수 있다.

←자기지향	생산지향	타인 지향 →
Ⓐ 자율인간 사는 보람 = 작업 하고싶은 기분 = 작업 내용		Ⓒ 적응인간 사는 보람 = 가정 하고싶은 기분 = 좋은 리더쉽
Ⓑ 불평불만 사는 보람 = 보수가 높은 작업 하고싶은 기분 = 보수가 높은 작업	비생산지향	Ⓓ 교활한 인간 사는 보람 = 없음 사고싶은 기분 = 야무지지 못한 인간관계

그림1-23 가치지향

자기지향이란 대상에 대한 사고방식의 중심에 자기가 있으며, 자신의 힘으로 의사를 결정하여 재료를 수집하고, 자신이 의사를 결정할 수 있으며, 거기에 입각해서 행동할 수 있다. 결국 일체의 사물을 자주적으로 판단하여 자신이 결정한 것에 책임을 갖는 유형이다. 타인지향이라고 하는 것은 자신이 일체의 사물을 결정할 수 없으며, 다른 사람의 생각에 입각해서 하는 방법이 무난하며 그런 편이 편하다고 생각하는 유형이다.

또 한편 축의 생산지향은 물건을 만드는데 가치가 있다고 생각하는 유형이며, 일체의 사물을 자주적으로 판단하는데도 물적인 면과 정신적인 면이 있지만, 전자에서는 꾸준히 생산에 전념하거나 일요일에 집안 일을 돌보거나 하며, 후자에서는 책을 읽으면서 공부하거나, TV를 보는 경우에는 교양적인 것을 골라서 보는 유형이다. 거기에 비해 비생산 지향이란, 신체를 사용하여 무엇을 하는 것은 매우 어리석다고 해서 노력하지 않고 움직이지 않으며 얻으려고 하거나, 움직이는 것 그것이 싫다고 하는 유형이다.

그러면 2개의 축을 중심으로 구분이 되는 A. B. C. D유형의 사람들의 가치관에 대해서 살펴보기로 하자.

A유형의 사람들은 자신의 생각에 따라서 의사를 결정하며 자신의 신체를 사용해서 생산적인 활동을 할 수 있는 사람이므로, 「자율적 인간」이라 부를 수 있다.

B유형의 사람들은 자기지향과 비생산지향으로 특징 지워진다. 이들은 자신이 생각하여 자신이 의사를 결정할 수 있지만 스스로 움직이는 유형은 아니다. 일체의 사물에 적극성이 결여되어 있지만 비판력이 있다. 따라서 사람의 결점을 잘 찾아내며 불평불만이 많은 사람들이다.

C유형의 사람들은 타인지향 - 생산적 지향으로 특징 지워지며 자신의 생각에 따라 자신이 의사를 결정하는 것이 어려우며, 다른 사람이 하는 것이 좋지 않겠는가 라는 식의 약간 소극적이지만, 신체를 움직여 생산적으로 활동하는데는 적극적인 유형이다. 소위 「적응인간」이라 불려진다.

D유형의 사람은 타인지향 - 비생산적 지향으로 특징 지워지며, 스스로의 의사를 결정하는 힘이 부족하며 아주 소극적이며 비활동적인 유형이다. 틈이 나면 잠을 잔다거나 하는 무정한 사람이기 때문에 「뻔뻔한 인간」, 「잠자는 인간」으로 불리고 있다. 이런 유형의 사람에게는 miss나 사고를 일으켜서 질책을 받으면 다음날부터 출근하지 않는 마음이 약한(또는 어지간한) 사람들에 많다.

(3) 가치지향은 바뀐다

가치관의 방향에 따라 행동과 사고방식이 정해지지만 사원이 작업에 가치를 두도록 어떻게 유도할 수 있을까? 4가지 유형으로 구분하였지만, 가능하다면 B는 A로, D는 C로 바꾸면 작업에 대처하는 방법이 좋아진다. 결국 비생산지향을 없애는 것이다.

가치관이란 태어난 뒤에 몸에 익힌 사고방식이며, 그것이 습관으로서 굳어지면 가치지향이 된다고 생각되기 때문에, 사고방식조차 바뀌도록 영향을 주면 바뀌게 된다. 다만 성격과도 관련이 있기 때문에 어렵지만 영향을 주는 수단이 유효하다면 바뀔 수 있다. 즉 B형은 비판력을 이용하여 직장의 문제를 찾아서 개선 제안을 내도록 유도하고 이를 실행시켜 보는 것이다. 최초에는 싫어하지만 좋은 하부 리더를 임명하여 그의 능력을 목적한 대로 활용하도록 배려하면 활발한 유형으로 바뀌게 된다. D형은 매우 활발하지 못한 유형이지만, 노력이 많이 요구되지 않는 역할부터 부여하여 서서히 중요한 역할로 변경하고, 이것을 전원이 인정해 주는 것을 반복하면 평범하게 변한다. 어느 것이나 소집단활동이나 직장회의를 통해서 실시해 보면 변하기 쉬워진다.

안전에 관해서도 똑같다. 안전에 관해서는 특히 다양성이 있는 행동은 장해가 된다. 왜냐하면 어떤 상황 중에서 올바른 행위라는 것은 얼마 안 되는 종류이며, 이것을 가지고 멋대로 하기 때문에 사고가 된다. 따라서 안전에 관해서는 가치지향은 A형의 「자율인간」이 가장 바람직한 것이며, 이것으로 인간을 바뀌도록 하는 것은 매우 어렵다. 그러므로 앞에서 설명한 바와 같이 B를 A로 D를 C로 바뀌면 상당한 정도의 안전이 확보된다. 이 방법은 앞서 설명한 바와 같으며, 특히 뻔뻔스런 인간에게 무례한 행동을 하지 않고 규정된 표준과 같이 행동하도록 길들일 필요가 있으며, 그것은 D를 C로 바뀌게 하는 것이다. 직장회의 중 조금씩 기분을 변경시켜 소집단활동을 통해 그것을 표현하게 한다. 소그룹에서 그의 변화가 가능하다.

이렇게 해서 A와 C밖에 없도록 작용시켜 가고, 가능하면 자율형의 인간을 늘리도록 동기부여가 필요하게 될 것이다. 그것은 동기부여의 이전에 설명한 방법을 취하면 가능할지도 모른다.

가치관 변화를 위한 소집단활동을 제안하였지만 사고방식의 변화에 대한 하나의 수단으로서 정보와 지식을 제공하여 하나의 사고방식 유형을 반복을 통해 변화시키는 것이다. 또 하나의 수단으로서 소집단을 활용하여 모두가 동일한 행동을 취하고, 그것이 표준적인 패턴이 되도록 하고 그 표준으로부터 벗어나면 집단으로부터 제약을 받도록 하는 방법을 이용할 수 있다. 예를 들면 안전모를 착용하지 않는 인간이 아주 소수일 때는 그 그룹의 모든 인간을 되도록 착용토록 하고 문제의 작업자에 1개월간 안전모를 착용하지 않은 인간의 통계를 내도록 하는 연구를 시켜보는 것이다.

제2장
리더십

제1절 / 리더십의 개념

성공적인 조직은 성공하지 못하는 조직과 비교해서 차이가 나는 하나의 주요한 특성이 동태적이고 효과적인 리더십이다. 드럭커(Peter F. Drucker)는 관리자(기업의 리더)야 말로 기업에 있어서 가장 기본적인고 가장 얻기 어려운 자원이라 지적하고 있다. 뿐만 아니라 최근의 통계도 이점을 명백히 하고 있다. 즉「신설된 100개의 기업 중에서 약 50, 즉 2분의 1이 2년 안에 파산하여 없어졌고, 만 5년이 될 때까지 살아남은 회사의 수는 약 3분의 1에 지나지 않았다.」그런데 이들 파산된 회사의 실패원인은 대부분 관리자의 비효과적인 리더십으로 돌릴 수 있다.

그래서 사람을 효과적으로 지도할 수 있는 능력을 가진 사람을 찾는 노력이 다방면에서 계속되고 있는 것이다. 이와 같이「효과적인 리더십」의 부족현상은 회사에만 국한된 것이 아니라 행정부, 교육기관, 재단, 교회 및 기타 모든 유형의 조직에서 공통적으로 볼 수 있는 현상이다. 이와 같이 리더십 재능을 구비한 사람의 부족은 어떤 단체의 관리직위를 보충할 수 있는 사람이 부족하다는 것을 의미하는 것은 아니다. 다만 중요한 것은, 오늘날 사회에서 효과적으로 지휘를 통한 목적 완수 능력을 가진 사람이 부족하다는 사실이다.

1. 리더십의 정의

테리(George R. Terry)에 의하면 「리더십이란 집단목표를 위해 스스로 노력하도록 사람에게 영향력을 행사하는 활동」이라고 한다. 또 탄넨바움(Robert Tannenbaum), 웨슬러(Irving R. Weschler) 및 매서릭(Fred Massarik)은 리더십을 「커뮤니케이션의 과정을 통해서 어떤 특정한 목표달성을 지향하고 있는 상황 하에서 행사되는 대인간의 영향력」으로 정의한다. 그리고 쿤츠(Harold Koontz)와 오드넬(Cyril O′Donnel)은 「리더십이란 공통된 목표달성을 지향하도록 사람에게 영향을 미치는 것이다」라고 말하고 있다.

기타 많은 다른 문헌들을 검토해 보면, 경영학에 관해 글을 쓰고 있는 대부분의 저술가들이 일치하고 있는 리더십에 대한 정의는 다음과 같다. 즉 리더십이란 어떤 주어진 상황 속에서 목표를 달성하기 위해 개인 또는 집단의 활동에 영향을 미치는 과정이다. 리더십에 관한 이와 같은 정의에서 필연적으로 나오는 귀결은 리더십과정이란 리더(Leader), 멤버(Follower) 및 기타 다른 상황요인(situational variables)들의 함수관계, 즉 L=f(l, f, s)라는 것이다.

2. 리더십 과정에 관한 연구

우리는 앞에서 리더십을 정의하여, 리더십이란 주어진 상황 속에서 목표달성을 향하여 노력하는데 있어서 개인과 집단의 행동에 영향을 미치는 과정이라고 하였다. 요컨대 리더십에는 다른 사람들과 더불어 그리고 다른 사람을 통하여 목표를 달성하는 일이 포함된다. 그러므로 리더는 과업(task)과 인간관계에 대해 관심을 갖지 않으면 안 된다. 비록 다른 용어(terminology)를 사용하고 있지만, 바나아드(Chester I. Barnard)도 1930년대 후반의 그의 고전적인 저서 「경영자의 기능」에서 리더십에서 고려해야 할 두 가지 관심이 과업과 인간관계라고 하였다. 그리고 리더십에서 고려해야 할 두 가지 관심은 조직론에 있어서 초기의 두 학파의 사상, 즉 과학적 관리법과 인간관계 논에 잘 반영되어 있다고 생각된다. 여기에 대해서는 이미 1장에서 논의하였다.

(1) 권위주의적·민주적·방임적 리더행동

리더가 멤버들에게 영향을 미치는 방법은 다음과 같은 두 가지 방법이 있다. 즉 ① 멤버들에게 무슨 일을 어떻게 하라고 지시하는 방법과, ② 일을 계획하고 실시하는데 멤버들을 참가시킴으로써 리더가 그 리더십 책임을 멤버들과 나누어 갖는 방법이 그것이다. 전자는 전통적인 권위주의적 관리형으로서 과업에 대한 관심을 강조하고, 후자는 보다 비 지시적인 민주적 관리형으로서 인간 관계의 성질에 대한 관심을 강조한다.

이들 두 가지 리더의 행동이 취하는 차이는 리더가 권력 또는 권력의 원천과 인간성에 대해 가지는 가정(assumption)의 차이에 근거하고 있다. 다시 말해서 두 가지 리더 행동의 차이에서 생긴다는 말이다. 권위주의적인 리더행동은 리더의 권력이 그가 차지하고 있는 조직상의 지위(position)에서 나온다는 가정에 근거하고 있는 경우가 많고 또 인간은 본래 게으르며 믿을 수 없는 존재라는 가정(X이론)에 근거하고 있는 경우가 많다. 그리고 민주적인 리더행동은, 리더의 권력이 지도를 받고 있는 집단에 의해 주어진 것이고, 인간은 적절하게 동기부여가 되면 기본적으로 자율적이고 일에 창의적일 수 있다는 가정(Y이론)에 근거하고 있다. 그 결과 권위주의적인 관리형에서는 모든 정책이 리더에 의해 결정되고, 민주적인 관리형에서는 정책결정이 집단토의나 집단결정에 맡겨진다.

물론 실제적으로 리더행동의 유형은 이들 두 개의 극단 사이에 광범위하고 다양하게 분포되어 있을 수 있다. 탄넨바움(R. Tannenbaum)과 슈미트(Warren H. Schmidt)는 그림2-1에서와 같이 한 쪽 끝에는 매우 권위주의적인 리더행동을, 다른 한 쪽 끝에는 매우 민주적인 리더행동을 표시하고 있는 연속체(continuum) 위에 여러 가지 다양한 리더 행동을 설명하고 있다. 탄넨바움과 슈미트는 이와 같은 양극단을 관리자의 권력과 영향력 내지는 비 관리자의 권력과 영향력이라고 말하고 있다.

그림2-1의 왼쪽 끝에 있는 권위주의적인 리더행동은 과업 지향적이며, 하위 자들의 행동에 영향을 미치기 위해 권력을 행사한다. 그리고 그림2-1의 오른쪽 끝에 있는 민주적인 리더행동은 집단(관계성)지향적이고, 따라서 하위 자들에게 작업을 수행하는데 상당한 자유를 허용한다. 그리고 이 연속체는 민주적인 리더행동을 넘어 방임적(放任的)적인 관리형까지 연속된다. 이와 같은 방임적인 리더의 행동에서는 집단구성원이 하고 싶은 대로 방임하고, 정책이나 작업방법도 특별히 설정되지 않는다. 누구나 영향을 받으려고도 하지 않고 영향을 주려고도 하지 않는다. 그림2-1에서도 볼 수 있는 바와 같이 리더행동의 연속체 위에는 이와 같은 방임적인 리더행동이 나타나 있지 않은데, 이는 방임적인 환경이란 실제적으로 공식적 리더십의 부재를 의미하고 있기 때문이다. 그리고 방임적인 리더행동에서는 공식적인 리더십 역할이 없어지고, 만약 나타나고 있는 리더십이 있다면 그것은 비공식적이거나 긴급한 경우에 나타나는 어떤 리더십일 것이다.

그래서 리더십에는 과업을 강조하는 리더십 유형과 관계성을 강조하는 리더십 유형의 두 가지 유형이 있을 수 있다는 것이 많은 리더십 연구가들에 의해 지지를 받고 있다.

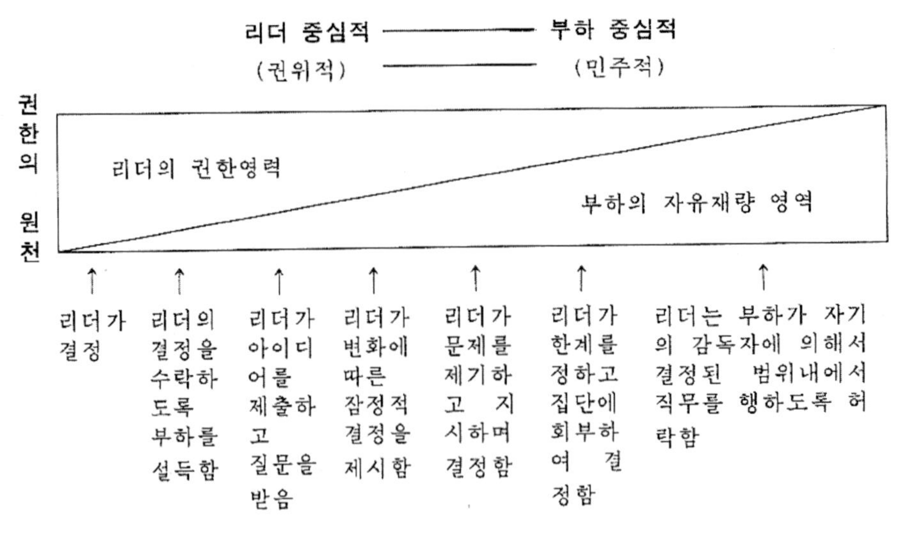

그림2-1 리더행동의 연속체

(2) 미시건 대학의 리더십연구

미쉬건 대학의 조사연구소(Survey Reseach Center at the University of Michigan)의 초기 리더십 연구에서는 상호관계가 있다고 생각되는 리더십의 특징군(特徵群)을 찾아내고 그 유효성을 검토하려는 시도가 있었다. 이 연구의 결과, 종업원 지향형(employee orientation)과 생산 지향형(production orientation)이라는 두 가지 개념이 확인되었다.

종업원 지향적인 리더는 직무의 인간관계에 대한 측면을 중시하며, 모든 종업원이 중요하다고 느끼고, 한 사람 한 사람의 종업원에게 관심을 갖고 있으며, 그들의 개성과 그들의 요구를 받아들인다. 그리고 생산 지향적인 리더는 직무의 생산적 측면과 기술적 측면을 강조하고 종업원을 조직목표를 달성하기 위한 도구로 본다. 이들 두 가지 지향적인 리더형은 위에서 언급한 리더행동의 연속체에서 볼 수 있는 권위주의적(과업지향)인 리더행동과 민주적(관계 지향적)인 리더행동에 대응되는 것이다.

(3) 그룹 다이나믹스의 연구

카트라이트(Dorwin Cartwright)와 잰더(Alvin Zander)는 그룹 다이나믹스(Group Dynamics)연구소의 많은 연구결과를 기초로 하여 다음과 같이 주장하고 있다. 모든 집단의 목적은 두 개의 범주, 즉 ① 특정한 집단목표의 달성, ② 집단 그 자체의 유지 또는 강화 중의 하나에 있다는 것이다.

카트라이트와 잰더에 의하면, 목표달성이란 범주 속에 들어가는 행동은 다음과 같은 예로써 설명될 수 있다. 즉 관리자는 「행동을 착수하여 … 구성원의 주의를 계속해서 목표에 향하도록 하고 … 문제점을 명백히 하고, 진행상의 계획을 개발한다.」 한편 집단유지라는 범주 속에 들어가는 행동의 특성을 다음과 같다. 즉 관리자는「유쾌한 대인관계를 유지하고 … 분쟁을 중재하고 … 격려하고 … 소수의 의견도 들어주고 … 자율성을 자극하고 … 구성원들 간에 상호 의존도를 높인다.」

목표달성에 앞서서 이미 말한 과업의 개념(권위주의적 리더형 및 생산지향적 리더형)과 일치하고 있는 것 같고, 한편 집단유지는 관계성의 개념(민주적 리더형과 종업원 지향적 리더형)에 상응한 것이라고 생각된다.

최근이 연구결과에 의하면, 리더십유형은 리더에 따라 상당히 다르게 나타난다는 것을 알게 되었다. 과업을 강조하는 권위주의직인 리더도 있으며, 대인간의 관계를 강조하는 민주적인 리더도 있다. 그리고 과업과 인간관계를 다 지향하는 리더도 있으며, 과업, 인간관계 어느 쪽에도 관심이 없는 리더도 있다. 또 어떤 한 가지 리더형이 지배적으로 나타나는 경우는 없고, 그 대신 여러 가지 결합형의 경우가 많다. 그래서 과업지향형이니 관계성 지향형이라고 말하고 있지만, 그것은 앞에서 말한 그림6-31의 연속체가 나타내 보이고 있는 식으로 분명하게 구분할 수 있는 리더형이라고는 할 수 없다. 그래서 이들 두 가지 관심은 하나의 연속체 위에 그리는 것보다는 오히려 두 개의 축 위에 그려질 수 있는 별개의 차원들이다.

(4) 오하이오 주립대학의 리더십 연구

오이오 주립대학의 경영연구소에 의해 1945년에 시작되었던 리더십 연구에서는 리더행동의 여러 가지 차원(次元)을 확인하려는 작업이 시도되었다. 연구 스텝들은 리더십을「목표달성을 향하도록 집단의 활동을 지휘할 때 나타나는 개인의 행동」이라 정의하고, 마침내 리더행동에 대한 설명은 구조주도(initiating structure)와 배려(consideration)로 요약된다. 여기서 구조주도란「리더 자신과 집단구성원과의 권한관계를 형성하고, 분명한 조직패턴, 의사소통의 통로 및 작업방법을 확립하고 노력하는 리더의 행동」을 말한다. 한편 배려란「리더와 집단구성원간의 관계에 있어서 우정과 상호신뢰, 존경 및 온정을 나타내 보이는 행동」을 가리킨다.

오하이오 주립대학의 연구스텝들은 그들의 리더행동연구에서「구조주도」와「배려」는 서로 분리된 별개의 차원임을 발견하게 되었다. 한 쪽 차원에서의 높은 스코어(score)가 반드시 다른 쪽 차원에서의 낮은 스코어로 나다나지 않는나는 것이며, 오히려 리더행동은 두 차원의 혼합체로서 그려질 수 있다는 것이다. 그리하여 이 연구의 과정에서 비로소 리더행동이 하나의 연속체로 발견되었다. 그림6-32에 나타내고 있는 바와 같이「구조주도」(과업행동)와「배려」(관계성행동)의 여러 가지 결합형태를 표시하기 위해서 그림2-2와 같은 4분도(quardrant)가 개발되었다.

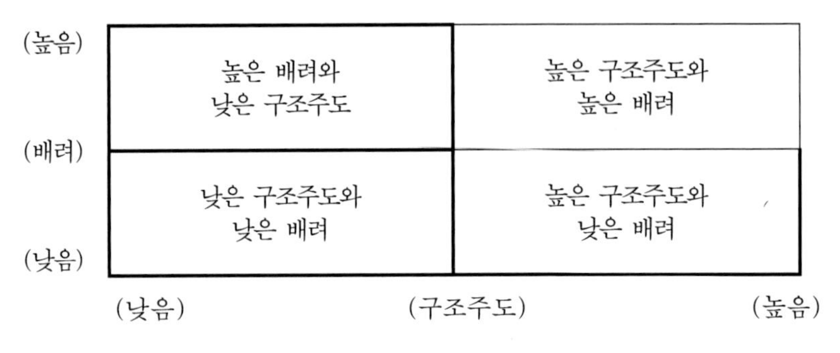

그림2-2 오하이오 주립대학의 리더십 4분도

(5) 매니지리얼 그리드 - Robort R. Blake and Jane S. Mauton

지금까지 우리가 오하이오 주립대학, 미쉬건 대학 및 그룹 다이나믹스의 리더연구를 설명하는 과정에서 두 가지 이론적 개념, 즉 과업 완성에 강조 사항을 둔 개념과 관계성을 강조하는 개념에 주의를 기울여왔다. 블레이크와 마우튼은 이들 두 개념을 그들의「매니지얼 그리드(Managerial Grid)」속에 알기 쉽게 표현하고 조직개발과 관리자개발 프로그램에 널리 활용했다.

「매니지리얼 그리드」에서는 생산(과업)에 대한 관심과 인간(관계성)에 대한 관심에 근거한 다섯 가지의 리더십유형이 오하이오 주립대학에서 개발한 4분도와 비슷한 그림2-3과 같은 4분도 위에 표현하고 있다.

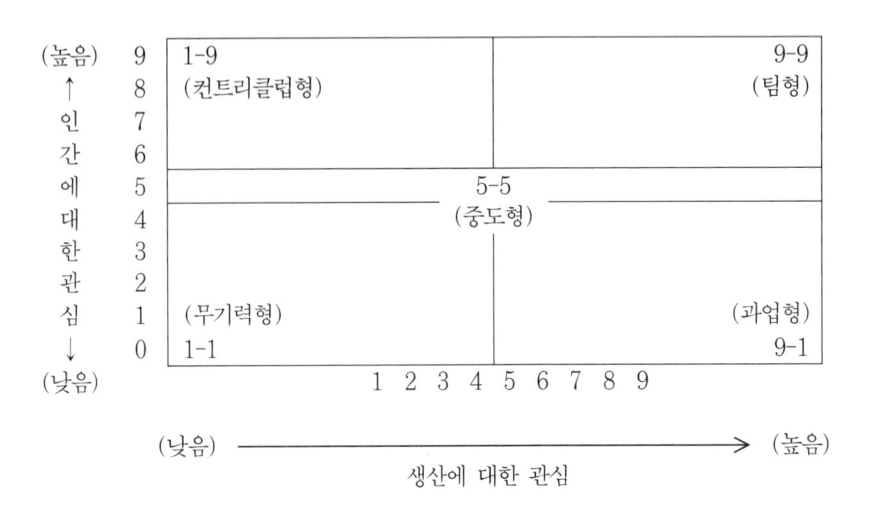

그림2-3 메니지리얼 그리드와 리더십 유형

생산에 대한 관심은 가로축 위에 나타내고, 리더가 생산에 대한 관심이 많으면 많을수록 가로축을 따라 오른편으로 나아가게 된다. 가로축 위에 9로 평정된 관리자는 생산에 대해 최대의 관심을 가지고 있음을 나타낸다. 리더의 인간에 대한 관심은 세로축 위에 나타내고, 리더가 인간에 대한 관심이 많으면 많을수록 세로축을 따라 올라간다. 세로축 위에 9로 평정된 리더는 인간에 대해 최대의 관심을 가지고 있음을 나타내고 있다. 여기서 말하는 다섯 가지의 리더십 유형들은 다음을 나타내고 있다.

① 무기력형(Impoverished)

조직구성원의 자격을 겨우 지탱해 나갈 수 있을 정도로 주어진 일을 담당하는데 최소한의 노력을 기울인다.

② 컨트리클럽형(Country Club)

인간관계를 만족스럽게 유지하기 위해 인간의 욕구에 대해 사려 깊은 주의만 기울이고 있으면 온화하고 친근한 조직의 분위기가 조성되고, 따라서 일도 잘 되어 갈 것이라고 생각한다.

③ 과업형(Task)

일의 능률은 인간적 요소가 최소한으로 게재되도록 작업조건을 정비함으로써 얻을 수 있는 것이라고 생각한다.

④ 중도형(Middle-of the Road)

조직의 적절한 업적은 구성원의 사기를 만족할 만한 수준으로 유지하는 것과 과업수행의 필요성과의 사이에 상호 균형을 맞추어 나감으로써만 가능하게 된다고 생각한다.

⑤ 팀형(Team)

일이란 하고자 하는 의욕을 가진 사람들에 의해서 달성되는 것이다. 조직목표를 달성하는데 있어서 「공통된 이해관계」를 통해 생기는 상호의존이 신뢰와 존경의 인간관계를 낳게 한다고 생각한다.

요컨대 「매니지리얼 그리드」는 오하이오 주립대학 연구의 4분도 내에 다섯 개의 점을 취하고, 거기에다 알기 쉬운 명칭을 붙인 것에 지나지 않는다. 그러나 위의 두 프레임워크 사이에는 중요한 차이가 있음을 주목해야 한다. 「…에 대한 관심」이란 어떤 것에 대한 경향성 내지는 태도의 차원이다. 그러므로 「매니지리얼 그리드」는 관리자의 경향성을 측정하는 태도모델이며, 오하이오 주립대학의 연구들은 리더의 활동이 다른 사람들에 의해 어떻게 인지되고 있는가를 검토하는 행동모델이다. 이와 같은 두 가지의 프레임워크를 하나의 도표에 결합해 보면 그림2-4와 같이 나타낼 수 있을 것이다.

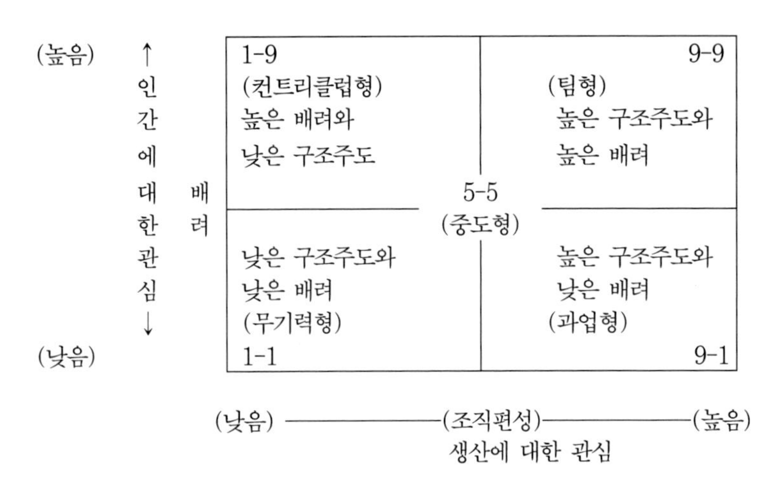

그림2-4 오하이오 주립대학의 리더십연구와 매니지리얼 그리드 결합도

3. 최선의 리더십 유형이 있을 수 있는가

앞에서 설명한 연구자들은 모든 리더십 상황에는 과업과 관계성이라는 두 가지 중심적인 관심이 있음을 확인하고 난 뒤에, 이 두 가지 관심을 만족시키는데는 잠재적인 모순이 있음을 인정하였다. 그래서 이들 두 가지 관심을 포괄하는 중용적인 프레임워크를 찾으려는 것이 시도되어 왔다. 바나아드(C. Bannard)도 이 사실을 인정하고 조직이 생존을 위해 필수 불가결한 요소로서 이와 같은 두 가지의 관심을 의도적으로 포함시키고 있다.

핼핀(Andrew W. Halpin)은 연구결과에 근거하여 지적하기를「효과적이고 바람직한 리더행동이란 배려나 구조주도에 모두 높은 스코어를 갖고 있는 특성이 있고, 이와 반대로 비효과적이고 바람직하지 못한 리더십행동은 배려나 구조주도에 모두 낮은 스코어를 가지는 특성을 나타내고 있다」고 하였다.

이와 같은 관찰을 통해서 핼핀은 성공적인 리더란「집단의 두 가지 중요한 목적, 즉 목표달성(goal achievement)과 집단유지(group maintenance) - 카트라이트와 캔더가 사용한 용어 - 양쪽에 공헌하는 관리자이고, 바나아드의 용어를 빌리면 우수한 관리자는 유효하고 능률적인 행동적 집단행동을 조장하여야 단다」고 결론지었다. 그리고 오하이오 주립대학의 연구에서도 높은 배려와 높은 구조주도의 유형이 이론적으로 이상적이며, 가장 최선의 리더행동이며, 이와 반면에 위의 두 가지 차원에서 모두 낮은 유형은 이론적으로 가장 나쁜 리더행동이라는 결론에 도달하고 있는 것 같다.

「매니지리얼 그리드」에서도 역시 가장 바람직한 리더행동은 「팀 관리형」 - 생산과 인간에 대한 최대의 관심 - 이라는 것을 암시하고 있다. 그래서 블레이크와 마우튼은 실제로 관리자가 9-9형 관리를 하도록 하기 위한 훈련계획까지 개발하였다.

리커트(R. Likert)는 미쉬건 대학의 초기의 연구를 출발점으로 하여 생산성이 높은 집단의 관리자들이 주로 사용하고 있는 관리의 일반적인 유형을 발견하기 위해 몇 개의 광범위한 연구를 시행하였다. 여기에서 그는 「업무수행 성적이 가장 좋은 감독자들은 종업원 문제의 인간적 측면과 높은 수행목표를 가진 효과적인 작업집단을 만들어 가는데 주로 그들의 주의를 집중하고 있다」는 것을 발견하게 되었다. 그리하여 이와 같은 감독자들을 「종업원 중심적(employee-centered)」이라고 불렀다. 그리고 생산성을 높이는데 끊임없이 압력을 가하는 감독자들을 「과업 중심적(job-centered)」이라고 불렀고 이와 같은 감독자들이 보다 생산성이 낮다는 것을 발견하게 되었다. 그림2-5는 이와 같은 발견의 내용을 보여주고 있다.

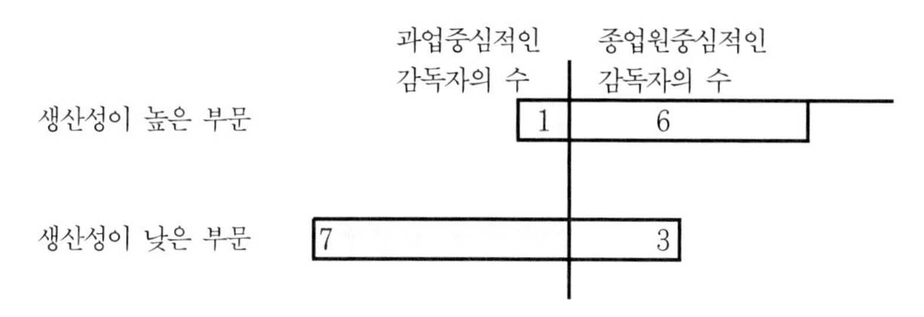

그림2-5 종업원중심의 감독자는 과업중심의 감독자보다 생산성이 높다

리커트는 또 생산성이 높은 감독자는 「멤버들에게 목표가 무엇이고 또 무엇이 달성되지 않으면 안 되는가를 설명하고 나서, 그 다음의 문제, 즉 일을 수행하는 것은 종업원들의 자유에 맡기고 있다」 는 것을 발견하였다. 그리고 그는 세밀하게 일일이 파고드는 감독방법보다는 오히려 전반적인 것을 보고 있는 감독방법이 높은 생산성과 관련되어 있는 경향이 있음을 발견하였다. 이와 같은 결과는 사무직에 종사하는 종업원들을 대상으로 하는 연구에서 얻어진 것인데, 이는 그림2-6에 잘 나타나 있다.

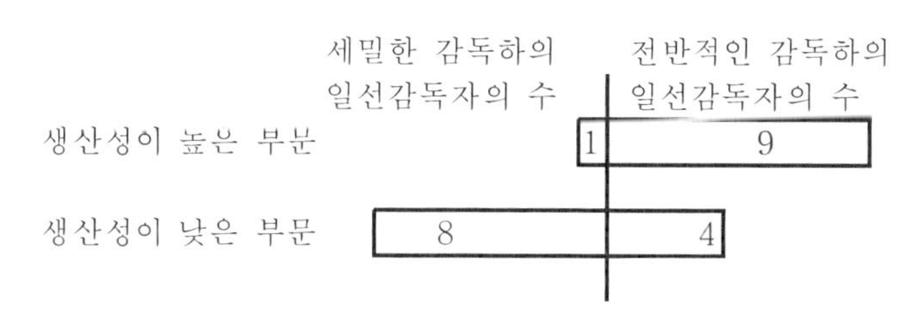

그림2-6 생산성이 낮은 부문의 장은 생산성이 높은 부문의 장보다 세밀한 감독을 받고 있다.

이와 같이 리커트의 설명을 통해 얻을 수 있는 것은 산업체에서 가장 이상적이고 가장 생산적인 리더행동이란 종업원 중심적이고 민주적인 리더유형이라고 하는 것이다. 그러나 자신의 연구결과에서도 의문을 제기하고 있듯이 모든 리더십 상황에 적용될 수 있는 이상적이고 유일하게 규범적인 「하나의 리더유형」이 있을 수 있느냐 하는 의문을 낳게 한다. 그림2-5와 2-6에서 볼 수 있는 바와 같이 8명의 과업 중심적인 감독자 중의 1사람과 9명의 세밀한 감독방법을 사용하는 감독자 중의 1사람은 생산성이 높은 부문의 감독자이고, 또 9명의 종업원 중심적인 감독자 중의 3사람과 전반적인 감독방법을 사용하고 있는 13명의 감독자 중의 3사람과 전반적인 감독방법을 사용하고 있는 13명의 감독자 중의 4명은 생산성이 낮은 부문의 감독자들이었다. 다른 말로 말하면, 생산성이 낮은 부문의 거의 35퍼센트가 이상적인 리더십유형이 낳은 결과이며, 생산성이 높은 부문의 15퍼센트는 바람직하지 못하다고 여겨지는 방법에 의해 감독되고 있었다.

단 하나의 이상적이고 규범적인 유형의 리더행동이란 있을 수 없는 비현실적인 것을 보여주는 증거자료가 「나이지리아」의 산업체들을 대상으로 시행된 연구에서 얻어진 것으로써, 과업 중심적 감독자의 부서가 생산성이 높고, 종업원 중심적 감독의 부서가 생산성이 낮은 영향이 있었다고 한다. 그래서 단 하나의 규범적인 리더십유형이 있다고 생각하는 것은 교육수준, 생활수준 및 산업체에서의 경험 등은 물론 문화적 차이, 습관과 전통 등을 고려하지 않은 사고방식이다. 그러므로 리더십 과정을 리더, 멤버 및 다른 상황적 요인의 함수관계라고 정의하는 입장에서 보면 하나의 이상적인 유형의 리더행동을 구하는 것은 비현실적인 것이라고 생각된다.

4. 융통성 있는 리더행동

리더행동의 이상적인 유형이 어떠한 것인가를 알고 싶어하는 것은 누구에게나 공통된 생각이다. 그리고 많은 관리자들이 훌륭한 리더가 되기 위해서 어떻게 행동하는 것이 좋은가를 알고 싶어한다. 또 이미 앞에서 설명한 바와 같이 리더십분야의 많은 전문가들이 하나의 규범적인 리더십유형을 제시하고 있다. 이들 대부분의 연구자들은 하나의 공통된 리더십유형(과업과 관계성 모두에 대한 높은 관심)이나 또는 관용적이고 민주적이며 인간관계 적인 리더십유형을 최선의 것으로 지지하고 있다. 이와 같은 유형은 산업계에나 교육적인 상황에서는 적절할지 모르지만, 다른 상황에서는 부적당할지도 모른다. 군대, 병원, 교도소, 교회와 같은 조직에서의 유효한 리더행동은 각 조직의 특수한 상황 및 그 조직의 독특한 환경 여하에 달려 있는 것이다. 그래서 언급된 리더십에 관한 공식, L=f(l, f, s)는 E=f(l, f, s)로 변경되어야 할 것이다. 여기서 E는 리더십의 유효성을 의미한다.

유효한 리더는 그의 리더행동을 상황의 요청과 멤버의 욕구에 적응시켜나갈 수 있어야 한다. 상황의 요청이나 멤버의 욕구는 항상 고정되어 있는 것이 아니기 때문에, 리더가 적절한 리더행동의 유형을 상황에 맞추어 사용한다는 것은 유효한 리더에게 하나의 도전적인 일이 아닐 수 없다. 그래서 「관리자는 바람직한 연주효과를 올리기 위해서 그 기법과 접근을 바꾸어 가는 연주가와 같이 하지 않으면 안 된다」는 것이다. 그리고 융통성 있는 리더행동에 대해서는 다음과 같이 말할 수 있을 것이다.

「관리자가 자기의 리더행동의 유형을 그 상황의 특수성과 멤버들의 욕구에 적응시켜나가려고 하면 할수록, 개인의 목표 및 조직의 목표를 달성하는데 그만큼 더욱 효과적인 것이다」

(1) 리더십 유관모델 - Fred E. Fiedler

피이들러에 의해 개발된 리더십 유관모델 내지는 리더십 상황 적합 모델(Leadership Contingency Model)에 의하면 어떤 특정한 상황이 그 리더에게 유리한가 또는 유리하지 않은가를 결정하는데 세 가지 주요한 상황변인(situational variables)이 있다는 것이다. 이와 같은 상황변인들은 다음과 같다. ① 리더의 집단구성원에 대한 개인적 관계(leader-member relations), ② 그 집단에 할당된 과업의 구조화된 정도(task-structure), ③ 리더가 그의 지위에서 얻게 되는 권력과 권한(position power) 등이다.

리더-구성원 관계(leader-member relations)는 이미 앞에서 언급한 관계성의 개념과 거의 같은 것이며, 과업구조(task structure)와 지위 권력(position power)은 상호 밀접하게 관련된 상황적인 측면이며 앞에서 언급한 과업개념(task concept)과 관계가 있는 것 같다. 그리고 피이들러는 「상황의 유리성(favorableness of a situation)」을 「상황이 리더로 하여금 그 집단에 대한 영향력의 행사를 가능하게 하는 정도」라고 정의하고 있다.

이 모델에서는 이들 세 가지 상황변인에 대한 8개의 조합(combinations)이 가능하다. 리더십 상황은 이들 세 가지 상황변인들의 각각이 높고 낮음에 따라 달라지기 때문에, 그 상황은 8개의 조합, 즉 8개의 상황 중 어느 하나에 해당하게 된다. 리더가 그의 집단에 대해 영향을 미칠 수 있는 가장 유리한 상황은 리더가 집단구성원들로부터 호감을 받게 되고(좋은 리더 - 구성원관계), 강력한 지위를 가지고(높은 지위권력), 분명하게 확정된 일을(높은 과업구조) 지휘하고 있는 경우이다. 예를 들면 모든 사람에게 호감을 얻고 있는 장군이 병영에서 검열을 하고 있는 경우이다. 이와 반면에 리더에게 가장 불리한 상황은 리더가 멤버들로부터 미움을 받고, 지위권력이 약하고, 잘 구조화되지 못한 과업수행을 지휘해야 하는 경우이다. 이와 같은 경우의 예를 든다면, 자발적으로 병원기금을 모금하고 있는 위원회의 인기 없는 위원장의 경우가 될 것이다.

피이들러는 집단의 상황을 분석하기 위해 모델을 개발하고, 그가 개발한 8개의 집단상황의 각각에 유효한 리더십 유형이 과업지향형인가 아니면 관계성 지향형인가를 결정하려고 시도하였다. 그래서 그는 종래의 리더십 연구들을 재검토하고 또 새로운 연구결과들을 분석하고 나서, 다음과 같은 결론을 내리고 있다.

① 과업지향형인 리더는 매우 유리하거나 또는 매우 불리한 집단상황에서 업무를 가장 잘 수행하는 경향이 있다.

② 관계성 지향적인 리더는 상황이 우려되지도 않고 그렇다고 불리하지도 않은, 즉 유리성이 중간 정도의 집단상황에서 업무를 가장 잘 수행하는 경향이 있다.

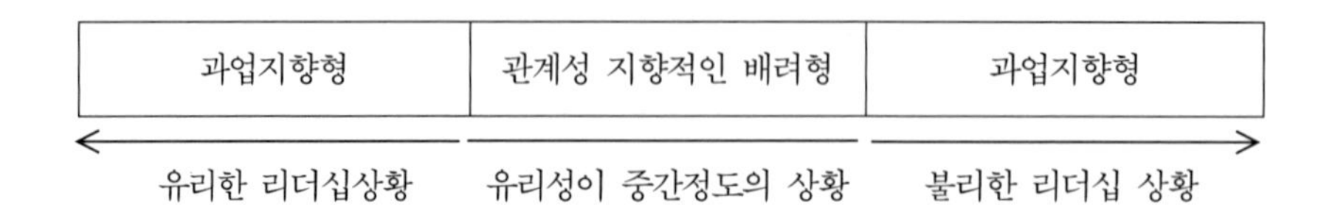

그림2-7 여러 가지 집단상황에 적합한 리더십 유형

파들러의 모델이 리더에게 유리한 것이기는 하지만, 그는 리더행동의 단일연속체(single continuum)의 이론, 즉 기본적인 리더행동의 유형에는 과업지향형과 관계성 지향형의 두 가지밖에 없다는 이론으로 되돌아가고 있는 것 같다. 그러나 대부분의 실증적 연구들은 리더행동을 단일 연속체 위에 놓는 것보다 두 개의 분리된 별개의 축 위에 그려져야 한다고 말하고 있다. 과업에 대해 높은 관심을 가지고 있는 리더가 관계성에 대한 관심이 반드시 높지 않다고 말할 수 없는 것이다. 상황에 따라 이와 같은 두 가지 차원의 여러 가지 결합형이 나타날 수 있는 것이다.

5. 삼차원 리더 유효성모델 - Paul Hersey and Kenneth H. Blanchard

리더십 연구센터(the Center for Leadership Studies)의 허어시와 브랜차아드에 의해 개발된 리더십 모델에서는, 「과업행동」과 「관계성 행동」이란 용어를 오하이오 주립대학 연구의 배려 및 구조주도를 동일한 개념으로 이해하기로 하자. 그리고 그림2-8의 4분도에 나타난 것처럼 네 가지 기본적인 리더행동을 「높은 과업, 낮은 관계성」, 「높은 과업, 높은 관계성」, 「높은 관계성, 낮은 과업」, 「낮은 관계성, 낮은 과업」으로 분류한다.

이들 네 자기 기본적인 유형은 본질적으로 서로 다른 리더십유형을 묘사하고 있다. 한 개인의 리더십유형이란 그 개인이 다른 사람의 행동에 영향을 미치려고 시도할 때 나타내 보이는 행동패턴이다. 이와 같은 리더십유형은 다른 사람들에 의해 지각되는 것이므로 리더 자신이 지각하고 있는 자신의 리더행동의 유형과 전혀 다를 수 있다. 그래서 이것을 리더행동의 유형이라고 하지 않고 리더행동에 대한 자기지각(self perception)이라고 한다. 한 개인의 리더십유형은 과업행동과 관계성 행동이 여러 가지로 결합되어 나타난 행동유형이다. 리더십유형의 중심적인 개념인 과업행동(task behavior)과, 관계성 행동(relationship behavior)에 대해서는 다음과 같이 정의할 수 있다.

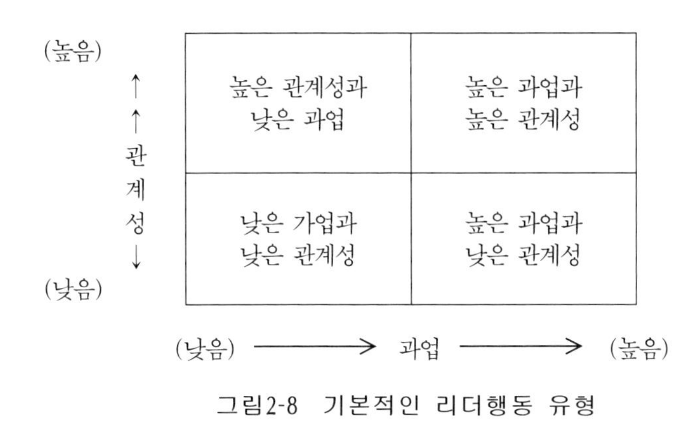

그림2-8 기본적인 리더행동 유형

① 과업행동(task behavior)

리더가 그의 집단의 구성원(멤버)들의 역할들을 조직화하고 그 역할들의 범위나 한계를 정하는 정도 ; 각 구성원이 무슨 활동을 수행하여야 하고, 또 그 업무를 어디서 언제 어떻게 수행하여야 하는 가에 대한 설명과 명확하게 확정된 조직패턴의 설정과 의사소통의 통로 및 일을 완성하는 방법 등을 확립하는 노력이라고 할 수 있다.

② 관계성 행동(relationship behavior)

리더가 의사소통의 문을 개방하고 사회 정서적 지원(socioemotional support)을 보내며, 심리적 위무(psychological strokes)를 제공하고, 행동을 조장함으로써 리더 자신과 구성원간에 개인적 관계를 유지하려고 하는 정도라고 할 수 있다.

(1) 유효성 차원

리더의 유효성은 그 리더의 리더십유형이 그가 행동하고 있는 상황과 어떻게 서로 관계되고 있는가에 달려 있다는 사실을 인정한다면, 그림2-9와 같은 유효성 차원(effectiveness dimension)은 이차원모델, 즉 과업차원과 관계성 차원에 덧붙여 하나의 별개 차원으로 생각되어야 할 것이다.

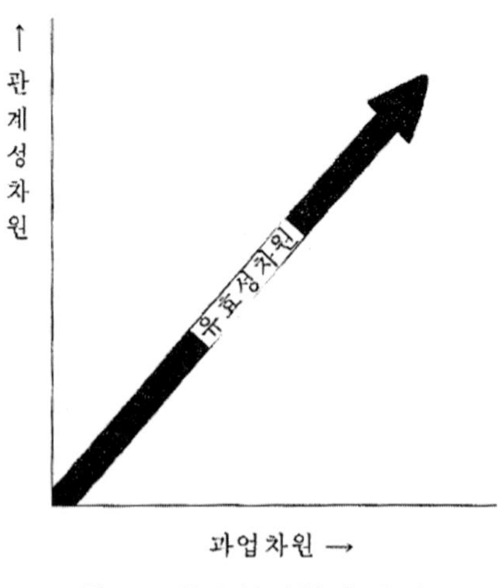

그림2-9 유효성차원의 추가

레딘(W. J. Reddin)은 그의 삼차원 관리형 모델에서 「매이지리얼 그리드」와 같은 최초의 사람이다. 여기서 제시하고 있는 삼차원 리더 유효성모델의 과업 차원과 관계성 차원에다 유효성 차원을 하나 더 추가한 최초의 사람이다. 이 책에서 제시하고 있는 삼차원리더 유효성모델(Tri-Dimensional Leader Effectiveness Model)도 레딘의 선구적인 연구에 힘입은바 크다. 그런데 그가 말하기를 유용한 이론적 모델도 「여러 가지 유형이 그 상황에 따라 유효하기도 하고 비유효하기도 하다는 것을 인정하지 않으면 안 된다」고 하였다.

이 삼차원리더 유효성모델에서 오하이오 주립대학 리더십모델의 과업행동 및 관계성 행동의 차원에서 유효성 차원을 하나 더 추가함으로써 리더유형의 개념과 특정한 환경이 가지는 상황적 요청을 통합하려고 시도하고 있다. 그래서 리더유형이 주어진 상황에 적합할 경우에 유효(effective)하다는 용어를 사용하고, 적합하지 않을 때는 비유효(ineffective)하다는 용어를 사용한다.

리더행동 유형의 유효성이 그 상황에 의존하게 된다면, 필연적으로 어떤 기본적인 리더유형도 상황에 따라 유효하기도 하고 비유효하기도 하다. 따라서 유효한 유형과 비유효한 유형과의 차이는 리더의 실제적인 리더행동에 있는 것이 아니라 그 행동이 상황에 적합한가 적합하지 않은가의 여하에 있는 것이다.

그래서 유효성과 비유효성을 낳게 하는 것은 다름 아닌 기본적인 유형과 환경 사이의 상호작용이다. 실제 상황인 거의 모든 조직상황에서 관리자 또는 리더의 유효성과 비유효성의 정도를 측정하기 위해 여러 가지 작업표준들이 사용되고 있기 때문에, 본 서에서는 이를 제삼차원 이라고 부르게 된 것이다. 그러나 여기서 명심해야 할 중요한 것은 제삼차원이란 그 리더가 영향을 미치고 있는 환경 바로 그것이라는 사실이다.

기본적인 리더유형을 어떤 특별한 자극(stimulus)이라고 생각하고, 그 자극이 유효하다거나 비유효 하다고 생각하는 것을 이 자극에 대한 반응이라고 생각할 수도 있다. 이것은 매우 중요한 점이다. 왜냐하면 유일한 최선의 리더십유형이 있다고 주장하는 이론가들은 자극 그 자체를 중요시하고, 반면에 리더십에 대한 상황적 접근방법을 시도하려는 사람들은 자극보다 오히려 자극에 대한 반응이나 결과를 평가하기 때문이다. 이러한 개념은 그림2-10에 나타낸 삼차원 유효성모델에 잘 표현되어 있다.

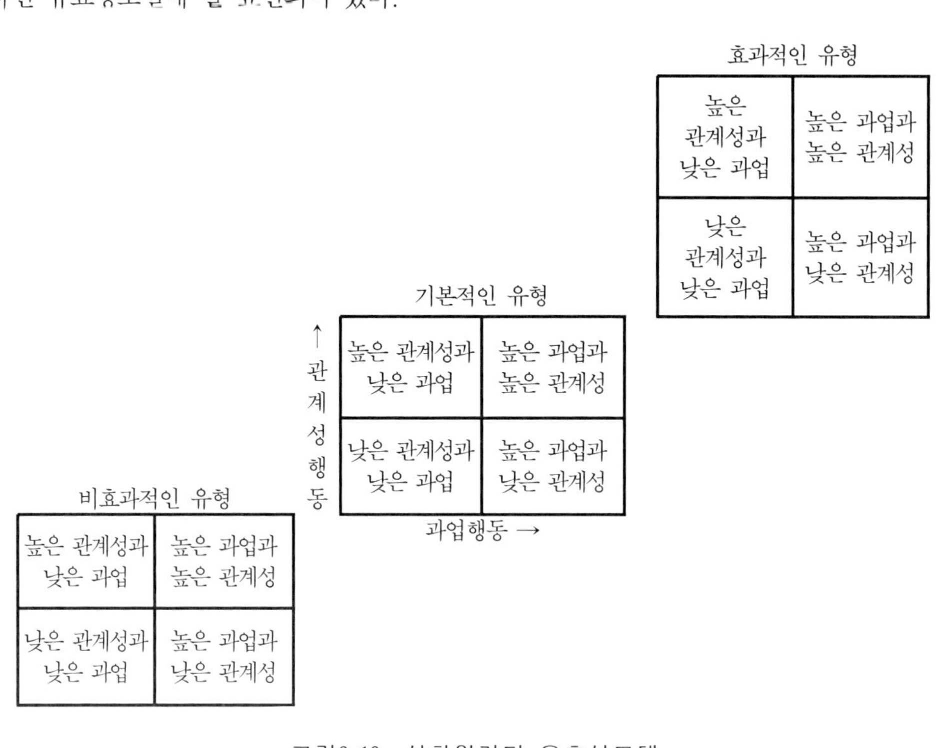

그림2-10 삼차원리더 유효성모델

그런데 이 모델에서 유효성이란 유효하다든지 아니면 비유효하다든지 하는 두 개의 상황 중 어느 하나를 이야기하는 것같이 보이지만, 실제에 있어서는 그것을 하나의 연속선상에 나타내지 않으면 안 된다. 왜냐하면 특정한 상황에 있어서는 어떤 이러한 유형도 매우 유효하다로부터 매우 비유효하다까지의 연속선상의 어딘가에 놓여지기 때문이다. 그러므로 유효성이란 정도의 문제이고 유효성 차원상에 그림2-10에서와 같이 세 개의 면모만 있는 것이 아니라 무수한 면모가 있을 수 있는 것이다. 이 점을 예시하기 위해 유효성 차원에서 유효의 측면을 플러스 1부터 플러스 4까지 4등분하고, 비유효의 측면을 마이너스 1부터 마이너스 4까지 4등분하여 표시하였다.

이들 4개의 유효한 유형과 4개의 비유효한 유형은 요컨대, 그 리더의 기본적인 리더유형이 주어진 상황에 어느 정도로 적합되고 있는가를 나타내는 것이고, 그것은 리더의 멤버들이나 상위 자들과 동료들에 의해 지각(知覺)된 것을 측정한 것이다. 표2-1은 각 유형이 다른 사람들에게 어떻게 보여지고 있는가를 간단히 설명하고 있다

표2-1 기본적인 리더행동유형들이 유효한 경우와 비 유효한 경우, 그것이 다른 사람들에 의해 어떻게 보여지고 있는가?

기본유형	유효한 경우	비 유효한 경우
높은 과업 낮은 관계성	목표달성을 위해 뚜렷한 방법을 가지고 있으며, 그 방법이 멤버들에게 유용하고 도움이 되는 것으로 보여진다.	자기가 생각하는 방법을 다른 사람들에게 위압적으로 부과하고, 때로는 불유쾌하게 보이며, 단지 목전의 성과에만 관심이 있는 것으로 보인다.
높은 과업 높은 관계성	목표설정 및 작업의 조직화를 하는데 있어서 집단의 요구를 만족시킬 뿐만 아니라 고도의 사회 정서적인 지원을 보내는 사람으로 보여진다.	집단이 필요로 하는 이상으로 「구조주도」에 힘을 기울이고, 대인관계에 있어서도 진심에서 우러나오는 것 같이 보이지 않는다.
낮은 관계성 낮은 과업	멤버들에게 전적인 신뢰감을 가지고 있으며, 목표달성을 촉진하는데도 기본적으로는 관심을 갖고 있는 것으로 보인다.	기본적으로는 융화에 관심이 있는 것 같다. 그러나 때때로 그 과업 때문에 「좋은 사람이라는 이미지」를 잃게 되거나 멤버와의 관계가 분열될 위험이 있을 경우에는 그 과업을 기꺼이 달성하려고 하지 않는 것 같이 보인다.
낮은 관계성 낮은 과업	업무수행의 방법에 대한 의사결정을 멤버들에게 위양해 버리고 있다. 집단은 사회 정서적 지원을 거의 필요로 하지 않고 있으며, 리더도 거의 사회 정서적 지원을 하지 않는 것 같이 보인다.	집단구성원들이 필요로 하고 있는 데에도 과업수행이나 사회 정서적 지원을 해주는데 거의 신경을 쓰지 안는 것 같이 보인다.

삼차원리더 유효성모델의 특징은 모든 상황에 적합한 단일의 이상적인 리더행동유형을 서술하지 않고 있다는 점이다. 예를 들면 「높은 과업, 높은 관계성」의 유형은 단지 어떤 특정한 상황에서만 적합한 것이다. 그리고 군대, 소방서와 같은 기본적으로 위기 지향적인 조직(crisis-oriented organization)에서는 「높은 과업, 낮은 관계성」의 유형이 가장 적절하다는 실증적인 자료들이 상당히 많다. 왜냐하면 전투나 화재와 같은 비상사태의 경우에는 명령에 대한 즉각적인 반응이 성공의 중요한 열쇠이기 때문이며, 상의한다거나 의사결정에 대한 자세한 설명은 시간적으로 허용되지 않기 때문이다. 그러나 일단 위기가 지나가고 나면 다른 유형의

리더행동이 적절할지도 모른다. 예를 들면 소방 지휘관의 경우, 화재현장에서는 고도로 과업 지향적이어야 하는데, 일단 소방서로 돌아오면 다른 유형의 리더행동을 취하는 것이 더 적합할 것이다. 소방장비의 보존 유지를 위한 활동 및 새로운 소방기술을 위한 연구활동 등 소방 이외의 기능에도 소방서원들을 참가시켜야 하기 때문이다.

제2절 / 조직의 유효성을 높이는 리더십

리더가 가지고 있는 진단능력의 중요성은 아무리 강조해도 지나치지 않다. 세인(Edgar H. Schein)은 이 점에 대해서 다음과 같이 잘 표현하고 있다. 즉 「우수한 관리자라고 하면 훌륭한 진단자가 되어야 하고, 탐구정신을 높게 평가하는 사람이 되어야 한다. 멤버들의 능력이나 동인(어떤 현상을 일으키거나 변화시키는 데에 직접 작용하는 원인)이 다양하기 때문에 리더는 그들의 차이를 감지하고 적절하게 평가할 수 있는 예민성과 진단능력을 구비하고 있어야 한다.」 즉 관리자는 환경 내에 여러 가지 문제점을 해결해 가는 실마리를 분명하게 밝혀낼 수 있어야 한다는 것이다. 그러나 훌륭한 진단능력을 구비하고 있는 관리자라 하여도 그들의 리더십 유형을 환경의 요구에 맞추어 나가지 않으면 효과적이 될 수가 없다. 그래서 「관리자는 자신의 행동을 바꿀만한 개인적 유연성은 물론 멤버들의 행동을 변화시키기 위한 다양한 기법을 가지고 있어야 한다. 왜냐하면 멤버들의 욕구와 동인이 서로 다르기 때문에 이에 따라 멤버들도 각각 다르게 다루어져야 하기 때문이다.」

효과적인 리더가 되는데 필요한 것은 실무에 종사하는 관리자들이 행동과학 이론을 활용해야 한다고 하지만, 실제 실행하기 어렵다. 이전에 논의한 이론에 따라 생산현장에서 적용해야 할 리더십에 대해 살펴보기로 하자

1. 영향을 주는 리더십

상사인 A와 멤버인 B가 있다고 하자. A는 B에게 안전모 착용을 습관화하려 하고 있다. A가 「안전모를 착용하지 않는다」고 B에 말했을 때 B가 어떻게 행동하는 가는 A의 리더십에 따라 다르다. B가 안전모를 착용했을 때 A의 언동은 B에 영향을 준 것이 되지만, 불평을 하면서 등을 돌렸다면 B에게는 영향을 주지 못한 것이 된다. 이쪽이 의도하는 내용을 전달해서 상대가 그 의도에 맞는 행동을 일으켰을 경우, 거기에 리더십이 있었다고 한다. 결국 상대

에게 이쪽의 영향이 전달되고 그 영향에 의해서 상대의 행동이 촉발되었을 경우의 상태를 말하고 있는 것이므로, 리더십이란 두 사람 사이의 영향을 주는 과정이라 할 수 있다. 다만「안전모를 착용하라」고 하는 강압적인 명령에 의해서 이쪽이 의도하는 행위를 깨우칠 수도 있지만, 이와 같은 명령적인 리더십은 본래 바람직한 리더십이 아니다. 영향을 주는 리더십은 단번에 행동의 촉발을 목표로 하고 있는 것이 아니고, 장기적으로 계속하는 행동이 발생되는 것을 중요한 목표로 하고 있기 때문이다. 그것이 본래의 영향을 주는 과정이다. 앞에서 설명한 명령적인 리더십은 명령되었을 때만 일어나는 1회에 한정된 행동을 환기시키는 정도의 영향력밖에 갖지 못한다.

2. 상대의 심리를 생각하는 리더십

A의 지시에 의해서 B가 안전모를 착용했는지 아니면 영향력 행사에 따라 안전모를 착용했는가에는 여러 가지 차이가 있다. 안전모를 착용하지 않으면 정말 위험한가 하는 기분에 의해 그 행위를 일으켰을 때와, 귀찮다고 생각하면서 안전모를 착용하라고 해서 착용한다는 것은, 주어진 영향에도 의미가 다르다. 전자는 A가 의도하는 안전의 의식이 있어서 솔직한 기분에서 영향을 받은 것이지만, 후자는 안전의식에서가 아니고 시끄럽게 꾸짖거나 잔소리를 심하게 하는 것이 싫어서 일으킨 행동이다.

상사가 이 두 가지 차이를 못 본 체하여 다음에도 간단한 발상으로 주의를 주어도, 특히 후자의「귀찮다」고 하는 기분이 드는 사람에게는 다정하게 주의를 시켜도 그것은 명령하는 어조로 느끼고 점점 반발을 느껴서 안전행위를 하지 않게 된다. 리더십에 관해서 또 하나 주의가 필요한 것은 여기서 설명한 상대의 심리상태를 말하는 것이다. 멤버에게 안전행위가 일어나도록 영향을 주었다고 하자. 의도된 행위가 일어났기 때문에 그것으로 되었다고 하는 것이 아니고 본래의 의식으로부터 그러했는가, 다른 의식이 있어서 그러했는가의 차이를 분별하여야 한다. 만약 다른 의식이 있으면서 바람직한 행위를 하였다고 하면 그 행위는 오래 지속되지 않기 때문에 빨리 다른 의식으로 접근해서 그것을 바뀌게 하여야 한다.

그렇게 하려면 어떻게 하면 좋은지 그림2-11과 같이 A가 a_1이란 말투를 구사해 보고 B가 행동하는 것을 보도록 하자. 그때 그의 언동을 잘 관찰해 두고 본심에서 그 행동을 일으킨 것이 아닌지 느꼈다면 다음 a_2라는 수정된 방법의 말투를 구사하여 그의 의식에 접근하도록 한다. 그때에 나타난 B의 언동에 의해서 만약 다음 수정을 해야 한다고 생각하면 a_3라는 말투를 구사해서 그의 의식에 영향을 준다. 이렇게 해서 B의 행동을 관찰하면서 그것을 관리・지도에 피이드백 하면서 다음 관리·지도에 대책을 강구한다. 이러한 방법의 사용이 리더십 발휘의 불가결한 조건이 되는 것이다.

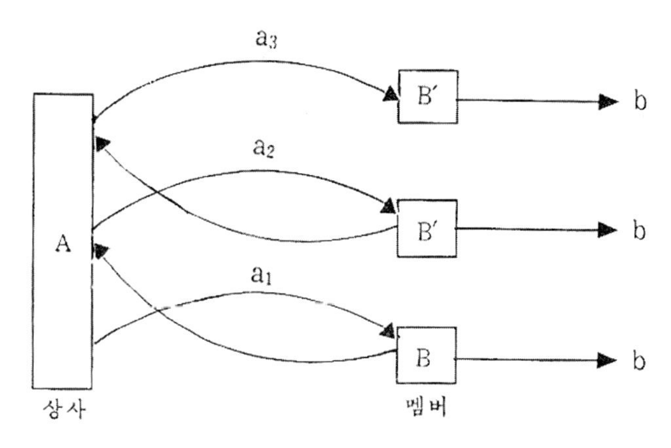

그림2-11 리더십의 Feedback cycle

상대의 기분이나 심리상태를 고려하기 않고 관리하고 있는 관리·감독자는 적지 않다. 자신의 의도만을 상대에게 전달하면 상대의 의식이 바뀐다고 판단하는 것은 잘못이다. 언제나 상대의 행동에서 그가 어떠한 의식이나 기분으로 행동하는지를 직감적으로 알아 체서 다음 대책을 강구하여 이 사이클을 반복하면서 그림2-11과 같이 멤버를 끌어올리는 것이 좋은 리더십의 특징이다.

3. 자기실현의 욕구를 지탱하는 리더십

(1) X이론과 Y이론

멤버를 관리할 때 관리·감독자나 리더는 멤버라는 인간에 대한 인간관(人間觀)이 기본이 된다. 즉 인간관에 의해 관리방법이 결정된다. 관리자의 인간관이 인간 본래의 특성과 차이가 있다면 인간을 동기부여 하기란 곤란하다.

심리학자인 맥그리거(Dougla McGregor)는 종래 기업관리자가 품고 있었던 멤버에 대한 인간관과 멤버에 「하고싶은 기분」을 구비하도록 동기부여하는 관리방법을 비교해서 후자형의 관리에서 어떠한 사고방식이 필요한가에 대해 다음과 같이 제안하고 있다.

전통적인 관리·감독자는 멤버의 관리가 어렵다는 체험을 통해서 아래와 같은 인간관을 가지고 있었다.

① 보통 인간은 태어나면서부터 일하기 싫어하고, 되도록이면 일을 하지 않는다고 생각한다.

② 일이 싫다고 하는 인간의 특성 때문에 대개의 인간은 강요되거나, 명령되거나, 처벌한다고 협박하지 않으면 기업목표를 달성하기 위해 전력하지 않는 것이다.

③ 보통 인간은 명령되는 쪽을 좋아하며, 책임을 회피하거나 그다지 야망을 갖지 않으며, 무엇보다 안전을 바라고 있는 것이다.

이와 같은 전통적인 인간관을 갖는 사고방식의 것을 맥그리거는 「X이론」이라 불렀다. 이미 이해하는 바와 같이 이 X이론은 종래 체계에서 말하면 멤버라는 인간은 전부 생리적 욕구나 기껏해야 안전에 대한 욕구를 가지고 있으며, 그들을 관리하려면 이들 낮은 수준의 욕구를 만족시키도록 하는 방법이면 된다고 하는 것이 된다. 이 두 가지 욕구수준은 인간성이란 관점에서 말하면 낮은 단계의 욕구이며, 인간이 인간다운 성장을 하려면 이들의 욕구단계에서는 적합하지 않다, 고 하는 것은 매슬로우의 지적에서 이해하고 있는 것이다. 그러나 이와 같은 낮은 수준의 욕구 관을 가지고 있는 경영자나 관리・감독자는 오늘날과 같은 근대문명사회에서도 많다. 반대로 인간을 다루고 그들이 움직이지 않는 태도를 확인하고 명석한 경영자나 관리자라도 이내 X이론적인 사고방식에 빠져서 당근과 채찍으로 멤버를 다루는 기분이 되어버린다.

(2) 능동적인 의욕을 육성하는 Y이론

X이론에 대립하는 또 하나의 멤버에 관한 인간관을 맥그리거는 Y이론이라 했다. 이것은 인간이란 무엇인가 본래 인간성이란 어떠한 것인가 하는 입장에서 인간을 다루려고 하는 사고방식이다.

그것은 다음과 같다.

① 작업에서 몸과 마음을 구사하는 것은 인간의 본성이며 이것은 놀거나 휴식과 같은 경우와 똑같다.

② 외부에서 통제되거나 위협되거나 하는 것만이 기업의 목표달성으로 노력하게 하는 수단은 아니다. 인간은 자신이 자진해서 상대방이 생각하는 대로 내맡겨서 목표를 위해 자진해 적극적으로 노력해서 일하는 것이다.

③ 헌신적으로 목표를 달성하는데 노력하는가 어떤가는 그것을 달성시켜서 받을 수 있는 보수에 달려있다. 외부로부터 통제하는 것이 인간을 움직이는 수단이 아니고, 인간은 자신이 맞서는 대상이 가치가 있다고 생각되면 자주적으로 움직이는 것이다. 더구나 그때에 목표를 달성하거나 높은 성과를 획득했을 때 자기실현의 욕구에 대한 만족이 최대의 보수이며, 그것

을 체험하면 보다 자발적으로 되는 것이 인간이라고 생각한다.

④ 보통 인간은 조건 여하에 따라 책임을 떠맡을 뿐만 아니라 자발적으로 책임을 지려고 한다.

⑤ 기업의 문제를 해결하려고 비교적 정도가 높은 상상력을 구사해서 창의적 능력을 발휘하는 것은 대개의 인간에 구비되어 있는 것이며, 일부 사람만의 것은 아니다.

⑥ 현대 기업에 있어서는 일반 종업원이 소유하고 있는 지적능력은 진짜 일부밖에 활용되지 못하고 있다.

Y이론은 매스로우의 욕구체계 중 자아(존경)의 욕구와 자기실현의 욕구에 해당하며 인간 본래의 자세이며, 모든 멤버는 이 두 가지 욕구를 기본으로 하고 있다, 라는 인간관을 갖는 것이 Y이론적 입장에 있는 관리・감독자라고 할 수 있다.

(3) X형인 인간과 Y형인 인간

X이론과 Y이론과를 작업자 개인에 적용시키면 자기자신이 X이론적인 행동을 하고 있는 인간과 Y이론적인 사고방식이나 행동을 하고 있는 인간으로 나누어진다. 전자를 X형인 인간, 후자를 Y형인 인간이라 부른다고 하면, X형 인간은 매스로우의 욕구체계의 낮은 수준에 있는 인간이며, Y형인 인간은 높은 욕구수준을 가지고 있는 인간이 된다. 다만 인간은 어떤 때에는 X형이 되고 특별할 때에는 Y형이 된다. 예를 들면 배가 고플 때나 긴 행렬에 의해 좌석에 앉지 못하게 되었을 때는 X형이 되지만, 배가 부르거나 좌석에 앉게 되면 Y형인 행동이 된다. 앞에서 설명한 X형 인간이란 일반적인 경향이 X형이라는 것이며, Y형 인간도 역시 그렇다.

X형인 인간이 안주할 수 있는 조직에서는 X이론에 입각한 관리가 잘 될 것이며, Y형 인간이 많은 조직에서는 Y이론적인 사고방식이 적합할 것이다. 이 조합이 반대가 되면 잘 안 되는 것은 당연할 것이다. 그러나 그렇다고 해도 X이론을 긍정하는 것이 아니고, X형 인간의 존재 그것이 문제가 되는 것이다. X형 인간은 앞에서 설명한 바와 같이 여러 가지 조건에 의해서 낮은 욕구 수준에 있다. 그 조건이란 괴로운 생활상황, 자세나 교육, 성격의 일그러짐 기타가 될 것이다. 그들의 조건을 제거하면 Y형인 인간이 될 수 있으며, 그 경우에는 Y이론에 입각한 관리가 그들에게는 바람직하게 된다. 그림2-12는 엄밀한 동작시간연구에서 설정된 표준 작업량이 1일 70이며 최대한으로 일해도 75라는 직장에 집단의 의사결정에 의해서 목표량을 정하는 제도를 도입한 사례이지만, 집단목표가 만들어진(Y이론 관리) 월부터 갑자기 생산수준이 올라간 모습을 보고 이해할 수 있다.

인간이 그 자주성을 존중하여 자기실현의 요구를 만족시킬 수 있는 관리를 하면 스스로 높은 목표를 만들고 그것과 조직목표를 통합시키는 것이다. 그와 같은 동기부여의 자리를 만들거나 Y이론적인 발상을 갖는 관리·감독자가 되어야 하지 않겠는가.

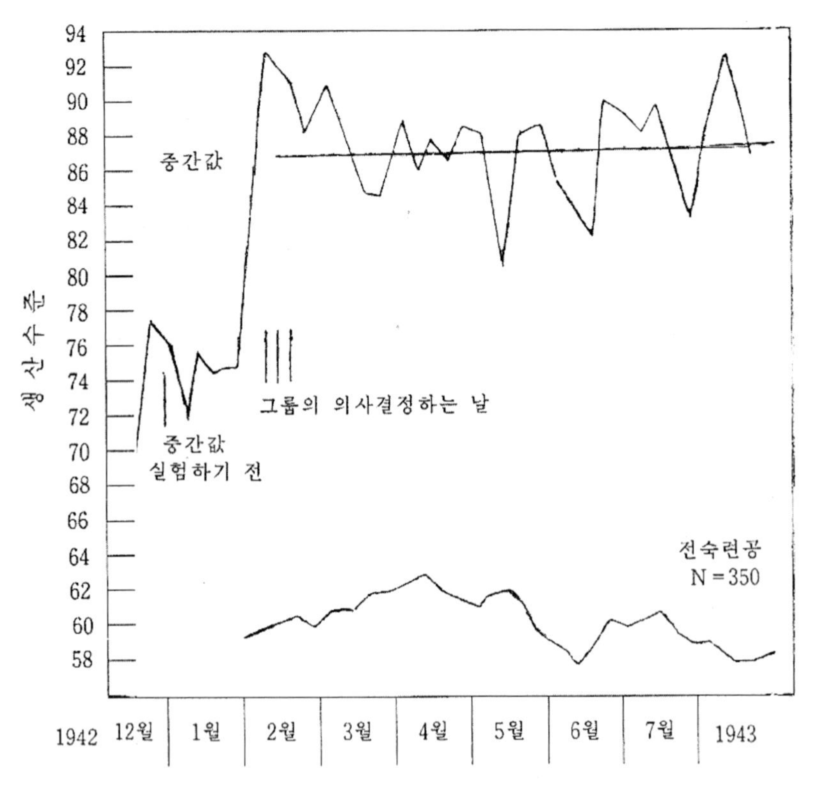

그림2-12 집단의사결정방식(위의 커브)과 통제방식(아래의 커브)의 비교

(4) 안전관리와 Y이론

안전한 작업을 하도록 규정된 작업순서에 따라 작업하는 것이 안전이다. 결국 규칙에 따라 행동하는 것이다. 그러나 규칙에 따라 행동하는 것은 상당히 어려운 안전관리의 문제점 중의 하나이기도 하다.

어떤 사례라도 좋지만, 예를 들면 안전모를 착용하는 경우 작업도중에는 언제나 안전모를 착용하는 것이 안전 규칙으로 되어 있지만, 안전모를 착용하면 머리를 압박하며 더구나 땀이 나서 귀찮으며 그 땀에 의해서 습진이 발생되어 싫어한다. 이러한 때에 인간은 X적으로 되어서 안전모를 벗고 싶다고 생각한다. 다른 한편 안전모를 착용하지 않은 인간이 증가하면 규칙을 엄격하게 강화한다. 결국 X적인 인간은 X이론적 관리에 의해 엄격하게 관리·감독한다고 한다. 결과는 분명히 규칙을 두려워하는 인간은 늘어나지만, 반항적인 인간을 만들게 된다. 실제로 종업원의 압력에 의해 안전모를 착용하는 안전 규칙을 취소한 기업이 늘어나고 있다.

안전모의 착용은 기업을 위한 것이 아니라는 것은 주지의 사실이다. 그것은 작업자의 안전을 유지하는데 없어서는 안 될 중요 사항의 하나이다. 이와 같이 신체적인 혐오감이 따르는 것일수록 X적이 되는 것이며, 그 기분을 버리고 자기의 생명을 보호하는 방향으로 전환하는 힘은 자기관리의 힘밖에 없다. 결국 싫은 현실을 인정하면서 그것을 스스로의 의사에 의해서 극복하는 방법이다. 그것이 Y이론적인 관리에 의해서 육성되는 것이다.

인간을 적극성을 지니고 스스로 추구하는 높은 목표에 자주적으로 움직여 가는 조건을 만드는 것이 Y이론 관리이며, 안전관리의 목표가 그와 같은 인간행동의 동기부여에 있는 것이라면 안전관리에 종사하는 사람들 자신이 멤버를 위시한 인간을 Y이론적인 사고방식에 따라서 관리할 필요가 있다.

4. 효과적인 리더십

(1) 조직의 확립과 배려

앞에서 관리자나 감독자의 인간관이 Y이론적인 것이 바람직하다고 설명했다. 이것은 어디까지나 이상적인 리더십을 목표로 해서 설명한 내용이며, 좀더 일반적인 관리·감독자의 자세에 따른 현실적으로 효과적인 리더십과 인간성을 고려한 이상적인 리더십과의 통합을 시도해 보자.

안전을 포함하여 일반 작업을 추진해 가는 리더로서 어떠한 작용을 하는 관리행동이 좋은가 하는 연구를 이전부터 많은 학자가 실시해 왔다.

그 중에서 유명한 연구는 오하이오대학의 심리학자들이 공군 폭격부대·기업 관리자·고등학교 교사·목사에 이르기까지 각종 업종의 리더격 사람들의 연구를 실시한 결과 다음과 같은 4종류의 중요한 요인을 추출하였다.

제1요인 배　　　려 ── 상사·멤버 사이의 신뢰·우정·상호간의 따뜻함을 표시할만한 인간적으로 배려하는 요인.

제2요인 조 직 확 립 ── 멤버에 기대하는 역할을 확실하게 하여 중요한 집단목표달성에 집단으로서 매진하기 위한 조직확립의 요인.

제3요인 생산성 강조 ── 계획이나 직무를 능숙하게 수행하도록 강조하거나 의식부여를 하는 요인.

제4요인 감 수 성 ── 구성원이나 구성원끼리의 관계에 대한 인식이나 사회적 상황을 파악하는 요인.

이들 4요인 중에서 통계적으로는 「배려」와 「조직확립」 요인이 가장 중요한 리더십의 요인임이 판명되었다. 결국 좋은 리더십은 멤버의 심정을 이해하고 멤버에 세심한 배려를 해서 상하간에 강한 신뢰관계를 만드는 노력을 하고 또한 조직목표를 수행하기 위한 직장 만들기를 생각하는 것이다.

(2) 과업지향과 인간지향

다른 한편에서는 생산성이나 과업에 대한 지향을 위한 조직확립이란 이원성의 이론이 여러 심리학자에 의해서 지지되었다. 이중 대표적인 것이 Robert Blake와 Jane Mouton에 의한 격자이론이며 바람직한 리더십은 과업(Task)에 대한 관심도 높고 멤버라는 인간에 대한 관심도 높은 「9·9」 유형이다. 또 일본의 규슈대학의 三偶二不二 교수도 「조직확립」에 해당되는 것을 「목표수행기능(P)」, 「배려」에 해당하는 것을 「집단유지기능(M)」라고 해서 P와 M의 어느 것이나 리더십에는 필요하다고 설명하고 있다.

효과적인 리더십에는 두 가지 중요한 조건이 있다는 것과, 그 두 가지가 인간에 대한 방향과 과업이나 목표달성에 대한 방향이라고 하는 결론이 대개의 학자들이 일치하는 것은 놀라운 일이다.

다만 여기서 주의해야 할 것은 이 두 가지 조건(리더십 인자)은 서로 상반되는 기능이라고 하는 점이다. 인간에 대한 배려를 강하게 하면 목표달성에 대한 강조는 약해지는 것은 어쩔 수 없으며, 반대로 목표달성이나 과업에 대한 방향을 강하게 하면 인간에 대한 배려를 조금 소홀히 되는 것도 어쩔 수 없을 것이다. 쌍방의 조건을 「동시」 에 완수하는 것은 불가능한 것이다. 그래서 동시에 기능을 완수할 수 없기 때문에 상황에 따라서 구분해 사용하는 것이 최선의 방법이 된다.

(3) 상황에 대응한 리더십

틀에 박힌 방식의 관리는 전연 보람이 없다는 것을 리더십의 Feedback Cycle 이론에서 설명했다. 상대의 심리에 파고 들어가면서 그 상황에 따라 관리하는 방법을 생각하지 않는다는 것이다. 그와 같은 것이 여기에 나타나는 것이다. 상황에 따라 구분해 사용하는 것이 리더십으로서는 매우 중요한 능력이다.

그러나 기업 내의 상황은 매우 복잡하며 유동적이다. 어제 칭찬한 인간을 오늘은 질책해야 하는 일도 있으며, 어제는 좋았던 것이 오늘은 수정해서 계획을 변경해야 하는 것도 있다. 상황적 리더십이라고 하는 것은 상황에 대한 감수성을 높여서 그 상황에 대응한 리더십의 Type를 이끌어 내야 한다는 것이다.

그래서 상황에 맞추어 효과적으로 영향을 주는 리더십으로서 다음 9가지 능력이 있어야 한다고 생각하고 있다. 그것들은,

① **종합적 이익감** 언제나 고객의 일을 생각하고 늘 회사 전체의 일을 생각하는 것.

② **업무수행능력** 매일 업무가 효과적으로 진행하도록 여러 가지 일을 예상하면서 관리하는 능력.

③ **문제해결능력** Trouble의 예측이나 발생이 있으면 가급적 그 처리를 멤버와 함께 실행하는 능력.

④ **의사결정능력** 문제를 처리할 때 몇 가지 대안 중에서 상황에 대하여 가장 좋은 대책을 결정할 수 있는 능력.

⑤ **조직능력** 멤버 개개인의 능력이나 성격을 이해해서 전원을 효과적으로 통합하는 능력.

⑥ Communication **능력** 필요한 사항을 전달하고 또한 멤버의 가치관을 육성하면서 멤버의 의견을 잘 듣고 시책 면에 반영하는 능력.

⑦ **창조능력** 새로운 아이디어의 발상이 있어서 그것을 적절하게 활용해 가는 능력.

⑧ Vitality(활동력) 상황판단에 따라 녹초가 되지 않도록 심신 공히 대비하는 인내력.

⑨ **인간관계능력** 멤버 개개인의 심리를 이해하여 작업에 그것을 살리도록 배려해서 직장의 협조성을 유지하려고 하는 능력.

등이다. 이것들이 모두 구비되는 것이 요망되는 것이며, 현재 유지되어 있지 못한 능력은 가급적 빨리 자기계발 등에 의해 체득하는 것이 요망된다(뒤에 Leadership Test를 참조). 이 9개의 관리능력은 상황에 따라 구분해 사용해야 한다.

같은 상황에 따라 구분해 사용하여야 한다는 사고방식으로서 리더십의 Life cycle 이론이 있다. 앞에서 제시한 그림2-13에서 바람직한 리더십은 한편에서는 인간의 일에 관심을 가지고 생각하고, 다른 한편에서는 과업수행의 일을 생각하고 있는 Type이라고 설명한 Grid 이론이다. 또 그 때문에 「9・9」 Type이 반드시 현실에 맞지 않는 것도 지적했다. 그것은 왜 그런가.

그 배경을 이해하기 위해서는 어린이들과 어른을 다루는 방법이 틀리다고 생각하면 된다. 어린아이들은 아무 것도 모르고 있으므로 어른들이 좋은 행동의 방향을 부여해 주어야 한다. 상당히 강한 통제적 관리가 어쩔 수 없는 경우가 많을 것이다. 어른과 같이 성인이 된 사람에 대해서 통제적인 관리는 맞지 않으며, 그들 성인으로서의 자주성을 존중하는 자유재량의 폭이 큰 관리로 전환해야 할 것이다. 이 사항에 대해서는 미성숙 - 성숙 이론에서 설명되었다.

이 정황을 정리한 것이 그림2-13의 Life cycle 이론이다. 결국 관리의 Grid 아래의 미성숙 -성숙한 인간의 Life cycle을 또 하나의 가로축으로 하면 효과적인 리더십의 Type는 인간지향과 과업지향의 어느 것도 높은 틀에 박힌 방식(높은 과업지향과 높은 인간지향이 교차되는 곳)이 아니고 4각의 가운데 그려진 산의 형상과 같은 선의 행동을 취하는 리더십 Type을 말하는 것이다.

미성숙 - 성숙의 인간성장 경과를 중심으로 생각한다면 미성숙의 단계에서는 부모가 모든 통제를 하지만, 상당히 큰 어린이가 되면 엄격한 예의범절도 지키면서 그들의 책임을 취할 기회도 생각할 필요가 있다. 아주 성숙하면 오히려 통제는 약해지고 또한 그들이 자율적으로 책임 있는 행동이 취해지도록 맡겨버리는 것이 좋다.

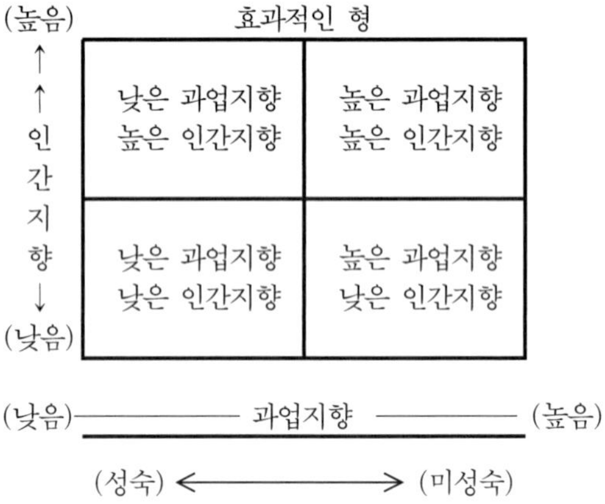

그림2-13 리더십의 Life cycle
(산 형상의 선 위가 효과적인 Type)

이 상황은 어른에 되어있는 작업자가 있는 기업을 생각하는데도 똑같다. 신체는 어른이라도 정신적으로 미성숙한 작업자도 있기 때문이다. 또 미성숙한 상태는 욕구체계에서 말하면 생리적 욕구와 같은 낮은 차원의 욕구단계에 있는 사람을 말하게 되므로, 미성숙 - 성숙의 축을 욕구체계로 바꿔놓을 수도 있다. 또한 낮은 차원의 욕구단계에 있는 사람은 허즈버그가 말하는 위생요인을 추구하는 사람이라 할 수 있으므로 성숙의 축을 허즈버그 이론으로 바꿔 놓을 수도 있다.

이와 같이 인간은 어떻게 해서 움직이는가 하는 과제에 답변한 많은 인간행동의 근원을 그림2-13 안에 바꿔놓고 각각의 상황에 좀더 어울리는 리더십 Type을 설명할 수 있다. 그것이 그림2-14이다.

독립	————	의존
능동적	————	수동적
다양한 행동	————	단순한 행동
다른 사람의 배려	————	자기본위
장 시간적 전망	————	단 시간적 전망

그림2-14 동기부여를 고려한 Leadership Style

이 그림에서 말하면 미성숙이며 생리적 용구 또는 안전에 대한 욕구가 강하여 위생요인을 추구하는 Type의 작업자나 그러한 사람들이 많은 미성숙한 조직에서는 그 사람들을 움직이는데 적합한 리더십은 인간에 대한 배려를 약하게 하고 상당히 엄격한 통제적인 관리를 하는 Type을 말하는 것이다. 능률급의 비중을 조금 크게 하고, 해서는 안될 규제에 의해서 행동을 엄격히 관리·감독하는 관리방식을 말하는 것이다. 어쩌면 사고가 많이 발생하고 있는 조직에서는 사고를 조금이나마 감소시키는 방법으로 과업강제형의 안전관리로 향하고 있는지도 모른다. 작업자 집단이 중간 정도로 성숙하여 사회적 욕구 단계에 있는 사람이 많다면 관리방식을 보다 인간적으로 배려를 깊게 하여 통제적 관리를 약간 약화시키는 방식이 좋을 것이다. 사고가 감소되어 도수율이나 강도율이 내려간 회사에서는 작업자 심리나 인간이 행동하는데 결함이 있다는 것을 이해시키는 수단이 적합하다고 할 수 있다.

그런데 드디어 작업자는 자율적인 행동이 취해지는 단계까지 성숙하고 자아의 욕구나 자기실현의 욕구를 갖는 인간이 많아져서 동기부여 요인을 추구하는 여론이 강해지는 단계에서는 통제적 관리는 전연 맞지 않으며, 가급적 그들 자신들이 생각하고, 자신들이 의사를 결정할 수 있도록 해서 관리자나 감독자는 이와 같은 자주적 행동을 취하기 쉽도록 하는 조건을 조절하고 측면에서 지원하는 것이 바람직하다.

안전관리의 경우라도 도수율은 1.0 이하가 되고 사망사고도 수년간 없는 안전성적이 우수한 기업이 되면 그 이상의 안전관리를 하기 위해서는 작은 사고나 결근하지 않는 사고의 박멸을 지향하게 되기 때문에 작업자의 자주적인 자기관리 방식으로 하는 것도 어쩔 수 없을 것이다. 그것이 통제적인 색채가 약해진 관리 Style이 되는 것이다.

이와 같이 효과적인 리더십 스타일은 작업자의 상황이나 기업 사정이나 작업하고 있을 때의 상황에 따라서 변하게 되지만, 그림2-14의 설명과 같이 미성숙하며 생리적 욕구를 추구하는 단계의 작업자집단이므로 통제관리의 상태로 계속하는 것이 가장 바람직하다고 말할 수 없는 것이다. 그들의 행동을 안전달성이란 목표를 수행하는데 통제적인 과업중심의 관리를 어떤 기간 동안 어쩔 수 없이 하는 것이다. 그 사이 그들의 성숙한 정도나 욕구수준을 올려가는 시책이 필요하다.

그리고 반복해서 강조하는 바와 같이 사고를 완전히 없애어 안전한 작업이 계속되기 위해서는 작업자 자신의 성장과 조직 그것이 자기실현 집단이 되어야 하며, 관리자나 감독자는 작업자들이 그와 같이 자기 성장하도록 동기를 부여하여야 한다. 그리고 작업자 전원이 동기가 부여되어서 자기실현의 욕구가 강한 집단이 되면, 그들의 자발적인 자주관리 의식이 육성되도록 지도와 관리를 하는 것이 안전관리에 관해서 가장 바람직한 리더십이므로 그것이 작업자 개인과 조직과 통합된 모습이며 이때야말로 9개의 관리능력을 구분해 사용하는 것이 가장 필요하게 되는 시기라고 할 수 있을 것이다.

제4부

산업현장의 안전심리

제1장
안전의 활성화

제1절 / 직장의 사고방지

1. 직장의 불안전행동 방지

불안전행동으로 인한 사고의 방지에 관련된 두 가지 방법을 살펴보자.

하나는 불안전행동의 방지이며, 또 하나는 불안전행동이 일어나도 사고로 이어지지 않게 하는 것이다. 앞의 것에 대해서는 불안전행동의 원인이 되는 작업자의 지식부족, 기능미숙, 태도불량 및 인적 실수를 없애기 위한 대책을 추진하는 것이며, 뒤에 것에 대해서는 가해 물 또는 기인 물이 될 수 있는 기계설비 등의 물적 위험에 대한 통제를 철저히 하는 것이다.

표1-1 불안전행동의 사고방지 대책

4M의 유형	방 지 대 책
인간(Man)	인간대책: 능동적인 의욕, 지적확인, 위험예지, 리더십, 팀워크, 의사소통 등
기계(Machine)	설비대책(물적 대책): 안전설계, 위험방호, 본질안전화, 표시장치나 조작 기기 등
매체(Media)	작업대책: 작업정보, 작업자세, 작업순서, 피로방지, 작업환경 등
관리(Management)	관리대책: 관리조직, 기준·규정, 계획, 적성배치, 평가, 훈련, 감독지도, 직장활동, 건강관리 등.

불안전행동의 배후요인으로서 인적요인 및 환경적(외적)요인은 사고의 기본원인으로서 4M의 각 항목과 공통되는 것이므로, 불안전행동에 의한 사고방지의 대책도 4M의 사고방식에 의해 추진하면 좋을 것으로 생각되어 표1-1과 같이 정리해 본다.

(1) 자립을 추구하는 인간

인간의 사회생활은 크게 가정, 학교, 직장 3개 생활공간으로 이루어지며 이러한 환경에 대한 의존성이 매우 크다.

인간은 부모 슬하를 떠나 사회로 진출(자립)할 때는 다른 동물에서 볼 수 없는 복잡성이 있다. 어려서는 원하는 곳에 뛰어가려고 하면 위험하다고 제지당하고, 배가 고파서 음식을 먹으려 하면 예의가 없다고 하며, 또래들과 놀려고 하면 공부하라고 꾸지람을 듣는다. 인간은 신체적 자립을 제한 받으면서 사회적인 규칙을 내재화(內在化)시켜 사회적인 의존을 어쩔 수 없게 하고 있다.

또 의·식·주 모든 생활수단이 타인과의 협력 없이는 불가능한 복잡한 사회적 구조 속에서 생활하고 있음을 이해할 수 있다. 인간으로서 자립하는 과정은 가정·학교를 통해서 신체적인 자립보다는 사회적인 자립의 훈련이 철저하게 실시되는 것이라 하여도 좋을 것이다.

인간은 자립을 위해 일하고 직장에 취업해서 인생을 개척한다. 인생이란 자기실현의 과정이며 인간은 근로에 종사하는 직장을 통해 자기실현을 추구한다. 이것이 인간 본래의 자세다.

(2) 직장의 성격

직장의 성격은 개인이 속하는 장소 따라 두 가지로 대별된다. 하나는 경영조직의 하위 집단이며, 또 하나는 거기에 소속된 사람들이 일상생활의 일부를 보내는 장소이기도 하다. 직장이란 일정한 목표를 가지고 조직의 요구에 대응하여 기능을 발휘하는 것이고, 거기에 소속된 인간은 조직의 일원으로서 행동할 것을 기대하여 보수를 얻고는 있지만, 다른 면에서 인간은 직장 내 일개 생활체로서 일상을 보낸다. 직장생활의 비중을 두는 데는 개인차가 있으며, 어떤 사람은 가정생활이나 직장 밖의 교우관계를 중시하고, 어떤 사람은 직장이란 집단생활의 성과를 중시한다.

이와 같이 직장은 공식조직으로서 명확한 목표를 설정하고 목표를 실현하기 위한 활동이 추진되고 있으며, 그 때문에 조직의 모든 기능을 전부 발휘하기 위한 방침이 제시되고 있다. 그러나 직장 내의 비공식 조직의 인간관계가 복잡하고 또한 공식조직의 활동에 영향을 미치게 된다.

(3) 인간관계와 직장행동

사람은 사람과 사람의 사이에서 생활하고 있으므로 인간이다. 직장에서 인간관계에 어색한 점이 있으면 사람은 자신의 역량을 전부 발휘하여 작업을 할 수 없으며, 사고방지에 필요한 상사와 구성원, 동료 사이의 충분한 의사소통은 어렵다.

직장의 상사가 불안전행동을 발견하면 즉시 시정하도록 명령할 필요가 있지만, 그렇게 하면 구성원의 원성을 살 것으로 생각하여 명령을 다음으로 미루는 잘못을 범하게 되는 것이다. 그러나 사고는 기다려 주지 않고 언제든 발생할 수 있다.

이러한 사례는 의외로 많다. 안전하게 작업하려면 청색 신호와 적색 신호는 존재하지만, 황색신호는 존재하지 않는다. 작업자의 규칙 무시를 근절시키기 위해서는 직장의 양호한 인간관계가 대단히 중요하다.

직장에서 인간관계를 구성하는 비공식 조직이 공식 조직의 지위에 대응하는 직무를 가지고 일정한 역할을 완수할 것을 요구받고 있다. 하위직의 사람은 직장의 공식적인 조직에서 수행하여야 할 목표를 달성하도록 역할수행에 대해 상위직의 사람으로부터 여러 지시를 받는다. 그러나 그 지시가 언제나 위에서 부터 아래로 원활하게 전달된다고는 할 수 없다.

인간은 자아실현을 도모하려고 직장에 취업하는 것이다. 만약 그들이 수동적인 작업에 대처해서 단순한 반복작업 등에 억압되어 좁은 범위의 작업에 무리하게 관심을 집중시켜 종속적인 지위에 놓여서 목전의 낮은 가치에 얽매여 있다면, 그 사람은 자기실현의 욕구를 희생하고 그 대가로 임금을 획득하는 것으로 자기실현의 높은 욕구가 사라져 버릴지도 모른다.

또 자기 상사에 대해 흥미가 없는 감정을 가지고 있는 인간은 상사의 지시를 따르지 않는 태도를 취하여 무시하거나 또는 상사에 대해 전혀 불복종하는 태도를 나타내거나 한다. 때로는 상사의 의견이나 지시를 따르려하지 않고 적당히 실행하는 경우조차 있다.

작업 중에 이와 같은 분위기가 형성된다면 안전한 활동의 이행은 기대할 수 없으며, 직장의 통솔자는 자기의 직책을 안전하게 완수할 수 없게 된다. 직장을 통솔하는 사람의 권위(Authority)에 대한 한 심리학자의 분류는,

① 신뢰에 근거한 권위(Authority)
② 일체화에 근거한 권위(Authority)
③ 상벌에 근거한 권위(Authority)

의 3종류가 있다. 그리고 직장 조직 내부의 여러 가지 인간관계가 권위(Authority)의 수용과 깊게 관계되어 있다는 것은 중요한 사실이다.

이와 같이 사실을 고려해 보면 직장 안전을 추진하는 기본 조건으로써 직장내 인간관계의 연결, 연대가 튼튼해야 하며, 작업자가 작업에 매력을 느껴서 자신이 전향적으로 대처하고 있는지, 다시 말하면 작업자가 직무에 대해 능동적인 관계를 가지고 있는지, 하는 것 등이 중요한 문제가 된다. 인간관계 중심의 행동을 추진할 때의 구성원의 고충, 불만의 관계는 다음과 같다.

① 인간관계 중심의 관리능력이 없는 감독자는 작업중심의 행동 여하에 관계없이 구성원의 고충·불만이 많다.
② 인간관계 중심의 관리능력이 보통인 감독자는 작업중심의 행동이 많아지면 빠르게 구성원의 고충·불만이 증가한다.
③ 평소 인간관계 중심의 관리능력이 잘 발휘되는 감독자는 작업중심 행동이 많아져도 구성원의 고충·불만은 증가되지 않는다.

작업자의 불평·불만·고충은 작업의 엄격함보다도 직장의 인간관계의 흥미가 없는데서 발생하는 것이다.

표1-2 인간관계가 나쁜 직장의 문제

① 감독자, 책임자의 작업지휘체제가 잘 취해지지 않는다.
② 작업순서의 철저하게 도모되지 않는다.
③ 감독자가 자리에 없으면 일을 진심으로 하지 않는다.
④ OJT를 잘할 수 없다.
⑤ 임시로 작업반을 편성했을 때, 작업량에 대응한 적정한 인원배치가 어렵다.
⑥ 그 경우 임시로 책임자가 된 사람이 작업지휘를 충분히 할 수 없다.
⑦ 결근자가 있었을 때, 작업분담의 변경에 의해 불평이 발생하기 쉽다.
⑧ 회합을 능숙하게 추진할 수 없다.

그리고 인간관계가 나쁜 직장에서는 작업에 관해서 표1-2와 같은 문제들이 발생한다. 불안전행동만이 아니라 안전의 모든 사항에 걸쳐서 양호한 인간관계의 형성이 중요하다.

(4) 의욕 저하의 직장 내 원인

종업원의 의욕은 인간관계의 만족과 불만족 요인과 많은 관련성이 있다. 이와 관련된 연구에서는 「직장의 인간관계가 좋다」거나 「작업내용이 흥미 있다」 등이 가장 중요한 요인임을 지적하고 있다(표1-3).

표1-3 능동적인 의욕과 욕구

의욕과 관련된 요인	15~17세	31~40세	50세~	전 체
직장의 인간관계	32	26	34	25%
작업내용의 흥미	20	23	17	27%
지식·기술의 체득	20	25	14	22%
임금, 사회성, 승진, 상사의 지도 등				3~10%

대부분의 직장에서는 여러 이유에 의해 동기부여가 되지 못한 작업자가 존재하게 된다. 능동적인 의욕이 없기 때문에 작업을 잘할 수 없다는 데서, 사람들이 작업을 귀찮게 생각하여(예를 들면 정리·정돈을 태만히 한다, 사용한 공구를 제자리에 정리하지 않는다, 신호를 확실하게 하지 않는 등), 직장 전체의 팀워크를 나쁘게 한다(미팅을 게을리 한다, 모두가 결정한 것을 지키지 않는 등) 등의 내용도 많다. 개인만의 문제에서 집단 전체에 영향을 주는 문제까지 있다.

그러나 이와 같은 문제를 일으키는 작업자가 문제를 일으키는 과정에는 그 직장 전체와 상당히 관련되어 있는 것이 많다. 그래서 이러한 작업자가 있는 직장을 잘 관찰하면 직장 전체의 사기가 낮고 팀워크가 미흡하며 상사의 리더십이 부족한 것 같다. 나쁘게 말하면 비공식 조직이 되어 버릴 문제를 안고 있는 경우가 있는 것 같다. 이러한 직장 환경 중에는 불평을 품고 불만을 표시하는 인간이 하나에서 여러 사람으로 증가될 우려가 많다.

능동적인 의욕이 결핍된 작업자의 가장 소극적인 반응은 도피행위라고 할 수 있다. 싫어하는 작업, 작업상의 규칙, 동료나 상사로부터의 도피를 말하는 것이다. 성인의 도피는 심리적인 도피행위이며, 곁에서 보아도 파악할 수 있는 경우가 많다. 이 심리적인 도피는 거짓행동으로 증폭되거나 한다. 이와 같은 경향이 있는 사람이 여러 명으로 증가하게 되면 직장의 안전한 행동, 안전 규칙의 철저 등은 도저히 기대할 수 없다.

생산 현장의 다양한 조직체에 있어서도 말단 조직인 각 직장의 인간환경과, 작업자 개개인의 행동과의 관련에 대해서 리더는 충분히 이해하고 있어야 한다. 그것은 작업관리를 위한 것만이 아니고 안전관리를 위해서도 대단히 중요한 것이다.

2. 직장 내의 의사소통

의사소통은 과업의 추진과 진보의 전반에 관계되는 중요한 과정이며, 깊은 흥미를 지니는 동시에 때로는 화를 나게 하기도 한다. 인간의 감성, 감정, 태도에 따라서 의사소통을 명확하게 하는 것이 하나의 큰 과제가 되고 있다. 의사소통은 「마음」으로 하는 것은 물론이지만, 단순한 논리적인 것만이 아니고 심리적이기도 하다. 특히 감독자는 상사·동료·구성원과의 사이에 여러 갈래의 의사소통을 하여야 하지만, 구성원과의 사이에 있어서 의사소통을 생각할 때 일방적 의사소통이 되지 않도록 유의할 필요가 있다. 응집력이 강한 집단에서는 상하간의 의사교환도 양호하며, 쌍방적인 의사소통이 실행되기 쉽다.

(1) 의사소통의 의미

의사소통은 논리, 사실, 숫자, 지능, 지성을 포함하는 외에 감성, 태도, 감정이란 전인격적인 것도 포함하고 있다. 예를 들면 자신이 호감을 가지고 있는 사람의 이야기는 같은 이야기라 하여도, 반감을 품고 있는 상대로 부터 듣기 보다 용이하게 적극적으로 받아들이는 경향이 있다. 같은 의견이라도「상사」로부터 듣는 것과 동료로부터 듣는다는 것은 해석하는 의미도 달라지는 것이다. 같은 생각이라도 아름다운 여성이 말하는 것과 게으름뱅이가 말하는 것과는 해석상의 큰 차이가 있을 수 있다.

의사소통이란 상대를 이해하고 자신을 이해해서 얻으려고 하는 상호 이해하는 행위를 말한다

그림1-1 의사소통의 정의

의사소통은 상징, 기호, 또는 신호의 송신과 수신에서 이루어지는 상호적인 과정이다. 그것은 말, 듣기, 읽기, 쓰기, 움직임, 관찰한다는 인간의 행동이고 그 목적은 상호간의 이해를 달성시키는데 있다.

불안전행동을 근절시키려고 할 때, 예를 들면 위험에 대한 인식이 상하 간 다르면 큰 일이 된다. 감독자가 위험하기 때문에 보호구의 착용을 지시했다 하여도, 작업자가 그러한 위험은 없다고 생각하면 않되며, 임시작업을 실시하기 전 작업순서를 타협시켜도 리더와 작업자의 의사가 엇갈림을 남긴 체로는 위험하기 짝이 없다.

의사소통의 효과를 기대하려면 항상 실시하는 쪽의 배려가 중요하다. 이야기했다 하여도 상대가 듣는 둥 마는 둥 하고, 게시했다 하여도 보지 않으며, 인쇄물을 배포했다 하여도 읽고 이해하지 않으면, 상대의 기분이나 받아들이는 방법을 생각하지 않고, 상대의 선의와 성의에 기대하는 사고방식으로는 좋은 의사소통은 할 수 없다. 의사를 전달하는 쪽의 성의와 친절이 중요하다.

의사소통의 경로는 공식적인 직제 조직이지만, 보충하는 것으로 각종 위원회나 그룹 등 비공식적인 연결도 활용하는 것이 좋다. 또 의사소통의 근원도 직제의 경로만이 아니고 직장의 밖, 사업장 밖의 뉴스나 정보를 입수할 수 있는 루트를 만들어 두는 것이 필요하며, 넓은 정보망으로부터 유익한 정보를 입수하는 노력이 요망된다.

(2) 의사소통과 일할 의욕

정보화시대라고 하는 현대이지만, 기업 내 활동에 필요로 하는 정확한 정보가 충분히 준비되어 있는가? 의사소통이 양호한 직장은 규칙이나 명령이 없어도 종업원이 적극적으로 안전에 참가의식을 가지고 능동적인 의욕을 일으켜서 활동적인 팀의 힘을 발휘하여 목표달성에 노력한다.

상부로부터 하부로의 의사소통이 통달(通達)이나 지시만으로는 일방통행이 되어 진정한 의사소통은 아니다. 의사소통은 단순한 통달이나 지시만이 아니고, 하부에서 상부로, 횡적인 상호 참가적 확대를 갖는 교육이며, 작업자의 능력개발을 위한 훈련이라고 생각할 필요가 있다.

직장의 각 구성원에게 의욕이란 피를 운반하는 동맥인 의사소통이다. 직장에서 마땅한 자세는 직장분위기, 전원의 목표달성에 대한 의욕을 규정하고, 나아가서는 조직의 생산성 향상에 직접·간접적인 영향력을 주는 것이 의사소통이다.

(3) 의사소통의 구조

직장의 의사소통에 관해 생각할 때, 직장 집단을 구성하는 구성원들 상호간의 심리적 관계가 그 좋고 나쁨에 영향을 준다는데 주의해야 한다.

집단은 그들의 조직목표를 달성하기 위해 하나로 응집하여 활동하는데에도 구성원 사이에는 좋아하거나 싫어하거나 끌어당기거나 반발이란 심리적 관계가 발생하게 된다. 이것을 집단의 심리구조라고 하며, 구성원 사이에 상호 반목이 있으면 의사소통이 원활하지 않게 되어 버린다. 직장의 리더는 집단의 심리구조가 구성원 상호간의 의사소통에서 접촉하는 정도에 차이가 발생하지 않도록 유의해야 한다.

또 직장 집단에 따라서 계층 간에 질서를 유지하는데 직속 상사 또는 구상원 사이에 의사소통하기 어려운 경우가 있거나, 비공식 집단과 같이 구성원의 모두가 자유롭게 친구와 같은 관계 속에서 의사소통이 교환되도록 하는 직장도 있다. 그 외에 직장에 독특한 상황에 따라 의사소통의 구조도 다르다.

중요한 것은 이 의사소통 구조의 형태에서 구성원 간에 의사를 소통하는 중심적인 역할을 하는 사람, 주변적 역할을 하는데 불과한 사람을 만들어 그것이 직장에서의 사기·능동적 의욕을 저해하는 요인이 되기도 한다.

구성원이 정보교환이 그림1-2와 같은 의사소통 구조의 형태로 진행되고 있을 때, 각 형태에 따라서 다음과 같이 직장의 활동이 일어난다.

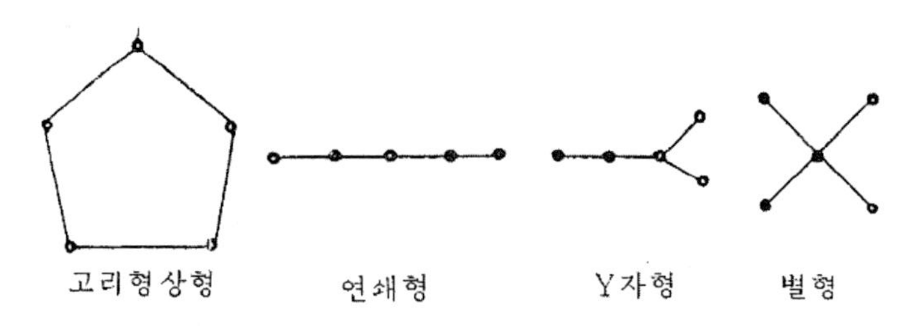

그림1-2 의사소통 구조의 형태

① 환상형의 경우를 제외하고 중심적 역할과 주변적 역할의 분화(分化)를 발생하는 경향이 있다.

② 이들 3가지형의 중심적 역할을 담당하는 사람은 환상(環狀)의 어느 구성원보다도 작업의 만족도가 높고, 주변적 역할을 담당하는 사람은 환상의 어느 구성원보다도 작업의 만족도가 낮다.

③ 환상형의 집단은 리더가 표현하기 어렵고 조직화도 어렵지만 활동적이다.

④ 별형의 집단에서는 의사소통의 중심적 위치에 있는 사람이 리더가 되어서 작업도 조직화되어 실수도 적지만, 그 외의 사람은 불만족의 정도가 높다.

실제 직장 집단에서 의사소통 구조의 형은 가장 복잡하지만 정보가 주변 사람, 즉 정보를 받는 것만의 역할을 하는 사람을 만들지 않도록 하는 것이 중요하다.

(4) 의사소통과 인간관계

의사소통은 의사소통의 복잡한 과정을 포함하고 있으므로, 직장의 인간관계에 여러 영향을 미치며 또 소그룹의 집단 사이에 미묘한 작용을 하게 된다.

사업장을 단위로 하는 조직 내의 정보의 흐름과 대면적 관계에 있는 집단을 구성하는 구성원간의 의사소통을 비교하면, 전자의 쪽이 넓은 범위에 미치고 있다. 그러므로 조직 전체의 정보 흐름의 일환으로 직장의 의사소통 구조를 조합하는 경우가 많다. 작업에 관계되는 정보를 신속하고 정확하게 전달할 필요가 있다고 해서 작업자 개개인에까지 부장·과장이 지시하는 문서가 직접 전달되는 것은 아니다. 직장 집단의 대면적 관계를 이용해야 한다.

이와 같은 경우 언제나 조직의 공식적 정보가 원활하고 철저하다고 할 수 없다. 대면적 의사소통은 각기 특유한 인간관계를 배후에 가지고 있기 때문에, 직장 집단의 응집성을 유지하는데 효과적인 정보는 받아들이게 되고, 그 유지에 위험이 되는 정보는 배척되기 쉬운 것이다.

작업을 안전하게 하기 위해 철저를 기하도록 상호주의 운동을 추진하려 할 때, 직장의 인간관계가 원활하지 못하면 저항한다는 직장 사례를 듣게 되지만, 조직의 정보가 잘 받아들여지도록 그 내용, 배포하는 방법에 신중한 검토가 되어야 한다. 현실적으로 직장에서는 비공식적 인간관계가 중요 역할을 수행하게 되는 것이다.

조직의 공적인 정보와 직장의 의사소통 구조와의 접점에서 마찰이 일어나면, 정보의 침투성에 문제와 함께 정보를 오해하는 문제가 나타난다. 직장의 안전을 확보하기 위한 시책이 철저하지 못한 것이, 오해의 의해 반대되는 일이 없노록 진정한 의미의 정보를 의사소통으로 하여야 한다.

(5) 의사소통과 설득

직장의 공적인 의사소통에서 가장 중요한 문제는 상대가 납득하는 것과 상대에게 태도를 변용시킨다는 것이다. 단순한 정보제공 정도의 의사소통도 있지만, 안전관리를 추진하기 위해서는 상대에게 어떤 행동을 일으키게 하거나 또는 어떤 행동을 하지 못하게 하는 설득력이 높은 의사소통이 필요하다.

관리자나 감독자들은 사업 조직의 관리체계 중에 조합된 책임자이다. 관리란 계획, 실시, 점검 및 시정조치 즉 PDCA의 사이클에 따라 관리를 추진하는 것이지만, 의사소통은 수립된 계획을 실행하기 위한 명령 · 지시 · 전달에 깊게 관계되는 것이다.

전달된 바와 같이 정확한 실행을 하기 위한 기본조건은 정보 내용의 문제와 관계되는 것도 없지는 않지만, 정보 출처의 신뢰성이 문제가 된다. 구성원들은 신뢰하지 않는 상사의 지시를 받아도 결코 진심으로 납득하려 하지 않는다.

관리 · 감독자가 구성원에 대한 설득력은 구성원에게 어느 정도 신뢰를 받고 있느냐에 달려있다. 일반적으로 관리 · 감독자의 설득력은 그 사람 개인에 있는 것이 아니며, 관리 · 감독자에 대한 구성원의 태도 내지 감정 속에 있다. 바꾸어 말하면 설득력이란 관리 · 감독자와 구성원과의 인간관계 내에 있다는 것이다.

인간의 행동을 변화시키는 측면을 생각할 때, 인간의 행동원리에 대하여 고려해 볼 필요가 있다. 이 사항에 대해서는 「인간의 욕구 구조」에서 설명되었지만, 인간은 생리적 욕구, 안전의 욕구, 사회적 욕구, 존경의 욕구, 자아실현의 욕구라는 점차 고차원의 욕구 충족을 위한 행동을 형성하는 것이다.

우리들이 구성원에게 일방적으로 명령을 해도 자신이 직장의 목표를 달성하기 위한 도구에 불과하다고 생각하는 구성원은 결코 자발성, 자주성을 발휘하여 일에 노력하지 않는다. 경험이 미천한 젊은 사람이라도 묵묵히 일하는 작업용 로봇과 같이 보이고 싶지는 않다는 것이며, 기업에 필요한 인재로서 인정받으려 생각한다.

의사소통이 충분한 설득력을 구비, 구성원을 납득시켜 움직이게 하기 위해서는 작업에 대한 인간의 본성에 대한 이해가 기본 요건이 된다. 여기에 관련하여 X이론과 Y이론이 있다.

3. 직장의 팀워크

팀워크란, 집단의 개개인의 연대나 공동 작업을 말하며, 직장 모두의 종합 능력을 발휘하고, 직장 사기의 활용이라 해도 좋을 것이다. 직장의 사기란 팀워크의 모두가 「전체를 위해 내가 한다」고 하는 기분을 가지고 목표를 달성하는데 열중하는 것이다.

팀워크의 중요성이 강조되는 이유는 「창조적이며 생기가 넘치는 직장, 일하고 싶으며, 사는 보람이 있는 직장을 만든다」는 것이다. 같은 작업을 한다고 해도 창조적으로 여러 일을 하였을 때에, 인간은 깊은 충실과 기쁨, 일하는 의미를 느낀다. 창조적이란 다른 것과 차이나는 독창적인 것을 말하는 것이 아니다. 그 사람이 자기자신이 생각하고 자신의 의미로 무엇을 실현했을 때, 그 사람에 있어서는 창조적이라 할 수 있다.

안전활동도 의무적이고 또한 감동적이지 못하게 실시하는 직장과, 창조적인 의욕을 가지고 각자가 최고의 작용을 구현하려고 하는 직장과는 그 정밀함과 조잡함・철저한 정도에 있어서 차이가 나타난다. 팀워크는 직장의 안전활동 수준을 높여가기 위해서 빠트릴 수 없는 요건으로 생각된다.

(1) 팀워크 향상방안

팀워크를 높이려면 구성원 각자가 심신이 모두 건강하여야 하며, 담당하는 작업에 대해 책임감을 가지고 있어야 하며, 직장 집단의 목표를 이해하고 찬동해야 되는 것과 동료와 리더(감독자)에 대해 신뢰감을 갖는 것이 선결 요건이다.

또 리더는 구성원 각자에게 능력을 충분히 발휘하도록 하고, 각자의 분담, 상호연락・협력에 의해 직장 집단의 일체감 조성에 노력하는 것, 이들에 대해 노력과 연구에 의해 구성원들의 신뢰를 얻는다는 것을 언제나 염두에 두어야 한다.

안전을 위해 필요한 팀워크 향상의 구체적인 방법은 다음과 같이 설명할 수 있다.

① 직장의 안전활동 목표를 명확하게 설정한다
② 구성원의 활동역할을 하나하나 분명하게 한다

③ 직장의 안전활동 목표가 효과적으로 달성되도록 분담 · 협력 시스템을 구상 한다

④ 직장 분위기를 양호하게 한다

(2) 관리 · 감독자와 구성원

조직 내 직위에는 기능적 지위와 계층적 지위가 있다. 기능적 지위란, 특정한 직무를 수행하는 능력을 조직에서 인정하는데 따른 지위이며, 전문적 기술능력이 평가되어 주어지는 관리직이 여기에 해당된다. 계층적 지위는 공식 조직의 피라미드형 기구의 한 책임이 주어지는 지위이며, 담당하는 조직의 업무수행을 관리하는 것이 역할이다.

구성원에 대한 지도 · 관리를 추진할 때, 기능적 지위의 사람들은 구성원의 능력을 전문적 · 기술적으로 높이는 기능 · 능력은 있지만, 구성원에 대한 인간적 이해가 부족하기 쉬운 경향이 있다. 계층적 지위의 사람들은 그 반대의 경향을 나타내는 일이 있다. 그 어느 쪽도 구성원에 대해 충분한 역할을 완수한다고 할 수 없다.

그러나 회사 내의 지위에 이와 같은 명백한 2종류의 지위가 독립해서 존재하는 것은 아니며, 어느 쪽의 성격이 강한 직위에 있는가 하는 것이며, 관리 · 감독자는 양자의 역할을 함께 완수할 필요가 있다. 그렇게 하는데 따라 멤버의 신뢰를 얻어서 일체감을 강화시킬 수 있다. 안전 측면에서도 지도하는 능력과 안전활동을 관리하는 능력을 합치는 것이 중요하며, 작업자 간 및 작업자와 관리 · 감독자 사이에서 쌍방이 일체감이 있어야 만이 안전의 팀워크가 강화되는 것이다.

불안전행동을 금지하고, 안전 규율에 따라서 해야 할 것은 반드시 하고, 해서는 않 될 것은 절대로 하지 않는 것이 개별 집단의 규율로 잘 형성될 수 있는 근본은 팀워크가 있어야 만이 촉진된다.

팀워크를 높이기 위해서는 다음 조건이 필요하다.

① 구성원 각자가 심신 공히 건전하며, 자신의 역할에 대해서 책임감을 가지고 있을 것. 또 집단의 목표 · 목적을 충분히 이해하고 있을 것.

② 구성원 각자가 동료의 역할이나 실력을 이해하고, 신뢰하고 있을 것. 특히 감독자 · 리더에 대해 신뢰하고 있을 것.

그리고 이러한 기초를 바탕으로 불안전행동을 추방하기 위해서 팀으로서의 행동기준을 확립하는 구체적 방책은 다음과 같다.

① 직장 집단으로서 안전활동 목표를 명확하게 정한다. 목표는 구체적, 현실적이며 달성 가능한 것으로 한다.

② 집단의 목표결정은 집단의 전원이 참가해서 결정한다. 모두가 주역이 되도록 작용해야 한다.

③ 구성원 개개인의 역할, 행동목표를 명확하게 한다. 전원이 무엇을 한다는 것만이 아니고, 자신은 이것을 한다는 행동이 분명하게 되는 목표를 정한다. 감독자·리더는 각자의 행동목표가 명확하게 되었는지 충분히 배려해 둔다.

이러한 방안을 추진하는데 리더(Leader)의 역할이 충분히 발휘되도록 감독자·리더는 노력해야 하지만, 그렇게 하기 위해서는 다음 기술이 중요하다는 것을 잊어서는 안 된다.

① 이야기하는 기술
② 듣는 기술
③ 정리하는 기술
④ 칭찬하는 기술
⑤ 나무라는 기술

제2절 / 과학적인 관리의 접근

1. 행동과학적 접근

행동과학은 초기에서는 인간행동의 변화에 아무런 영향도 주지 못하고 단순한 지식만을 제공하는 것으로 받아들여졌다. 그러나 최근에는 행동과학적 지식을 기업의 관리적 요소로 활용하고 있으며 이를 행동과학적 접근이라 한다.

그림1-3과 같이 인간에 있어서 변화의 네 가지 단계, 즉 ⓐ 지식의 변화, ⓑ 태도의 변화, ⓒ 행동의 변화, ⓓ 집단이나 조직의 성과에 있어서의 변화에 초점을 맞추려고 한다. 이 그림은 행동 변화에 소요되는 시간과 상대적 곤란도를 도식적으로 나타낸 것이다.

지식을 변화시키는 일은 가장 쉬운 편이며, 다음이 태도를 변화시키는 일이다. 태도에는 호의적이나 호의적이 아니거나 거기에는 감정이 포함된다는 점에서 지식체계와는 다르다. 행동의 변화는 앞의 두 가지 단계에 비해 어렵고 시간이 걸린다.

그러나 집단과 조직의 성과를 변화시키는 일은 가장 어렵고 시간이 소요될 것이다. 종국적인 문제는 행동과학이 인간의 변화에 대한 이해를 넓히고 나아가서 실지로 변화를 가능하게 함으로써, 인간의 갈등을 어느 정도로 잘 해결해 나갈 수 있느냐 하는데 달려있다고 할 수 있을 것이다.

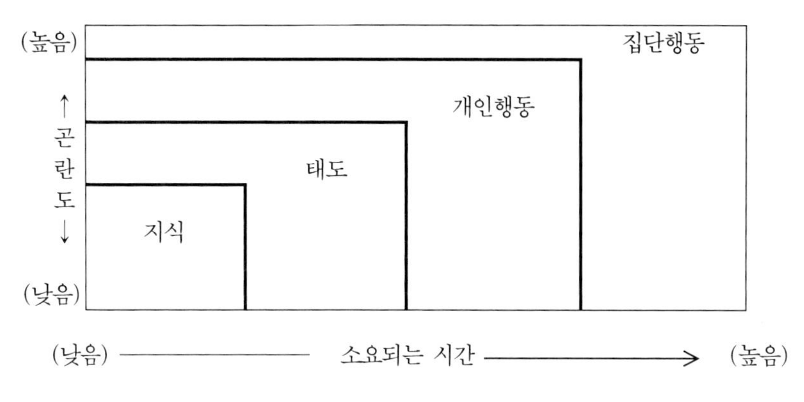

그림1-3 행동변화에 소요되는 시간과 곤란도

(1) 행동과학자의 의미

만약 관리자가 다른 사람이 왜 그런 행동하는가를 이해할 수 있고 또 다른 사람의 행동을 예측할 수 있으며, 더 나아가서 다른 사람의 행동을 지휘·변화·통제할 수 있다면 그는 기본적으로 응용 행동과학자라고 말할 수 있다.

행동과학자란 행동과학의 실천가인 관리자들이 개인이나 집단행동을 보다 잘 이해하고 예측하고 다른 사람의 행동에 영향을 미치는데 유용한 모든 학문분야를 통합하는 사람이다.

여기서 강조하고 있는 것은 응용 행동과학이다. 즉 그가 관리자이든 감독자이든 보다 효과적인 관리를 하는데 영향을 미칠 수 있는 행동과학의 개념들을 중점적으로 다루게 된 것이다. 그리고 행동과학의 개념들을 엄격하게 이론적이고 기술적인 데서부터 보다 응용적이고 처방적인 관점에서 다루게 된다. 사실 관리에는 어떤 원칙이나 어떤 상황에도 적용될 수 있는 보편적인 진리가 없다는 것이다. 인간의 행동은 100% 예측될 수 있는 것은 아니기 때문이다. 행동과학이 우리에게 줄 수 있는 것은 행동의 평균 타율(behavioral batting average)을 증가시키는 방법을 제시할 수 있을 뿐이다. 행동과학은 확률의 과학이며, 어떠한 관리원칙도 없으며 관리의 원칙(Principle of Management)이라는 자료가 있을 뿐이다.

(2) 행동과학 이론의 응용

행동과학을 응용하는 기법을 학습하는 일은 다른 일반적 사물에 대한 학습과정과 동일하다. 현장에서 그 방법을 체득해야 한다.

심리학자들은 학습을 정의하기를 "행동의 변화"라고 한다. 다시 말해서 전에 그렇게 할 수 있었던 것과는 다르게 어떤 새로운 것을 할 수 있는 그러한 행동이라고 한다. 그래서 다른 사람의 글을 읽는다든지, 다른 사람이 하는 것을 구경하는데서 얻을 수 있는 것은 지식에 있어서의 변화나 또는 태도에 있어서의 변화뿐이다. 우리가 실지로 무엇을 배우려 한다는 것은 그것은 여러 번 시도하고 연습하여 그것이 우리 몸에 배어 우리의 행동의 일부분이 되도록 하는 것이다.

학습에 관련하여 명심해야 할 것은 처음으로 시도했을 때의 느낌이 어떠했느냐 하는 것이다. 아마 처음에는 대부분이 불안이나 흥분 및 우려를 느끼게 마련이다. 우리가 어떤 새로운 것을 시도하려고 할 때는 언제나 나름대로의 행동패턴 안에서 아무 거리낌없이 자주 행한 것들과 전혀 다른 어떤 새로운 것을 처음으로 시도하려고 할 때는 언제나 불안, 우려, 흥분의 감정을 느끼게 되는 것이며, 행동과학을 응용하는 것에도 똑같은 문제를 갖는다.

2. 관리의 의미

관리의 정의는 다양하지만, 그 공통점은 "조직의 목표나 목적을 수행하기 위한 관리자의 업무"라는데 귀결되고 있다. 그래서 관리를 다음과 같이 정의해 둔다. 즉「관리란 조직의 목표를 달성하기 위하여 다른 사람이나 집단과 더불어, 그리고 개인이나 집단을 통해서 일을 이루어나가는 과정이다.」

위와 같은 정의에 의해 조직을 성공적으로 잘 운영하려면 이들 모든 유형의 조직들이 인간관계적인 기술을 가지고 있는 관리자를 확보해야 하는 것이 요구되고 있다.

관리자나 감독자는 구성원인 작업자가 안전하게 작업할 수 있도록 모든 배려를 해야 하지만, 그 위에 안전하게 작업을 하도록 그들을 지도하고 관리해야 한다.

특히 관리행동 중에서 중요한 사실은 리더십을 통해서 조직의 목표를 달성하는 것이 관리이다. 따라서 누구나 자기의 인생의 어떤 부분에서는 관리자가 되는 것이다. 기업활동은 구성원 전원이 통합화된 방법에 의해서 추진하는 것이 효과가 있으며, 그 달성도 촉진되고 관리·감독자가 사원의 협동을 촉구하게 하는 작용을 구비하는 것도 요구된다. 그러한 것에 관계되어 사원 개개인이 하고싶은 기분이 없으면 작업에 대처하는 방법이 약해지기 때문에, 그들의 역할을 인식시켜 작업에 도전하는 의욕을 만들도록 동기를 부여해야 한다.

안전관리에도 동일하다. 즉, 안전한 작업을 위해 조직적 운영과 작업자 개개인이 안전하게 작업하는 것에 대한 의욕을 만들어 주어야 한다. 그것이 관리·감독자의 업무가 된다.

그렇게 하려면 그들에 대해서 어떠한 관리나 지도를 하는 것이 그들이 스스로의 필요성에 따라서 움직이게 되는가에 대해서 관리·감독자가 이해하여야 한다. 근로자를 통제하기 위한 지식이 아니고, 그들이 즐겁게 안전에 도전해 가기 위한 상황을 설정하기 위한 지식인 것이다.

(1) 관리와 리더십의 구별

관리와 리더십은 같은 것이라고 말하지만, 이 두 가지 개념에는 중요한 차이가 있다.

본질적으로 리더십은 관리보다 넓은 개념이다. 관리란 조직의 목표를 달성을 주된 목적으로 하는 특수한 리더십이라고 생각할 수 있다. 따라서 이들 두 가지 개념의 중요한 차이는 「조직」이란 말 그 자체에 있다. 리더십도 목표를 달성하기 위해 사람들과 협동하고 사람을 통해서 일을 이어나가는 것인데, 여기에는 그 목표가 반드시 조직의 목표라고 할 수 없고, 그 목표가 자기 자신의 개인적인 목표일 수도 있으며, 다른 친구의 목표일 수도 있다. 여하간 리더십이란 개인이나 집단행동에 영향을 미치는 하나의 시도인 것이다.

(2) 관리 과정

계획기능, 조직화 기능, 동기부여 및 통제기능을 관리의 중심 기능이라고 생각하고 있다. 이와 같은 여러 기능은 조직의 유형이나 관리계층 여하에 관계없이 어디에나 적용된다. H. Koontz나 C. O 'Donnel과 같이 「관리능력의 행사라는 점에서는 사장, 부장, 감독자 등 모두 같은 일을 하고 있는 것이다.」 또한 관리기능은 가정에서까지 수행되고 있다.

계획기능에는 조직의 목표와 목적을 설정하는 일과 또 이들 목표와 목적을 달성하기 위한 여러 방법을 나타내는 작업도표(work maps)를 개발하는 일도 포함된다. 계획이 일단 작성되면 다음은 조직화 기능이 중요하게 되며, 여기에는 조직목표를 달성하기 위해 조직의 모든 자원 - 사람, 자본, 설비 -을 가장 효과적인 방법으로 통합하는 일이 포함된다. 따라서 조직화 기능이란 결국, 조직의 모든 자원을 통합하는 기능이라 할 수 있는 것이다.

계획기능 및 조직화 기능과 함께 관리에 있어서 중요한 역할을 하는 것은 동기부여의 기능이다. 이 기능은 종업원의 업무수행 성적의 수준에 결정적으로 영향을 미치는 매우 중요한 기능이며, 동기부여의 성패에 따라 효과적인 달성 여하가 좌우된다. 그리고 동기부여의 기능은 의사소통과 더불어 지휘 기능(directing)에 포함시키는 경우도 있다.

하버드 대학의 제임스(William James)는 동기부여에 관한 조사 연구에서 시간급 종업원들이 그들 능력의 30% 정도만 발휘하고 있어도 해고당하지 않고 직무수행을 해나가고 있다는 사실을 발견하였다.

또한 그의 연구는 만약 종업원이 그의 직무수행에 대하여 강하게 동기부여가 되면 그 능력의 80% 내지 90% 가까이 발휘된다는 사실을 지적하고 있다. 마지못해 해고되지 않을 정도로 일을 하고 있는 종업원과 적절하게 동기가 부여된 종업원에게서 나타나는 능력 발휘의 정도의 차이는 그림1-4에 잘 표시되어 있다.

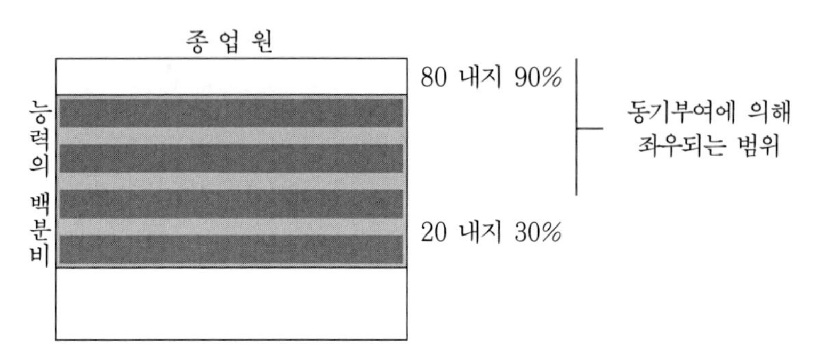

그림1-4 작업성적에 미치는 동기부여의 잠재적 영향력

이 그림은 동기부여가 낮은 종업원의 작업성적 수준은 결국 능력이 낮은 종업원의 그것과 같다는 것을 나타내고 있다. 따라서 동기부여의 기능은 관리에 매우 중요한 기능이다.

또 하나의 관리기능은 통제기능이다. 통제기능에는 업무수행의 결과를 피드백하고, 계획과 성과를 비교하기 위해 추수지도(fallow-up)하고 기대한 바와 같이 성과가 얻어지지 않았을 때에는 조정하는 일이 포함된다.

지금까지 네 가지 관리기능을 설명하고, 각각의 특징들에 대해 검토했으며, 그림1-5와 같이 이들 네 가지 관리기능들은 상호 관련되어 있다는 것을 이해하였다. 물론 어느 시점에서는 이들 네 가지 기능 중의 하나 또는 그 이상의 기능이 다른 기능에 비해 특별히 중요하게 되는 경우도 있지만, 대개의 경우 이들 네 가지 기능은 거의 동시에 일어난다고 할 수 있다.

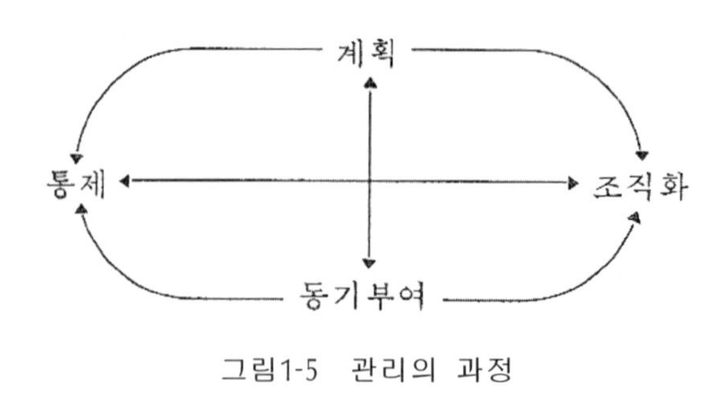

그림1-5 관리의 과정

3. 관리자에게 필요한 기술

관리자는 관리의 과정을 수행해나가기 위해 적어도 다음 세 가지 기술이 필요하다고 일반적으로 논의되고 있다. 세 가지 기술이란 전문적 기술, 인간관계적인 기술, 통합적 기술(전문적 기술+인간관계적인 기술) 등을 말한다.

① 전문적 기술

이는 경험, 교육, 훈련에 의해 얻어지는 것으로서 어떤 직무를 수행하는데 필요한 지식, 방법, 기술 및 장비 등을 활용할 줄 아는 능력이다.

② 인간관계적인 기술

인간관계적인 기술이란 사람과 더불어 일하고, 또 사람을 통해서 일을 이루어 나가는데 있어서의 능력이나 판단력으로서, 여기에는 동기부여에 대한 이해와 효과적인 리더십의 행사가 포함된다.

③ 종합적 기술

이것은 조직 전체의 복잡성을 이해하고 자기 자신의 활동이 전체로서 조직의 어디에 관련되어 있으며, 조직의 어디에 적합한가를 알고 있는 능력이다. 이것을 알고 있음으로서 자기가 직접 속해있는 단일 집단의 목표와 필요에 입각해서 행동하는 것이 아니라, 오히려 전체로서 조직의 목표에 따라 행동하는 것을 가능케 해준다.

(1) 인간관계적 기술의 중요성

과거에도 인간관계 적인 기술의 중요성이 강조되었지만, 현대에는 경영관리자가 구비해야 할 어떤 기술보다도 인간관계 적인 기술이 중요하다고 인식되고 있다. 위대한 실업가인 John D. Rockefeller가 말하기를 「나는 이 세상에서 다른 어떤 능력보다도 사람을 잘 다룰 줄 아는 능력에 대해 더 많은 돈을 지급하고 싶다」 고 하였다. 미국 경영자협회(A. M. A.)의 연구보고서에 따르면, 최근 조사에 참가한 200명의 관리자 중 대다수의 사람들은 관리자에게 가장 필요한 기술이 무엇이냐고 한다면 그것은 사람들과 더불어 일을 해나갈 능력, 즉 인간관계적인 기술이라 말하고 있다는 사실을 밝히고 있다.

(2) 효과적 인간관계 기술의 요소

우리가 인간관계적인 기술의 개발이 중요한 것이라고 인정한다면, 관리자나 리더가 다른 사람의 행동에 영향을 미치는 일을 효과적으로 수행하기 위해 인간의 행동에 대한 어떤 종류의 전문지식을 가지고 있어야 되겠는가? 관리자는 다음과 같은 세 가지 단계의 인간행동에 대한 전문지식을 가지고 있는 것이 필요하다고 생각된다.

① 과거나 현재의 행동에 대한 이해

먼저 관리자는 왜 그 사람이 그렇게 행동하는가를 알고 있어야 한다. 다시 말해서 그 사람이 그렇게 행동하는 이유를 알고 있어야 한다는 것이다. 만약 다른 사람을 통해서 어떤 업무를 수행해 나가려고 한다면, 왜 그 사람들이 그들 나름대로의 특유한 그런 행동을 하고 있는가에 대해서 알고 있어야 한다. 그래서 과거나 현재의 행동을 이해하는 것이 관리자가 고려해야 할 첫째 분야이다.

② 미래행동의 예측

효과적인 인간관계적 기술개발을 위해서는 먼저 사람의 행동에 대한 이해가 중요하지만, 사람의 행동에 대한 이해 그 자체만으로는 불충분하다. 우리가 다른 사람을 관리・감독하고 있을 때, 어제 그 사람들이 그렇게 행동했던 이유가 무엇인가에 대한 이해가 기본적으로 필요한 것이기는 하지만, 더욱 중요한 것은 어제와 다른 환경 조건하에서 그들이 오늘 또는 내일, 그리고 다음 주・다음 달에는 어떻게 행동할 것인가에 대해 예측도 할 수 있어야 한다. 그래서 관리자에게 필요한 두 번째 단계의 인간행동에 대한 전문지식은 미래행동의 예측에 관한 것이다.

③ 행동의 지휘, 변화 및 통제

우리가 관리자나 리더의 역할을 효과적으로 수행해 나가려고 한다면 단지 행동을 이해하고, 예측하는 것만으로는 부족하다. 더 나아가서 다른 사람의 행동을 지휘하고 변화시키고 그리고 통제하는 기술을 개발할 필요가 있다.

사람의 행동을 통제한다고 말할 때, 오늘날 많은 사람들은 행동을 통제한다는 말을 다른 사람을 교묘하게 부려먹는다는 의미로 생각하는 것 같다. 특히 오늘날의 젊은이들은 다른 사람의 행동을 통제(control)한다는 말에 대한 거부적 반응을 보이고 있다. 그러나 말하는 행동의 통제는 다른 의미를 내포하고 있다.

관리자로서 자기 업무를 수행할 때에도 자기 책임 하에 있는 사람들에 대해 관심을 가지고, 그들의 집단응집력(cohesiveness)이나 업무에 전념하고 있는 정도 및 자기와의 관계 등에 대해 관심을 기울이고 있다면, 곧 그것이 행동의 통제인 것이며, 더 나아가서 자기 관리 하에 있는 사람들이 이런 행동에는 가담해서는 안 된다는 등의 문제에 관련된 일들도 또한 행동의 통제라고 할 수가 있다. 행동의 통제란 말을 뭐라고 사용하든 간에, 다시 말해서 행동의 추진 또는 행동의 훈련, 그리고 행동에 대한 영향력 등 그 명칭이 어떤 것이든지 그것은 조금도 중요한 것이 아니고, 우리가 명심해야 할 것은 일단 관리자나 리더의 역할을 떠맡게 되면 그와 동시에 다른 사람의 행동에 영향을 미치는 책임까지 아울러 떠맡게 된다는 사실이다.

4. 상담(Counselling)

상담이란 원래 직업상담 등에서 비롯되었고 그 뒤 교육·산업 및 교정 등의 각계에 널리 침투되고 있고 그 내용은 대단히 폭이 넓어서 다소 불명확하다. 어떤 경우에는 불만을 들어주는 정도도 있으며, 다른 경우에는 마음을 분석해서 근본적으로 개혁시키는 경우도 있다. 직장에 대한 반감을 줄이고 높은 생산 효과를 얻기 위한 기초로서 개인적 카운슬링이 반드시 필요하다. 상담을 통한 관리는 사무적이 아니고, 마음이 통하는 것이어야 한다. 상담은 개인의 생활환경 기타 여러 가지 문제에 대해서, 관리자가 작업자와의 기분 좋은 대화가 진행되도록 하기 위해서는 인격적 접촉이 필요하며, 이것이 간접적으로 사고를 방지하고, 불안전행위를 시정하는데도 기여되는 것이다.

그래서 제일선 감독자의 1 : 1의 상담이 특히 여러 가지 시책의 윤활유의 역할을 하여 목적달성을 위한 중요한 수단이 될 수 있다.

기법과 특징에 따라서 상담방법은 **지시적 상담**, **내담자 중심 상담**, **절충식 상담**으로 나누어진다.

(1) 안전상담의 정의와 역할

상담이란 면담·조언을 의미하는 말이며, 그것은 하나의 인간관계라고 할 수 있다. 문제에 부딪쳐 고민하는 구성원들에게 지원을 해주거나, 불평불만을 해소시키고 상호 신뢰하는 분위기를 만드는데 효과적인 방법이다. 카운슬링에서는 상대를 평가하는 태도는 금물이며, 상대를 전적으로 받아들여 상대의 문제를 상대의 입장에서 생각하는 공감(empathy)적 이해를 해야 한다. 그리고 상담자는 정성을 다한 적극적 경청을 늘 유지해야 한다.

이러한 상담은 상대로 하여금 흉금을 터놓고 불평불만을 발산시켜 마음의 응어리를 풀고, 자기 이해, 건설적 태도를 형성하도록 한다. 인간존중의 기초에서 시작되는 안전관리에 있어서 카운슬링을 활용하는 것은 관리·감독자의 계발이 될 뿐만 아니라 사고 발생자의 직장 적응이나 안전대책을 수립하는데 효과적이다.

(2) 안전상담의 운영기법

① 개인적 카운슬링

관리·감독자나 안전관리 업무에 종사하는 안전 스탭(staff)을 대상으로 카운슬링의 초보적인 훈련을 실시한다. 이 사람들은 상담가(counselor) 수양을 체득하여 집단에서 소외되고 있는 사람, 개인적 문제나 비밀을 가지고 있는 사람들을 지원할 수 있다.

② 사고조사 검토회의에 적용

사고조사 검토회의는 사고원인 특히 직접 원인의 탐구에만 초점을 맞추어 기초원인이나 간접원인에 대한 이해가 부족한 경우가 많다. 이러한 간접원인을 파악하지 못하고 있는 한 불안전행동의 기본 원인은 확실하게 밝혀내지 못한다. 사고를 일으킨 사람에 대한 비난이나 질책의 압박을 가하지 말고, 자유로이 이야기하는 분위기를 만들어 그들 자신의 자기비판이 이루어는 것을 지원하는 방법을 도입하는 것이 효과적이다.

5. 적성검사

작업자의 소질, 성격, 감각운동기능 등의 면을 파악해서 직무의 적정 배치를 하거나, 잠재적 사고경향을 탐지하는 방법으로서 여러 가지 적성검사가 실시된다.

적성검사의 결과는 안전 카운슬링이나 교육・지도 자료에 활용할 수 있지만, 검사결과는 부분인 것에 불과한 것이므로 이것과 합해서 직무에 대한 흥미나 만족도, 직무경험, 가정 사정 등의 배경을 통합한 것을 분석한 뒤에 활용하도록 해야 한다.

(1) 적성검사의 종류

적성검사는 심리학적 검사와 의학적 검사로 대별되며, 심리학적 검사에는 직업적성검사, 지능검사, 성격검사, 감각・운동검사가 있으며, 각각 다음과 같이 분류할 수 있다.

① 직업적성검사

신규 또는 재직자의 직업에 대한 적응성에 대해서 검사하는 것이며 지능, 형태 지각력, 운동속도, 눈과 손의 협응(cooperation) 정도, 손재주 등에 관해서 실시된다.

이 종류의 검사에는 주로 다음과 같은 것이 있다.

㉮ 직업적성검사・제일・제이 형식(약칭 G・A・T・B)

㉯ 일반 직업적성검사

㉰ 다도구식 기계적 직업적성검사

② 지능검사

지능을 전문적으로 검사하는 것이며, 주로 다음과 같은 것이 있다.

㉮ 노동연구 R100 성인지능검사

㉯ 다나까 B식 지능검사

㉰ 다이아몬드식 지적 적응성 테스트

③ 성격검사

성격에 대해서 전문적으로 검사하는 것이며 그 종류는 매우 많다. 대표적인 것을 다음과 같다.

㉮ 야더부 · 길포드 성격검사(Y · G성격검사)

㉯ 미네소타 다면 인격목록검사(M · M · P · I)

㉰ 우찌다 · 크레팰린검사

㉱ 로르샤하 검사

㉲ 기라하라 · 다우니의 기질검사

④ 지각 · 운동검사

지각과 운동에 관한 검사를 하는 것으로 검사 기구를 사용해서 실시하는 것이 많다.

㉮ 주의배분검사

㉯ 반응시간검사

㉰ 처치판단검사

㉱ 상조(尙早)반응검사

㉲ 예측반응검사

㉳ 조준검사

⑤ 의학적 검사

앞의 심리학적 검사를 한 뒤에 생리적 질환자의 적출이나 피로징후의 점검 등 임상적 검사가 실시된다.

⑥ 기타

사회적 적응성을 검사하는 직업흥미검사, 공감성 테스트, 요구수준 검사 등이 있으며, 그 위에 지능 · 성격, 운동능력 등 종합적이며 변별성이 높은 테스트 등이 있다.

(2) 적성검사의 내용

적성검사중 대표적인 성격검사에 대해 알아보자.

성격검사는 질문지법, 작업 검사법, 투사법(project method)으로 대별된다.

· 질문지법 … Y · G, M · M · P · I
· 작업 검사법 … 우찌다 · 크레팰린 검사
· 투사법 … 로르샤하 검사, 주제 통각검사(TAT)

질문지법은 진단하려고 하는 성격특성이나 유형에 대해, 많은 질문항목을 준비해서 예, 아니오, 어느 쪽도 아니다 등의 형식으로 자기 자신에 관해 보고하는 방법이다.

이 방법은 집단을 대상으로 한꺼번에 실시할 수 있으며, 채점하는 기간이 짧고, 진단을 객관적으로 할 수 있는 장점이 있다. 그러나 응답자가 독해력이 없을 때나 자기진단능력이 부족하면 결과의 신뢰도가 낮아지는 결점이 있다.

작업 검사방법은 일정한 작업을 부여해서 그 작업량, 경과, 내용 등에서 성격 특성을 찾아내려는 것이다. 그다지 시간을 요하지 않고 객관적으로 결과가 제시된다. 일반적으로 지적인 면, 의지, 기질(氣質)이 파악되지만, 다면적인 면을 포착하기 곤란하고, 장면(場面)에 영향을 받기가 쉽다.

투사법은 애매하며, 여러 가지 뜻이 있는 도형, 문장들을 자극으로 사용해서, 여기에 대한 피험자의 지각, 해석, 표현 등의 반응하는 과정 중에 피험자 자신도 자각하고 있지 못하는 내적 욕구, 행동경향, 인격의 편향성을 분석, 진단하는 것이다.

검사장면은 자유롭고, 피험자는 실패하는 느낌 없이 검사할 수 있다. 성격의 전체적인 특질(特質)이 검사되어 성격의 심층, 무의식의 욕구를 찾아낼 수 있다. 결과의 해석이 주관적으로 되기 쉽고, 분석하는데 숙련을 요하며, 실시하는 시간이 장시간 요한다.

① Y·G 성격검사

가장 널리 사용되고 있는 테스트의 하나이며, 다음의 12개의 성격특성에 대해 각 10문항씩 120개 항목으로 되어있다.

㉮ 억울성 … 음산한 기운, 비관적 기분, 죄악감이 강한 성질
㉯ 회기성 경향 … 현저한 기분의 변화, 놀라기 쉬운 성질
㉰ 열등감이 강한 것 … 자신감의 결핍, 자기를 과소평가
㉱ 신경질 … 고민성, 신경질
㉲ 객관적이 아닌 것 … 공상적, 과민성
㉳ 협조적이 아닌 것 … 불만이 많음, 사람을 믿지 않는 성질
㉴ 친밀함이 나쁜 것 … 공격적, 사회적 활동성
㉵ 일반적 활동성 … 활발한 성질, 신체를 움직이는 것을 좋아하는 성질
㉶ 무사태평 … 소탈함, 무사태평함, 충동적 성질
㉷ 사고적 경향 … 비숙련성, 명상적 및 반성적의 반대방향
㉸ 지배성 … 사회적 지도성, 리더십이 있는 성질
㉹ 사회적 외향 … 대인 면에 있어서 외향적, 사교적

그림1-6에 Y·G의 재해자와 무 재해자를 비교한 것을 예시한다. 여기에 따르면 재해자 쪽이 보다 정서가 불안정하며, 사회적으로 적응하지 못하고, 충동적이며, 외향적인 경향을 나타내고 있다.

② M·M·P·I

당초에는 정신적 질환의 불안이 있는 사람에 대한 임상적 검사도구로서 고안되었지만, 다면적인 성격특징을 보는 일반용 검사로서 널리 사용하게 되었다.

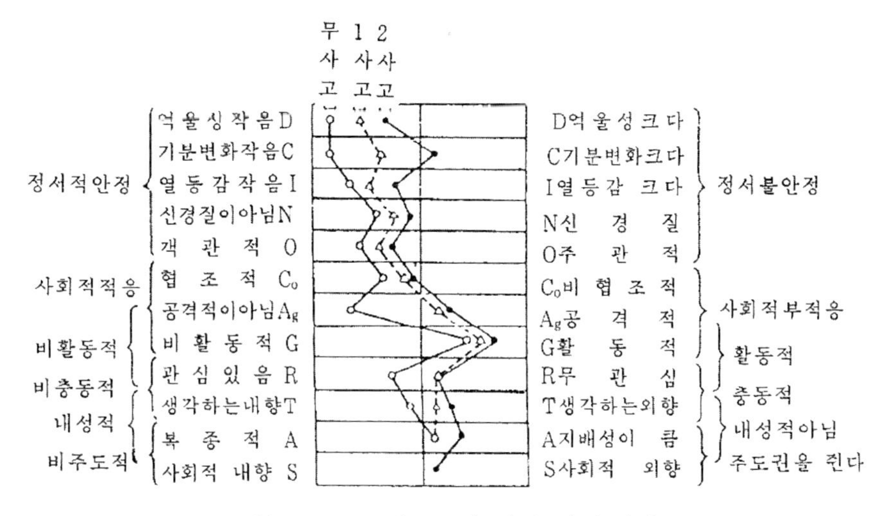

그림1-6 Y·G테스트에 의한 결과(사례)

이 검사는 정신의학 분류에 따라 10개의 임상척도로 되어있으며, 총 500개 문항이며, 각각의 척도에서 높은 득점을 얻어진 사람이 문제가 된다.

임상적 척도는 다음과 같다.

㉮ 심기증 … 사소한 신체적, 심적 증상을 의식하여 과도한 불안을 갖는 경향

㉯ 억울증 … 억울증상

㉰ 히스테리성 … 전환 히스테리 증상

㉱ 정신병적 … 편이성 반사회적 일탈행위, 가정 내 갈등

㉲ 성도(性度) … 남성적 경향, 여성적 경향

㉳ 편집성 … 과도한 감수성과 사치적 경향

㉴ 정신적 쇠약성 … 불안, 공포, 강박관념

㉵ 정신분열성 … 자유적, 현실과 거리가 먼 생각이나 행동

㉶ 조울성(輕躁性) … 생각이나 행동이 활발함

㉷ 사회적향성 … 사회활동과 사회에 대한 흥미

표1-4에 M·M·P·I 에 의해 택시 운전기사의 사고자 특성을 예시했다.

표1-4 M·M·P·I에 의한 결과(사례)

성격항목	사고자(%)	우량자(%)
가정에 대한 불만	37.9	7.1
교육이 낮음	34.4	3.5
겉치레적	41.3	10.6
쾌락적	34.4	3.5
도덕적 청벽 결여	37.9	3.5
이상정력	51.7	17.8

항 목	사고자 (%)	일반남자 (%)
겉치레 적임	72.4	22.8
책임감 없음	41.3	12.3
조심성이 많음	48.2	19.3
감정적 경험	72.4	43.9
기계적 흥미	68.9	29.8
옛날 골목대장	48.2	17.5
옛날 울보	17.2	42.5

(주) 차이가 약 35% 이상의 항목을 나타냄.

③ 우찌다 · 크레펠린 검사

옆으로 몇 행이 정렬된 1행의 숫자를 연속 가산해 15분간 작업하고, 5분간 휴식하고, 10분간 작업하고, 그 1분마다 작업량의 변동에서 얻어지는 작업곡선의 형을 검토한다.

그림1-7과 같이 정상자의 곡선은, 피로에 의해 작업능률이 저하되어 가지만, 첫머리 노력, 끝의 노력, 휴식효과 등이 현저하게 나타나며, 거의 일정한 곡선이 제시된다.

정상적인 사람은 일의 첫 인상이 좋고, 새로운 일에도 뛰어나며, 일에 얼룩이 없고, 외부의 자극에 방해되는 일이 없어, 사고나 실패가 적으며, 원만해서 대인관계가 좋다는 것 등이 특징이다. 반면 이상적인 사람은 여러 가지 고르지 못한 곡선이 그려진다.

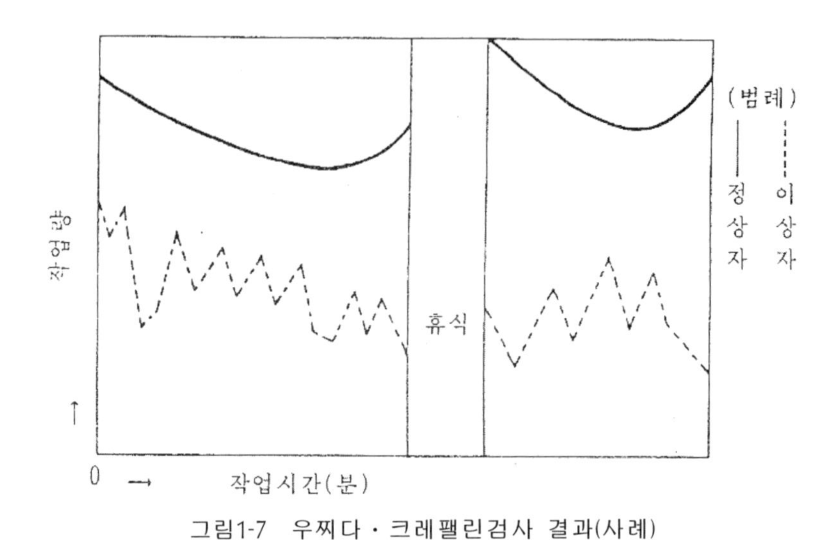

그림1-7 우찌다 · 크레펠린검사 결과(사례)

④ 로르샤하 테스트

잉크의 얼룩으로부터 만들어진 좌우 서로 대응되는 미분화(未分化)된 구조를 갖는 10장의 도형으로 되어 있으며, 그들의 도형에 의미가 있게 하여, 성격의 구조를 파악하려고 하는 것이다.

피험자의 반응은, 어떠한 내용(인간, 동물 등)을, 잉크 얼룩의, 어느 영역에, 어떻게(모양으로서 운동하고 있는 것으로 해서 등) 감각했는가, 또 그 반응은 일반적으로 흔히 발생하는 것인가, 등의 관점에서 분석된다.

이 테스트는 성격 특성의 측면만을 포착하는 것이 아니고, 지적인 면과 정서적인 면의 관계나 대인관계의 경향성 등을 종합적으로 파악할 수 있다.

(3) 적성검사를 필요로 하는 작업

과거에 실시하였던 적성검사 결과는 예측성이 매우 높은 경우나 낮은 경우도 있었다. 이러한 점에서 몇 가지 문제점이 있다. 우선 작성검사가 그 작업에 적성이 있는가 없는가를 판단할 재료로서 그림1-8과 같이 나타내도록 한정시켜 놓고 있다. 또 검사결과와 비교해야 할 기준설정이 조사에서 볼 수 있는 적성능력과 잘 부합되어 있지 않는 경우도 많다(실질적으로 검사 자체에도 문제점이 있다). 그러므로 작업을 세분화하고 단순화시킨 직무에서는 개인의 적성능력이 충분히 발휘되지 못하는 경우가 많다.

적성검사가 의미를 갖는 경우에 첫째 작업조건이 엄격할 때, 둘째는 작업척도가 상당히 높아지고 있는 경우일 때, 셋째는 기능이 필요로 되어 있는 경우이다. 이러한 점에서 작업의 직무내용이 상당히 명확해지고 합리화된 가운데 개인의 특수한 적응성이 필요로 하는 것인가의 여부가 판명되면 적성검사가 갖는 의의도 일층 확실해지는 것으로 생각된다.

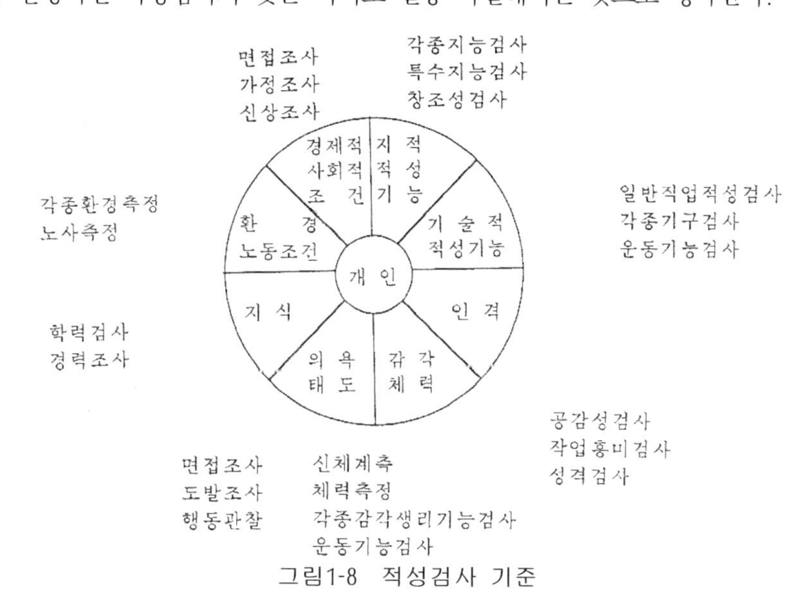

그림1-8 적성검사 기준

(4) 적성의 발견 및 평가

적성을 발견하는 방법은 자기이해(self understanding), 적성검사, 개발적 경험(exploratory experiences) 등이 있으며 이 중 어느 방법으로든지 찾아낼 수 있겠지만 직업 상담으로 적성을 발견하는 것이 가장 효과적이다.

① 직업적성검사와 그 효용

㉮ 일반적 지능검사

지능검사는 학교교육 분야에서 사용되는 것을 그대로 이용하고 있다.

㉯ 운동능력검사

기구는 외견상 전혀 다르지만 결과적으로 동작 그 자체는 실제의 경우와 유사한 것이 되도록 만들고 직무가 손재주의 숙련이나 수족 또는 양손의 협응적 운동의 원활성, 교묘하고 치밀함 등을 필요로 한다고 보여질 때 실시하는 것을 말한다.

㉰ 특수 지능검사

직무가 특히 감각적 판단능력, 예술적 감각, 언어적 능력 등을 필요로 할 때 특히 그러한 점을 구체적으로 검사하려고 할 때 행해지는 특수한 지적 능력에 대한 검사이다.

㉱ 직업 흥미검사

여러 가지 직무를 구체적으로 나열해 놓고 좋아하며 하고 싶어하는 것을 표시하게 하여 어떠한 직무 분야에 취미가 있는 지를 판단하는 방식으로 되어있는 것을 말한다.

㉲ 특수 기능검사

특수 지능검사와 운동능력검사를 복합시킨 것이다.

㉳ 성격검사

a. 어떤 작업을 하게 하면서 그 작업하는 방법을 보고 성격을 파악하려는 이른바 작용검사 방법이다.

b. 성격, 기질, 인격성 등에 관한 다수의 질문을 나열하는 목록 방법이다.

c. 투영법에 의한 성격진단방법을 이용한 것이다.

㉴ 구 성

a. 작업별로 적성검사 종목을 변경하지 않고, 모든 직종에 대해 공통적으로 동일한 검사를 행하고, 적성 기준만을 직종에 따라 변경하거나, 또는 각 검사성적의 평

가기준을 직종에 따라 조금씩 달리하는 방식이다.

b. 위의 방법을 좀 더 취사선택해서 조립하여 사용하는 방식도 있다.

c. 어떤 직무가 우리들 일상생활의 상태와 상당히 다른 특수한 심리적 상태(예를 들면 항공, 교통, 위험도가 높은 직무, 다방면의 연락을 유지하는 업무 등)에서 행해질 경우에는 보통 작업의 직무를 전제로 하는 적성검사로서는 적절한 판정을 기대하기 어렵다. 그러므로 이러한 경우에는 그 작업 활동이 행해질 때와 유사한 심리적 조건을 가진 상태를 만들고, 거기에서 일정한 판단과 반응을 고찰하는 검사형식이 취해진다.

② 심리학적 직업적성검사의 효과

㉮ 적성검사에 대한 인식

㉯ 특수기능, 운동능력, 특수 지능검사의 효과

㉰ 적성검사의 종합적 활용

㉱ 일반 지능검사의 효과

③ 직업적용의 방법

㉮ 직업상담에서의 평가

직업상담에 있어서는 먼저 상담에 임해서 지능, 학력, 흥미, 적성, 개성 등의 검사를 실시하여 개성조사를 행한다.

㉯ 지시적 카운슬링(directive counseling)은 내담자에게 현실파악을 하도록 지원해야 하겠다고 생각되었을 때 선택하는 방법이다. 그리고 비 지시적 카운슬링(non-directive counseling)은 현실에 대한 반응을 보는 것이 좋겠다고 생각되었을 때 선택하는 방법이다.

④ 바람직한 직장인 상

㉮ 직장에서 바라는 인간형

a. 정확성 : 시간·동작의 정확성

b. 창조성

c. 끈기

d. 법률과 모럴 : 사기, 의욕

e. 적극성과 주체성

f. 책임감과 성실성 : 성실과 근면

g. 협조성 : 공동 작업

㉯ 바람직한 근로자의 전형

각 생산단계에서 근로자의 전형

a. 탐색의 단계(10~25세) : 청년기는 탐색의 시기이다.

b. 확립의 단계(25~45세) : 영속적인 직업을 얻어 안정을 도모한다.

c. 유지의 단계(45세 이후) : 직업적 세계에 있어서 자기의 위치를 찾아내고 이것을 가급적 오래 유지하려고 노력한다.

d. 하강의 단계(50세 이후) : 신체적・정신적 능력이 쇠퇴

㉰ 바람직한 직장인의 육성

a. 가정교육 : 인격형성의 도장

b. 학교교육 : 적응성, 새로운 기술도입

c. 직장교육 : 종업원 교육

d. 사회교육 : 사회통신교육, 공공 직업훈련기관, 기술자 양성소, 성인직업학교, 기타 각종 학교 등이 있다.

e. 노동조합에 의한 교육 : 서클활동, 문화활동, 선전활동.

6. 안전과 집단역학(Group Dynamics)

Lewin의 심리학은 몇 가지 특징적인 것이 있다. 즉 Mayor 학파가 공장을 중심으로 임상실험을 하면서 주체적 인식을 심화 시켰는데 반해서 Lewin의 연구는 내적 과정에서 집단역학의 체계적 파악을 위한 이론화와 실험에서 그 특징을 찾아볼 수 있다. 일반심리학은 지각이나 기억의 경험적 사실에 근거한 연구에 지나지 않았으나, Lewin은 체험적 방법을 계승하면서 개인이나 집단의 본질적 해명을 시도하는 새로운 방법론을 활용한 바 있는데, 이것은 위상 심리학이자 수학적 접근방법이며 집단역학(Group Dynamics)이다.

(1) 집단 심리학

집단이 집단으로서의 기능을 완수하려면 그 집단에 소속해서 그 집단을 위해 공헌하고 싶다는 기분이 있어야 하며 또한 집단의 목표를 이해해서 그것을 추구하는 의욕이 구성원에 의해 생겨나야 한다.

이와 같이 개인의 생존과 더불어 집단도 살아가는 것이며 구성원의 다양한 심리상태에 의해서 집단의 심리도 달라져서 집단으로서의 현상도 변하게 된다. 그 반면 집단이 형성되면

집단 자체가 가지고 있는 특성에 의해서 구성원의 행동이 규제된다. 이와 같은 집단의 심리에 관련된 안전관리의 내용을 고려해 보자.

(2) 집단 매력

어떤 직장의 작업자가 몇 사람이 하나의 그룹을 만들고 있으며, 그 중의 한 사람이 그룹 리더라고 하자. 그 그룹의 구성원은 같은 직장에 있다는 이유 때문에 그 그룹의 구성원으로 되어있는 것이며, 다른 취미 그룹과 같이 자발적으로 택한 집단은 아니다.

그럼으로 구성원들의 자신들의 그룹에 대한 인상의 좋고, 나쁨은 그들의 그룹에 대한 참여 정도를 결정하게 된다. 좋은 그룹이라고 생각하면 적극적으로 참석하겠지만, 그렇지 못하다면 출석한다 해도 침묵을 지켜 좀처럼 말을 하지 않거나 또는 출석하는 것 자체도 싫어할지 모른다. 이와 같이 그 집단에 대한 매력은 구성원의 적극성에 영향을 준다.

집단의 매력을 이루어 내는 근원은 누군가 하면 하나는 리더이며, 또 하나는 구성원이고, 다음은 그룹을 지원하는 관리・감독자나 스탭(Staff) 또는 경영간부 등도 관계가 된다. 그래서 집단의 매력을 이루는 조건에 대해 살펴보려 한다. 따라서 각 기업은 기업 내의 그룹이 다음 조건을 갖추고 있는가를 검토해 보는 것이 좋다.

① 리더의 구성원을 통합하는 능력

그룹을 통합하는 것은 어디까지나 리더의 역할이다. 따라서 리더는 그룹을 통합하여 활성화시키는 것과 관련된 지식과 기술을 구비하고 있어야 한다. 잘 떠드는 사람은 기분 좋게 통솔하는 기회를 주고, 내향성의 기질이 있는 사람에게도 발언하도록 촉구하며, 그룹활동에 흥미를 갖지 않는 사람에게도 역할을 주어서 능동적인 의욕을 자아내게 하는 등 다양한 기술이 있어야 한다. 이와 같은 사람을 다루는 방법을 리더가 가지고 있는 사람에 대한 사고방식(가치관)과 매우 관련이 깊게 되어 있으므로 인간 그것에 대한 연구가 필요하다.

또 단순한 기술만이 아니고 리더 자신이 가지고 있는 안전에 대한 열의도 그룹활동이나 매력을 이룩하는데 큰 관계가 있다. 리더가 간부로 부터 명령을 받아서 움직인다고 하는 통제의식이 있으면 구성원도 역시 같은 기분이 들게 된다. 따라서 절대로 사고를 발생시키지 않는다는 강한 결의가 리더의 태도에 나타나 있으면 그 열의가 그대로 구성원에게 전달된다.

리더의 인품도 문제가 될 것이다. 모든 사람을 받아들이는 태도는 사람을 끌어당기는 힘이 된다. 여하간 그룹이 활발하게 되는 근원은 그 대부분이 리더에 있다고 하여도 좋을 정도이므로, 리더를 추천하는 방법이나 교육에 상당한 고려가 있어야 한다.

② 기업의 그룹활동에 대한 태도

리더가 자세를 가지고 있으면, 각 직장의 그룹 활동은 활발하게 되지만, 그와 같은 인간 그것에 기인된 이해가 없고, 다른 회사도 하고 있으므로 다른 회사에서 성과가 있었다고 해서 무턱대고 따라 하는 발상을 가지고 있으면, 그룹 구성원도, 또 새로운 관리기술을 도입한다 해도 마음이 끌리지 않으며 오히려 경계하게 된다.

예를 들면 안전과 ZD(Zero Defects)와를 병행하거나 ZD 중에서 안전운동을 전개하려고 하는 경우에, 효율주의가 겉으로 나타나면 ZD는 정착하지 못하거나 또는 전혀 효과가 나타나지 않거나 하는 것은 기업 측(경영자나 관리자)이 본래 인간심리에 대한 이해가 없었기 때문이다. 이와 같은 경우에는 집단의 매력을 느끼지 못할 뿐만 아니고 집단활동에 허무감을 주게 된다.

③ 공정한 집단의 평가

어떤 집단이 직장활동의 성적을 다른 그룹 이상으로 향상시켰거나, 훌륭한 제안을 해서 그것이 기업에 큰 공헌을 했다고 하는 기업 내부에서 그 집단이 높이 평가되어 있는 경우에는, 구성원은 그 집단에 소속되어 있다는 것을 자랑으로 생각하며 그 다음에는 이탈하지 않는다. 결론적으로 집단을 공정히 평가하여 성과가 좋은 집단을 인정해 줌으로서 집단의 성과 혹은 안전의 유지가 높아질 수 있다. 그리고 성과가 중간 정도의 집단인 경우는 좋은 평가를 받기는 어렵다. 이때에는 작은 성과에 대해 표창할 수는 없다. 그래서 이와 같은 경우에는 보호구 장착이나 안전 순찰(Patrol)에서 점검한 실적이 직접 손실방지의 성적에 나타나지 않아도, 간접적인 좋은 행동을 평가하는 대상으로 해야 하는 경우도 있다. 각종 대회나 ZD발표대회 등과 같이 사고방지에 어떠한 창조성을 구사해 어떻게 실시했는가 등을 발표시켜서 그 실적을 인정하는 것도 하나의 방법이라고 할 수 있다.

④ 집단 내의 활발한 정보교환

인간은 자기계발이나 성장욕구를 가지고 있다. 알지 못하는 것은 알려고 생각하고, 모르는 것은 되도록 성취하려고 생각한다. 이것은 자아의 욕구수준을 말하는 것이 되지만, 이와 같은 의욕을 갖는 사람은 활발한 의견 교환이 있는 집단에 매력을 느끼며, 침체된 분위기에 있는 집단에는 관심을 갖지 않는다. 다만 이 경우의 활발한 의견교환이란 집단의 유지나 집단목표의 설정이나 그 실행에 관해 적극적이며 유익한 의견을 말하는 것이며, 특정한 몇 사람의 비판과 같은 것을 말하는 것은 아니다. 후자의 집단은 매력이 없다.

⑤ 개인목표와 집단목표의 일치

맥그리거는 Y이론적인 사고방식의 관리는 사람의 자주성을 존중하며, 조직목표를 의식하게 하여, 개인목표와 조직목표와의 통합을 생각하게 된다고 한다. **개인목표**에는 여러 가지가 있다. 기업 측면에서 개인은 높은 임금을 획득하려고 하는 것도 있을 것이며, 높은 인정을 받으려고 하는 것도 있을 것이며, 매일 일하는 보람이 있는 직장생활을 하는 것도 있을지 모른다. Y이론적인 견해로 한다면 얼마든지 높은 욕구수준의 목표가 생성된다.

예를 들면, 안전활동에 공헌하는 제안을 해서 인정되었다는 만족을 얻었다든지, 후배나 신규사원을 지도하는 것으로 성장 욕구를 충족 받거나 또는 사고 도수율을 낮추는 것과 자기의 안전이 일치하게 하는 것이 된다. 이와 같은 사람이 많은 그룹은 안전회의라도 안전 그것에 관한 적극적인 의견이 많으므로 자연히 다른 구성원들을 끌어들이게 된다. 집단의 매력을 느끼는 것이다. 능동적인 의욕이 충만 되어 있는 집단은 외부에서 그 모습을 보아도 기분이 좋을 것이다.

⑥ 집단 내의 양호한 인간관계

집단 내의 양호한 인간관계라고 하는 것은, 리더와 구성원의 속마음이 상통하고, 구성원 간에도 다른 사람에 대한 배려가 있는 집단을 말하며, 이는 내부적인 배려가 침체된 분위기에서 생겨나지 않으며, 역시 안전에 대한 적극적인 자세에서 생겨나는 것이다. 인간관계가 양호한 집단은 통합되어 있는 집단이기도 하므로, 집단의 효과 역시 높은 집단인 경우가 많다.

⑦ 목표수행의 성과

목표수행에 성과가 향상되고 있다는 것은 눈에 보이는 목표가 달성되고 있다는 것이며, 자신들이 노력한 성과가 자신의 육체로 느끼고 있다는 것을 말하는 것이다. 자신들의 노력이 성취되었다는 것은 자기실현의 욕구가 높은 사람에 있어서 최상의 기쁨이 되는 것이며, 더구나 그 성과가 모두 그와 같은 노력에 의해서 향상된 것이므로, 그 집단의 가치가 매우 높은 것으로 생각된다. 물론 성과가 향상되면 인정되는 것이 되므로, 성과가 향상되기 시작한 집단은 구성원의 의사통일을 취하기 용이하며, 그 이후는 순조롭게 성과를 향상시킨다.

⑧ 역할 의식의 명확성

직장회의 시 발언해서 나온 의견에 관해서는 리더가 전부 처리해 버려서 구성원이 할 일이 없는 집단은 열심히 노력하는 의욕도 없고 매력도 부족하다. 인간은 자신이 할 수 있는 것을 해보고 싶은 것이며, 집단에 참가해서 자기 나름의 가치를 구현시켜 보는 것이다. 그것이 높은 욕구 수준이라고 하는 것이다. 그것을 만족시키기 위해서는 자기의 가치가 구현되는 기회가 있어야 한다.

그렇게 하기 위해서는 집단활동으로서 유익한 역할이 주어져서 거기에 집중할 수 있는 자리가 필요하다. 리더와 구성원과는 대략적인 역할의 차이가 아니고, 모든 구성원에게 어떤 역할이 부과되어 있어서 그것들이 충분히 완수되어서 전체로서 통합되어 가는데 자기 나름대로 역할을 실행했다는 느낌이 중요하다. 그것이 집단에 대한 매력을 구비시키는 근원이 된다. 어떤 회사에서는 「L 조직」이라 하고, 이 L은 리더의 L이지만, 구성원끼리 다양한 역할을 정하고 그 역할을 교대하는 시스템을 채용해서 전원이 능동적인 의욕을 자아내고 있다.

역할 분담은 리더를 순번제로 한다는 것이 아니다. 아침의 점호, 그날의 안전 주의사항 전달, 어제 안전점검 결과의 발표 등을 분담해도 좋을 것이며, 어떤 제안에 대해서 각자 다른 능력이 활용될 수 있도록 하는 분담이라도 좋다. 단지 참가해서 다른 사람의 의견을 듣고 해산하는 것이 되어서는 안전회의나 그룹의 추진은 매력이 없어진다.

(3) 우리 의식

집단심리 중 「우리 의식(we-feeling)」이란 것이 있지만, 여기에 대해서는 소집단활동의 원리에서 대부분의 내용이 설명되었다. 간단히 설명하면 집단에 매력을 갖는 구성원이 그 집단에 정착하고 도전하려면 구성원 상호간의 관계가 매우 친밀하여 어떤 일에 종사시켜도 「우리들」이란 일체감이 강하게 발휘되는 것을 말한다. 반대로 말하면 집단을 결속시키기 위해서는 「우리 의식」이 만들어지도록 하여야 한다.

우리 의식을 자아내게 하는 조건은 다음과 같다.

① 의사소통이 활발할 것.

② 차별이 없이 구성원의 의견을 받아들일 것.

③ 사고분석 · 안전 추진계획 등에 참가하는 장면이 많을 것.

④ 어떤 일에 종사시켜도 그룹에서 토의하여 그룹에서 결정하고 그룹에서 실행할 것. 이들의 조건이 만족되기 위해서도 리더와 구성원, 구성원간의 관계가 좋아야 한다.

(4) 집단 압력

집단이 생기면 거기에는 어떤 분위기가 형성되며, 그것이 구성원의 행동을 좌우하는 심리적 힘이 있다. 그 분위기가 조직의 측면에서 보아 좋은 경우와 좋지 못한 경우가 있다. 따라서 분위기가 구성원의 행동을 규정하는데 작용하므로 그들의 행동도 좋은 행동과 나쁜 행동이 된다. 집단의 분위기가 구성원의 행동기준이 되어 그들의 행동을 통제하는 힘을 갖게 되며, 이 현상을 「집단 압력」이라고 하거나 「집단 규범」이라고 한다.

생산성을 향상시키거나 품질향상을 목표로 하는 경우에 작업에 몰두하는 집단규범을 만들지 않는 한 그 실현은 어렵다. 일반적으로 말한다면 기업이 사원의 동기부여를 고려하는 경우에 그룹 활동을 활발하게 해서 각 그룹이나 조직 전체에 「능동적인 의욕」을 만들어 주어야 함은 당연한 일이다. 또 나쁜 규범이 형성되면 그것이 나쁜 행동을 일으키므로, 기업 측의 목표도 좋지 못한 규범을 해소시키는 방향으로 돌려야 하는 것은 당연히 필요하다. 이와 같은 관점에서 말한다면, 우선 노무관리를 충실하게 하여 좋은 규범을 만들기에 전력을 쏟는 것은 기업이 아무래도 필요한 것이다. 안전운동으로서 기업이 소집단활동을 하는 경우에서도 이와 똑같은 이론이 적용된다.

① 직장회의의 규범

직장회의에서 한 사람만 계속 주도적으로 대화를 할 경우도 있으며, 한마디 발언도 않는 사람도 있다. 전원이 의견을 말하고 전원이 추진하는 방법이 안전운동의 본질이므로, 한정된 시간 내에 전원이 발언하도록 진행하는 것이 좋다. 그렇게 하기 위해 회의 규칙을 만들고 이것이 불문율의 발언 규칙이 되도록 하면 된다.

예를 들면 「발언을 독차지하지 않는다」, 「타인의 의견을 듣는다」, 「적어도 1회 이상 발언한다」, 「타인의 의견을 비판하지 않는다」, 「불평불만을 하지 않는다」 등은 실제 사례 중의 하나이다. 가능하면 적극적 조항과 금지 조항을 잘 짜 맞추어 규칙으로 정하면 된다.

② 직장의 규범

직장회의에서 모두가 결정한 목표는 각 개인이 반드시 준수한다는 규범이 필요하다. 예를 들면 보호구를 착용하는 것을 결의했다면, 안전모를 장착하고 턱 끈을 매는 것을 따라야 한다. 그렇게 하기 위해서도 구성원 간에 상호 미비한 사항을 지적할 수 있는 분위기가 조성되어 있어야 한다. 어떤 기업에서 상대에 지적하는 상호 확인체계(check system)를 생각했지만 지적했을 때 불쾌한 감정을 줄지 모른다는 점을 고려해서 확인체계를 "감사합니다 운동"으로 명명해서, 지적 받으면 감사합니다 라는 규범을 만들어 성공했다고 한다.

이와 같은 좋은 규범을 만드는 것은 규칙으로 엄격하게 하는 것이 아니다. 지금까지 몇몇 사례에서 본 바와 같이 행동을 외부에서 규제하면 좋은 행위는 생겨나지 않는다. 내부로부터 그렇게 하는 것이 당연하다는 기분이 우러나지 않으면 안 되는 것이며, 그것이 좋은 규범으로서 분위기에 의해 자극되는 것이다. 좋은 규범을 만드는데 성공하기 위해서도 기업 전체의 자세에 대한 사고방식이 선행되고, 그와 동시에 관리·감독자의 안전에 대한 사고방식이나 발언이 관계된다. 이와 같은 주위의 분위기가 리더의 좋은 규범 만들기를 촉진하여 지원하게 되는 것이므로, 안전 성적이 향상되지 않는 것을 단지 그룹의 리더책임으로만 돌려서는 안 된다.

(5) 집단결정

집단결정이란 집단(group)의 구성원 모두가 실행목표를 충분히 대화한 뒤에 결정하는 것을 말한다. 집단활동이 안전 추진에 큰 효력을 가지려면, 여러 요인이 있다 하여도 이 집단결정 요인이 무엇보다도 가장 중요하다고 강조해도 지나침이 없다.

집단결정의 추진방법을 설명하기 전에 이에 관한 역사적인 실험에 대해 이야기를 전개한다. A. 바베라스가 실시한 유명한 실험이지만, 제2차 세계대전 중 미국의 식량사정이 좋지 않아서 소의 심장이나 췌장이나 신장 등 소위 내장을 식사에 이용하는 운동을 추진할 필요가 있었다. 이 실험은 적십자 그룹에 대해서 행해졌지만, 주부들을 두 개의 집단으로 나누고, 하나의 집단에서는 현명한 강사가 전시 하에 영양문제로서 소의 내장이 갖는 효용을 알기 쉽게 강의를 하고, 또 다른 집단에서는 강사가 몇 분간 내용을 설명한 뒤에 주부들이 대화를 해서 식사습관을 변경하려면 어떠한 장해가 있는지 등의 문제점 토의를 화제로 삼았다.

우리가 알고 있는 바와 같이 내장을 재료로 활용한 초라한 식품(그들에 있어서는 식품이 아니다)이라 생각하며 냄새도 심하다는데서 식용으로 제공되지 못했던 것이며, 이와 같은 식습관을 반드시 변화시킬 필요가 있었던 것이다. 후자는 대화의 마지막에 다음 주에 소 내장들을 자진해서 이용할 의사가 있는 사람은 손을 들도록 하고 끝냈다.

뒤에 추적하여 조사한 결과는, 그림1-9와 같이 강의만을 받은 집단은 3% 밖에 내장을 식사에 활용하지 않았는데 비해서, 집단 결정의 그룹에서는 무려 32%의 가정에서 내장을 식사로 활용하고 있었던 것이다. 그들의 식 습관에서 본다면 32%의 변화는 큰 영향력이 있었다고 할 수 있다.

이와 같이 모두가 대화하여 「결정한」 것은 그 배경에 충분한 문제의식이 있었으며, 「모두가 참가하여 결정했다」는 것이며, 그것을 실행해야 한다는 기분이 되어있는 것이다. 앞에서 설명한 집단규범의 변형과 같은 것이며, 결정에 참가한 것이 개인의 기분에도 집단목표에 대한 관여를 초래하기 쉽다.

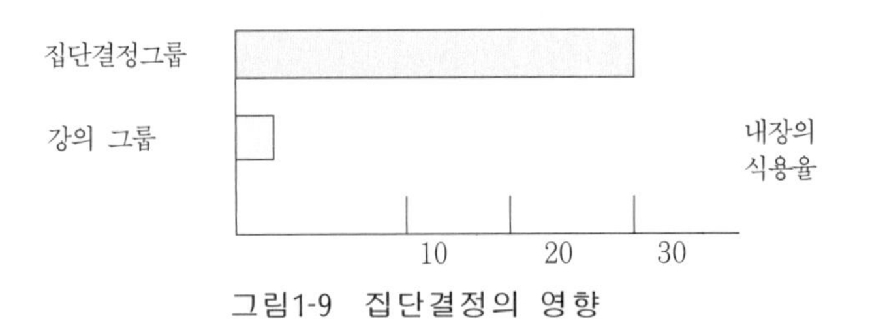

그림1-9 집단결정의 영향

집단결정과 자기결정의 방법은 대체로 다음과 같이하면 좋다. 집단에서 사고원인에 관해 토의시키고 다음에 안전대책의 아이디어를 내놓게 하며 최종단계에서 자신들이 할 수 있는 안전의 실행목표를 정하고 행동이나 실행할 수 있는 내용의 목표를 세우게 한다. 그것을 그 자리에서 행동목표의 슬로건으로 정해서 종이에 기록하게 한다. 그리고 그것을 반드시 실행하도록 지적 확인한다. 다음에 그것을 개인 수준에 맞게 준수하기 위한 결정을 한 사람씩 다른 사람 앞에서 발표토록 하고, 그것을 작은 종이에 기록하게 하여 적당한 곳(자신에 있어서 보기 쉬운 곳)에 붙인다. 이렇게 해서 약 1개월간의 목표를 정해서 그것을 실행하게 한다. 1개월 정도의 적당한 기간을 기준으로 실행의 정도를 파악하면 좋다.

(6) 집단사고(思考)

집단활동의 원리 중 하나로서 집단(group)은 창조적이라는 것을 이미 설명했다. 혼자서 생각하기 보다는 다수의 의해 생각하는 방법이 많은 아이디어나 좋은 아이디어가 나와서 문제해결이 빠르다. 이와 같이 집단에서 사물을 공통으로 생각하는 것을 집단사고라고 한다.

집단사고의 특징은

① 하나의 사항을 모두가 생각하기 때문에 생각하는 방향의 통일을 할 수 있으며, 효율이 좋다.

② 모두가 아이디어를 내놓거나, 모두의 아이디어는 모두가 생각한 합 이상의 성과가 나타난다. 하나의 아이디어가 생겨나면 다른 사람의 생각을 자극하기 때문이다.

③ 아이디어가 아이디어를 도출해 내듯이 생각해서 가공하거나 생각의 전개가 생긴다.

④ 참가하는 형식에 의해 집단결정이 되도록 하기 위해 실행력이 강해지며, 행동으로 동기가 부여된다.

(7) 효과적 집단활동 추진방법

이상과 같은 집단활동의 원리와 집단역학의 지식을 종합하여 집단활동을 효과적으로 추진하는 방법을 정리해 본다.

① 리더, 관리·감독자, 경영자 등의 사람을 다루는 사람들은 인간의 결함과 인간의 본질에 대해서 충분한 이해를 가져야 한다. 이해를 바탕으로 안전에 대한 집단활동이 전개되어야 한다.

② 직장 편성의 성격이나 리더의 능력에 맞추어 집단의 규모를 정한다.

③ 문제의식을 가지게 하여야 되지만, 사고가 발생한 직장에서는 직장의 안전에 관해 문

제를 분석하게 한다.

④ 좋은 집단규범을 만드는 노력을 한다. 안전추진은 매우 괴로운 것이며, 거기에 견디려면 상당히 엄격한 분위기가 형성되는 규율이 필요하다. 집단결정의 원칙을 활용해서 집단규범을 만들게 하여도 좋다.

⑤ 문제의식을 깊이 파헤쳐서 대책 검토를 한 뒤에 실행목표를 세우게 하면 좋다. 이것도 모두의 합의에 의해 집단에서 결정할 수 있으면 좋다.

⑥ 목표의 추구가 서서히 달성되고 있다는 것을 명확하게 하여야 한다. 「앗차 사고」의 감소를 선택하였다면, 매주 마다 앗차사고 체험의 정리를 해서 그래프로 표시하여 감소되고 있는 실감을 주지 못하면 집단으로서의 동기부여가 되지 않는다.

⑦ 모든 구성원에게 작아도 좋으므로 역할을 주어서 모두가 문제해결에 접근하고 있다는 감각을 주면 좋다. 역할이 없는 사람은 다른데서 규제되어 움직이고 있다는 느낌을 갖는다. 어떤 역할에 몰두하여 자신의 능력으로 하고 있다는 실감이 솟아나 그것이 안전목표 달성에 자기가 관여된다고 하면 동기부여가 된다.

⑧ 집단(group)을 에워싸고 있는 주변의 조건을 정비하는 것도 중요하다. 그 하나로 집단활동의 활성화를 지원하는 추진본부가 있어야 한다. 소위 사무국이다. QC서클이나 ZD에는 사무국이 있지만, 이것들과 안전운동을 통합시켜 두면 좋을 것이며, 그렇지 않으면 안전을 담당하는 과가 사무국이 되어서 집단활동을 추진한다. 거기에는 안전 추진대회의 개최, 안전 경연대회 기타 자극의 제공과 리더양성이 중요한 업무가 될 것이다.

⑨ 주변조건의 둘째는 관리・감독자의 역할이 중요하다. 그들이 작업할 때에 집단에서 결정한 실행목표를 고려한 작업을 지시하여야 한다. 안전 직장회의는 업무수행을 위해 있는 것이므로 안전 목표와 작업과의 사이에 일치되어 있어야 한다.

기타 주변조건으로서 리더의 양성, 조직목표와의 통합 등 안전활동의 어려움이 많이 있지만, 그것은 뒤에 다루기로 하고, 집단의 동기부여는 회의가 활성화 되거나, 어려운 의식 활동이 목표로 상정되거나 하지만 그것이 지표가 되기 때문에, 작업자의 상황을 파악하면서 동기부여의 방법을 여러 가지로 구사해야 한다. 무리하게 방향을 강요하는 것은, 그 방향과 상반될 수 있다는 것을 충분히 인식하기 바란다.

또 「동기를 부여한다」고 하는 말은 스탭(Staff)이나 관리・감독자가 말하는 것이지만, 경솔하게 구사하면 그것은 무지의 소행이라는 것을 표현하고 있는 것이며, 자신도 그 실수를 깨닫지 못하고 사용한 듯 하다. 만약 작업자든지 집단에 능동적인 의욕이 없는 것 같다는 생각이 들면 다시 한번 원리로 돌아가서 하나 하나의 조건이 만족되어 있는지를 검토하기 바란다.

7. 안전의식 고취 방법

안전의식은 안전에 대해 관심을 갖는 것을 말하는 것이며, 다시 구체적으로 설명하면 위험의 자극을 감각신경에 의해 받아들여 문제의식을 갖거나, 안전에 대해 생각해 보거나, "이렇게 하고 싶다", "이렇게 하기 바란다" 등 의욕이나 바람을 나타내는 지향적 체험의 모두를 말한다.

이와 같은 의식이 왕성하면 의식이 높다고 하며, 약하면 의식이 낮다고 한다. 이 안전의식에 "이것은 위험하다, 주의해야 한다", "이런 행위를 하면 동료에 괴로움을 끼친다" 등의 가치관이 형성되면 "마음의 대비", "자세"가 되어 있다고 하며, 이 사람들의 발언, 행동이 실천으로 연결되면 안전의식이 높아진다고 한다.

직장에서 안전활동을 실행하려면 안전의식을 심고 태도를 만들기(꾸밈세)에 이르기까지 여러 육성방법이 있지만, 이중 몇 가지만 소개하여 본다.

(1) 안전의식의 의미

환경의 위험한 인자를 느끼는 감수성을 키우는 데서부터 안전관리가 시작되는 것이다. 자신이 있는 곳은 안전한가, 현재 어떻게 하는 것이 상해를 입지 않겠는가 등을 자신의 두뇌에서 늘 생각하는 것이 모든 분야의 안전행위의 기본이 된다. 이와 같이 자신의 두뇌 속에서 안전한 행위를 하는 것을 생각하는 것이 안전의식이다. 따라서 안전교육을 실시하여 안전의식이 생겨난다면, 안전한 행위를 일으키는 힘이 있어야 하는 것이며, 반대로 안전한 행위를 할 수 없는 사람은 아직 안전의식이 충분치 못하다는 것이다. 안전교육의 목표는 작업자의 두뇌에 안전의식을 만들도록 하는 것이다. 그러나 반복해서 말하는 것이지만, 안전한 행위를 하는 것은 방자함을 좋아하는 인간의 본성에 비추어 보면, 사실 괴로운 일이며 노력을 요하는 사항이다. 그러므로 적절하지 못한 안전교육을 실시하면 형식에서는 교육이지만 안전의식을 형성하지 못하는 경우도 있다. 결국 적절한 안전 교육방법을 하지 못하면 안전의식은 만들어지지 않는다.

안전의식을 부여하는 방법을 그림으로 설명하면 그림1-10과 같다. 대뇌에 전기를 통해서 안전의식을 부여하려면 두뇌를 사용하여야 하며 그렇게 하기 위해서 생각하도록 해야 한다. 생각하게 하려면 작업자가 생각하는 것을 기다리지 말고, 예를 들면 질문을 하거나 의견을 구해서 발언시키는 것과 같이 상대의 반응을 구하고, 생각하고 또한 두뇌를 사용하게 해야 한다. 그러므로 안전교육을 위해 강의방식을 이용하는 것은 상대의 능력수준이 높으면 문제가 없겠지만, 능력이 낮은 사람에 단지 앉혀놓고 이야기를 들려주는 것만으로는 교육에 시간을 사용하면 낭비라고 할 수 있다.

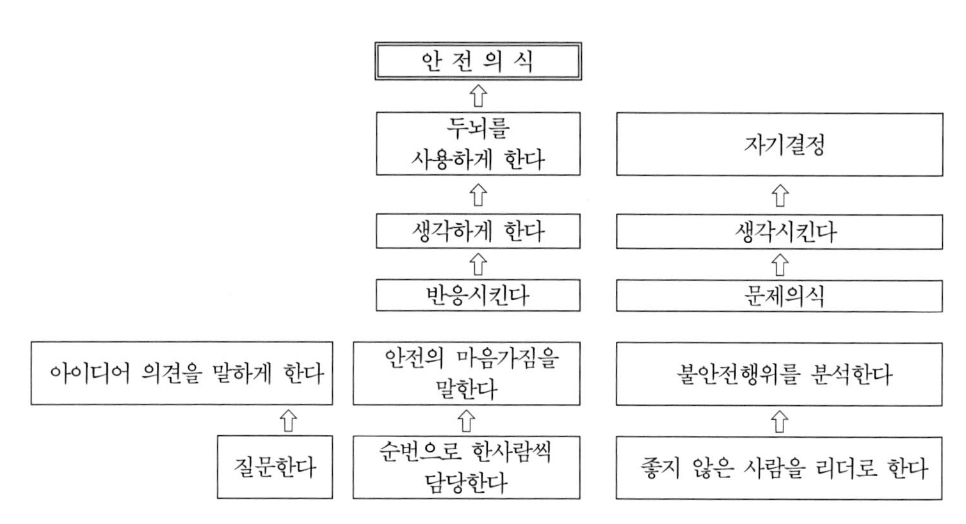

그림1-10 안전의식교육의 과정

(2) 안전교육 시 집단의 활용

효과적인 교육은 집단(group)에 의한 교육이라고 할 수 있다. 집단은 인원 수가 적어야 질문과 대답이 용이하다. 응답이 없이 안전의식을 기대하는 것은 무리다. 집단활동에서 전원이 발언하도록 활성화시키는 것이 본질이라고 하는 것은, 그렇게 되면 전원이 두뇌를 사용하게 되어 안전의식을 양성하는 것이 되기 때문이다.

예를 들면 Brain storming 방법을 아무리 구사하여도 구성원의 적극적인 실행력이 보이는 경우가 결코 많지 않다. 그 원인은 모두가 활발하게 의견을 말하지만 전혀 제멋대로의 의견이며, 책임 있는 의견은 아니었다. 책임 있는 의견이란, 자신이 발언한 아이디어는 필요하면 자신이 주체적으로 실행하는 기분이 있어야 한다. 구체적인 실행을 유도해 내는 목적이 없는 창조성은 의미가 없는 것이다.

(3) 시청각교육과 안전의식

사내 교육에 시청각교재를 활용하는 것은 상식이 되었다. 그만큼 영화·슬라이드·녹음 등을 교육보조재로서 사용하는 것은, 이해하기 쉽고 편리하기 때문이다.

이 원리는 다른 교육장면에도 전부 해당된다. 그러므로 기업에서 적용하고 있는 안전교육의 방법은 그림1-11의 원리에 해당되는지를 확인할 필요가 있을 것이다. 이러한 원리에 잘 맞지 않으면 그 방법은 효과가 거의 없다고 생각해야 한다.

여기에 관련해서 안전의식을 효과적으로 형성하게 하는 방법으로서 티칭머신(Teaching Machine)을 이용하는 방법이 있다. 이미 알고 있는 바와 같이 티칭머신이란 영화나 슬라이드가 교재이며, 다양한 교육내용이 스크린에 비쳐지지만, 보통 영화나 슬라이드와 다른 점은, 교육 도중에 반응(회답)을 하여야 문제가 제시된다는 것이다. 응답을 할 때 올바른 해답을 적으면 그 특징에 따라서 다시 한번 해설이 실시된다. 어떤 기업에서는 작업자의 안전의식이나 관리감독자용 교육에 이 기법을 활용해서 안전의식을 만드는데 성공하고 있다. 교재는 모든 현장 사람들이 자신의 능력으로 작성하고 있으므로 현장감이 풍부하고 더군다나 효과가 있을 것이다.

(4) 안전선전의 효과

기업들은 조회를 실시할 때에 사장의 훈시가 있은 뒤에 계속해서 지적확인을 하거나, 반응을 하는 것이 효과가 있을 것이란 발상을 가지고 있다. 이것은 매우 의문이 생기는 것이며, 반응을 추구하는 것은 수동적이지만 반응할 때는 능동적이며 자주적이 아니면 의식은 생겨나지 않는다. 사장의 훈시에 이어서 지적확인은 어디까지나 소극적이며 자발적 행위는 아니다. 그와 같은 형식이 필요하다면, 그림1-11과 같이 사원 한사람씩 순번으로 매일 당번이 되도록 해서 그 사람이 아침에 모두의 앞에서 자신이 안전수칙이나 안전의 마음가짐을 선언하는 방식으로, 능동적 두뇌를 구사하는 방법이 된다. 어떤 회사는 이와 같은 순번제에 의해서 작업에 대한 능동적인 의욕을 조성하고 있다. 또 어떤 기업에서는 매일 안전담당자가 순번으로 교대해서 그 사람 나름대로 안전의 요점을 직장의 다른 멤버에 발표하는 제도를 실시하기 시작하여 이미 수년간 무사고의 실적도 쌓고 있다.

문제의식을 가지고 자신의 의사에 의해 자기의 행동을 규제하는 목표를 만드는 것이며, 거기에 의해 매우 강한 안전의식이 생기는 것 같다.

(5) 체험을 통한 기억

안전의식을 체득시키는 또 하나의 방법은 몸에 필요한 안전작업을 기억시키도록 하는 것이다. 지금까지는 두뇌에 대해서 설명했지만, 안전작업의 기술이나 기능에 대해서는 두뇌로 기억한 것은 행동으로 옮기지 못하는 일이 많다. 필요한 동작은 역시 동작에 의해 기억되어야 한다. 특히 신입사원의 경우에 경험이 전혀 없음으로 두뇌에 기능을 기억시키는 정말 어렵다. 단지 기억하기 바라는 것은 작업의 기능과 병행하여 안전하게 작업하는 기능이며, 크레인이나 안전대 사용 작업의 신호나 지적확인의 작업, 선반 기타 공작기계의 조작, 용접작업의 안전 point 등, 위험한 작업을 안전하게 실시하기 위한 순서이건 동작이건 몸에 의해 충분히 기억하는 것이 중요하다.

동작이 따르는 작업은 기능이 숙련되지 못하면 그만큼 위험하다. 아무리 기계화되어 있다고 하여도 가장 긴요한 판단은 인간이 행하고 있는 것이며, 그 판단은 착실하게 몸으로 단련한 두뇌가 있어야 만이 기여할 수 있는 것이다.

(6) 운전자 안전교육방식

운전자 안전교육 방식이란(Safety Education for Drivers) 운전자를 대상으로 해서 사고 감소의 성과를 올리는 방법이며, 이것은 안전의식 교육의 원리를 기초로 하는 교육방법이고 운전자만이 아니고 일반작업자의 안전교육으로서도 사용할 수 있는 방법이다.

이 방법의 기본적인 사고방식은 다음과 같다. 사고를 일으킨 사람 또는 사고를 일으키지 않았지만 불안전행위를 잘 일으키는 사람에게 안전의식을 부여하는 것을 첫째 목표로 한다. 이러한 문제 작업자가 자신의 사례를 모두의 앞에서 설명하고, 다른 참석자는 그 문제 사례를 분석해서 그 중에 포함되어있는 인간의 결함이나 의식의 문제를 지적한다. 그 소재(素材)는 다음 구성원에게 안전의식 교육을 실시하는 것이다. 구체적인 순서는 다음과 같으며, 그 개략적인 것은 그림1-11과 같다.

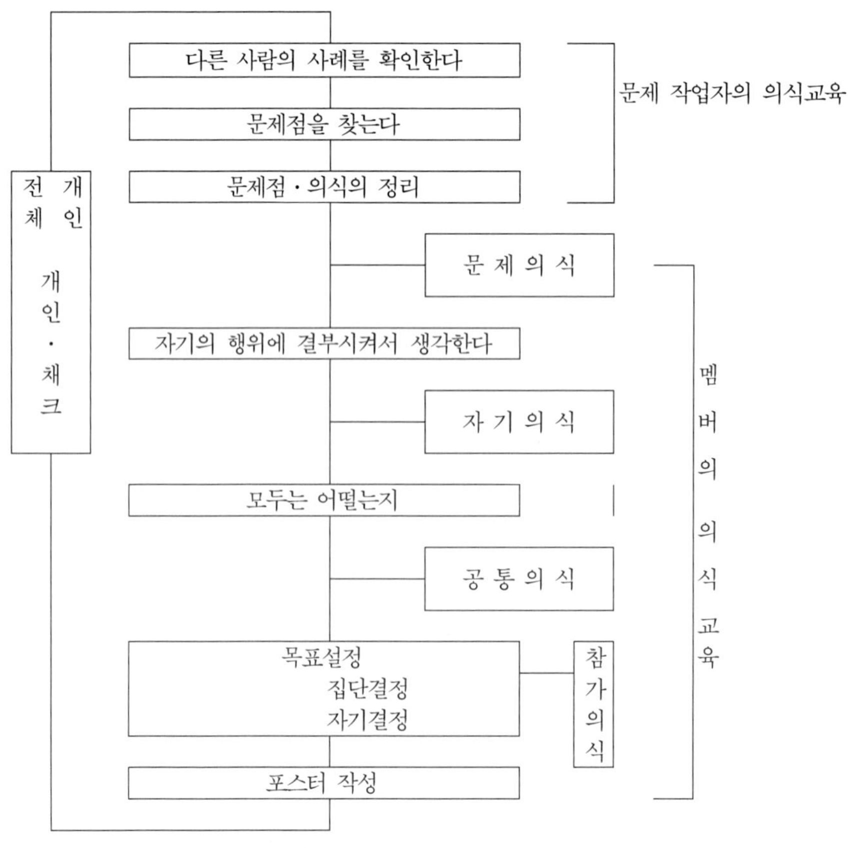

그림1-11 SAFED의 교육사이클

① 직장회의 등에서 자유로이 발언할 수 있도록 만들어 둔다. 그리고 이번부터는 문제가 있을 수 있는 사람으로부터 순번으로 더구나 전원이 의장이 되어 자신의 사고사례나 앗차사고 사례를 발표한다. 통상과 같이 개인 공격이나 이상한 비판은 허용되지 않는다.

② 리더로부터 최초의 의장을 지명한다. 문제가 있는 사람을 선출하는 것은 명예롭지 못하므로, 최초에는 리더가 미리 본인과 타협 해 두고 지명하는 형식을 취한다. 다만 최초의 토의를 유쾌한 분위기로 해 두면, 다음 번 부터는 의장이 선출되어도 충분히 소화시킨다.

③ 의장은 자신의 사례를 발표한다. 다른 구성원은 일단 인간의 결함에 대한 지식을 가지고 있으므로, 자신의 사례를 생략행위나 지름길 반응 등 심리학 용어로 지적해서 분류할 수 있다. 특히 그 자리에서는 리더도 충분히 지원하면서 사례의 배후에 있는 인간의 의식이 분명하게 나타내도록 만든다. 이유는 좋지 않은 의식이 불안전행위를 유발시키기 때문이다.

④ 사례를 분석한 결과를「행동·의식」의 인과관계를 명시하면서 표로 정리하고, 모두가 사례의 전체 형상을 확인한다. 여기까지가 문제 작업자에 대한 작업이며, 그는 다른 구성원으로 부터의 예리한 분석력에 있어서 안전의식을 깊게 할 수 있는 것이다. 또 하나는 사례의 전체 상태를 전원이 전망하는 것으로 전원이 사고사례의 배경을 알 수 있는 장면이 되어 여기에서 전원의 안전의식교육이 시작된다.

⑤ 의장 자신이 사례분석이 끝날 즈음에 리더의 지시에 의해 의장 자신의 사례에서 분명해진「행동-의식의 관련」이 되는 하나를 다른 구성원에게 돌려서 그들도 똑같은 의식에 의한 불안전행동을 하고 있다는 것을 알아낸다.

⑥ 한사람씩 지명시켜 그와 같은 행위의 유무를 발언하게 하여 일람표에 기입해 간다. 지금까지는 의장의 행위를 흥미롭게 지켜봤지만, 이제는 자신의 순서가 된다. 여기에서 자기 행동상의 문제의식(자기의식)이 생겨난다.

⑦ 끝 부분이 되면 이상과 같이 좋지 못한 의식을 가지고 있는 사람이 대부분이라는 것이 판명된다. 모두가 하고 있는 것은 아닌가, 의장의 경우 그것이 이따금 사고가 되었던 것이며, 자신들의 경우에도 조금만 잘못하면 사고가 될 수 있었다는 의식을 형성한다.

⑧ 그와 같은 의식을 개선해서 특정한 불안선행위를 제거할 수는 없는가에 관하여 집단결정에 의해서 어떤 의식을 일으키려는 목표설정을 한다. 슬로건이 정해지면 전원이 적색이나 청색이나 흑색의 매직펜을 가지고 모조지에 만화를 그려 목표설정을 기록하여 직장의 보기 쉬운 장소에 게시한다. 다음은 개별 사람들의 사정이 다른 경우도 있으므로, 전체의 목표설정과 관련시켜도 좋으나 그렇지 않아도 되며, 각자의 안전의식을 높여 불안전행위를 없애기 위한 1개 항목의 목표를 자기결정을 시켜서 작은 종이에 기입하게 하고, 각자 원하는 장소에

붙여둔다. 안전모라든지 사용하는 기계라든지 크레인의 내부라든지, 여하간 매일 보기 쉬운 곳에 붙인다.

⑨ 「그러면 1개월간의 목표로 향해서 전진하자」고 큰 소리로 확인하고 해산한다.

⑩ 1개월 뒤의 직장 안전회의에서 다음 의장이 지명(또는 선출)되지만, 최초는 1개월간의 목표가 어느 정도 달성되었는지를 개별 구성원에게 발표시키고 모두가 그 성적을 점수로 해서 일람표에 기입하여 전원이 보는 장소에 게시한다. 다음은 ①로 돌아가서 ⑨까지의 사이클을 반복토록 한다.

이것이 SAFED방식의 방법이며, 여기에는 몇 가지 요점(Point)이 있지만, 그 중에서도 일람표나 포스타를 직장에 붙인다는 점이 중요하다. 집단결정과 자기결정을 하면서 그것을 지키는 것은 노력이 필요한 사항이므로, 동료나 다른 직장의 사람들이 자신들이 정한 목표를 알고 있다는 기분이 들도록 하여 노력하려는 의지를 강화토록 한다. 인간행동은 역시 다른 곳으로부터의 규제도 필요하다는 것이다.

그림1-12는 약 300명의 사업장에서 SAFED를 적용해서 7번의 회의를 개최한 결과이다. 전년도는 불휴 건수도 포함하여 7건이 발생했지만, 이 방식을 실시한 연도에는 단 1건만 발생했으며, 더구나 그 사고자는 SAFED를 적용받지 않았던 작업자이었다. 이 방식을 고안, 적용했을 때는 그런 정도는 아니었는데 진행이 될수록 자유토론이 활발하게 되어 서로 숨김없이 요점(Point)을 서로 말하여 농담도 거침없이 나올 정도였으며, 회의 태도만이 아니고 작업태도까지 상당히 변해버린 놀라운 결과를 보여주었다.

의식의 변혁은 확실하게 행동의 변용(變容)을 초래한다. 좋은 행동의 정착을 높이기 위해서도 이와 같은 의식의 변혁을 계속 구축해야 한다.

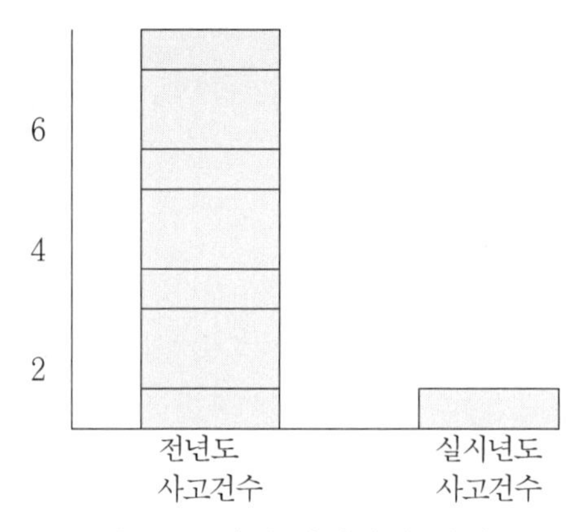

그림1-12 어떤 사업장의 성과

8. 안전과 자율관리활동

직장의 팀워크가 양호하고, 사기가 높은 직장은 안전 성적도 양호하다. 따라서 사고방지 대책을 추진할 때는 집단의 분위기를 우호적으로 해서 결합력을 높이는 연구가 필요하게 된다. 이러한 때에 집단 결정방법이나 전원참가에 의한 소집단활동은 효과적이다.

집단결정 방법이란 작업 소집단에서 전원의 참가에 의한 미팅을 개최하고, 그 집단이 있는 자리에서 작업자 개개인이 자발적으로 스스로의 행동목표를 결정하는 방법을 말한다. 그러한 방법에는 준비단계의 뒤에 브레인스토밍을 실시하고, 여기서 나온 의견을 카드에 기록하며, KJ법을 활용해서 사고원인을 추구한다. 이 결과를 근거로 「사고를 일으키지 않기 위해 우리 집단에서는 무엇을 해야 하는가」를 테마로 집단토의를 실시하여 집단목표를 정하고, 다시 각 개인이 자기자신이 실행할 행동목표를 정하고, 전원이 앞에서 발표한다. 이러한 목표의 명확화와 자기결정방식은 작업 의욕과 열의를 강화시키는 동기가 부여된 행동에 직결된다.

(1) 자율관리활동의 의의

자율관리활동이란 「동일한 직장 또는 같은 직종의 사람들이 작은 집단을 편성하고 그 안에서 리더를 선출하고 리더를 중심으로 대화하는 자리를 가지고 자율적으로 목표를 세워서 그 달성을 위해 노력하는 활동이다」라고 정의하고 있다. 결국 집단활동을 토대로 해서 스스로 자율적으로 설정한 목표에 도전해 가는 활동이라고 하는 것이다.

더구나 이 활동에는 다음과 같은 목표가 포함되어 있다.

① 일하는 사람 개개인이 훌륭하게 성장하는 것을 목표로 하는 활동일 것.

② 인간성을 존중한 활동일 것.

③ 양호한 인간관계를 완성시키는 활동일 것.

④ 작업도중에 기쁨을 만드는 활동일 것.

⑤ 새로운 기업 조직의 자세일 것.

결국 자율적으로 행동하려고 하는 것이 인간성이며 그것에 의해서 사는 보람이 생겨나고 그런 기회를 만들어서 인간의 자기성장을 도모하는 것이 기업의 노력이라고 간주하는 사고방식이다. 이 사고방식의 근거는 서두에 설명한 인간의 특성과 일치한다. 자율관리활동은 인간의 본성을 살려서 그것이 작업과 결부되는 것을 배려한 활동형태라고 할 수 있다.

이 정의와 동떨어져 자율관리를 설명한다면 다음과 같이 말할 수 있다. 종래의 기업조직은 경영학 교재와 같이 관리하는 사람과 관리되는 사람으로 분리되어 있다. 관리하는 것은 두뇌이며 또 한편은 수족(손발)이다. 인체를 생리적으로 말하면 두뇌와 수족의 기능을 분리하는 방법이 행동하거나 유지하거나 하는 데는 적절하다. 그러나 조직은 개개인이 유지한 개체(날 몸)의 집합인 것이다. 즉 수족에 해당하는 인간에도 두뇌가 있어서 생각할 수 있다. 그 능력이 어떤 인간에게 「자네만은 생각하는 것을 그만 두라」고 하는 것은 지금까지의 조직의 사고방식이며, 이런 기업에서는 인간이 꾹 참고 있지 못하며 그 결과로 불량품을 만들거나 사고가 일어나거나 퇴직하거나 한다.

자율관리라고 하는 것은 근로자 집단이라도 생각하는 두뇌의 활동을 바라는 사고방식이다. 단지 행동만이 아니고 계획하기 바라는 것이며, 다만 계속 한 사람은 그것이 계획과 같이 진행되어 기대한 결과와 같은 가를 확인할 책임이 있다. 그러므로 계획–실행–통제1 의 3가지 기능을 작업자에게도 보유하게 하는 사고방식이 자율관리의 본질이다. 계획과 통제를 하고 있었던 관리·감독자의 활동을 작업자에 내어주는 사고방식이라고 해도 좋을 것이다. 이것을 그림 1-13과 같이 표현할 수 있다.

그림1-13 자율관리의 본질

그러면 관리·감독자는 필요 없는 존재가 아니고 전체 조직과의 통합이나 조정이란 업무가 있으며, 그것뿐만 아니고 종래 작업자가 생각하여야 할 계획까지 행하고 있었던 것이므로, 좀 더 단계가 높은 계획(예를 들면 장기적인 것)이나 집단만들기의 기능을 담당토록 하는 것이다. 오히려 종래 조직형태와 틀려져 바빠질 뿐이다.

이와 같이 자율관리활동이라 하는 것은 업무수행에 직결된 계획과 그 실행, 실행이 계획과 같은 가에 대한 통제를 자율적으로 생각하여 작업자들이 행해 가는 활동을 말하는 것이다. 이와 같은 활동은 작업자에게 기업이 진실한 의미에서 그들을 필요로 하고 그들을 신뢰하고 있다고 느끼게 하는 것이며, 그리고 자율적인 활동을 하기 위해 능력 발휘를 통해서 사는 보람을 느끼고 자신들이 계획한 것에 책임을 지고 처리하는 것이다. 이러한 자세 가운데 매스로우나 허즈버그가 주장한 진정한 동기부여와 직무만족을 찾아낼 수 있는 것이다.

(2) 자율안전관리

자율관리 활동의 내용은 앞에서 설명한 바와 같이 품질향상·원가절감·공사기간 단축·안전 정착·인간관계 기타의 것들이다. 표1-5는 어떤 기업의 집단에서 채택한 테마이지만, 집단 리더가 구성원과 함께 대화한 테마 중에서 안전을 채용한 순위가 두 번째로 되어있을 정도로 중요한 과제로서 의미가 있다.

표1-5 어떤 기업에서 자율관리활동 테마(그룹 수 2,500)

테 마	%
설 비	17
안 전	16
품 질	15
비 용	14
능 률	11
연 구	5
사 기	5
관 리	5
손 실	4
자율관리활동의 운영	4
기 타	4

자기의 행동을 자율적으로 생각해서 책임을 가지고 올바른 행위를 하는 것은, 안전의 기본과 진실로 일치한다. 자율관리활동은 사고방지를 작업자의 힘으로 실현하는데 잘 어울리는 활동이라고 할 수 있다. 원래 평범한 행위를 하는 것은 인간에 있어서 상당한 저항이 있다. 그 저항을 극복해 바람직한 행위를 하려면 당사자인 인간 쪽에 자기를 억제하여 자기를 규제하는 힘이 필요하다. 그렇기 위해서는 자신들의 두뇌에서 원칙을 정하여 자신들이 행동규제(안전한 것)의 목표를 정하면, 계획에 참가한 의식이 보태져서 그 목표를 달성하기 위한 도전의식이 생겨나서 무사고가 되는 것도 불가능하지 않다. 무사고 목표는 일반 작업자에 있어서 사실 괴롭고 엄격한 목표가 된다. 그것이 자율관리활동에서는 반드시 불가능하지 않다는 것이다.

(3) 자율안전관리 활동의 운영

자율관리는 작업자의 자주성이 작업에 반영되는 것이라고 설명했지만, 완전히 자유로 한다는 것은 아니다. 종래와 같이 완전히 통제된 관리 하에서 작업하는 것이 아니고, 작업에 대한 대처나 작업에 관계되는 문제점을 자신들이 연구하여 작업을 자율적으로 수행하는 의미있는 형태로 바꾸고자 하는 것이다. 기업이란 물건을 제조하거나 판매하는 활동이므로, 거기에는 어떠한 제약이 있는 것이 당연하다. 그 제약의 범위 내에서 자율적으로 활동하려고 하는 것이다(다만 자율관리활동이 그 제약을 변환시키는 일이 있을지 모른다. 그것을 직무설계라고 한다). 따라서 자율관리활동은 기업 전체의 운영과의 관련이 밀접하지 못하면, 자율관리활동은 파멸하게 된다.

① 자율관리활동은 기업목표와의 관련되어서 운영되어야 한다.

② 자율관리활동에서는 관리 · 감독자의 기능이 중요하다.

자율관리를 하기 위해서 관리자나 감독자의 기능이 중요하다. 관리 · 감독자는 기업의 현황 · 기업의 방침 · 기업 내 발생하고 있는 문제와 그 처리, 기타의 다른 모든 정보를 집단 리더나 구성원에게 배포하여 기업을 거시적으로 내다보는 자세로 변화 되어야 한다. 그러한 능력이 리더에게 구비되면 자율적으로 목표를 세울 때에 전체 상황과의 관련을 생각하게 된다.

관리 · 감독자의 기능에 리더의 육성이나 집단 만들기의 지원이란 다른 기능도 있다. 자율적으로 운영하는 것은 자신들의 힘으로 집단을 유지하는 것이지만 상당히 어려운 일이다. 그러므로 상사는 사람을 관찰하는 방법, 팀웍(Team work)의 기술 등 리더의 능력개발을 하여야 한다.

③ 자율관리활동에는 스탭의 지원이 필요하다.

어떤 기업에서는 현장의 자율관리활동으로 스탭(Staff) 부문의 사원으로 구성된 팀이 계획되어서 지원하는 시스템을 취하고 있다. 그것은 생산관리계, 시간연구계, 품질관리계, 생산기술계 기타 필요한 계에 의하여 1명씩 구성원이 되고, 거기에 현장 감독자 1명이 추가되어 한 개 팀을 구성하고 있다. T라는 Think tank의 T이며, 현장으로부터 요청이 있으면 그 감독자가 참가하고 있는 T팀이 나가서 작업자와 함께 문제해결을 시도해 간다. 소위 자율관리라 하여도 자신들이 할 수 있는 능력에는 한계가 있으므로, 그것을 기업이 지원하는 조치를 통하여 그들 능력의 신장을 도모하는 시스템이다. 이와 같이 지원하는 기능은 문제해결을 위해서도, 작업자의 자기성장을 위해서도 필요한 것이다.

안전대책을 생각할 때 작업순서의 변경이나 공법의 수정 등이 필요하게 되거나, 또는 기계설비의 개선을 시도하는 일도 있을 것이다. 또한 매너리즘에 빠진 집단을 만회시킨다는 실로 인간적인 문제도 있을 것이다. 이들에 대해서 자주성을 해치지 않는 형태의 적절한 지원이 있다면 자율관리활동이 진척된다.

④ 자율관리활동은 전원이 리더가 되는데 따라서 활발해진다.

중요한 역할을 담당하고 거기에 책임을 느끼고 자아의식(自我意識)도 깊어져서 능력도 구사하는 기회가 주어지는데 따라서, 보다 깊은 자율적인 관리행동이 된다. 그러므로 구성원들은 가능하다면 전원이 어떤 역할을 가지고 집단활동에 참가하면 된다.

다만 전원이 교대해 가면서 리더가 되는 것은 이상적이기는 하지만, 능력의 개인차가 있는 것은 집단의 효율을 나쁘게 한다. 따라서 집단활동으로서 리더는 능력이 있는 사람을 선정하고 자율관리활동으로서 몇 개의 방향에 의해 Sub Leader를 만들면 된다. 예를 들면 A는 안전 Sub Leader, B는 품질 Sub Leader, C는 자원절약 Sub Leader 등등이 있다. 회합에서는 각각의 테마에 따라서 Sub Leader가 보고나 사회를 담당하면 좋을 것이다.

⑤ 자율관리활동은 그룹 사이의 교류에 의해서 경쟁의식이 높아진다.

하나의 집단만에 고착되어 있으면 자신들의 자율관리 수준이 어느 정도인가에 대해 평가하는 능력이 없다. 그래서 비슷한 직장끼리의 사이에서 그룹간의 참가가 실행되면 좋다. 집단전원이 다른 집단에 참가하여 회의를 개최하여도 좋으며, 구성원 누군가가 다른 집단에 참가하여 그 결과를 전원에게 보고하여도 좋다. 이렇게 해서 자신들의 활동수준을 이해하여 또한 단계 높이는 연구를 하면서 성장한다. 또한 어느 기업에서는 전시적인 자율관리활동 발표를 개최하는 것도 좋다. 1년에 1회라도 집단활동에 노력하게 된다.

⑥ 자율관리활동은 자기계발 시스템을 취하면 활발하게 된다.

자율관리활동이 전개되면 창조성이 중요하게 되며 그것도 점차 퇴보하기 때문에 리더나 구성원의 능력신장이 중요한 키(key)가 된다. 이런 의미에서 기업 중에 자기계발 분위기가 있는 것이 바람직 하지만, 그렇게 하기 위한 하나의 방법으로 자기계발 집단 시스템이 있다. 작업자가 어떤 공부를 하고 싶어할 때에 여러 사람이 그룹을 구성하면, 거기에 필요한 자금지원을 어느 한도 내까지 기업이 부담하는 제도가 있다. 자기계발 집단이 활발하게 구성되어 모든 사원이 이중, 삼중으로 어떤 집단에 속하게 되면 자연히 다양한 지식이 늘어난다. 그 기회가 안선이나 또는 안전을 달성하는데 필요로 하는 기술적인 지식을 흡수하는 기회가 된다. 어떤 기업의 생각하는 집단에서는 직장그룹 · 목적별 그룹(Project Team) · 계발그룹의 3개 창조집단에 소속할 수 있도록 제도로 하고 있지만 이것도 좋은 사례다.

(4) 자율안전관리 활동은 영원한 활동

일단 자율관리활동을 기업 내에 도입하면 도중에 중지해서는 안 된다. 왜냐하면 자율관리활동에 의해서 직장의 문제가 조금씩 처리되지만, 거기에 의해 문제의 질이 내용적으로 향상되는 것이고 또 문제해결 집단인 자율관리 집단도 거기에 따라서 능력수준이 향상된다. 따라서 다음은 의미가 깊은 문제로서 채용된다. 이 사이클은 영원히 계속되어야 한다.

안전은 정말로 이 사이클의 연속이다. 많이 발생하고 있었던 사고가 어떤 운동이나 관리에 의해서 건수가 감소되면, 다음의 새로운 발상이 없으면 그 이상의 진전은 없다. 간신히 어떻게 해서든 사고가 일어나지 않게 되고, 무사고가 달성된 단계에 도달하면, 다음은 사고가 다시 일어나지 않는 안전관리 활동이 요청된다. 안전관리야말로 그 기업 내에서 영원히 투쟁할 사안이 되는 것이다.

이러한 생각을 하면 사고를 방지하기 위한 안전운동은 자율관리활동의 형식을 따르는 것이 가장 적합한 것 같다. 이 자율관리 활동의 토대가 ZD이건 QC이건 기타 집단이라도 좋다. 요지는 집단활동이 단순히 집단의 모양을 취하는 활동이 아니고, 그들의 활동이 진실한 자율성에 의해서 실행된다는 자세가 있어야 한다.

그렇기 위해서는 기업의 경영층이 사원의 능력과 사고방식을 신뢰하고 있어야 한다. 그들에 맡기는 것이 기업 전체와 밀접하게 관련시키는데 작용하게 되므로, 그들의 성장이 없으면 기업의 성장도 있을 수 없다, 고 신뢰하여야 한다. 자율관리활동의 이야기를 듣는 것으로만, 변한 이데오르기와 같은 의심을 품는 경영층이 있어서는 안 된다.

경영층이나 감독자도 자신의 구성원을 신뢰해야 하며 안전은 그들 자신이 하는 행위라고 생각해야 한다. 더구나 자율적으로 활동하게 함으로써 자신의 역할에 불안을 갖는 것이 아니고, 그들의 자율관리를 즐겁게 지원해서 그것을 향상시켜 그들의 자율성이 신장되는 것을 기뻐하는 사람이 되어야 한다.

이와 같은 기업의 풍토가 자율적이며 자주적인 사원을 만들고 비참한 사고가 발생되지 않는 명랑하고 즐거운 기업을 구축해 가야한다.

제3절 / 피로방지

불안전행동의 배후요인으로는 작업자의 피로가 깊이 관련되고 있으며, 또 피로를 일으키는 원인은 다양하다. 근로에 의한 피로의 대책은 첫째 피로를 일으키는 요인을 제거하는 것과, 둘째 피로를 조기에 회복해서 건전한 노동력을 재생산하는 것이다.

1. 근로부담(작업강도)의 경감

작업강도는 일반적으로 에너지 대사율로 표시되지만, 이것만으로 작업의 과격함을 전체적으로 나타낼 수 없다. 칼로리의 소비량을 근로부담을 생각하는 것은, 불안전행동의 방지대책을 연구하는 경우에는 다소 문제점이 있다. 불안전행동의 배후요인에는 인간의 대뇌활동 수준, 정신작업의 문제 등을 포함한 작업강도를 생각할 필요가 있기 때문이다.

그럼으로 작업강도를 줄이기 위해 다음 제 조건에 대해서 검토, 개선을 추진하는 것이 필요하다.

① 에너지 소비를 적게 한다.
② 담당하는 작업의 종류가 너무 많지 않게 한다.
③ 담당하는 작업의 대상·범위가 너무 넓지 않게 한다.
④ 작업대상이 지나치게 복잡하지 않고, 또 변화가 심하지 않게 한다.
⑤ 작업속도를 지나치게 빠르지 않게 하고, 적정속도로 행한다.
⑥ 작업밀도가 지나치지 않게 한다.
⑦ 작업이 너무 세밀하지 않게 한다.
⑧ 주의의 집중을 심하지 않게 한다.
⑨ 작업에 위험성을 느끼지 않게 한다.
⑩ 작업하는데 판단을 복잡하지 않게 한다.
⑪ 작업하는데 제약, 구속이 없게 한다.
⑫ 대인절충이 많지 않고, 또 복잡하지 않게 한다.

이들의 사항은 사업내용이나 직종의 면에서 전부 해결하기는 어렵다. 그러나 이와 같은 검토·배려는 작업관리를 하는데도 또 안전뿐만 아니라 보건관리를 추진하는데도 빠트릴 수 없는 것이다. 또한 ①의 에너지 소비를 적게 하려면 작업자세나 작업동작의 적정화가 도모되어야 한다. 근로시간을 단축한다, 작업환경을 개선하는 등의 외에, 기계화·자동화의 도입을 중심으로 하는 작업개선 등이 추진되어야 한다.

2. 근로시간의 적정화

근로시간의 논의에 있어서는 반드시 작업량의 문제가 대두된다.

근로시간과 작업량의 관계는 그림1-14와 같다. 8시간 근로의 작업량을 100으로 했을 때, 직선 A의 작업에서는 근로시간과 작업량은 비례하고 있으며, 근로시간이 증감되면 그 만큼 작업량도 증감된다. 이것은 완전한 자동화 되어있는 직장이나 정신적·육체적 부하가 대단히 적은 작업에 한정된다.

부하가 중등도, 고도로 증가하는데 따라서 작업량 곡선은 직선 A로부터 벗어난다. 곡선 B는 중등도 부하, 곡선 C는 고도의 부하인 경우이다. 작업 시작 1~2시간은 능률이 올라가지 않지만 점차 능률은 상승한다. 그러나 8시간에 가까워질 무렵부터는 피로에 의해 작업량은 감소된다. 근로시간을 1시간 단축한다 하여도 작업량은 8분의 1이 감소되는 것이 아니며, 1시간 연장했다 하여도 거기에 비례해서 성과는 오르지 않는다. 곡선 C에서는 6시간 근로와 8시간 근로에서는 작업량에 거의 차가 없다는 것이다.

또 근로시간은 1일의 생활시간 구조에 있어서, 수면이나 식사 등의 생리적 활동시간과 여가시간과의 관련에서 생각할 필요가 있다. 이 경우 구속근로시간과 왕복통근시간의 합계 시간이 문제가 된다. 옛날에는 이들 합계 시간이 길어지면, 먼저 여가활동시간이 붕괴되고, 수면시간은 제일 마지막에 붕괴되고 있었다. 그러나 앞에서 인용한 사회생활조사에서도 이해가 가는 바와 같이 최근에는 TV·라디오·신문·잡지 기타의 여가시간이 우선 확보되는 경향이 있기 때문에, 근로시간이 길어지면 생리적 활동시간, 특히 수면시간이 제일 먼저 깎이게 된다.

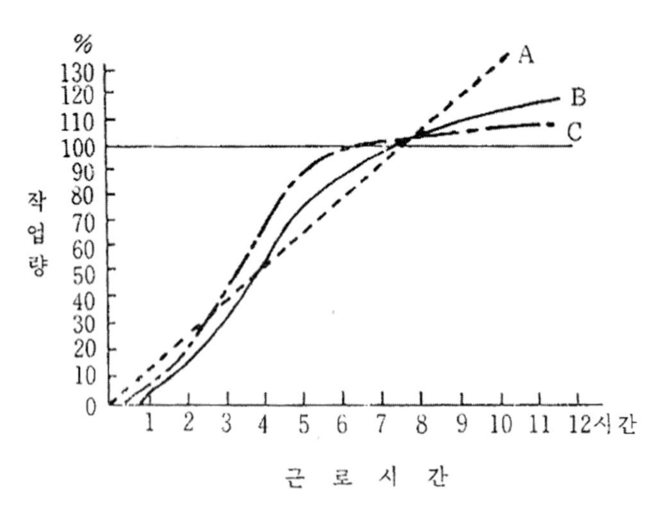

8시간 근로자의 작업량을 100%로 한다
A : 작업량이 근로시간에 비례하는 경우
B : 중등도의 노력을 요하는 작업인 경우
C : 고도의 노력을 요하는 작업인 경우

그림1-14 근로시간과 작업량의 관계

일본의 사이도 박사는 근로시간, 잔업시간, 통근시간과 수면, 식사 등의 생리적 재생산시간의 붕괴되는 관련에서, 잔업시간의 한계를 표1-6와 같이 추구하고 있다.

근로자의 안전작업능력이나 건강을 유지하는데도 근로시간은 적정하게, 잔업은 극력 피해야 한다는 필요성을 이해할 수 있을 것이다.

표1-6 잔업시간의 2한계

구속근로 시 간 h	통근(왕복) 시간평균 h	잔 업 시 간 의 한 계	
		제2도 생리적 재생산시간이 위협된다(적정 또는 표준한계) h	제1도 생리적 재생산시간이 위협된다(생리적 서한도) h
8	0.5	2.0	4.0
	1.0	1.5	3.5
	1.5	1.0	3.0
	2.0	0.5	2.5
9	0.5	1.0	3.0
	1.0	0.5	2.5
	1.5	0	2.0
	2.0	0	1.5

주) 1) 제1도 생리적 재생산시간은, 수면시간을 말한다.
2) 제2도 생리적 재생산시간은 식사, 치장, 의료 등의 시간을 말한다.

3. 휴식시간의 길이와 배치

작업의 계속시간은 작업강도에 깊은 관계가 있다. 일 연속 작업시간을 길게 하면 피로를 회복시키는데 필요한 휴식시간은 작업시간에 대해 기하급수적으로 증가시키지 않으면 안 된다. 일 연속 작업시간은 일정한 한도 이내로 하는 것이 유리한 계책이다. 실제 생산공장에서 휴식시간에 관한 연구결과를 참고로 제시한다.

(1) 사무작업

일상 사무작업자에 대해 자발적 휴식을 조사하면 오전 중 4시간의 사이에 2회, 오후 4시까지의 중간에 1회, 1회 평균 10~20분 정도의 휴식이 필요하게 된다.

(2) 전력을 집중하는 정신작업

순수한 정신작업으로 실험적 가산작업을 선정하고, 작업시간의 총 길이를 8시간으로 하였을 때, 30분간에 5분 휴식을 취했을 때가 가장 성적이 좋았으며, 이때 거기에 이어지는 사이의 작업성과가 높이 유지되었다.

(3) 반복되는 홀가분한 손끝작업

자동화된 홀가분한 손끝작업에서는 1시간에 대해 약 10분의 휴식이 가장 좋으며, 그보다 빈번하게 취하면 도리어 여유에 의한 컨디션의 상태가 좋은 것이 방해되며, 또 그보다 계속 작업시간을 길게 하면 작업의 단조에 의거해서 권태와 피로 등 때문에 시적이 나빠진다.

(4) 일반 기계작업

기계공장의 선반 기타 기계작업에서는 오전, 오후 1~2회 각각 1회에 15~20분 정도로도 충분하다.

(5) 근육적으로 무거운 쪽이며 또한 속도가 빠른 작업

오후는 피로의 누적을 고려하여 오전에 비해서 보다 짧은 작업의 지속시간 뒤에 빈번하게 휴식을 삽입하여 피로의 진행을 극력 방지하는 것을 도모해야 한다.

4. 교대근무제의 합리화

24시간 조업을 필요로 하는 작업은, 근대 산업에서는 점점 증가하는 경향에 있지만, 근로자는 24시간 일하지 못하기 때문에, 교대근무를 실시하는 결과가 된다. 그리고 이 교대근무제에는 아무래도 심야근무가 포함되어 피로나 안전작업 능력에 영향을 미칠 가능성도 크다.

1교대 근무가 8시부터 16시까지, 2교대근무가 16시부터 24시까지, 3교대근무가 24시부터 다음날 8시까지의 교대제에서 피로가 나타나는 것은 다음과 같다.

① 각 근무가 같은 작업을 한 뒤의 피로는 3교대근무가 가장 크며, 2교대근무, 1교대근무의 순이다.

② 어떤 교대근무의 8시간 근무를 한 뒤에 계속해서 다음 교대근무를 하였을 경우, 어떤 교대근무 보다도 피로가 크다.

③ 근무 중에 가면이 취해지는 경우에는 가면을 취하지 못하는 경우보다 피로가 적다. 또 가면은 길이만이 아니고, 몇 시에 취하는가에 의해서 피로회복의 효과가 다르며, 3교대 근무의 경우는 빠른 쪽이 좋다.

그리고 교대근무의 마땅한 자세는 다음과 같은 것으로 하는 것이 필요하다.

① 야근이 장시간 구속되지 않도록 할 것.

② 야근 계속은 짧게 할 것.

③ 순번이 바뀌는 날에는 연근, 사간 외 근로를 포함시키지 않을 것.

④ 야근한 뒤의 휴양시간을 충분히 잡을 것.

5. 직장체조

직장체조는 어느 직장이라도 실시하고 있지만, 참가율이 100%가 되지 못하는 곳이 많다. 그 효과에 대한 이해가 부족하기 때문이라고 생각된다. 효과는 다음과 같다.

(1) 작업에 대한 준비로서의 효과

① 인간의 몸은 아침에 가장 움직이기 둔하다. 이러한 상태에서 갑자기 무거운 물건을 취급하거나, 힘이 드는 작업을 하면 허리에 염좌를 일으키거나 근육섬유의 수축 등을 일으킨다.

② 몸을 움직이거나, 힘드는 작업을 하는 일이 많은 직장에서는, 작업의 준비체조로서 빠뜨릴 수 없다.

(2) 작업 중의 피로회복 수단으로서의 효과

① 인간은 생존하고 있는 한 같은 자세나 같은 동작은 오래 계속하지 못한다. 그러나 작업은 작업자에 치우친 몸의 사용을 강요하거나 부자연스런 자세를 장시간 강요한다. 주의가 산만해진다, 일이 싫어진다, 피로해지는 것도 이 때문이다. 여기서부터 에러의 원인이 된다.

② 오전과 오후, 적어도 오전의 중간체조는 피로의 회복과 머리의 원기회복에 효과적이다.

6. 기타

끝으로 작업자 개인의 생활에 있어서 피로방지의 문제가 있다. 개인의 자율적인 관리에 맡겨야 할 문제이기는 하지만, 사업장의 근로생활과 관계가 있기 때문이다. 특히 기숙사에서 생활하는 작업자에게는 기업으로서도 배려할 필요가 있다.

여하간에 피로가 하루 밤의 휴양으로 청산되지 못하고, 과로한 상태에서 출근하는 것은 절대로 피해야 하기 때문이다.

(1) 수 면

수면의 기준치는 8시간으로 되어 있으며, 적어도 매일 밤 푹 수면을 반드시 7시간은 취할 필요가 있다는 것은 누구나 알고 있다.

밤샘에 의해 충분히 자지 못한 사람은 제쳐놓고, 잠을 자려고 해도 잘 수 없는 경우의 이유에는, 표1-7의 조사가 있다. 발을 따뜻하게 하고, 소음을 억제하는 것이 가장 중요하다.

표1-7 잠을 자지 못하는 이유

항 목		남 (%)	여 (%)
1	발이 차다	43.6	41.0
2	소음 때문에	30.0	36.6
3	침구가 불결	9.4	11.7
4	불면증	2.9	2.9
5	춥기 때문에	1.9	0
6	화장실에 가느라	1.9	0.5
7	지나치게 밝다	1.5	2.0
8	벌레가 있다	1.2	2.0
9	기 타	3.2	0.5

최근 문제가 되는 머리의 피로, 정신적 피로는 회복하기 어렵다. 정신피로, 스트레스는 운동 등에 의해 육체적 피로로 전환시켜 수면을 충분히 취하도록 한다.

또 앞에서 설명한 바와 같이 교대근무가 증가하고 있지만, 야근한 뒤의 수면은 주간에 근무한 사람보다도 시간이 짧고, 더구나 잠이 깊이 들지 않아 야근한 뒤에는 수면확보에 특히 주의해야 한다.

수면을 양호하게 할 수 있는 조건은 다음과 같다.

① 빛, 음을 피한다.

② 이부자리의 두께・경량, 베개의 높이・굳기를 적당히 조절한다.

③ 잠옷을 입는다.

④ 발이 나른하거나 무거울 때는 발을 높게 한다.

⑤ 잠자기 전에 커피, 차를 마시지 않는다.

⑥ TV나 소설에 의해 흥분하는 것은 금물이다.

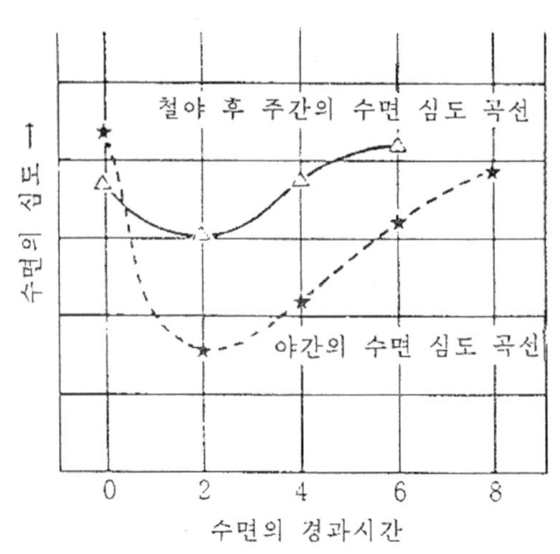

그림1-15 야간과 주간의 수면심도곡선(5명의 평균)

(2) 휴 양

1일의 근로를 끝내고 다음 날에 대비해서 충분한 휴양을 명심하는 일은 중요한 것이다.

상식적인 것이지만 다음 3가지 사항을 들어둔다.

① 기분의 전환을 도모하여 취미 · 오락도 활용한다.

② 혈액순환을 좋게 하기 위해 목욕한다.

③ 영양을 섭취한다. 비타민이 풍부한 과실종류, 우유 등을 섭취한다.

또 근로생활에 있어서 휴일의 효과는 대단히 크다. 휴일의 증가는 피로의 회복, 사고의 감소, 건강증진 외에 출근율, 생산성 및 morale의 향상 등의 실적을 올리고 있다.

① 휴일에는 매일 남아있었던 피로의 회복을 도모하는 것을 첫째로 명심한다. 그 때문에 자신이 좋아하는 것을 한다. 다만 피로가 다음날까지 남지 않을 정도로 억제한다.

② 주휴 2일제는 특히 피로방지와 사고방지에 현저한 효과가 있다.

③ 여름철 일제히 휴가도 고온 다습한 환경을 생각하면 피로의 해소와 사고방지를 위해 효과가 크다. 다만 지나치게 즐겨서 반대로 과로가 되지 않도록 하는 것이 긴요하다.

제4절 / 작업대책

불안전행동에 의한 사고를 방지하기 위한 작업의 안전을 생각할 때, 작업방법적인 위험과 환경적(장소적) 위험의 양면에서 검토하는 것이 좋다.

작업의 안전성이나 쾌적성을 위해서는 어떤 조건이 필요한가에 대해서는 학문적으로 여러 가지가 논의되고는 있지만 가장 좋은 것은 이것이라는 결론을 얻지 못하고 있다. 그러나 안전성과 쾌적성을 만족시키는 가장 좋은 조건을 찾고자하는 것은 어려울지도 모르지만, 이 이하가 되면 인간이 작업하기 어렵게 되며 위험하다는 조건은 찾을 수 있다. 이러한 조건의 안쪽에 있는 것 같이 개개의 작업을 대응시켜 가면 좋을 것이다.

본래 작업의 내용을 규정하는 조건에는 여러 요인이 있다. 표1-8은 이런 모든 조건을 제시하고 있지만 대단히 넓은 범위에 걸쳐져 있다. 인간의 근로가 생산활동 중에서 완수하는 효과, 작업의 됨됨이나 결과에 관계되는 조건은 이와 같은 수많은 요인에 관계되어 있다. 물론 그 중에는 작업도중 사람이 위험과 직접적 관계가 희박한 것도 있지만, 밀접하게 관계되는 것들도 많다.

이와 같은 관점에서 불안전행동에 의한 사고 방지에 효과가 있는 작업방법 및 작업환경의 대책 및 이들에 관련되는 사항에 대해서는 다음으로 미룬다.

표1-8 작업을 규정하는 모든 조건

1. 작업과제, 작업내용
   1) 작업과제의 특징
   2) 작업과제에 대한 작업책임자의 내용·정도
   3) 필요한 작업속도와 작업정밀도, 숙련 정도, 작업량
2. 작업형태와 작업방법
   1) 고용형태
   2) 단독작업, 집단작업 또는 거친 작업
   3) 작업의 기능적 조직편성, 공간 형태적 편성
   4) 주요설비, 도구의 배치, 사용형태, 사용빈도
   5) 중량물 운반에서 중량, 속도, 빈도, 거리
   6) 작업에 필요한 정보표시 방법, 재료가 흐르는 방법
   7) 작업자의 피복, 기타 개인장구
   8) 신체적 또는 정신 신경적 부하가 현저한 주 작업·부대 작업·집중 작업에 대해 작업 방법상의 문제점
   9) 단순반복형, 단조로운 형이 변화에 풍부한 충실형인가
3. 작업부하
   1) 작업강도 : 동적 부하인가, 과로와의 관련
   2) 사용하는 신체부위(전신 또는 국소)와 그 시간변동
   3) 부하의 질 : 근육작업인가, 정신·신경적 작업인가
   4) 작업의 자율성, 규제정도 : 단조도
   5) 빈번, 한가함의 과격한 정도 (한가할 때 쉬는 것은 휴식이 안 된다)
   6) 근무생활 주기 내의 수면·휴양조건(피로의 축적, 장기적 효과와의 관련에서)
4. 작업시간
   1) 작업시간 및 휴식제도, 교대제도, 주간근무인가 야간근무인가
   2) 일 연속 작업시간 : 작업도중의 자발적 휴식, 작은 휴식을 취하는 방법 및 활동율
   3) 오전·오후 또는 초저녁, 심야 등의 중요한 작업시간대 마다 총 작업시간
   4) 주 작업동작, 부차 동작의 시간비
   5) 작업내용의 시간배분
   6) 근무시간 내의 작업장소, 작업자세, 작업형태, 에너지 강도에 대한 시간배분
   7) 생활시간 : 수면, 식사시간의 길이, 위상

5. 작업장소, 작업공간

1) 옥내, 옥외, 고소, 지하, 해상, 공장, 사무실, 차량 등

2) 이동범위(행동범위)

3) 작업공간, 설비 등의 배치, 치수 재원(평면, 입체), 채광과 의자, 밀도

4) 주 작업, 주요한 부대작업, 집중작업에 있어서 작업공간 조건의 문제점

5) 작업자세(앉은 자세인가 서있는 자세인가)와 시간 비율, 지속시간

6) 다리 공간,

7) 동작공간과 시공간의 크기 및 상호관계

6. 작업환경

1) 온열·기류·환기, 조명·눈부심, 소음, 진동. 분진, 방사선 등의 공간분포

2) 위의 시간변동

3) 작업자의 폭로시간

4) 작업방법 차이에 의한 영향

제5절 / 관리대책

사전에서 「관리」란 말을 찾아보면 물건의 보존개량, 사무의 정리집행, 인원의 지휘감독 등의 것이라 되어있다. 지금까지 설명해온 것과 관련시켜 말한다면 기계설비, 사람, 작업 대책에 대하여 조치·개선을 실시하고, 그룰 위한 사무를 정연하게 집행하여 지휘감독을 확실하게 하는 것이다.

이들의 사항이 효과적으로 실행되기 위해서는 이러한 대책을 전개하기 위한 계획, 실시, 점검, 조치의 사이클을 완성시키는 노력이 필요하며, 이런 일련의 과정이 관리이다.

관리라고 하면 먼저 교육훈련, 감독지휘, 안전관리 조직 등이 제시되고 있다. 그러나 작업자가 안전하게 작업을 수행하기 위해서는 그 작업자의 「능력수준」이 작업에 필요한 「요구수준」을 맞추어야 한다. 그러므로 교육훈련에 의해 작업에 필요한 수준에 도달시킬 수 있는 사람을 배치해 두지 않으면, 아무리 안전교육을 실시해도 인적인 사고요인은 사라지지 않는다.

또 같은 조건의 것이라도 사람에 따라서 반응이나 행동은 똑같지 않다. 모든 작업자가 자신에 적합한 작업에 배치되어 충실한 감정을 가지고 일하는 것이 불안전행동을 제거할 수 있는 것으로 밝혀졌다. 따라서 적성배치는 불안전행동을 관리하기 위한 대책에 대한 전제가 되는 문제이기 때문에 여기서 조금 언급하여 본다.

적성은 연령, 성별, 기능, 법적 자격, 체력, 건강 등 외에 지능, 지각, 운동기능, 감정 안정성, 성격, 태도 등에 대해서 신중하게 판단할 필요가 있다.

일반적으로 다음 사항을 고려해서 배치, 교육, 작업지도를 실시하는 것이 바람직하다.

① 지각의 작용과 거기에 대응하는 수족의 반응 동작의 속도 균형이 취해져 있는 것이 좋다.

② 감정・정서의 불안정한 사람, 의사의 제어를 못하는 사람은 사고를 일으키기 쉽다.

③ 자신 과잉, 상대의 기분에 대해 공감하는 성격이 부족하고, 적극적・공격적인 성격, 단정하지 못한 성격 등은 사고와의 관계가 깊다.

또 교육훈련, 지도를 실시하여도 작업에의 적응이 어렵다고 생각되는 경우에는 재배치가 필요하다(필요에 따라서 전문가의 진단을 받게 한다).

건강상태가 나쁜 사람에 대해서도 일상적인 관리를 태만하게 해서는 아니 된다. 또한 불안전행동에 의한 사고를 방지하기 위해 필요한 관리활동은 기계설비 대책, 인간대책 및 작업대책과 함께 종합적으로 전개되어야 하는 것이 대부분이다.

가치지향 테스트

[방 법]

이 테스트는 자기 지향 - 타인 지향, 생산적 지향 - 비생산적 지향의 두 가지 축에 의해 가치관의 방향을 조사하는 테스트다. 1~10 까지의 질문은 자기 지향 - 타인 지향, 11~20 까지의 질문은 생산적 지향-비생산적 지향에 해당된다.

하나씩 질문을 읽고 자신의 사고방식이나 평소 행동에 해당될 때는「예」에 ○표시를, 맞지 않을 때는「아니오」에 ○표시를, 어느 쪽도 아닐 때는「?」에 ○표시를 한다.

「?」에는 가급적 표시하지 않도록 유의해야 한다. 소요시간은 수분이내에 끝내도록 하고, 시간이 너무 소요되지 않게 실시하는 편이 정확을 기할 수 있다.

[채점과 평가]

해당 난에 ○표시를 옮겨 쓴다.「예」와「아니오」의 난에서 ◎는 자기지향을, △는 생산적 지향을 나타내는 것이며, ◎에 맞지 않는 곳은 타인지향, △에 맞지 않는 곳은 비생산적 지향을 나타낸다. 이들에 해당되는지 어떤지를 체크해서 해당 난의 각 가치지향인 곳에 수치를 기입한다. 뒤에 있는 평가 난의 수치에 맞추어 가치지향의 형을 정한다.

다음 항목 중 자신의 기분에 해당되는 것은 그 번호의「예」의 곳에, 해당되지 않는 것에는「아니오」의 곳에, 어느 쪽도 아닌 것에는「?」의 곳에 각각 ○표시를 하시오.

질 문		예	아니오	?
1	자신의 몸에 걸치는 것을 살 때는 타인의 의견보다 자신의 의견을 중요하게 하는 편입니까?			
2	자신을 위해선 안돼는 작업이라도 열심히 하는 편입니까?			
3	어떤 것을 계획하거나 결정하거나 할 때에 타인의 의견이 마음에 걸리는 편입니까?			
4	판단 재료를 타인에 맡기지 않고 자신이 수집하는 편입니까?			
5	거의 자신의 의견을 말하지 않고, 모두가 정한대로 따르는 일이 많습니까?			
6	어떤 일에 대해 자신이 정하고 스스로 실행하는 편입니까?			
7	자신의 신념에 따라 살아가는 편입니까?			
8	자신에 엄한 편입니까?			
9	자기를 신장해 가는 것에 의욕을 강하게 느낍니까?			
10	어떤 일도 자기활동범위의 사람들이 말하는 대로하는 편이 무난하다고 생각합니까?			
11	가수나 야구선수와 같은 유명한 사람이 되고 싶습니까?			
12	어떤 계기에 의해 부자가 되는 공상을 하는 편입니까?			
13	일을 하는 것이 사는 보람을 느낍니까?			
14	제멋대로 하고 싶다고 생각합니까?			
15	어떤 것을 만들 때가 제일 좋습니까?			
16	인생이란 노력하는 방법에 따라 어느 정도 바뀐다고 생각합니까?			
17	주어진 일을 끝까지 추구하는 것이 인간의 노력이라고 생각합니까?			
18	어느 쪽인가 하면 노는 것을 좋아하는 편입니다.			
19	운동을 좋아하기 보다 보고 즐기는 편입니까?			
20	사람을 사랑하기보다 사람들로부터 사랑 받고 싶어하는 편입니까?			

[해 답 란]

	예	아니오	?		예	아니오	?
1	◎			11		△	
2	◎			12		△	
3		◎		13	△		
4	◎			14		△	
5		◎		15	△		
6	◎			16	△		
7	◎			17	△		
8	◎			18		△	
9	◎			19		△	
10		◎		20		△	
	자기지향의 수	타인지향의 수	?의 수		생산적 지향의 수	비생산적 지향의 수	?의 수

[판 정 수]

점 수 / 판 정 형	자기지향 타인지향		생산적 지향 비생산적 지향	
자기지향 -생산적 지향형	4이상에서	3이하	4이상이며	3이하
자기지향-비생산적 지향형	4이상에서	3이하	3이하	4이상
타인지향-생산적 지향	3이하	4이상	4이상이며	3이하
타인지향-비생산적 지향형	3이하	4이상	3이하	4이상
자기지향형	4이상에서	3이하	3이하	3이하
타인지향형	3이하	4이상	3이하	3이하
생산적 지향형	3이하	3이하	4이상이며	3이하
비생산적 지향형	3이하	3이하	3이하	4이상
중 립 형	5 와 5 4 와 4 3이하 3이하		5 와 5 4 와 4 3이하 3이하	

■ 저 자 소 개 ■

갈 월 모 (을지대학교)
이 우 언 (수성대학교)
권 윤 아 (서울과학기술대학교)

안전심리학

발 행 일 | 2012년 9월 10일
재 판 일 | 2020년 6월 22일
공 저 | 갈월모, 이우언, 권윤아
발 행 인 | 박승합
발 행 처 | 노드미디어
등 록 | 제 106-99-21699 (1998년 1월 21일)
주 소 | 서울특별시 용산구 한강대로 341 대한빌딩 206호
전 화 | 02-754-1867
팩 스 | 02-753-1867
홈페이지 | http://www.enodemedia.co.kr

I S B N | 978-89-8458-270-5 93530

정가 29,000원